»Zwischen Gottesleuten und Kriegsleuten
besteht eine sonderbare Verwandtschaft.«

Cormac McCarthy, »Blood Meridian«

»Es ist zu spät, ein braver Bürger zu sein.«

Lucky Luciano

Erster Teil

Boston
1926–1929

Ein Langschläfer im Land der Frühaufsteher

Ein paar Jahre später fand sich Joe Coughlin auf einem Schlepper im Golf von Mexiko wieder. Seine Füße steckten in einem Block Zement. Zwölf bewaffnete Kerle warteten darauf, dass sie endlich weit genug draußen waren, um ihn über Bord werfen zu können, während Joe dem Tuckern des Motors lauschte, den Blick auf das schäumende Kielwasser gerichtet. Und plötzlich kam ihm der Gedanke, dass sein Leben – im positiven wie im negativen Sinne – nicht halb so bemerkenswert verlaufen wäre, hätte ihn das Schicksal an jenem Morgen nicht mit Emma Gould zusammengeführt.

Sie begegneten sich kurz nach Morgengrauen, an einem Tag im Jahre 1926, als Joe und die Bartolo-Brüder die Spielhölle im Hinterzimmer eines Speakeasy in South Boston ausraubten. Als sie den Fuß über die Schwelle setzten, hatten Joe und die Bartolos keine Ahnung, dass auch dieses Speakeasy Albert White gehörte. Ansonsten hätten sie auf dem Absatz kehrtgemacht und die Beine in die Hand genommen.

Die Hintertreppe war kein Problem. Auch die Bar, die sich zusammen mit dem Kasino im hinteren Teil eines Möbellagers am Hafen befand, passierten sie ohne Zwischenfall; Joes Boss, Tim Hickey, hatte ihm versichert, dass der

Laden ein paar harmlosen Griechen gehörte, die kürzlich aus Maryland zugezogen waren. Doch als sie das Hinterzimmer betraten, war dort eine Pokerrunde in vollem Gange; über den fünf Spielern, die bernsteinfarbenen Whiskey aus schweren Kristallgläsern tranken, hing ein grauer Teppich aus Zigarettenrauch. In der Mitte des Tischs stapelte sich ein beachtlicher Haufen Geld.

Keiner der Männer sah griechisch aus. Oder harmlos. Da sie ihre Anzugjacken über die Stuhllehnen gehängt hatten, waren die Waffen an ihren Hüften deutlich zu sehen. Als Joe, Dion und Paolo mit gezückten Pistolen den Raum betraten, griff keiner von ihnen nach seiner Waffe, doch Joe sah genau, dass zwei, drei von ihnen durchaus mit dem Gedanken spielten.

Eine junge Frau war gerade dabei, Drinks zu servieren. Sie stellte das Tablett auf dem Tresen ab, nahm ihre Zigarette aus einem Aschenbecher und zog daran; mit einem Gesichtsausdruck, als fiele es ihr schwer, angesichts der drei Pistolen ein Gähnen zu unterdrücken. *Und sonst habt ihr nichts zu bieten, Jungs?*

Joe und die Bartolos hatten ihre Hüte tief in die Stirn gezogen und trugen schwarze Tücher über Mund und Nase. Eine gute Idee, denn hätte sie einer der Männer erkannt, hätten sie bestenfalls noch einen halben Tag zu leben gehabt.

Ein Spaziergang, hatte Tim Hickey gesagt. Ihr schlagt bei Morgengrauen zu, wenn sich bloß noch ein paar müde Gestalten im Hinterzimmer herumtreiben.

Und nun sahen sie sich fünf bewaffneten Gangstern gegenüber.

»Ihr wisst, wem der Laden hier gehört?«, fragte einer der Spieler.

Joe hatte den Mann noch nie gesehen, aber den Kerl neben ihm kannte er – Brenny Loomis, Exboxer und einer von Albert Whites Leuten, Tim Hickeys größtem Rivalen im Schwarzbrenner-Geschäft. Seit neuestem ging das Gerücht, dass Albert kistenweise Thompson-Maschinenpistolen für einen bevorstehenden Bandenkrieg hortete. Es hieß: Wer auf der falschen Seite stand, stand schon mit einem Bein im Grab.

»Solange hier keiner Dummheiten macht, passiert auch niemandem was«, sagte Joe.

Der Mann neben Loomis ergriff abermals das Wort. »Ich habe dich gefragt, ob du weißt, wem die Bude hier gehört, du Vollidiot.«

Dion Bartolo schlug ihm mit der Pistole ins Gesicht, so hart, dass er blutend von seinem Stuhl fiel. Was allen anderen anschaulich vor Augen führte, dass das nicht sonderlich erstrebenswert war.

»Alle auf die Knie, und Hände hinter den Kopf«, sagte Joe. »Das Mädchen kann stehen bleiben.«

Brenny Loomis sah Joe herausfordernd an. »Wenn das hier vorbei ist, rufe ich deine Mutter an, Junge. Damit sie schon mal deinen Sarg bestellen kann.«

Loomis war ein ehemaliger Vereinsboxer, der des Öfteren in der Mechanics Hall gekämpft hatte; ihm wurde nachgesagt, er habe einen Schlag wie ein Sack Billardkugeln. Er tötete im Auftrag von Albert White. Bislang zwar nur gelegentlich, aber die Leute munkelten, dass er bei Bedarf sicher auch nichts gegen eine Vollzeitstelle einzuwenden hatte.

Als Joe in Loomis' winzige braune Augen sah, machte er sich fast in die Hose, doch er deutete trotzdem mit seiner Pistole auf den Boden, einigermaßen verblüfft darüber, dass seine Hand nicht zitterte. Brendan Loomis verschränkte die Hände hinter dem Kopf und ging auf die Knie. Und nachdem er nachgegeben hatte, gaben auch die anderen klein bei.

»Und Sie kommen hierher, Miss«, sagte Joe zu dem Mädchen. »Keine Angst, wir tun Ihnen nichts.«

Sie drückte ihre Zigarette aus und blickte ihn an, als spiele sie mit dem Gedanken, sich eine neue anzustecken, sich vielleicht sogar noch einen frischen Drink einzuschenken. Dann durchquerte sie den Raum, eine junge Frau in seinem Alter, um die zwanzig, mit Winteraugen und so blasser Haut, dass er darunter beinahe ihre Adern und das Gewebe sehen konnte.

Während sie auf ihn zukam, nahmen die Bartolo-Brüder den Spielern ihre Waffen ab. Mit dumpfem Krachen landeten die Pistolen auf dem unweit entfernten Blackjack-Tisch, doch das Mädchen zuckte nicht mal mit der Wimper, während hinter ihren dezembergrauen Augen helle Flammen zu lodern schienen.

Sie blieb direkt vor ihm stehen, ohne seiner Waffe Beachtung zu schenken, und sagte: »Und was darf ich dem Herrn zu seinem Überfall servieren?«

Joe reichte ihr einen der zwei Leinensäcke, mit denen er hereingekommen war. »Das Geld, das dort auf dem Tisch liegt, bitte.«

»Kommt sofort, der Herr.«

Während sie zum Tisch zurückging, förderte er ein Paar

Handschellen aus dem anderen Sack zutage. Dann warf er ihn Paolo zu, der sich über den ersten Spieler beugte, ihm die Hände auf den Rücken fesselte und sich gleich darauf den Nächsten vornahm.

Mit dem Arm schob das Mädchen den Pot zusammen – Joe sah, dass dort nicht nur Dollarnoten, sondern auch teure Armbanduhren und allerlei Schmuck lagen –, ehe sie auch das Geld zusammenklaubte, das vor den Spielern gelegen hatte. In der Zwischenzeit fesselte Paolo auch die anderen Männer und machte sich anschließend daran, einen nach dem anderen zu knebeln.

Joe ließ den Blick durch den Raum schweifen – hinter ihm befand sich das Rouletterad, an der Wand unter der Treppe stand der Craps-Tisch. Er zählte drei Blackjack-Tische und einen Baccarat-Tisch. Sechs Spielautomaten nahmen die hintere Wand ein. Von einem Dutzend Telefonen auf einem niedrigen Tisch war jederzeit das nächste Wettbüro zu erreichen; auf einer Tafel konnte er die Namen der Pferde lesen, die am Vorabend beim zwölften Rennen in Readville gestartet waren. Abgesehen von der Tür, durch die sie hereingekommen waren, gab es nur eine weitere, auf der sich ein mit Kreide geschriebenes T befand – die Toilette, wie er annahm, da Leute, die tranken, zwischendurch auch mal eine Stange Wasser wegstellen mussten.

Nur dass Joe auf dem Weg durch die Bar bereits an zwei Toiletten vorbeigekommen war, also mehr als genug. Außerdem hing vor diesem Klosett ein Vorhängeschloss.

Er sah zu Brenny Loomis, der gefesselt und geknebelt auf dem Boden lag, aber genau beobachtete, wie sich die Rädchen in Joes Kopf zu drehen begannen, während Joe wiederum genau sah, wie es in Loomis' Oberstübchen arbeitete. Und in diesem Moment wusste er eines so sicher wie das Amen in der Kirche – dass sich hinter der Tür nie und nimmer eine Toilette befand, was ihm beim Anblick des Vorhängeschlosses ohnehin klar gewesen war.

Sondern der Geldzählraum.

Albert Whites Geldzählraum.

Und gemessen daran, dass Tim Hickeys Spielhöllen die letzten zwei Tage nur so gebrummt hatten – es war das erste, ausgesprochen kühle Oktoberwochenende –, vermutete Joe, dass hinter jener Tür ein kleines Vermögen auf sie wartete.

Albert Whites kleines Vermögen.

Das Mädchen trat zu ihm und reichte ihm den Sack mit der Poker-Beute. »Ihr Dessert, Sir«, sagte sie. Er konnte kaum glauben, wie gelassen sie wirkte. Sie blickte ihn nicht nur an, sie sah gleichsam durch ihn hindurch. Er war fest davon überzeugt, dass sie sein Gesicht trotz der Maskierung und des tief in die Stirn gezogenen Hutes genau erkennen konnte. Eines Morgens würde er beim Zigarettenholen plötzlich ihre Stimme hinter sich hören: »Das ist der Kerl!« Ihm würde nicht mal Zeit bleiben, die Augen zu schließen, bevor die Kugeln seinen Körper trafen.

Er nahm den Sack entgegen und ließ ein weiteres Paar Handschellen von seinem Zeigefinger baumeln. »Drehen Sie sich um.«

»Ja, Sir. Selbstverständlich, Sir.« Sie wandte sich um und legte die Hände auf den Rücken, presste die Handgelenke gegen das Steißbein. Ihre Fingerspitzen befanden sich genau über ihrem Hintern, während Joe jäh aufging, dass jetzt weiß

Gott nicht der richtige Moment war, sich auf irgendeinen Mädchenhintern zu konzentrieren, Schluss, aus.

Er ließ die erste Fessel einrasten. »Keine Angst, ich ziehe sie nicht zu fest an.«

»Machen Sie sich keine Umstände.« Sie warf einen Blick über die Schulter. »Aber es wäre schön, wenn ich keine blauen Flecken bekommen würde.«

Du lieber Himmel.

»Wie heißen Sie?«

»Emma Gould«, sagte das Mädchen. »Und Sie?«

»Nummer eins.«

»Bei den Girls? Oder bloß bei den Cops?«

Er konnte nicht mit ihr herumplänkeln und gleichzeitig den Raum im Auge behalten, und so drehte er sie zu sich um und zog einen Knebel aus der Tasche. Die Knebel waren Socken, die Paolo in dem Woolworth's geklaut hatte, wo er sonst arbeitete.

»Sie wollen mir eine Socke in den Mund stopfen?«

»Ja.«

»Eine Socke? In meinen Mund?«

»Brandneu und unbenutzt«, sagte Joe. »Ehrenwort.«

Ihre hochgezogene Augenbraue hatte dieselbe Farbe wie ihr Haar, das wie angelaufenes Messing schimmerte und weich wie Hermelin aussah.

»Ehrlich, ich würde Sie nicht anlügen«, fuhr Joe fort, und in diesem Moment fühlte es sich tatsächlich wie die Wahrheit an.

»Das sagen meistens die, die's doch tun.« Sie öffnete den Mund wie ein Kind, das den Widerstand gegen einen Löffel bittere Medizin aufgab, und Joe überlegte, was er noch sagen konnte, aber ihm wollte ums Verrecken nichts einfallen. Vielleicht konnte er ihr ja eine Frage stellen. Nur, um noch mal ihre Stimme zu hören.

Ihre Augen traten leicht hervor, als er ihr die Socke in den Mund drückte. Als sie das Klebeband in seiner Hand sah, schüttelte sie den Kopf und versuchte, die Socke auszuspucken, doch darauf war er vorbereitet, presste ihr die Hand auf den Mund und strich die Enden auf ihren Wangen glatt. Sie blickte ihn an, als wäre die ganze Situation bis zu diesem Zeitpunkt völlig unverfänglich – ja, sogar reizvoll – gewesen, so, als hätte er mit einem Mal den Bogen überspannt und alles verdorben.

»Fünfzig Prozent Seide«, sagte er.

Abermals zog sie die Augenbraue hoch.

»Die Socke«, sagte er. »Und jetzt da rüber.«

Sie kniete neben Brendan Loomis nieder, der Joe die ganze Zeit über nicht aus den Augen gelassen hatte, keine einzige Sekunde lang.

Joe ließ den Blick in aller Ruhe über die Tür zum Geldzählraum und über das Vorhängeschloss schweifen, um ganz sicherzugehen, dass Loomis es auch mitbekam. Dann sah er Loomis in die Augen, der dumpf zurückstierte, während er darauf wartete, was nun folgen würde.

Joe hielt seinem Blick stand. »Lasst uns abhauen, Jungs«, sagte er. »Die Sache ist gelaufen.«

Loomis schloss einmal die Augen, ganz langsam, und Joe betrachtete das als Friedensangebot – zumindest potentiell. Und dann machten sie sich im Eiltempo aus dem Staub.

Sie fuhren am Hafen entlang. Das harte Blau des Himmels war von harten gelben Streifen durchsetzt. Möwen kreisten kreischend über dem Wasser. Der Ausleger eines Schiffskrans schwang scharf über die Straße und wieder zurück, just in dem Moment, als Paolo über seinen Schatten fuhr. Hafenarbeiter, Schauerleute und Lastwagenfahrer standen neben ihren Paletten und Kisten in der Kälte und rauchten. Ein paar von ihnen warfen Steine nach den Möwen.

Joe kurbelte sein Fenster herunter, genoss den kalten Fahrtwind im Gesicht. Die Luft roch nach Salz, Fischblut und Benzin.

Dion Bartolo wandte sich zu ihm um. »Wieso hast du die Puppe gefragt, wie sie heißt?«

»Wollte mich bloß unterhalten.«

»Und so, wie du sie gefesselt hast, hätte man meinen können, du wolltest ein Tänzchen wagen.«

Joe hielt den Kopf aus dem Fenster und sog die stinkende Luft in die Lungen, so tief es nur eben ging. Paolo verließ das Hafengelände und steuerte den Wagen Richtung Broadway; der Nash Roadster machte locker dreißig Meilen die Stunde.

»Ich habe die Kleine schon mal gesehen«, sagte Paolo.

Joe zog den Kopf wieder ein. »Wo?«

»Keine Ahnung. Irgendwo. Aber ich bin mir ganz sicher.« Der Nash machte einen kleinen Satz, als sie auf den Broadway fuhren, und sie schaukelten in ihren Sitzen. »Du kannst ja ein Gedicht für sie schreiben.«

»Geniale Idee«, sagte Joe. »Wie wär's, wenn du mal vom Gas gehst, statt hier durch die Gegend zu rasen, als hätten wir was ausgefressen?«

Dion legte den Arm auf die Sitzlehne und wandte sich zu Joe um. »Ob du's glaubst oder nicht, er hat tatsächlich mal ein Gedicht für ein Mädchen geschrieben.«

»Ist nicht wahr!«

Paolo warf einen Blick in den Rückspiegel und nickte feierlich.

»Und was ist passiert?«

»Nichts«, sagte Dion. »Sie konnte nicht lesen.«

Sie fuhren Richtung Dorchester, gerieten aber vor dem Andrew Square in einen Stau, weil dort ein Gaul verreckt war. Der Verkehr musste um das Pferd und den umgestürzten Eiskarren herumgelenkt werden. Eissplitter glitzerten zwischen den Pflastersteinen wie Metallspäne; der Eismann stand neben dem Kadaver, trat dem toten Tier wütend in die Rippen. Die ganze Fahrt über wollte sie Joe nicht aus dem Kopf gehen. Ihre Hände waren weich und trocken gewesen, die Handflächen klein und rosa, die Venen an ihrem Handgelenk violett. Hinter dem rechten Ohr hatte sie einen Leberfleck, hinter dem linken keinen.

Die Bartolo-Brüder wohnten in der Dorchester Avenue über einer Metzgerei und einem Schusterladen. Der Metzger und der Schuster hatten Schwestern geheiratet und hassten einander nur unmaßgeblich weniger, als sie ihre Frauen hassten. Was sie aber nicht davon abhielt, in ihrem gemeinsam genutzten Keller ein Speakeasy zu betreiben. Spätabends trudelten Leute aus den anderen sechzehn Pfarrbezirken von Dorchester ein, und manche nahmen sogar den weiten Weg von der North Shore auf sich, um hier den besten Schnaps südlich von Montreal zu trinken und den Herz-Schmerz-Liedern einer schwarzen Sängerin namens Delilah Deluth

zu lauschen. Der Schuppen wurde The Shoelace genannt –
Der Schnürsenkel –, was den Metzger so auf die Palme getrieben hatte, dass er darüber kahl geworden war. Joe hatte
kein Problem damit, dass die Bartolo-Brüder fast jeden Abend
im Shoelace anzutreffen waren, doch dass sie auch noch
direkt über dem Schuppen wohnten, grenzte an pure Idiotie.
So unwahrscheinlich es auch sein mochte – eine einzige Razzia, die von ehrlichen Cops oder Steuerfahndern durchgeführt wurde, und die Chancen standen gut, dass sie auch
kurzerhand die Tür zu Dions und Paolos Bude eintreten
und dort reichlich Geld, Waffen und Schmuck finden würden, für die zwei Itaker, von denen der eine in einem Kaufhaus, der andere in einem Lebensmittelladen arbeitete, mit
Sicherheit keine zufriedenstellende Erklärung parat hatten.

Zugegeben, für gewöhnlich reichten sie Schmuck und Juwelen gleich an Hymie Drago weiter, den Hehler, mit dem
sie seit einer kleinen Ewigkeit zusammenarbeiteten; das
Geld jedoch wanderte normalerweise nicht weiter als bis
zum Spieltisch im Hinterzimmer des Shoelace oder in ihre
Matratzen.

An die Eiskiste gelehnt, sah Joe zu, wie Paolo seinen Anteil und den seines Bruders ebendort verstaute. Das zurückgeschlagene, von Schweiß gelblich verfärbte Laken gab
den Blick auf die Schlitze frei, die sie in die Seite der Matratze geschnitten hatten, und Paolo schob die Geldbündel
hinein, als würde er eine Weihnachtsgans stopfen.

Paolo war dreiundzwanzig und damit der Älteste von
ihnen. Obwohl zwei Jahre jünger, wirkte Dion trotzdem
reifer als er, vielleicht, weil er smarter, vielleicht, weil er schlicht
rücksichtsloser war. Joe, der nächsten Monat zwanzig wurde,

war zwar der Jüngste, doch der unangefochtene Kopf des Trios, seit er im zarten Alter von dreizehn Jahren mit den anderen einen Zeitungskiosk ausgeraubt hatte.

Paolo stand auf und klopfte sich den Staub von den Knien. »Jetzt weiß ich wieder, wo ich sie schon mal gesehen habe.«

Joe stieß sich von der Eiskiste ab. »Wo?«

»Zum Glück ist er nicht scharf auf sie«, sagte Dion.

»Wo?«, wiederholte Joe.

Paolo deutete auf den Boden. »Unten.«

»Im Shoelace?«

Paolo nickte. »Sie war mit Albert da.«

»Welchem Albert?«

»König Albert von Montenegro«, sagte Dion. »Oder was glaubst du?«

Leider gab es in Boston nur einen einzigen Albert, dessen Vorname bereits ausreichte, um zu wissen, wer gemeint war. Albert White, dessen Spielhölle sie gerade ausgeraubt hatten.

Albert hatte während der Moro-Rebellion auf den Philippinen gekämpft und war anschließend in den Polizeidienst eingetreten, dann aber nach dem Streik von 1919 entlassen worden, so wie auch Joes älterer Bruder. Momentan betrieb er die Automobilwerkstatt White Garage and Automotive Glass Repair (ehemals Halloran's Tire and Automotive), White's Downtown Café (ehemals Halloran's Lunch Counter) und die Spedition White's Freight and Transcontinental Shipping (ehemals Halloran's Trucking). Es ging das Gerücht, er hätte Bitsy Halloran höchstpersönlich umgelegt. Bitsy hatte sich in einer Telefonzelle in einem Rexall-Drugstore am Eggleston Square elf Kugeln eingefangen. Die vielen Schüsse aus nächster Nähe hatten die Eichenholzverkleidung in Brand gesetzt. Es wurde sogar gemunkelt, dass Albert die verkohlten Überreste gekauft, auf Vordermann gebracht und die wieder voll funktionstüchtige Telefonzelle nun in seinem Arbeitszimmer auf Ashmont Hill stehen hatte.

»Die Kleine gehört also Albert.« Der Gedanke, dass sie womöglich bloß eine Gangsterbraut wie so viele war, traf Joe wie ein Schlag in die Magengrube. Er hatte bereits davon geträumt, wie sie zu zweit in einem gestohlenen Wagen unter rotem Himmel gen Mexiko brausten, losgelöst von Vergangenheit und Zukunft, immer dem Sonnenuntergang entgegen.

»Ich habe sie dreimal zusammen gesehen.«

»Ach, jetzt sogar schon dreimal?«

Paolo blickte auf seine Finger, als wollte er nachzählen. »Ja.«

»Und wieso arbeitet sie dann als Bedienung in Alberts Spielhölle?«

»Was soll sie denn sonst machen?«, gab Dion zurück. »Sich aufs Altenteil zurückziehen?«

»Nein, aber –«

»Albert ist verheiratet«, sagte Dion. »Wer weiß schon, wie schnell er seine Flittchen wechselt?«

»Wie kommst du darauf, dass sie so eine ist?«

Langsam schraubte Dion den Verschluss von einer Flasche kanadischem Gin, während er Joe mit leeren Augen musterte. »Keine Ahnung. Für mich war sie bloß irgendein Mädchen, das uns die Kohle eingetütet hat. Ich kann mich nicht mal erinnern, welche Haarfarbe sie hatte.«

»Dunkelblond. Fast schon hellbraun.«

»Die Kleine gehört Albert.« Dion schenkte ihnen drei Gläser ein.

»Sieht so aus«, sagte Joe.

»Schlimm genug, dass wir ausgerechnet seinen Laden ausgeraubt haben. Also komm bloß nicht auf die Idee, dir auch noch seine Kleine unter den Nagel zu reißen, kapiert?«

Joe schwieg.

»Kapiert?«, wiederholte Dion.

»Kapiert.« Joe griff nach seinem Drink. »Überhaupt kein Problem.«

Während der nächsten drei Abende ließ sie sich jedenfalls nicht im Shoelace blicken. Das wusste Joe ganz sicher – er war nämlich jede Nacht dort gewesen und bis ganz zum Schluss geblieben.

Aber Albert schaute vorbei. Wie so oft trug er einen seiner eierschalenfarbenen Nadelstreifenanzüge, als wären sie nicht in Boston, sondern in Lissabon, dazu einen braunen Fedora, der zu seinen braunen Schuhen passte, die wiederum perfekt mit den braunen Nadelstreifen harmonierten. Wenn der erste Schnee fiel, pflegte er braune Anzüge mit eierschalenfarbenen Nadelstreifen, einen eierschalenfarbenen Hut und weiß-braune Gamaschen zu tragen. Und wenn der Februar kam, stieg er stets auf dunkelbraune Anzüge, dunkelbraune Schuhe und schwarzen Hut um, doch für Joe spielte das keine Rolle. Es wäre ein Klacks gewesen, ihn in einer dunklen Gasse aus zwanzig

Meter Entfernung mit einer billigen Knarre zu erschießen. Man hätte nicht mal Laternenlicht benötigt, um erkennen zu können, wie sich das Weiß seines Anzugs rot
verfärbte.

Albert, Albert, dachte Joe, als Albert White am dritten Abend an seinem Barhocker vorbeiging. *Ich würde
dich umlegen, ohne auch nur einen zweiten Gedanken daran zu verschwenden. Was mir fehlt, ist allein der Killer-
instinkt.*

Ein weiteres Problem bestand darin, dass Albert nur selten dunkle Gassen aufsuchte, und wenn, hatte er gleich vier
Bodyguards dabei. Und selbst wenn es einem gelang, ihn
trotzdem zu töten – und Joe fragte sich, warum, zum Teufel, er überhaupt mit dem Gedanken spielte –, hatte man
damit allenfalls Albert Whites Imperium ins Wanken gebracht, in dem auch die Polizei, die Italiener, die jüdische
Mafia in Mattapan und diverse seriöse Geschäftsleute als
stille Teilhaber fungierten, darunter Bankiers und Investoren mit Beteiligungen an Zuckerrohrplantagen in Kuba und
Florida. Und solche Beziehungen in einer kleinen Stadt zu
zerstören war etwa so, als würde man Raubtiere mit blutigen Händen füttern.

Albert musterte ihn. Musterte ihn auf eine Art und Weise,
dass Joe unwillkürlich dachte: *Er weiß Bescheid. Er weiß,
dass wir seinen Laden ausgeraubt haben. Dass ich scharf auf
seine Kleine bin.*

Doch Albert sagte nur: »Hast du mal Feuer?«

Joe riss ein Streichholz an und hielt es ihm entgegen.

Rauch schlug ihm ins Gesicht, als Albert das Streichholz ausblies. »Danke, Junge«, sagte er und ging weiter, sein

Teint so hell wie sein Anzug, seine Lippen so rot wie das Blut, das durch seine Adern strömte.

Am vierten Tag nach dem Überfall folgte Joe einer Eingebung und machte sich noch einmal zum Möbellager am Hafen auf. Beinahe hätte er sie verpasst. Offenbar hatten die Sekretärinnen zur selben Zeit Schichtende wie die Arbeiter; die Schatten der Frauen wirkten im Sonnenlicht klein gegen die der Staplerfahrer und Schauerleute. Schauerhaken hingen von den Schultern ihrer schmutzigen Jacken; sie redeten laut durcheinander, umkreisten die jungen Frauen, pfiffen und machten Witze, über die nur sie selber lachten. Die Mädchen schienen aber daran gewöhnt zu sein; es gelang ihnen, die Männer loszuwerden. Einige der Burschen blieben zurück, ein paar schlugen andere Richtungen ein, und andere wiederum machten sich auf den Weg zum schlechtestgehüteten Geheimnis, das die Docks zu bieten hatten – ein Hausboot, auf dem Alkohol ausgeschenkt wurde, seit die Sonne zum ersten Mal über dem Boston der Prohibitionszeit aufgegangen war.

Die Frauen blieben eng beisammen, bewegten sich zügig den Kai hinauf, und Joe bemerkte sie nur, weil ein anderes Mädchen mit derselben Haarfarbe stehen blieb, um seinen Schuh zurechtzurücken, so dass auf einmal Emmas Gesicht in der Menge auftauchte.

Joe verließ seinen Beobachtungsposten nahe des Ladedocks der Gillette Company und schlenderte den Frauen im Abstand von etwa fünfzig Metern hinterher. Immer wieder sagte er sich, dass sie Albert White gehörte, dass er nicht ganz bei Trost war und sich die Sache endlich aus dem Kopf schlagen musste. Nicht nur, dass es eine Schnapsidee war, Albert Whites Mädchen den Südbostoner Hafen entlang zu folgen; tatsächlich hätte er der Stadt ganz den Rücken kehren sollen, solange er nicht genau wusste, ob ihm jemand den Überfall auf die Spielhölle anhängen konnte. Tim Hickey war unten im Süden, um Rum zu beschaffen, weshalb sie ihn nicht fragen konnten, warum sie bei der falschen Pokerrunde hereingeplatzt waren, und die Bartolos blieben erst einmal in Deckung, bis das Ganze geklärt war – während Joe, vermeintlich der Cleverste von ihnen, hinter Emma Gould herschnüffelte wie ein halb verhungerter Köter, der den Duftschwaden aus einer Küche folgte.

Schluss jetzt. Finger weg.

Joe war klar, dass die Stimme recht hatte. Es war die Stimme der Vernunft. Oder zumindest die seines Schutzengels.

Das Problem war nur, dass ihn nicht irgendwelche Schutzengel interessierten. Er war an ihr interessiert.

Die Frauen verließen das Hafengelände und trennten sich an der Broadway Station. Die meisten gingen weiter zu einer Bank bei den Straßenbahnhaltestellen, während Emma die Treppe zur U-Bahn nahm. Joe ließ ihr einen kleinen Vorsprung, ehe er ihr durch das Drehkreuz und eine weitere Treppe hinab folgte. Sie stieg in einen Zug, der Richtung Norden fuhr. Der Waggon war überfüllt und stickig, doch er ließ sie keine Sekunde aus den Augen – und das war auch besser so, da sie nur einen Halt später, am Bahnhof South Station, wieder ausstieg.

South Station war ein Knotenpunkt, an dem drei U-Bahn-Linien, zwei Hochbahnlinien, eine Straßenbahnlinie und zwei Buslinien zusammenliefen. Als er aus dem Waggon stieg, kam er sich einen Moment lang vor wie eine Billardkugel – er wurde hin- und hergestoßen, gerempelt, gerammt, und schon hatte er sie aus den Augen verloren. Er war nicht so groß wie seine Brüder, von denen man den einen sicher nicht übersah, der andere aber ein echter Riese war. Aber Gott sei Dank war er nicht klein, einfach nur mittelgroß. Er stellte sich auf die Zehenspitzen und versuchte dann, sich durch die Menge zu drängen. Er kam zwar kaum voran, doch plötzlich erhaschte er einen Blick auf ihr karamellfarbenes Haar, als sie in den Tunnel einbog, der zur Atlantic-Avenue-Hochbahn führte.

Er erreichte das Gleis in genau dem Augenblick, als die Wagen einfuhren. Sie stand zwei Türen weiter, als die Bahn die Station verließ und die Stadt auf einmal vor ihnen lag, deren Farben – Blau, Braun, Ziegelrot – in der hereinbrechenden Dämmerung satt schimmerten. In den Fenstern der Bürogebäude: fahlgelbes Licht. Straßenzug für Straßenzug gingen die Laternen an. Die Umrisse des Hafens verschmolzen mit dem Grau des Himmels. Hinter sich das Panorama der Stadt, lehnte Emma an einem Fenster. Mit ausdrucksloser Miene ließ sie den müden Blick ziellos durch den überfüllten Wagen wandern. Ihre Augen waren unwahrscheinlich hell, sogar noch heller als ihr Teint, hatten die Farbe von sehr, sehr kaltem Gin. Ihr Kinn und ihre Nase waren ein wenig spitz und gesprenkelt mit Sommersprossen. Sie wirkte völlig unnahbar, hatte sich hinter einer Maske aus Kälte und Schönheit verbarrikadiert.

Und was darf ich dem Herrn zu seinem Überfall servieren?

Es wäre schön, wenn ich keine blauen Flecken bekommen würde.

Das sagen meistens die, die's doch tun.

Als sie die Batterymarch Station hinter sich gelassen hatten und über das North End hinwegratterten, lag das Ghetto unter ihnen – italienische Dialekte, italienische Bräuche, italienisches Essen –, und Joe musste unwillkürlich an seinen ältesten Bruder Danny denken, den irischen Cop, der das Viertel über alles geliebt, dort gelebt und auch gearbeitet hatte. Danny war ein Baum von einem Mann, der alle um Haupteslänge überragte. Er war ein erstklassiger Boxer gewesen, ein ausgezeichneter Cop und furchtlos obendrein. Er hatte mitgeholfen, die Bostoner Polizeigewerkschaft aufzubauen, und war schließlich auch ihr Vizepräsident geworden, doch am Ende hatte ihn das Schicksal aller Polizisten ereilt, die am Streik im September 1919 teilgenommen hatten – mit einem Mal war er arbeitslos gewesen, ohne Chance auf Neueinstellung und Persona non grata im Vollzugsdienst an der gesamten Ostküste. Damit hatten sie ihn gebrochen, so jedenfalls hieß es, und schließlich war er nach Tulsa, Oklahoma, gezogen, in ein Schwarzenviertel, das während eines Aufstands vor fünf Jahren niedergebrannt war. Seither hatte Joe nur gerüchteweise gehört, wo sich Danny und seine Frau Nora mittlerweile aufhalten sollten – in Austin, Baltimore, Philadelphia.

Früher hatte Joe seinen Bruder bewundert. Dann hatte er ihn gehasst. Inzwischen dachte er nur noch selten an ihn, doch wenn, dann musste er zugeben, dass ihm Dannys Lachen fehlte.

Am anderen Ende des Wagens bahnte sich Emma Gould den Weg zu den Türen. Durch die Fenster sah Joe, dass sie gerade in die City Square Station in Charlestown einfuhren.

Charlestown. Kein Wunder, dass die Pistole in seiner Hand sie keine Sekunde lang aus der Fasson gebracht hatte. In Charlestown rührten sich die Leute sogar mit ihren 38ern Zucker und Sahne in den Kaffee.

Er folgte ihr bis zum Ende der Union Street. Vor einem einstöckigen Haus bog sie nach rechts ab, und als Joe ebenfalls die Gasse hinter dem Haus betrat, fehlte plötzlich jede Spur von ihr. Er sah sich um – lauter einstöckige Schuhkartons mit verrottenden Fensterrahmen und Teerpappeflicken auf den Dächern. Sie konnte in jedem der Häuser verschwunden sein, doch sie hatte die letzte Querstraße der Siedlung gewählt. Weshalb er annahm, dass sie in das blaugraue Haus gegangen war, vor dem er jetzt stand. Sein Blick fiel auf eine schwere, im Boden eingelassene Tür aus Stahl, die offenbar in den Keller führte.

Ein paar Meter weiter befand sich ein Holztor. Da es verschlossen war, zog er sich daran hoch und sah hinüber auf eine weitere, noch schmalere Gasse, leer bis auf ein paar Mülltonnen. Er ließ sich wieder herunter und kramte in der Hosentasche nach einer der Haarnadeln, ohne die er selten das Haus verließ.

Eine halbe Minute später stand er hinter dem Tor und wartete.

Es dauerte nicht lange. Um diese Tageszeit – Feierabend – musste man nie lange warten. Er hörte, wie sich Schritte näherten. Es waren zwei Männer, die sich über den letzten Versuch unterhielten, im Flugzeug den Atlantik zu überqueren; Wrack und Pilot blieben weiterhin unauffindbar. Eben war die Maschine noch in der Luft gewesen, kurz darauf spurlos verschwunden. Ein Klopfen, und ein paar Sekunden später hörte Joe, wie einer der Männer sagte: »Hufschmied.«

Die Eisentür öffnete sich mit einem Quietschen und wurde gleich wieder geschlossen und verriegelt.

Joe sah auf die Uhr und wartete genau fünf Minuten, ehe er hinter dem Holztor hervorkam und ebenfalls an die Tür klopfte.

Eine gedämpfte Stimme sagte: »Was?«

»Hufschmied.«

Ein dumpfes Knarren drang an seine Ohren, als die Tür entriegelt wurde. Joe zog sie auf und schloss sie über sich, bevor er eine enge Stiege hinunterkletterte. Unten angekommen, stand er vor der nächsten Tür. Sie wurde geöffnet, kaum dass er die Hand nach der Klinke ausgestreckt hatte. Ein alter, kahlköpfiger Kerl mit Blumenkohlnase, über dessen Wangen sich jede Menge geplatzter Äderchen zogen, winkte ihn mit finsterer Miene herein.

Es war ein unverputzter Kellerraum, in dessen Mitte ein Tresen auf dem nackten Boden stand. Fässer dienten als Tische, man saß auf Stühlen aus billigstem Kiefernholz.

Joe hockte sich ans Ende der Bar, nur wenige Meter von der Tür entfernt. Eine Frau mit fetten, nachgerade schwanger wirkenden Armen servierte ihm warmes Bier, das irgendwie nach Seife und irgendwie nach Sägemehl schmeckte, jedenfalls nicht wie richtiges Bier und auch kaum nach Alkohol. Im schummrigen Licht sah er sich nach Emma Gould um, erspähte aber nur Dockarbeiter, zwei Matrosen und ein paar Nutten. An der Backsteinwand unter der Stiege stand ein Klavier mit kaputten Tasten. In dieser Art Etablissement wurde nicht viel Unterhaltung geboten, mal abgesehen von der Schlägerei, zu der es zwangsläufig kommen musste, sobald den Matrosen und den Hafenarbeitern aufging, dass zwei Bordsteinschwalben zu wenig anwesend waren.

Sie trat aus der Tür hinter der Bar, knotete gerade ein Tuch hinter ihrem Kopf fest. Sie hatte sich umgezogen; statt Rock und Bluse trug sie nun einen groben beigefarbenen Pullover und eine braune Tweedhose. Sie ging den Tresen entlang, leerte die Aschenbecher aus und wischte ein paar Bierpfützen weg, während die Frau, die Joes Bier serviert hatte, ihre Schürze löste und im Hinterraum verschwand.

Als sie zu Joe kam, sagte sie mit einem Blick auf sein fast leeres Glas. »Noch eins?«

»Gerne.«

Sie musterte ihn kurz, schien sich aber nicht sonderlich für ihn erwärmen zu können. »Wer hat Sie denn an uns weiterempfohlen?«

»Dinny Cooper.«

»Kenne ich nicht«, sagte sie.

Ganz meinerseits, dachte Joe, während er sich fragte, wie, zum Teufel, er auf diesen hirnrissigen Namen gekommen war. Dinny? Warum hatte er ihn nicht gleich »Snacky« genannt?

»Er wohnt in Everett.«

Sie machte nicht die geringsten Anstalten, ihm etwas zu trinken zu bringen. »Ach ja?«

»Wir haben letzte Woche zusammengearbeitet. Drüben in Chelsea, auf dem Bau.«

Sie schüttelte den Kopf.

»Jedenfalls hat Dinny über den Fluss gezeigt und mir von dem Laden hier erzählt. Er meinte, hier gäb's echt gutes Bier.«

»Tatsächlich? Sie lügen ja wie gedruckt.«

»Weil ich gesagt habe, hier gäb's gutes Bier?«

Sie starrte ihn so durchdringend an wie in Albert Whites Spielhölle, als könne sie seine Eingeweide sehen, das rosa Gewebe seiner Lungen, die Gedanken, die gerade durch seine Hirnwindungen schossen.

»*So* schlecht ist das Bier doch gar nicht«, sagte er und prostete ihr zu. »Ich habe woanders schon mal ein paar gezischt. Also, ich schwöre, *das* Bier war wirklich …«

»Wollen Sie mir noch weiter Märchen erzählen?«, fragte sie.

»Miss?«

»Also?«

Er beschloss, den Gekränkten zu spielen. »Ich lüge nicht, Miss. Aber ich kann auch wieder gehen, wenn Sie wollen. Überhaupt kein Problem.« Er stand auf. »Was schulde ich Ihnen?«

»Zwanzig Cent.«

Er drückte ihr zwei Dimes in die ausgestreckte Hand, und sie ließ die Münzen in der Hosentasche verschwinden. »Das machen Sie doch sowieso nicht.«

»Was?«

»Verschwinden. Das haben Sie bloß gesagt, um mich zu beeindrucken. Damit ich Sie bitte zu bleiben.«

»Von wegen.« Er zog seine Jacke über. »Und ob ich jetzt gehe.«

Sie lehnte sich an die Bar. »Kommen Sie mal her.«

Er hob das Kinn.

Sie winkte ihn mit dem Zeigefinger zu sich. »Näher.«

Er räumte ein paar Hocker beiseite und lehnte sich über den Tresen zu ihr.

»Sehen Sie die Jungs da drüben in der Ecke? Die an dem Apfelfass?«

Die drei Kerle waren ihm schon beim Betreten des Kellers aufgefallen. Anscheinend Hafenarbeiter, dachte er – Schultern wie Schiffsmasten, Hände wie Felsbrocken und Augen, die man lieber nicht mit neugierigen Blicken provozierte.

»Ja, und?«

»Das sind meine Cousins. Erkennen Sie die Ähnlichkeit?«

»Nein.«

Sie zuckte mit den Schultern. »Raten Sie mal, womit sie ihre Brötchen verdienen.«

Sie waren sich nahe genug, um sich gegenseitig mit den Zungenspitzen berühren zu können.

»Keine Ahnung.«

»Sie knöpfen sich Typen vor, die von irgendwelchen erfundenen Dinnys quasseln, und schlagen sie zu Brei.« Ihr Gesicht rückte noch ein Stückchen näher. »Und dann werfen sie die armen Kerle in den Fluss.«

Joe verspürte den Anflug einer Gänsehaut im Nacken. »Interessanter Beruf.«

»Auf jeden Fall besser, als Pokerrunden zu überfallen, oder?«

Um ein Haar wären Joe die Gesichtszüge entgleist.

»Wie wär's mit einem cleveren Spruch?«, sagte Emma Gould. »Vielleicht irgendwas über die Socke, die Sie mir in den Mund gestopft haben. Ich will etwas echt Schlagfertiges hören.«

Joe schwieg.

»Und nur damit Sie's nicht vergessen«, fuhr Emma Gould augenzwinkernd fort. »Die Jungs behalten uns die ganze Zeit im Auge. Sobald ich mein Ohrläppchen berühre, schaffen Sie's nicht mal bis zur Tür.«

Er starrte auf ihr Ohrläppchen. Das rechte. Es sah aus wie eine Kichererbse, nur weicher. Er fragte sich, wie es wohl morgens gleich nach dem Aufwachen schmecken mochte.

Joe sah auf den Tresen. »Und wenn ich diesen Abzug betätige?«

Sie folgte seinem Blick zu der Pistole, die er dorthin gelegt hatte.

»So schnell kommen Sie im Leben nicht an Ihr Ohrläppchen.«

Sie wandte den Blick von der Waffe und ließ ihn so langsam über seinen Unterarm wandern, dass sich ihm die Härchen aufstellten, dann über seine Brust, seine Kehle und sein Kinn. Dann sah sie ihm hart, fast herausfordernd in die Augen; in ihren Pupillen schimmerte etwas, das lange vor Anbeginn der Zivilisation in die Welt gekommen war.

»Um Mitternacht habe ich Schluss«, sagte sie.

2

Der große Schlaf

Joe wohnte in der obersten Etage einer Pension im West End, nur einen Steinwurf vom Trubel am Scollay Square entfernt. Die Pension gehörte Tim Hickey und wurde von ihm und seinen Männern betrieben, die schon lange die Stadt unsicher machten, aber erst seit der Prohibition so richtig dick im Geschäft waren.

Der erste Stock wurde für gewöhnlich von Paddys bewohnt, die völlig zerlumpt und ausgemergelt direkt vom Schiff kamen. Zu Joes Aufgaben gehörte es, sie an den Docks abzuholen. Anschließend wurden sie dann in Hickeys Suppenküchen mit Schwarzbrot, Muschelsuppe und Schweinekartoffeln verköstigt und in Dreierzimmern mit festen, sauberen Matratzen untergebracht, während die älteren Huren im Keller ihre Klamotten wuschen. Wenn sie nach etwa einer Woche wieder halbwegs bei Kräften, ihre Haare von Läusen und ihre Münder von faulen Zähnen befreit worden waren, füllten sie nur allzu gern die bereitgehaltenen Wählerregistrierungskarten aus und versprachen, Hickeys Kandidaten bei der nächsten Wahl nach Kräften zu unterstützen. Zu guter Letzt gab man ihnen dann die Namen und Adressen anderer irischer Einwanderer, die ihnen dabei helfen konnten, so schnell wie möglich Arbeit zu finden.

Im zweiten Stock, den man nur durch einen separaten Eingang betreten konnte, befand sich das Kasino. Im dritten waren die Huren untergebracht. Joe wohnte im vierten, in einem Zimmer am Ende des Gangs. Auf der Etage gab es ein hübsches Bad, das er sich mit spendablen Freiern und Penny Palumbo teilte, der besten Nutte in Tim Hickeys Stall. Penny war fünfundzwanzig, sah aber aus wie siebzehn. Ihr Haar glänzte wie Honig im Glas, wenn die Sonne hindurchschien. Ein Mann war wegen Penny von einem Dach in den Tod gesprungen; ein weiterer hatte sich in den Fluss gestürzt, und ein Dritter hatte es vorgezogen, statt sich selbst einen anderen Typen umzubringen. Joe mochte sie trotzdem: Sie war stets freundlich und wahrhaft ein schöner Anblick. Doch sosehr sie nach süßen Siebzehn aussah, hätte er darauf gewettet, dass sie das Gehirn einer Zehnjährigen besaß. Soweit Joe es beurteilen konnte, drehte sich alles in ihrem Kopf ausschließlich um die drei neuesten Gassenhauer und den vagen Wunsch, vielleicht irgendwann einmal Schneiderin zu werden.

Je nachdem, wer zuerst ins Kasino hinuntermusste, brachten sie einander gelegentlich einen Kaffee vorbei. An diesem Morgen war Penny dran. Sie saßen am Fenster und sahen auf die gestreiften Markisen und die riesigen Reklametafeln am Scollay Square hinunter, während die ersten Milchlaster die Tremont Row entlangknatterten. Penny erzählte ihm, dass ihr letzte Nacht eine Wahrsagerin vorausgesagt hatte, dass sie entweder jung sterben oder nach Kansas ziehen und der Pfingstgemeinde beitreten würde. Als Joe sie fragte, ob sie Angst vor dem Tod habe, sagte sie, na klar, aber Kansas wäre garantiert noch schlimmer.

Als Penny gegangen war, hörte er, wie sie draußen auf dem Gang mit jemandem sprach, und kurz darauf stand Tim Hickey in der Tür. Er trug eine dunkle Nadelstreifenweste, eine dazu passende Hose und ein weißes Hemd mit offenem Kragen. Tim war ein gepflegter Mann mit einem dichten Schopf weißen Haars und den traurigen, resignierten Augen eines Kaplans, der im Todestrakt eines Zuchthauses seinen Pflichten nachging.

»Mr. Hickey, Sir.«

»Morgen, Joe.« Tim trank einen Schluck Kaffee aus seinem altmodischen Glas, in dem sich die ersten Sonnenstrahlen des Tages fingen. »Übrigens, was diese Bank in Pittsfield angeht ...«

»Ja?«, sagte Joe.

»Der Mann, den du brauchst, kommt immer donnerstags hierher, aber sonst ist er abends meist drüben in Upham's Corner – du weißt, welchen Laden ich meine. Du erkennst ihn an dem Homburg, der neben seinem Glas auf der Theke liegt. Er sagt dir, wie du in das Gebäude rein- und wieder rauskommst.«

»Danke, Mr. Hickey.«

Das quittierte Hickey, indem er sein Glas hob. »Noch was. Erinnerst du dich an den Kartengeber, über den wir letzten Monat gesprochen hatten?«

»Klar«, sagte Joe. »Carl.«

»Er zieht wieder linke Touren ab.«

Carl Laubner, einer ihrer Kartengeber beim Blackjack, hatte zuvor in einem Abzockerladen gearbeitet und war nicht dazu zu bewegen, in Tim Hickeys Kasino sauber zu spielen. Jedenfalls nicht, wenn Zocker dabei waren, die nicht einhundertprozentig nach Weißen aussahen. Wenn also ein Italiener oder Grieche am Tisch Platz nahm, konnte man die Sache vergessen. Auf magische Weise teilte Carl die ganze Nacht Zehnen und Asse aus, zumindest so lange, bis die dunkelhäutigeren Gentlemen sich einen anderen Zeitvertreib suchten.

»Schmeiß ihn raus«, sagte Hickey. »Gleich, wenn er kommt, sagst du ihm, dass er sich einen neuen Job suchen kann.«

»Ja, Sir.«

»Solcher Bockmist läuft hier nicht, da sind wir uns hoffentlich einig.«

»Absolut, Mr. Hickey. Absolut.«

»Außerdem stimmt was mit dem Spielautomat Nummer zwölf nicht – da ist irgendwas locker, jedenfalls spuckt er zu viel Geld aus. Wie auch immer, bei uns geht alles korrekt zu, aber wir sind kein verdammter Wohltätigkeitsverein, stimmt's, Joe?«

Joe machte sich eine Notiz. »Nein, Sir, im Leben nicht.«

Tim Hickey betrieb eins der wenigen sauberen und deshalb auch beliebtesten Kasinos in Boston, insbesondere was das hochklassige Glücksspiel betraf. Tim hatte Joe gelehrt, dass man mit getürkten Spielen jemanden maximal zwei-, dreimal ausnehmen konnte, bevor er aus Schaden klug wurde und nicht wiederkam. Und Tim wollte die Besucher seines Etablissements nicht bloß ein paarmal schröpfen; er wollte ihnen für den Rest ihres Lebens die Taschen leeren. »Lass sie spielen, lass sie trinken«, hatte er Joe erklärt, »und am Ende sind sie uns sogar dankbar dafür, dass wir sie von der Last ihrer Kohle befreit haben.«

»Unsere Kunden?«, hatte Tim mehr als einmal gesagt. »Sie wollen ein bisschen am Nachtleben teilhaben, das ist alles. Aber wir, wir *leben* in der Nacht. Sie zahlen für das, was uns gehört. Und wenn sie in unseren Sandkasten kommen, verdienen wir an jedem einzelnen Sandkorn.«

Tim Hickey gehörte zu den klügeren Menschen, die Joe in seinem Leben kennengelernt hatte. Zu Beginn der Prohibition, als man in der Stadt noch strikt unter sich geblieben war – Italiener unter Italienern, Juden unter Juden, Iren unter Iren –, hatte Hickey Allianzen gesucht. Er hatte sich mit Giancarlo Calabrese verbündet, der die Führung der Pescatore-Bande übernommen hatte, solange der alte Pescatore hinter Gittern saß; gemeinsam hatten sie in karibischen Rum investiert, während alle anderen sich auf den Whiskeymarkt konzentriert hatten. Und während die Gangs in Detroit und New York ihre ganze Kraft darauf verwendeten, noch mehr Subunternehmer für den Whiskeyhandel zu finden, brachten Hickey und Pescatores Handlanger nach und nach den Markt für Zuckerrohr und Melasse unter ihre Kontrolle. Die Rohstoffe kamen großteils aus Kuba, wurden über die Florida Straits ins Land gebracht, auf amerikanischem Boden zu Rum verarbeitet und dann an die Ostküste geschmuggelt, wo der Alkohol mit achtzig Prozent Gewinnspanne an den Mann gebracht wurde.

Als Tim von seinem Abstecher nach Tampa zurückgekehrt war, hatten sie über den schiefgelaufenen Überfall auf die Spielhölle gesprochen. Er lobte Joe dafür, dass er klug genug gewesen war, Albert Whites Geldzählraum außen vor zu lassen (»Sonst wäre hier Krieg ausgebrochen, aber was für einer«), und versicherte ihm, dass jemand von einem

verdammt hohen Balken baumeln würde, sobald er heraus-
fand, wer ihnen diese Suppe eingebrockt hatte.

Joe hoffte, dass er ihm Glauben schenken konnte – an-
dernfalls hätte er nämlich davon ausgehen müssen, dass
Tim sie auf ebenjenes Kasino angesetzt hatte, weil er auf
einen Krieg mit Albert White *scharf* war. Und es war Tim
durchaus zuzutrauen, dass er ein paar seiner Männer – ungeachtet der Tatsache, dass er sie schon seit ihrer Jugend
kannte und gefördert hatte – über die Klinge springen ließ,
um den Markt für Rum ganz in seiner Hand zu haben. Tatsächlich war Tim alles zuzutrauen. Absolut *alles*. Wer in
diesem Geschäft weiter in der ersten Liga spielen wollte,
durfte keinen Zweifel daran lassen, dass er sich von seinem
Gewissen schon lange verabschiedet hatte.

Während sie nun in Joes Zimmer standen, veredelte Tim
seinen Kaffee mit einem Schuss Rum aus seinem Flachmann. Er hielt ihn Joe hin, doch der schüttelte den Kopf.
Tim steckte das Fläschchen wieder ein. »Wo hast du die
letzten Tage gesteckt?«

»Ich war hier.«

Tim Hickey sah ihm einen langen Moment in die Augen.
»Diese Woche warst du jeden Abend unterwegs, und in der
Woche davor genauso. Hast du ein Mädchen?«

Joe fiel kein Grund ein, warum er lügen sollte. »Hab ich,
ja.«

»Ist sie nett?«

»Ziemlich lebhaft. Sie ist …« Joe kam nicht auf das richtige Wort. »Na ja, sie hat was.«

Hickey trat einen Schritt auf ihn zu. »Die scheint dir ja direkt ins Blut gegangen zu sein, was?« Er tat so, als würde er

sich eine Spritze in den Arm drücken. »Das sehe ich doch.«
Seine Hand schloss sich um Joes Nacken. »Also, in unserer
Branche trifft man selten die Richtige. Kann sie denn ko-
chen?«

»Ja.« Ehrlich gesagt hatte Joe nicht die geringste Ahnung.

»Das ist wichtig. Ob sie anständig ist oder nicht, spielt
keine Rolle, Hauptsache, sie kümmert sich um den Haus-
halt.« Hickey ließ ihn los und ging zur Tür. »Und wegen
Pittsfield redest du mal mit diesem Typen.«

»Das mache ich, Sir.«

»Bist 'n guter Junge«, sagte Tim Hickey. Dann ging er
hinunter in sein Büro, das sich gleich hinter der Kasino-
kasse befand.

Tatsächlich blieb Carl Laubner noch zwei weitere Abende
im Dienst, ehe sich Joe erinnerte, dass er ihn feuern sollte.
Joe vergaß in letzter Zeit allerhand, inklusive zweier Verab-
redungen mit Hymie Drago, um die Sore vom Überfall auf
Karshmans Pelzgeschäft zu verticken. Um den Spielauto-
maten hatte er sich gekümmert, doch als Laubner an jenem
Abend seine Schicht antrat, traf sich Joe schon wieder mit
Emma Gould.

Seit jenem Spätnachmittag in der Kellerkneipe in Charlestown hatten er und Emma sich fast jeden Abend gesehen.
Fast jeden, da sie an den anderen Abenden mit Albert White
zusammen war, eine Situation, die Joe bislang schlicht als är-
gerlich abgetan hatte, inzwischen aber als schier unerträglich
empfand.

War Joe nicht bei ihr, dachte er ununterbrochen daran, wann sie sich wieder treffen würden. Und wenn es dann so weit war, konnten sie die Finger nicht voneinander lassen. Wenn das Speakeasy ihres Onkels geschlossen hatte, trieben sie es dort. Waren ihre Eltern und Geschwister nicht zu Hause, fielen sie in Emmas Zimmer übereinander her. Sie hatten Sex in Joes Auto und Sex in seiner Bude, nachdem er sie über die Hintertreppe hinaufgeschmuggelt hatte. Sie hatten Sex zwischen ein paar kahlen Bäumen auf einem windigen Hügel mit Blick auf den Mystic River und an einem kalten Novemberstrand in der Bucht von Savin Hill. Ob sie es im Stehen, im Sitzen oder im Liegen machten, war ihnen herzlich egal, und ob drinnen oder draußen, ebenso. Wenn ihnen der Luxus einer ganzen Stunde miteinander vergönnt war, probierten sie jede neue Spielart, jede neue Stellung aus, die ihnen gerade in den Sinn kam. Und wenn ihnen nur ein paar Minuten blieben, machten sie einfach das Beste daraus.

Sie sprachen selten miteinander. Jedenfalls über nichts, was jenseits ihres scheinbar unstillbaren Verlangens lag.

Hinter Emmas hellgrauen Augen, ihrer fast transparenten Haut verbarg sich ein Wesen, das sich in eine Ecke seines Käfigs zurückgezogen hatte. Und es war keineswegs so, dass es aus seinem Käfig herausgewollt hätte. Es wollte, dass niemand dort hineinkam. Das Gitter öffnete sich, wenn sie ihn in sich aufnahm, für jene Stunden oder Minuten, die sie sich liebten. Dann war ihr Blick offen und innig, und ihm war, als könne er bis auf den Grund ihrer Seele sehen, ins rot schimmernde Zentrum ihres Herzens, in die Träume, denen sie in ihrer Kindheit nachgehangen hatte, vorübergehend befreit von dunklen Kellermauern und verriegelten Eisentüren.

Doch wenn er nicht mehr in ihr war und ihr Atem wieder langsamer ging, konnte er genau beobachten, wie sich das Wesen wieder zurückzog. Es war, als würde er den Gezeiten zuschauen.

Aber es war nicht wichtig. Allmählich begann er zu ahnen, dass er sie liebte. In jenen seltenen Augenblicken, wenn sich das Gitter öffnete und sie ihn zu sich ließ, erkannte er eine Frau, die sich danach sehnte, jemandem vertrauen zu können, die lieben wollte, einen unstillbaren Durst nach Leben hatte. Er musste sie nur davon überzeugen, dass er es wert war, jenes Vertrauen, jene Liebe und jenes Leben zu riskieren.

Und das war er.

In jenem Winter wurde er zwanzig Jahre alt, und er wusste ganz genau, wie der Rest seines Lebens aussehen sollte. Er wollte der Mann werden, dem Emma Gould ihr ganzes Vertrauen schenkte.

Im Lauf des Winters wagten sie es ein paarmal, sich zusammen in der Öffentlichkeit sehen zu lassen – selbstredend nur, wenn sie genau wusste, dass Albert White und seine wichtigsten Vertrauten nicht in der Stadt waren. Zudem gingen sie nur in Lokale, die Tim Hickey oder seinen Partnern gehörten.

Einer von Tims Kompagnons war Phil Cregger, der das Venetian-Garden-Restaurant im Erdgeschoss des Bromfield

Hotels führte. Es war ein frostiger Abend, als Joe und Emma dort essen wollten; obwohl der Himmel klar war, roch die Luft nach Schnee. Sie hatten gerade Mantel und Hut an der Garderobe abgegeben, als eine Gruppe von Männern das Privatzimmer hinter der Küche verließ. Am Zigarrenrauch und dem jovialen Tonfall ihrer Stimmen erkannte Joe bereits, um was für Leute es sich handelte, ehe er ihre Gesichter sah – Politiker.

Stadträte, Abgeordnete, Baudezernenten, Feuerwehrhauptmänner, hochrangige Polizisten und Staatsanwälte: kurz, die schillernde, lächelnde, zwielichtige Blase, die den Motor der Stadt zumindest mit Ach und Krach am Laufen hielt, die dafür sorgte, dass die Züge halbwegs planmäßig fuhren und die Ampeln leidlich funktionierten – und die Bewohner Bostons tagtäglich daran erinnerte, dass die gesamte Infrastruktur ohne ihre Bemühungen im Nu zusammenbrechen würde.

Er erblickte seinen Vater im selben Moment, als sein Vater ihn bemerkte. Wie jedes Mal, wenn sie sich eine Zeitlang nicht gesehen hatten, war ihre Begegnung ein wenig befremdlich, weil sie buchstäblich ihr Spiegelbild vor sich hatten. Joes Vater war sechzig. Er hatte Joe im reifen Alter von vierzig gezeugt, nachdem er bereits in jüngeren Jahren Vater zweier Söhne geworden war. Doch während Connor und Danny das genetische Erbe beider Elternteile in sich vereinten, sowohl was ihre Gesichter und ihre Körper als auch ihre Hünenhaftigkeit anging (was sie den Fennessys, ihrer Familie mütterlicherseits, zu verdanken hatten), war Joe das Ebenbild seines Vaters. Er war genauso groß, besaß die gleiche Statur, das gleiche kantige Kinn, die gleiche Nase und die gleichen ausgeprägten Wangenknochen, dazu ebenso auffällig tiefliegende Augen, die kaum erkennen ließen, was gerade in seinem Kopf vorging. Der einzige Unterschied zwischen Joe und seinem Vater war farblicher Natur: Joes Augen waren blau, die seines Vaters grün; Joes Haar war weizenblond, das seines Vaters flachsfarben. Und während Joes Vater sah, wie ihm seine eigene Jugend spöttisch eine Nase drehte, sah Joe Leberflecke und Runzeln, den Tod, der um drei Uhr morgens am Fußende seines Betts stand und ungeduldig mit dem Fuß auf den Boden klopfte.

Nachdem Thomas Coughlin noch ein paar Hände geschüttelt und Schultern geklopft hatte, löste er sich aus dem Pulk, während sich die anderen Männer an der Garderobe anstellten, und trat zu seinem Sohn. »Wie geht's dir?«

Joe schüttelte ihm die Hand. »Gar nicht so übel. Und selbst?«

»Bestens. Ich bin letzten Monat befördert worden.«

»Zum stellvertretenden Polizeichef von Boston«, sagte Joe. »Ich hab's gehört.«

»Und du? Womit verdienst du gerade dein Geld?«

Man musste Thomas Coughlin schon sehr, sehr gut kennen, um zu merken, wenn er bereits tief ins Glas geschaut hatte. Seine Aussprache nämlich war tadellos; seine Stimme blieb stets ruhig, fest und angenehm sonor, selbst wenn er bereits eine halbe Flasche irischen Whiskey intus hatte. Sein Blick war klar und nicht mal ansatzweise glasig. Doch wenn man mit den Anzeichen vertraut war, bemerkte man etwas Raubtierhaftes, Sardonisches in seinen glatten Zügen, etwas, das sein Gegenüber taxierte, dessen Schwächen auslotete und überlegte, ob er es nicht zum Nachtisch verspeisen sollte.

»Dad«, sagte Joe. »Das ist übrigens Emma Gould.«

Thomas Coughlin ergriff ihre Hand und hauchte einen Kuss über die Knöchel. »Sehr erfreut, Miss Gould.« Er winkte den Oberkellner heran. »Gerard, den Ecktisch bitte.« Lächelnd wandte er sich wieder zu Joe und Emma. »Hättet ihr etwas dagegen, wenn ich mich euch anschließe? Ich habe einen Bärenhunger.«

Als sie ihren Salat aßen, konnte man die Atmosphäre gerade noch entspannt nennen.

Thomas gab Geschichten aus Joes Kindheit zum Besten, in denen es einzig und allein darum ging, was für ein Schlitzohr er gewesen war, ein Lausejunge mit nichts als Flausen im Kopf. Es waren lauter amüsante Schnurren, wie gemacht für die Hal-Roach-Komödien in der Samstagnachmittagsvorstellung, nicht zuletzt, weil er verschwieg, wie sie unweigerlich geendet hatten – mit einer Ohrfeige oder einer gehörigen Tracht Prügel.

Emma lächelte und kicherte an genau den richtigen Stellen, doch Joe merkte, dass sie nur so tat, als würde sie sich blendend unterhalten. Alle taten sie nur so. Joe und Thomas taten so, als wären sie ein Herz und eine Seele, und Emma tat so, als würde sie nicht mitbekommen, dass das genaue Gegenteil der Fall war.

Nach der obligatorischen Geschichte darüber, was sein Jüngster seinerzeit mit sechs Jahren in ihrem Garten angestellt hatte – Joe hatte die Story so oft gehört, dass er selbst die Kunstpausen seines Vaters auf den Sekundenbruchteil vorhersagen konnte –, richtete Thomas das Wort an Emma und fragte, woher ihre Familie stammte.

»Aus Charlestown«, erwiderte sie, und Joe glaubte einen Hauch von Trotz aus ihrer Stimme herauszuhören.

»Nein, nein, ich meinte, woher Ihre Familie ursprünglich kommt. Ich sehe Ihnen doch an der Nasenspitze an, dass Sie Irin sind. Sie wissen doch bestimmt, woher Ihre Vorfahren stammen.«

Der Kellner räumte die Salatteller ab, während Emma antwortete: »Der Vater meiner Mutter kam aus Kerry. Und die Mutter meines Vaters aus Cork.«

»Ich bin ganz in der Nähe von Cork geboren.« Thomas schien über die Maßen erfreut.

Emma nippte an ihrem Wasser, ohne auf ihn einzugehen. Es war, als hätte sich ein Teil von ihr urplötzlich verabschiedet. Joe war das schon öfter aufgefallen – irgendetwas in ihr klinkte sich einfach aus, wenn sie sich unwohl fühlte, mit einer Situation nicht umgehen konnte. Auf einmal wirkte ihr Körper, als hätte sie ihn auf der Flucht zurückgelassen, und das, was ihr ureigenes Wesen ausmachte, war von einer Sekunde auf die andere verschwunden.

»Wie hieß Ihre Großmutter denn mit Mädchennamen?«

»Ich weiß es nicht«, sagte sie.

»Sie *wissen* es nicht?«

Emma zuckte mit den Schultern. »Sie ist tot.«

Thomas war völlig perplex. »Aber es kann Ihnen doch nicht egal sein, von wem Sie abstammen.«

Emma hatte dafür nur ein weiteres Schulterzucken übrig und zündete sich eine Zigarette an. Thomas zeigte es nicht, doch Joe wusste, dass er fassungslos war. Moderne, selbstbewusste Frauen brachten ihn seit jeher auf die Palme, egal ob sie rauchten, zu kurze Röcke trugen, mit tief ausgeschnittenen Dekolletés provozierten oder sich schamlos in der Öffentlichkeit betranken, ohne Rücksicht auf die bürgerliche Moral.

Thomas lächelte. »Wie lange kennen Sie meinen Sohn eigentlich schon?«

»Ein paar Monate.«

»Seid ihr beide –«

»Dad.«

»Joseph?«

»Also, momentan sind wir noch gar nichts.«

Insgeheim hatte er gehofft, Emma würde kurz klären, in welchem Verhältnis sie zueinander standen, doch stattdessen warf sie ihm einen kurzen Blick zu, der nur allzu deutlich fragte, wie lange sie hier noch herumsitzen mussten, ehe sie wieder an ihrer Zigarette zog und sich gelangweilt im Saal umsah.

Dann kam der Hauptgang, und die nächsten zwanzig Minuten verbrachten sie damit, sich über die Qualität der Steaks, die Sauce béarnaise und Creggers neuen Teppichboden zu unterhalten.

Während des Desserts steckte sich auch Thomas eine Zigarette an. »Was machen Sie denn beruflich, meine Liebe?«

»Ich arbeite bei Papadikis. Dem Möbellager am Hafen.«

»In welcher Abteilung?«

»Sekretariat.«

»Hat mein Sohn eine Couch mitgehen lassen, oder wie habt ihr euch kennengelernt?«

»Dad.«

»Ich frage mich ja bloß, woher ihr euch kennt«, sagte sein Vater.

Emma zündete sich eine weitere Zigarette an und ließ den Blick ein weiteres Mal durch das Restaurant schweifen. »Ein echter Angeberschuppen ist das.«

»Mir ist nämlich durchaus klar, womit mein Sohn seine Brötchen verdient. Weshalb ich wohl davon ausgehen muss, dass Sie ihm im Zuge einer Straftat oder in irgendeinem übel beleumundeten Etablissement begegnet sind.«

»Dad«, sagte Joe. »Ich dachte, wir wollten einfach nur nett zusammen essen.«

»Tun wir doch auch. Miss Gould?«

Emma sah ihn an.

»Bin ich Ihnen mit meinen Fragen zu nahe getreten?«

Emma musterte ihn mit einem dieser kühlen Blicke, der frisch aufgetragenen Dachteer zum Erstarren gebracht hätte. »Ich weiß nicht, wovon Sie reden. Und ehrlich gesagt ist es mir auch egal.«

Thomas lehnte sich zurück und nippte an seinem Kaffee. »Ich rede davon, dass Sie zu der Sorte Mädchen gehören, die mit Kriminellen verkehren, was Ihrem Ruf nicht unbedingt dienlich sein dürfte. Dass es sich bei dem fraglichen Kriminellen zufälligerweise um meinen Sohn handelt, steht hier nicht zur Debatte. Sondern vielmehr der Umstand, dass mein Sohn, ob kriminell oder nicht, immer noch mein Sohn ist und ich väterliche Gefühle für ihn hege, Gefühle, die mich zu der Frage führen, ob es ratsam ist, dass er mit einer Frau verkehrt, die wissentlich Umgang mit Kriminellen pflegt.« Thomas stellte seine Kaffeetasse zurück auf den Unterteller und lächelte dünn. »Können Sie mir folgen?«

Joe erhob sich. »Na schön, wir gehen.«

Doch Emma rührte sich nicht vom Fleck. Sie stützte das Kinn in die Hand und betrachtete Thomas eine Zeitlang, während die Zigarette neben ihrem Ohr glimmte. »Mein Onkel hat neulich mal einen Bullen namens Coughlin erwähnt, der Schmiergeld von ihm kassiert. Das sind nicht zufällig Sie?« Sie schenkte ihm ein ebenso schmallippiges Lächeln und nahm einen Zug von ihrer Zigarette.

»Und dieser Onkel ist nicht zufällig Ihr Onkel Robert, den alle Bobo nennen?«

Sie schloss zustimmend die Augen.

»Der Polizeibeamte, auf den Sie anspielen, heißt Elmore Conklin, Miss Gould. Er ist in Charlestown stationiert und bekannt dafür, dass er Schutzgelder von verschiedenen illegalen Etablissements einsteckt. Mich selbst verschlägt es nur selten nach Charlestown. Als stellvertretender Polizeichef von Boston bin ich aber gern bereit, dem Lokal Ihres Onkels künftig ein wenig mehr Beachtung zu schenken.« Thomas drückte seine Zigarette aus. »Würde ich Ihnen damit entgegenkommen, meine Liebe?«

Emma hielt Joe die ausgestreckte Hand hin. »Ich muss mir die Nase pudern.«

Joe gab ihr Kleingeld für die Klofrau. Während sie ihr hinterhersahen, fragte sich Joe, ob sie überhaupt zurückkommen würde; gut möglich, dass sie sich ihren Mantel von der Garderobe holte und direkt abrauschte.

Sein Vater zog seine Taschenuhr aus der Weste und ließ sie aufspringen, ehe er sie genauso schnell wieder zuklappte und in der Tasche verschwinden ließ. Die Uhr war sein wertvollster Besitz, eine 18-karätige Patek Philippe, die ihm vor mehr als zwanzig Jahren von einem dankbaren Bank-vorstand geschenkt worden war.

»War das wirklich nötig?«, fragte Joe.

»Ich habe nicht angefangen, Joseph, also kritisiere jetzt bitte nicht meine Reaktion.« Sein Vater lehnte sich zurück und schlug ein Bein über das andere. Manche Menschen trugen ihre Macht wie einen Mantel, der kratzte oder ihnen nicht richtig passte. Thomas Coughlin trug seine Macht, als wäre sie in London für ihn maßgeschneidert worden. Er nickte ein paar Bekannten zu, ehe er sich wieder seinem Sohn zuwandte. »Wäre ich der Meinung, dass du lediglich ein etwas unkonventionelles Leben lebst – glaubst du, ich würde mich daran stoßen?«

»Ja«, erwiderte Joe. »Und ob.«

Sein Vater lächelte milde und zuckte noch sanfter mit den Schultern. »Ich bin seit siebenunddreißig Jahren im Polizei-dienst, und bei meiner Arbeit habe ich vor allem eins ge-lernt.«

»Dass sich Verbrechen nicht lohnt«, sagte Joe. »Es sei denn, man betreibt es im großen Stil.«

Noch ein mildes Lächeln, während Thomas den Kopf ein wenig zur Seite neigte. »Nein, Joseph. Nein. Was ich gelernt habe, ist Folgendes: Gewalt gebiert Gewalt. Und die primi-tive, stumpfsinnige Brut, die deine Gewalt hervorbringt, wird dich eines Tages aufspüren. Du wirst deine Abkömm-linge nicht erkennen, aber sie dich schon. Und sie werden es dir heimzahlen, verlass dich darauf.«

Im Lauf der Jahre hatte Joe verschiedenste Versionen dieses Vortrags gehört. Doch sein Vater – mal abgesehen davon, dass er sich wiederholte – wollte einfach nicht wahrhaben, dass allgemeine Theorien auf bestimmte Menschen schlicht nicht zutrafen. Jedenfalls nicht dann, wenn die betreffende Person ihre eigenen Regeln aufstellte und smart genug war, alle anderen nach ihrer Pfeife tanzen zu lassen.

Joe war erst zwanzig, aber er wusste bereits, dass er zu diesen Auserwählten gehörte.

Doch um den Alten bei Laune zu halten, hakte er nach: »Und was genau werden sie mir heimzahlen wollen?«

»Deine Gedankenlosigkeit. Dass du sie so mir nichts, dir nichts in die Welt gesetzt hast.« Die Ellbogen auf dem Tisch, beugte sich sein Vater mit verschränkten Händen vor. »Joseph.«

»Joe.«

»Joseph, Gewalt gebiert Gewalt. Das ist ein Naturgesetz.« Er löste die Hände voneinander und sah seinen Sohn eindringlich an. »Was du in die Welt setzt, kehrt immer zu dir zurück.«

»Ja, Dad, ich kenne das Vaterunser.«

Sein Vater wandte den Kopf, als Emma von der Damentoilette kam und sich geradewegs zur Garderobe begab. Während er sie im Auge behielt, fuhr er fort: »Und es kommt in ganz anderer Gestalt, als du voraussehen kannst.«

»Bestimmt.«

»Deine einzige Sicherheit ist deine Selbstgewissheit. Und Selbstvertrauen, das man sich nicht verdient hat, strahlt seit jeher am hellsten.« Thomas beobachtete, wie Emma dem Garderobenmädchen ihre Marke reichte. »Zugegeben, sie ist ja nicht gerade hässlich.«

Joe schwieg.

»Aber davon abgesehen«, fuhr sein Vater fort, »verstehe ich beim besten Willen nicht, was du an ihr findest.«

»Weil sie aus Charlestown stammt?«

»Tja, das macht sie mir leider nicht sympathischer«, erwiderte Thomas. »Ihr Vater war früher Zuhälter, und ihr Onkel hat unseren Informationen zufolge mindestens zwei Menschen umgebracht. Aber darüber könnte ich durchaus hinwegsehen, Joseph, wenn sie nicht so ...«

»Was?«

»Leblos wirken würde. Als sei irgendetwas in ihr schon lange tot.« Thomas warf erneut einen Blick auf seine Uhr, während er mehr schlecht als recht ein Gähnen unterdrückte. »Spät geworden, mein Junge.«

»Von wegen tot«, sagte Joe. »Etwas in ihrem Herzen schläft bloß, das ist alles.«

»Und wenn du mich fragst«, sagte sein Vater, als Emma mit den Mänteln zurückkam, »wacht dieses Etwas nie wieder auf.«

Auf dem Weg zu seinem Wagen sagte Joe: »Hättest du dich nicht –«

»Was?«

»Ein bisschen intensiver am Gespräch beteiligen können? Ein wenig freundlicher wär's schon gegangen, oder?«

»Seit wir zusammen sind«, erwiderte sie, »liegst du mir ununterbrochen damit in den Ohren, wie sehr du diesen Mann hasst.«

»Ununterbrochen?«

»So ziemlich.«

Joe schüttelte den Kopf. »Ich habe nie gesagt, dass ich meinen Vater hasse.«

»Was denn sonst?«

»Dass wir nicht miteinander klarkommen. Das war schon immer so.«

»Und warum?«

»Weil wir uns zu ähnlich sind.«

»Oder eben bloß, weil du ihn hasst.«

»Ich hasse ihn nicht.« Und das war die reine Wahrheit.

»Dann kannst du ja heute Nacht unter seine Decke kriechen.«

»Was soll das denn jetzt?«

»Hast du nicht mitbekommen, wie er mich angesehen hat? Als wäre ich der letzte Dreck! Seine Fragen über meine Familie, als wären wir schon in Irland nur ein Haufen Taugenichtse gewesen! Und dann nennt er mich auch noch *meine Liebe*!« Sie bebte vor Zorn, während die ersten Schneeflocken aus dem Dunkel auf den Gehsteig trudelten. Die Tränen, die eben noch ihre Stimme erstickt hatten, standen nun auch in ihren Augen. »Wir sind keine Menschen, niemand bringt uns auch nur den geringsten Respekt entgegen. Wir sind bloß die Goulds aus der Union Street. Der Abschaum von Charlestown. Wir klöppeln die Spitze für *eure* beschissenen Gardinen!«

Joe hob die Hände. »Was hast du denn?« Als er die Hand nach ihr ausstreckte, wich sie zurück.

»Fass mich nicht an!«

»Ist ja schon gut.«

»Was ich habe? Mein Leben lang muss ich mich von Leuten wie deinem Vater von oben herab behandeln lassen. Von Leuten, die, die, die... die sich für etwas Besseres halten, nur weil sie mehr Glück gehabt haben. Wir sind nicht weniger wert als ihr. Wir sind kein Abschaum!«

»Das habe ich nie gesagt.«

»*Aber er.*«

»Hat er nicht.«

»Ich bin kein Abschaum«, flüsterte sie, ihr halb geöffneter Mund ein Schlitz im Dunkeln, während sich der Schnee mit den Tränen vermischte, die ihr über die Wangen liefen.

Er breitete die Arme aus und trat zu ihr. »Okay?«

Sie überließ sich seiner Umarmung, ohne sie selbst zu erwidern. Er hielt sie fest, und als sie an seiner Brust weinte, versicherte er ihr ein ums andere Mal, dass sie kein Abschaum, nicht weniger wert als andere war und dass er sie liebte, sie über alles liebte.

Später lagen sie zusammen in seinem Bett, während dicke, nasse Schneeflocken wie Motten gegen das Fenster klatschten.

»Ich hatte einen schwachen Moment«, sagte sie.

»Was meinst du?«

»Auf der Straße. Ich habe mich gehenlassen.«

»Quatsch. Du warst nur ehrlich.«

»Ich weine nie vor anderen.«

»Vor mir brauchst du dich nicht zu schämen.«

»Du hast gesagt, dass du mich liebst.«

»Ja.«

»Wirklich?«

Er sah ihr in die grauen, grauen Augen. »Ja.«

Sie schwieg eine ganze Weile, bevor sie antwortete: »Ich kann das nicht sagen.«

Aber das hieß ja noch lange nicht, dass sie nichts für ihn empfand.

»Okay.«

»Wirklich? Manche Männer wollen es unbedingt hören.«

Manche Männer? Wie viele Kerle hatten ihr gegenüber von Liebe gesprochen, bevor er auf den Plan getreten war?

»Ich bin nicht so ein Schwächling«, sagte er und wünschte, es wäre die Wahrheit gewesen.

Die stürmische Februarbrise rüttelte am Fenster. Das Tuten eines Nebelhorns drang zu ihnen herauf, und vom Scollay Square war wütendes Hupen zu hören.

»Was wünschst du dir?«, fragte er.

Sie zuckte mit den Schultern, kaute an einem Nagel und blickte über ihn hinweg zum Fenster hinaus.

»Dass mir das eine oder andere erspart geblieben wäre.«

»Was denn?«

Sie schüttelte den Kopf; die Müdigkeit holte sie ein.

»Und Sonne«, murmelte sie nach einer Weile mit schwerer, schlaftrunkener Stimme. »Jede Menge Sonne.«

3

Hickeys Termiten

Tim Hickey hatte Joe einst eingeschärft, dass der kleinste Fehler zuweilen einen üblen Rattenschwanz nach sich ziehen konnte. Joe fragte sich, was Tim wohl dazu gesagt hätte, dass er gerade hinter dem Steuer eines Fluchtwagens seinen Tagträumen nachhing, noch dazu gleich gegenüber einer Bank. Aber eigentlich träumte er ja auch gar nicht – er konzentrierte bloß seine Aufmerksamkeit. Auf den Rücken einer Frau, genauer gesagt: auf Emmas Rücken. Auf das Muttermal, das sie dort hatte. Wozu Tim wahrscheinlich gesagt hätte, na schön, manchmal sind es eben die *größten* Fehler, die einen metertief in die Scheiße reiten, du Riesenross.

Außerdem sagte Tim gern, dass die erste Termite am Einsturz eines Hauses ebenso schuld war wie die letzte. Joe stieg nicht ganz dahinter – die erste Termite war doch schon lange tot, wenn die letzte ihre Zähne ins Holz grub. Jedes Mal, wenn Tim seine Parabel zum Besten gab, beschloss Joe, sich sobald wie möglich über die Lebenserwartung von Termiten zu informieren, vergaß es dann aber wieder, bis Tim das Thema das nächste Mal aufs Tapet brachte, für gewöhnlich, wenn er betrunken war und die Unterhaltung ins Stocken geriet, worauf die Mienen der anderen Anwesenden durch die Bank dieselbe Frage widerspiegelten: Du lieber Himmel, was für ein Problem hatte Tim eigentlich mit diesen beschissenen Termiten?

Einmal pro Woche sah Tim Hickey in Aslems Frisiersalon in der Charles Street vorbei, um sich die Haare schneiden zu lassen. Eines Dienstags landeten ein paar dieser Haare in seinem Mund, als er sich auf dem Weg zum Frisierstuhl eine Kugel in den Hinterkopf einfing. Er stürzte auf die Schachbrettfliesen, und Blut tropfte von seiner Nasenspitze, als der Killer mit weit aufgerissenen Augen hinter dem Garderobenständer hervortrat. Der Garderobenständer krachte auf den Boden, und einer der Friseure hechtete aus der Schusslinie. Der Killer trat über Tim Hickeys Leiche und nickte den Zeugen mit eingezogenem Kopf zu, als wäre ihm die Sache irgendwie peinlich, ehe er den Salon verließ.

Als Joe davon hörte, lag er gerade mit Emma im Bett. Nachdem er aufgelegt hatte, lehnte Emma sich mit dem Rücken gegen die Wand, und er erzählte ihr, was passiert war. Sie drehte sich eine Zigarette und sah Joe an, während sie über das Papier leckte – stets sah sie ihn an, wenn sie das Blättchen mit der Zunge befeuchtete. Dann zündete sie die Zigarette an. »Hat er dir etwas bedeutet? Tim, meine ich.«

»Ich weiß es nicht«, erwiderte Joe.

»Warum nicht?«

»Das lässt sich nicht so einfach beantworten.«

Tim Hickey war auf Joe und die Bartolos aufmerksam geworden, als sie – damals noch halbe Kinder – regelmäßig Zeitungsstände abgefackelt hatten. Am einen Morgen hatten sie sich vom *Globe* dafür bezahlen lassen, einen der Stände des *Standard* anzustecken, am nächsten Tag zündeten sie im Auftrag des *Herald American* einen Stand des *Globe* an. Tim heuerte sie an, damit sie das 51 Café niederbrannten. Schließlich betraute er sie auch mit spätnachmittäglichen Einbrüchen auf Beacon Hill; Zutritt zu den Herrenhäusern verschafften sie sich durch die Hintertüren, entriegelt von Putzfrauen oder Handwerkern, die auf Tims Gehaltsliste standen. Wenn sie einen Auftrag von ihm übernahmen, erhielten sie eine feste Summe, doch wenn sie auf eigene Faust loszogen, erhielt Tim zwar seine Prozente, doch den Löwenanteil durften sie für sich behalten. In jener Hinsicht war Tim ein prima Boss gewesen.

Andererseits war Joe dabei gewesen, als er Harvey Boule erdrosselt hatte. Es ging um Opium, eine Frau oder einen Deutsch-Kurzhaar; bis zu diesem Tag hatte Joe lediglich Gerüchte gehört. Doch Harvey war ins Kasino gekommen, um die Angelegenheit zu klären, und nach einem kurzen Wortgefecht hatte Tim das Kabel von einer der grünen Bankierlampen gerissen und um Harveys Hals geschlungen. Harvey war ein Schrank von einem Mann und wehrte sich etwa eine Minute lang wie ein Löwe, während die Nutten sich in Sicherheit brachten und Hickeys Revolvermänner allesamt ihre Waffen zückten und auf Harvey richteten. Joe sah in seinen Augen, wie ihm die grausame Wahrheit dämmerte – selbst wenn es ihm gelang, Tim abzuschütteln, würden dessen Handlanger die Geschosse aus vier Revolvern und einer Automatik in seinen Körper entleeren. Er ging in die Knie, gleichzeitig gab sein Schließmuskel mit einem deutlich hörbaren Geräusch nach, und dann lag er bäuchlings auf dem Boden, Tim über sich, der ihm das Knie zwischen die Schulterblätter drückte und das Kabel mit einer

Hand noch fester zog. Mit aller Kraft schnürte er ihm die Luft ab, während Harvey so verzweifelt mit den Beinen strampelte, dass seine Schuhe quer durch den Raum flogen.

Tim schnippte mit den Fingern, worauf ihm jemand einen Revolver reichte. Dann steckte er den Lauf in Harveys Ohr. »O Gott«, platzte eine der Huren heraus, doch just in dem Moment, als Tim abdrücken wollte, verschleierte ein ebenso verwirrter wie resignierter Ausdruck Harveys Blick, und einen Moment später hauchte er sein Leben auf dem falschen Perserteppich aus. Tim hockte sich rittlings auf seinen Rücken und gab die Waffe zurück, um dann das Profil des Mannes zu betrachten, den er gerade getötet hatte.

Joe hatte noch nie jemanden sterben sehen. Keine fünf Minuten zuvor hatte Harvey noch mit dem Mädchen gesprochen, das ihm seinen Martini gebracht hatte, sie gefragt, wie es beim Spiel der Sox stand. Und ihr obendrein ein richtig gutes Trinkgeld gegeben. Er hatte auf seine Uhr gesehen und sie wieder eingesteckt. Einen Schluck von seinem Martini getrunken. Keine fünf Minuten war das her, und jetzt war er … Wo? Wer wusste das schon? Bei Gott, beim Teufel, im Fegefeuer oder, noch schlimmer, nirgendwo? Tim erhob sich, fuhr sich durch die schneeweiße Mähne und deutete vage zu seinem Geschäftsführer hinüber. »Eine Runde für alle. Das geht auf Harvey.«

Ein paar Anwesende lachten nervös, doch die meisten sahen aus, als müssten sie sich auf der Stelle übergeben.

Harvey war nicht der Einzige in den vergangenen Jahren gewesen, dessen Tod auf Tims Konto ging, doch zuvor hatte er nie jemanden in Joes Gegenwart ermordet.

Und nun hatte es Tim selbst erwischt. Er war nicht mehr da, und er würde auch nicht zurückkommen. Als hätte er nie existiert.

»Hast du schon mal gesehen, wie jemand umgebracht wurde?«, fragte Joe.

Emma musterte ihn eine Weile schweigend und zog an ihrer Zigarette. »Ja.«

»Wenn man tot ist, wo kommt man dann hin?«

»Ins Leichenschauhaus.«

Er starrte sie an, bis dieses typische winzige Lächeln ihre Lippen umspielte. Eine Haarsträhne war ihr ins Gesicht gefallen.

»Ich glaube, man kommt nirgendwohin«, sagte sie dann.

»Allmählich glaube ich das auch«, sagte Joe. Er setzte sich auf und küsste sie heftig auf den Mund, und sie erwiderte seinen Kuss ebenso heftig, die Beine um seinen Rücken geschlungen. Sie fuhr ihm mit der Hand durch die Haare, und während sie die letzten Züge von ihrer Zigarette nahm, ließ er sie keinen Sekundenbruchteil aus den Augen, als könne ihm sonst etwas entgehen, eine wichtige Regung, etwas, das er nie mehr vergessen würde.

»Tja, was, wenn es tatsächlich kein Danach gibt?«, sagte sie. »Und *das*« – sie setzte sich rittlings auf ihn – »soll dann alles gewesen sein?«

»Traumhaft«, sagte er.

Sie lachte. »Ja, finde ich auch.«

»Ganz allgemein? Oder speziell mit mir?«

Sie drückte die Zigarette aus, nahm sein Gesicht in beide Hände und küsste ihn. Sie schaukelte vor und zurück. »Mit dir.«

Aber er war eben nicht der Einzige, mit dem sie solche Dinge tat.

Denn da war immer noch Albert. Immer noch Albert.

Ein paar Tage später spielte Joe im Billardzimmer gleich neben dem Kasinobereich gegen sich selbst, als Albert White hereinkam – mit der Selbstgewissheit eines Mannes, der davon ausging, dass ihm grundsätzlich alle Hindernisse aus dem Weg geräumt wurden, bevor er überhaupt auf sie traf. Begleitet wurde er von Brenny Loomis, seiner rechten Hand. Loomis sah Joe direkt in die Augen, genau wie an jenem frühen Morgen, als er vom Boden der Spielhölle zu ihm aufgeblickt hatte.

Joes Herz schien sich um eine eiskalte Messerklinge zu krampfen. Und setzte dann einen Moment lang ganz aus.

»Du bist Joe, nicht wahr?«, sagte Albert White.

Joe zwang sich aus seiner Starre und ergriff Alberts ausgestreckte Hand. »Ja, Joe Coughlin. Sehr erfreut.«

Albert bewegte Joes Hand auf und ab, als würde er einen Pumpenschwengel betätigen. »Schön, dich persönlich kennenzulernen, Joe.«

»Ja, Sir.«

»Und das ist Brendan Loomis«, sagte Albert. »Ein Freund von mir.«

Schraubstockgleich schloss sich Loomis' Hand um Joes Finger, während er den Kopf schiefflegte und Joe weiter unablässig mit seinen kleinen braunen Augen fixierte. Als er Joes Hand wieder losließ, hätte dieser sie am liebsten erst einmal ausgeschüttelt. Loomis wischte sich die eigene mit einem Seidentaschentuch ab; seine Miene war in etwa so ausdrucksvoll wie ein Felsmassiv. Schließlich wandte er den Blick ab und sah sich im Zimmer um, als hätte er bereits einen neuen Verwendungszweck im Sinn. Es ging die Rede, dass er gut mit einer Kanone und noch besser mit dem Messer umgehen konnte, doch die meisten seiner Opfer prügelte er schlicht und einfach zu Tode.

»Wir kennen uns doch irgendwoher«, sagte Albert.

Seine Miene ließ definitiv nicht auf Wiedersehensfreude schließen.

»Nicht, dass ich wüsste«, sagte Joe.

»Doch, garantiert. Bren', ist dir der Bursche schon mal über den Weg gelaufen?«

Brenny Loomis griff nach der Neuner-Kugel und betrachtete sie eingehend. »Nein.«

Joe verspürte ein so überwältigendes Gefühl der Erleichterung, dass er sich um ein Haar in die Hose gemacht hätte.

»Ich hab's!« Albert schnippte mit den Fingern. »Du bist doch manchmal im Shoelace, richtig?«

»Stimmt«, sagte Joe.

»Hab ich's doch gewusst.« Albert klopfte Joe auf die Schulter. »Ich habe den Laden hier übernommen. Du weißt, was das bedeutet?«

»Nein.«

»Das bedeutet, dass ich dich bitten muss, dein Zimmer zu räumen.« Er hob den Zeigefinger. »Aber betrachte das bitte nicht als Rauswurf.«

»Okay.«

»Es geht nicht um dich, bloß um den Schuppen hier. Damit lässt sich allerhand anfangen.«

»Unbedingt.«

Albert legte Joe die Hand auf den Oberarm. Im Licht der Deckenlampen blitzte sein Ehering auf. Er war aus Silber, mit einem keltischen Schlangenmuster und ein paar kleinen Diamanten verziert.

»Du kannst ja mal überlegen, wie du künftig über die Runden kommen willst. Okay? Ganz in Ruhe, nimm dir Zeit. Aber denk dran – auf eigene Faust arbeiten ist nicht mehr drin. Jedenfalls nicht in dieser Stadt.«

Joe wandte den Blick von dem Ehering und der Hand auf seinem Arm, sah Albert White in die freundlichen Augen. »Ich habe keinerlei Absicht, auf eigene Faust zu arbeiten, Sir. Mit Tim Hickey bin ich immer gut gefahren.«

Albert Whites Miene verdüsterte sich einen Moment lag, als sei Tim Hickeys Name in diesen Räumen verpönt, seit er das Kasino übernommen hatte. Er tätschelte Joes Arm. »Weiß ich doch, weiß ich doch. Du hast gute Arbeit geleistet. Ausgezeichnete sogar. Aber wir machen keine Geschäfte mit Außenstehenden, und ein unabhängiger Geschäftspartner *ist* ein Außenstehender. Wir bauen hier eine erstklassige Mannschaft auf, Joe. *Spitzenleute*, das kann ich dir garantieren.« Er schenkte sich einen Drink aus einer von Tims Karaffen ein, ohne Joe oder Loomis etwas anzubieten, nahm das Glas mit zum Billardtisch, schwang sich auf die Kante und sah Joe an. »Ich sag's dir frei heraus: Du bist zu smart für die Schmalspurnummern mit den beiden Spaghettis – so blöd, wie die zwei Itaker sind, werden die keine dreißig.

Also, wie sieht's für dich aus? Du kannst natürlich so weitermachen. Dann hast du keine Verpflichtungen, aber eben auch keine Freunde. Ein Haus, aber kein Zuhause.« Er glitt wieder vom Billardtisch herunter. »Und wenn du kein Zuhause willst, überhaupt kein Problem, mein Wort darauf. Aber innerhalb der Stadtgrenzen läuft für dich dann nichts mehr. Wenn du an der South Shore ein Ding drehen willst, nur zu. Und an der North Shore kannst du's auch versuchen, immer vorausgesetzt, die Italiener lassen dich am Leben, sobald sie was spitzkriegen. Aber hier …« – er deutete auf den Fußboden – »… ist ein für alle Mal Sense. Die Stadt ist in unserer Hand. Freie Unternehmer gibt's nicht mehr, nur noch Arbeitnehmer und Arbeitgeber. Habe ich mich in irgendeinem Punkt unklar ausgedrückt?«

»Nein.«

»Oder vage?«

»Nein, Mr. White.«

Albert White verschränkte die Arme, nickte und blickte auf seine Schuhe. »Hast du irgendwas in petto? Irgendwelche Jobs, von denen ich wissen sollte?«

Mit dem letzten Geld von Tim Hickey hatte Joe den Typ bezahlt, der ihn mit den nötigen Informationen für das Ding in Pittsfield versorgt hatte.

»Nein«, erwiderte Joe. »Nichts in Planung.«

»Brauchst du Geld?«

»Mr. White, Sir?«

»Geld.« Albert griff in seine Tasche – mit der Hand, die über Emmas Schamhügel geglitten war, ihr Haar gepackt hatte. Er schälte zwei Zehner von einem fetten Bündel und klatschte sie Joe in die Handfläche. »Mit leerem Magen lässt sich schlecht überlegen.«

»Danke.«

Und mit ebenjener Hand tätschelte Albert nun auch Joes Wange. »Das wird schon.«

»Wir könnten uns aus dem Staub machen«, sagte Emma.

»Aus dem Staub machen?«, gab er zurück. »Du meinst, zusammen?«

Sie hockten in ihrem Zimmer, am frühen Nachmittag, der einzigen Tageszeit, zu der ihre drei Schwestern, ihre drei Brüder, ihre verbitterte Mutter und ihr ständig aufbrausender Vater nicht zu Hause waren.

»Wir könnten abhauen«, wiederholte sie, als müsse sie sich von etwas überzeugen, an das sie selbst nicht glaubte.

»Und wohin? Wovon sollen wir leben?« Er hielt einen Moment inne. »Meinst du das wirklich ernst – zusammen?«

Sie schwieg. Nun hatte er die Frage schon zweimal gestellt, und beide Male war sie nicht darauf eingegangen.

»Ehrliche Arbeit ist nicht so mein Ding«, sagte er.

»Wer sagt denn, dass es unbedingt ehrliche Arbeit sein muss?«

Er ließ den Blick durch das schäbige Zimmer schweifen, das sie sich mit zwei ihrer Schwestern teilte. Neben dem Fenster hatte sich die Tapete vom Rosshaarputz gelöst. Zwei der Scheiben, von ihrem Atem beschlagen, hatten Risse.

»Auf jeden Fall müssten wir ziemlich weit weg«, sagte er. »In New York kriegt man keinen Fuß mehr auf den Boden, und in Philly ebenso wenig. Detroit kannst du vergessen. Chicago, Kansas City, Milwaukee – keine Chance für einen wie mich, außer ich fange wieder ganz unten an.«

»Also auf nach Westen, wie man so schön sagt. Oder runter in den Süden.« Sie vergrub ihre Nase in seiner Halsbeuge und atmete tief ein, eine ungeahnte Sanftmut schien von ihr Besitz zu ergreifen. »Auf jeden Fall brauchen wir Kohle.«

»Am Samstag wollen wir den Job durchziehen. Bist du Samstag frei?«

»Um abzuhauen?«

»Ja.«

»Da habe ich 'ne Verabredung. Du weißt schon, mit wem.«

»Sag ihm einfach, er kann dich mal.«

»Darauf wird's wohl hinauslaufen.«

»Nein, ich meinte –«

»Ich weiß, was du meinst.«

»Er ist ein mieses Schwein«, sagte Joe, den Blick auf ihren Rücken gerichtet, auf ihr Muttermal, das wie eine feuchte Stelle im Sand aussah.

Sie wandte den Kopf und musterte ihn mit milder Enttäuschung, einem Blick, der gerade wegen seiner Milde umso herablassender wirkte. »Da täuschst du dich.«

»Wie? Du hältst ihm auch noch die Stange?«

»Ehrlich, er ist gar nicht so übel. Außerdem ist es nichts Festes. Ich liebe ihn nicht, und ich bewundere ihn auch nicht. Aber er ist kein *Schwein*. Hör auf, immer alles zu vereinfachen.«

»Er hat Tim auf dem Gewissen.«

»Ach. Und Tim hat sich immer nur um Waisenkinder ge-kümmert?«

»Nein, aber –«

»Aber was? Niemand ist einfach nur gut oder schlecht. Jeder versucht durchs Leben zu kommen, so gut er kann.« Sie zündete sich eine Zigarette an und schüttelte das Streichholz, bis eine kleine Qualmwolke aufstieg. »Urteile nicht ständig über andere.«

Er konnte den Blick nicht von ihrem Muttermal lassen, verlor sich im nassen Sand. »Trotzdem triffst du dich mit ihm.«

»Fang bloß nicht damit an. Wenn wir wirklich die Stadt verlassen, dann –«

»Und ob wir die Stadt verlassen.« Joe hätte sogar das Land verlassen – Hauptsache, kein anderer Kerl fasste sie mehr an.

»Wo willst du denn hin?«

»Biloxi«, sagte er, während ihm im selben Moment aufging, dass es tatsächlich gar keine schlechte Idee war. »Tim hatte eine Menge Freunde da unten, Jungs, die ich auch persönlich kenne. Rumschmuggler. Albert bezieht seinen Stoff aus Kanada. Er macht in Whiskey. Wie auch immer, an der Golfküste – Biloxi, Mobile, vielleicht sogar New Orleans, wenn wir die richtigen Leute schmieren – sind wir auf der sicheren Seite, verlass dich drauf.«

Sie überlegte eine Weile. Jedes Mal, wenn sie sich vorbeugte, um die Asche von ihrer Zigarette zu schnippen, schien sich das Muttermal sacht zu bewegen. »Er will, dass ich am Samstag zur Eröffnung dieses neuen Hotels komme. Du weißt schon, das in der Providence Street.«

»Du meinst das Statler?«

Sie nickte. »Alle Zimmer haben Radio. Und italienischen Marmor in den Bädern.«

»Und?«

»Eigentlich ist er mit seiner Frau dort. Es macht ihn wohl scharf, wenn ich in Anwesenheit seiner Gattin aufkreuze. Anschließend fährt er für ein paar Tage nach Detroit, um mit ein paar neuen Zulieferern zu reden.«

»So, so.«

»Ja, und das bringt uns doch erst mal reichlich Zeit. Wenn er zurückkommt, haben wir schon drei, vier Tage Vorsprung.«

Joe durchdachte das Ganze. »Gar nicht übel.«

»Ich weiß.« Sie lächelte wieder. »Kannst du dich am Samstag ein bisschen in Schale werfen und zum Statler kommen? So gegen sieben vielleicht?«

»Gemacht.«

»Und dann sind wir weg.« Sie sah ihn über ihre Schulter hinweg an. »Aber hör auf, Albert zu beschimpfen. Er hat meinem Bruder eine Stelle besorgt. Und meiner Mutter letzten Winter einen Mantel geschenkt.«

»Na, dann.«

»Ich will nicht mit dir streiten.«

Joe war ebenso wenig auf Streit aus. Er zog ohnehin jedes Mal den Kürzeren, wenn sie sich in die Haare kriegten, fing dann an, sich für Dinge zu entschuldigen, die er nicht getan, ja, nicht mal gedacht hatte, sogar dafür, *dass* er selbige Dinge nicht getan, ja, nicht mal im Traum in Erwägung gezogen hatte. Teufel, es war so kompliziert, dass er davon Kopfschmerzen bekam.

Er küsste ihre Schulter. »Nein, wir streiten nicht.«

Sie bedachte ihn mit einem koketten Augenaufschlag. »Hurra.«

Gleich nachdem Dion und Paolo aus der First National in Pittsfield gekommen und ins Auto gesprungen waren, setzte Joe den Wagen rückwärts an einen Laternenpfahl, weil er gerade an ihr Muttermal dachte. An feuchten Sand und daran, wie es zwischen ihren Schulterblättern wanderte, wenn sie sich zu ihm umdrehte und ihm gestand, dass sie ihn vielleicht doch liebte – und dass es sich genauso bewegte, wenn sie sagte, dass Albert White gar kein so übel Typ sei. Im Grunde war der gute alte Albert ein Pfundskerl. Ein Freund der kleinen Leute, der einer bedürftigen Mutter großzügig einen neuen Wintermantel zukommen ließ, solange ihre Tochter ihn mit ihrem Körper warm hielt. Das Muttermal sah aus wie ein Schmetterling mit zerfledderten Flügeln und schien damit in gewisser Weise für Emma selbst zu stehen, doch dann sagte er sich abermals, dass es keine Rolle spielte, heute Abend würden sie ohnehin die Stadt verlassen, und damit waren alle Probleme für immer passé. Sie liebte ihn. Das war das Einzige, was zählte, und alles andere würde hinter ihnen im Rückspiegel verschwinden. Was immer Emma ausmachte, er wollte es zum Frühstück, zu Mittag, zum Abendessen und zwischendurch. Er wollte es für den Rest seines Lebens – die Sommersprossen auf ihren Schlüsselbeinen und ihrem Nasenrücken, das Seufzen, das ihr nach einem Lachen über die Lippen kam, die Art und

Weise, wie sie »vier« in ein Wort mit zwei Silben verwandelte.

Dion und Paolo stürmten aus der Bank.

Und sprangen auf den Rücksitz.

»Fahr!«, zischte Dion.

Ein großer, kahlköpfiger Typ in grauem Hemd und schwarzen Hosenträgern trat aus der Bank, einen Knüppel in der Hand. Ein Knüppel war keine Knarre, aber auch damit konnte der Kerl einigen Schaden anrichten, wenn er ihnen zu nahe kam.

Joe rammte den Schalthebel mit dem Handballen in den ersten Gang und ging aufs Gas, doch der Wagen fuhr plötzlich rückwärts. Fünf Meter rückwärts. Dem Kerl mit dem Knüppel fielen fast die Augen aus dem Kopf.

»In die Eisen!«, brüllte Dion.

Joe trat voll auf die Bremse und nahm den Rückwärtsgang heraus, aber sie knallten trotzdem gegen den Laternenpfahl. Der Aufprall war nicht schlimm, einfach nur peinlich. Der Schwachkopf mit den Hosenträgern würde seiner Frau und seinen Kumpels bis an sein Lebensende davon erzählen, wie er drei bewaffnete Gangster derart eingeschüchtert hatte, dass sie vor Schreck den Rückwärtsgang eingelegt hatten.

Er verschwand in einer Staubwolke, als der Wagen vorwärtsschoss und die Reifen Straßendreck und kleine Steinchen aufwirbelten. Mittlerweile war ein weiterer Typ vor der Bank aufgetaucht. Er trug ein weißes Hemd und eine braune Hose. Im ersten Moment begriff Joe nicht, als er in den Rückspiegel sah und einen Arm hochschnellen sah, doch dann ging ihm schlagartig ein Licht auf. »Kopf runter«, rief er, und Dion und Paolo gingen sofort in Deckung. Der Arm bewegte sich erneut, dann nochmals, und im selben Augenblick regnete Glas auf die Straße, als der Außenspiegel zersplitterte.

Joe lenkte den Wagen auf die East Street, fand die Gasse, die sie letzte Woche ausgespäht hatten, bog scharf links ab und trat das Gaspedal durch. Mehrere Häuserblocks lang fuhr er parallel zu den Bahngleisen, die hinter den Fabriken verliefen. Inzwischen konnten sie davon ausgehen, dass die Polizei informiert worden war; zwar hatten sie in der kurzen Zeit sicher noch keine Straßensperren errichtet, aber wahrscheinlich überprüften sie bereits die Reifenspuren vor der Bank und wussten, in welche Richtung sie geflüchtet waren.

Am Morgen hatten sie drei Wagen gestohlen, alle in Chicopee, einem Nest, das etwa sechzig Meilen südlich lag – den Auburn, in dem sie jetzt unterwegs waren, sowie einen schwarzen Cole mit abgefahrenen Reifen und einen 24er Essex Coach mit rasselndem Motor.

Joe überquerte die Schienen und fuhr eine weitere Meile am Silver Lake entlang, bis sie eine alte Gießerei erreicht hatten, die vor ein paar Jahren ausgebrannt war; leicht nach rechts geneigt, stand die kohlschwarze Ruine inmitten eines von Unkraut und Rohrkolben überwucherten Felds. Dort warteten die beiden anderen Wagen auf sie. Joe näherte sich der Rückseite des Gebäudes – die Wand dort war schon vor Ewigkeiten eingestürzt – und fuhr hinein. Sie parkten neben dem Cole und stiegen aus.

Dion packte Joe am Revers seiner Jacke und stieß ihn gegen den Kotflügel. »Was, zum Teufel, ist bloß los mit dir?«

»Ich habe einen Fehler gemacht«, sagte Joe.

»Ja, letzte Woche«, schnauzte Dion. »Da war's noch 'ne Ausnahme, aber jetzt wird's allmählich zur Masche.«

Das ließ sich nicht wegdiskutieren. Trotzdem sagte Joe: »Nimm die Finger weg.«

Dion ließ ihn los. Schwer durch die Nase atmend, richtete er den ausgestreckten Zeigefinger auf Joe. »Du hast alles vermasselt!«

Joe kramte ihre Hüte, die Halstücher und die Pistolen zusammen und verstaute sie in der Tasche mit der Beute. Dann beförderte er die Tasche auf den Rücksitz des Essex. »Das weiß ich selber.«

Dion breitete die feisten Hände aus. »Wir sind Partner, seit wir Hose und Hemd an einem Stück getragen haben. Aber das hier ist eine Katastrophe.«

»Wohl wahr.« Joe stimmte ihm bei, da sich das Offensichtliche schlecht von der Hand weisen ließ.

Und dann waren sie auch schon da. Die Streifenwagen – vier waren es insgesamt – brachen durch eine Wand brauner Büsche am anderen Ende des Felds.

Joe sprang hinter das Steuer des Essex und raste aus der Gießerei. Die Bartolos überholten ihn in ihrem Cole, dessen Heck hin und her schlingerte, als sie über einen Streifen roten Lehms bretterten. Der Dreck spritzte über Joes Windschutzscheibe, verkleisterte sie so, dass er nichts mehr sehen konnte. Er lehnte sich aus dem Fenster und wischte den Lehm weg, während er mit der Rechten lenkte, so gut es ging. Der Essex machte einen Satz über das unebene Terrain, und urplötzlich verspürte Joe etwas wie einen Biss am linken Ohr. Als er den Kopf blitzartig einzog, hatte er zwar wieder entschieden bessere Sicht, aber von seinem Ohr troff Blut, lief ihm in den Kragen und die Brust hinunter.

Ein Klingklong-Stakkato – es klang, als würde jemand Münzen auf ein Blechdach werfen – ging auf das Rückfenster nieder, und dann zerbarst das Fenster in tausend Stücke, eine Kugel prallte vom Armaturenbrett ab. Ein Streifenwagen zog linker Hand auf gleiche Höhe, dann schloss der nächste rechts auf. Auf dem Rücksitz des Wagens zu seiner Rechten saß ein Cop, der eine Thompson-Maschinenpistole durchs Fenster schob und das Feuer auf ihn eröffnete. Joe stieg so hart auf die Bremse, dass sich die Stahlfedern des Sitzes brutal in sein Rückgrat bohrten. Das Beifahrerfenster zersplitterte, dann explodierte die Windschutzscheibe. Teile des Armaturenbretts prasselten auf Joe und den Beifahrersitz herab.

Der Streifenwagen zu seiner Rechten kam ihm gefährlich nahe und versuchte zu bremsen, um einer Kollision zu entgehen. Die Hinterräder hoben vom Boden ab, als wäre das Heck von einem Windstoß erfasst worden. Joe sah gerade noch, wie der Wagen abschmierte und auf die Seite kippte, ehe der andere Streifenwagen den Essex rammte und vor ihm ein Fels aus dem Gestrüpp emporragte.

Der Wagen wurde zur Seite gerissen, als er mit dem Kühler frontal dagegenkrachte. Dass er dabei aus dem Wagen geschleudert wurde, bekam Joe erst mit, als er gegen einen nahegelegenen Baum knallte. Dort blieb er liegen, übersät von Glassplittern und Kiefernnadeln, verschmiert von seinem eigenen Blut. Er dachte an Emma, dachte an seinen Vater. Die Luft roch nach verbranntem Haar, und er warf einen Blick auf seinen Unterarm, nur für den Fall, doch da war nichts.

Er setzte sich auf und wartete, dass ihn die Polizei von Pittsfield verhaftete. Rauch trieb durch die Bäume, schwarz und ölig, aber nicht allzu dicht, schlängelte sich um die Baumstämme, als würde er nach jemandem suchen. Schließlich ging Joe auf, dass ihm offenbar doch keine Cops zu Leibe rücken würden.

Als er sich aufrappelte und den Blick schweifen ließ, konnte er den zweiten Streifenwagen nirgends sehen. Unweit des schrottreifen Essex erblickte er den anderen, aus dem der Cop mit der Maschinenpistole auf ihn geschossen hatte; auf die Seite gekippt, lag er mitten im Feld, gut zwanzig Meter von der Stelle entfernt, wo er ins Schleudern gekommen war.

Die herumfliegenden Glassplitter hatten seine Hände böse zugerichtet. Seine Beine hatten nichts abbekommen. Sein Ohr blutete immer noch. Warum, verriet ihm ein Blick in das noch intakte Fenster auf der Fahrerseite des Essex. Sein linkes Ohrläppchen war Geschichte – sauber abgetrennt wie mit einem Barbiermesser. Durch die Scheibe erspähte er die Ledertasche, in der sich die Beute und die Pistolen befanden. Die Tür klemmte, und er musste sich mit dem Fuß gegen die Fahrertür stemmen, die als solche nicht mehr zu erkennen war; er zog mit aller Kraft, bis ihm schwindelig und kotzübel wurde, und just in dem Moment, als er dachte, dass er sich wohl besser einen großen Stein suchte, um die Scheibe einzuschlagen, gab die Tür mit einem lauten Ächzen nach.

Er nahm die Tasche und hielt auf das Wäldchen zu, wo er nach ein paar Metern auf einen brennenden Baum stieß; die beiden größten Äste umrahmten den Feuerball in der Mitte wie die Arme eines Mannes die um seinen Kopf lodernden Flammen. Brennendes Laub trudelte um ihn herum zu Boden, als er ins Unterholz führende Reifenspuren entdeckte. Dahinter ein zweiter brennender Baum und ein kleiner Busch; die Reifenspuren wurden dunkler, schmieriger. Nach etwa fünfzig Metern erreichte er einen Teich. Dunst waberte über dem Wasser. Der Streifenwagen, der ihn gerammt hatte, war brennend in den Teich gestürzt; das Wasser reichte bis zu den Fenstern, und ein paar ölige blaue Flammen tanzten über das verkohlte Dach. Die Fenster waren zerborsten. Die Einschusslöcher im Kofferraum sahen aus wie platt gedrückte Bierdosen. Der Fahrer hing halb aus seinem Fenster. Seine Leiche war völlig verkohlt, was das Weiß seiner Augen umso stärker hervortreten ließ.

Joe watete in den Teich, bis er auf der Beifahrerseite stand; das Wasser ging ihm bis zu den Hüften. Außer dem Fahrer befand sich keine andere Person im Wagen; um ganz sicherzugehen, steckte er den Kopf durch das Fenster, auch wenn er der Leiche damit unangenehm nahe kam. Als ihm der heiße Gestank verbrannten Fleischs ins Gesicht schlug, wich er unwillkürlich zurück. Er war sicher, dass zwei Cops in dem Wagen gesessen hatten. Abermals roch er verkohltes Fleisch.

Der andere lag am Rand des Teichs, mit dem Rücken auf dem sandigen Boden; seine linke Körperhälfte war so schwarz wie die seines Partners, das Fleisch der rechten verschrumpelt, aber noch weiß. Er war etwa so alt wie Joe. Sein rechter Arm deutete nach oben. Offenbar hatte er sich damit aus dem brennenden Wagen gezogen und war mit noch ausgestrecktem Arm rücklings tot ins Wasser gefallen.

Trotzdem sah es aus, als würde er auf Joe zeigen, und an der Botschaft gab es nichts zu deuteln:

Du bist schuld.

Du und sonst niemand. Jedenfalls niemand, der noch lebt.

Die erste Termite, das bist du.

4

Ein Loch in der Welt

Zurück in der Stadt, entledigte er sich des Wagens, den er in Lenox gestohlen hatte, und stieg in einen Dodge um, der ihm in der Pleasant Street in Dorchester ins Auge fiel. Damit fuhr er zur K Street in South Boston, parkte dem Haus gegenüber, in dem er aufgewachsen war, und erwog seine Alternativen. Viele waren es nicht. Und gegen Abend konnte er diese wenigen wahrscheinlich ebenfalls vergessen.

Die Zeitungen berichteten alle in ihren Spätausgaben:

DREIFACHER POLIZISTENMORD IN PITTSFIELD
(The Globe)

DREI POLIZEIBEAMTE GRAUSAM HINGERICHTET
(The Evening Standard)

BLUTBAD IN WEST-MASSACHUSETTS
(The Herald American)

Die beiden Männer, die Joe in dem Teich entdeckt hatte, hießen Donald Belinski und Virgil Orten. Beide waren verheiratet gewesen. Orten hinterließ zwei Kinder. Nachdem er eine Zeitlang ihre Fotos betrachtet hatte, kam Joe zu dem Schluss, dass Orten hinter dem Steuer des Wagens gesessen hatte und Belinski derjenige gewesen war, der aus dem Wasser auf ihn gezeigt hatte.

Er kannte den wahren Grund, warum sie tot waren: weil einer ihrer Kollegen blöd genug gewesen war, auf derart unebenem Terrain mit seiner verdammten Maschinenpistole wild aus einem fahrenden Wagen zu ballern. Und er selbst war Hickeys Termite gewesen; Donald und Virgil hätten sich niemals auf jenes Feld verirrt, wären er und die Bartolos nicht in ihre kleine Stadt gekommen, um eine ihrer kleinen Banken auszurauben.

Der dritte tote Cop, Jacob Zobe, war ein Streifenpolizist gewesen, der am Rand des October Mountain State Forest einen Wagen angehalten hatte. Die erste Kugel hatte ihn in den Bauch getroffen, und als er sich vornübergekrümmt hatte, die zweite in die Stirn. Zudem hatten sie dem Toten noch den Knöchel gebrochen, als sie mit quietschenden Reifen die Flucht ergriffen hatten.

Das klang nach Dion. Bei Schlägereien machte er es genauso – verpasste seinem Gegner erst mal einen satten Hieb in die Magengrube und bearbeitete dann so lange den Kopf, bis der andere endgültig am Boden lag. Soweit Joe bekannt, hatte Dion noch nie jemanden getötet, aber ein paarmal war er ziemlich nah dran gewesen, und außerdem hasste er die Bullen.

Die Identität der Verdächtigen stand noch nicht fest, war zumindest noch nicht publik gemacht worden. Zwei der Gesuchten wurden als »gedrungen« und »von fremdländischer Herkunft und ebensolchem Geruch« beschrieben, während der Dritte – vermutlich ebenfalls ein Ausländer – von einer Kugel im Gesicht erwischt worden war. Joe betrachtete sich im Rückspiegel. Technisch gesehen konnte man das durchgehen lassen; im weiteren Sinne gehörte ein

Ohrläppchen ja schließlich zum Gesicht. Nun ja, hatte es gehört.

Obwohl die Cops bezüglich ihrer Namen offenbar noch im Dunkeln tappten, hatte ein Zeichner bereits Phantombilder von ihnen angefertigt. Unterhalb der Faltlinie der Zeitungen befanden sich Fotos der drei toten Polizisten, darüber die Zeichnungen von Dion, Paolo und Joe. Dion und Paolo wirkten feister als in Wirklichkeit, und Joe nahm sich vor, Emma zu fragen, ob er tatsächlich so hager und wölfisch aussah, doch davon abgesehen hatte man sie bemerkenswert gut getroffen.

Sie waren in vier Bundesstaaten zur Fahndung ausgeschrieben. Zudem hatten die Behörden das FBI eingeschaltet, das sich anscheinend ebenfalls an der Verfolgung der Täter beteiligen wollte.

Mittlerweile hatte garantiert auch sein Vater die Zeitungen zu Gesicht bekommen. Sein Vater, Thomas Coughlin, seines Zeichens stellvertretender Polizeichef von Boston.

Sein Sohn, wegen Polizistenmordes gesucht.

Seit dem Tod von Joes Mutter vor zwei Jahren arbeitete sein Vater sechs Tage die Woche bis zur totalen Erschöpfung. Angesichts einer Großfahndung nach seinem eigenen Sohn würde er sich eine Pritsche ins Büro stellen lassen und wahrscheinlich nicht mehr nach Hause kommen, ehe sie den Fall abgeschlossen hatten.

Hier war er aufgewachsen, in diesem dreistöckigen Haus, einem imposanten Backsteingebäude mit Erkerfassade und geschwungenen Sitzbänken in den Fensternischen. Innen gab es Mahagonitreppen und Parkettböden, sechs Zimmer, zwei Badezimmer, beide mit fließend Wasser, und einen

Speisesalon, der jedem englischen Schloss zur Ehre gereicht hätte.

Als eine Frau Joe einmal gefragt hatte, wie es kam, dass er aus besten Verhältnissen, aus bestem Hause stammte und trotzdem zum Gangster geworden war, hatte er ihr darauf zwei Antworten gegeben: Erstens sei er kein Gangster, sondern ein Gesetzloser. Und zweitens komme er zwar aus besten Verhältnissen, aber deshalb noch lange nicht aus einem intakten Zuhause.

Vom Telefon in der Küche rief Joe bei den Goulds an, aber niemand hob ab. In der Tasche, die er mit ins Haus genommen hatte, befanden sich zweiundsechzigtausend Dollar. Selbst durch drei geteilt blieb genug übrig, um einen einigermaßen sparsamen Mann zehn, möglicherweise fünfzehn Jahre lang über die Runden zu bringen. Joe war nicht besonders sparsam, weshalb er davon ausging, dass ihm die Kohle unter normalen Umständen etwa vier Jahre reichen würde, auf der Flucht aber vielleicht nur achtzehn Monate. Nun ja, bis dahin würde er schon eine Lösung ausbaldowern. Er war gut darin, sich etwas einfallen zu lassen.

Jede Wette, meldete sich eine Stimme in seinem Kopf zu Wort, die verdächtig nach der seines ältesten Bruders klang. *Bis jetzt hat immer alles hingehauen.*

Er rief in Onkel Bobos Speakeasy an, doch auch dort erreichte er niemanden. Dann überlegte er, ob Emma schon unterwegs zur Eröffnungssoiree im Statler Hotel war. Joe zog seine Uhr aus der Weste: Es war zehn Minuten vor vier.

Noch mindestens zwei Stunden, die er in einer Stadt tot-schlagen musste, in der es alle auf seinen Kopf abgesehen hatten.

Erheblich zu viel Zeit, um sich draußen in der Öffent-lichkeit zu bewegen. Unterdessen würden sie seinen Namen und seine Adresse herausbekommen haben, eine Liste sei-ner aktenkundigen Komplizen und der Orte erstellen, an denen er sich regelmäßig aufzuhalten pflegte. Sie würden alle Bahnhöfe und Busbahnhöfe abriegeln, selbst auf dem Land, und an jeder nur erdenklichen Ecke Straßensperren errichten.

Doch das war nicht unbedingt schlecht. Die Straßen-sperren blockierten den Zugang zur Stadt unter der Prä-misse, dass er sich nach wie vor außerhalb ihrer Grenzen befand. Niemand würde annehmen, dass er sich tatsächlich hier aufhielt, obendrein mit der Intention, sich gleich wieder aus dem Staub zu machen. Nur der dümmste Kriminelle aller Zeiten hätte es riskiert, in seine Heimatstadt zurück-zukehren, nachdem er das aufsehenerregendste Verbrechen verübt hatte, das seit fünf, sechs Jahren in dieser Region passiert war.

Womit er der dümmste Kriminelle aller Zeiten war.

Oder der gewiefteste. Weil sie gerade überall nach ihm suchten, nur nicht direkt *unter ihrer Nase*.

Jedenfalls bildete er sich das ein.

Wie auch immer, ihm blieb nach wie vor, sich schleunigst vom Acker zu machen – warum hatte er das nicht gleich in Pittsfield getan? – und auf Nimmerwiedersehen zu ver-schwinden. Nicht erst in drei Stunden, sondern jetzt sofort, mit nichts als seinen Klamotten am Leib und einer Tasche voller Geld in der Hand. Ohne auf eine Frau zu warten, die es unter den gegebenen Umständen womöglich vorzog, lieber nicht mit ihm durchzubrennen. Ungeachtet der Tatsache, dass alle Straßen abgeriegelt waren, Busse und Bahnen rund um die Uhr kontrolliert wurden. Doch selbst wenn es ihm gelang, sich südwestlich aufs Land durchzuschlagen und dort ein Pferd zu stehlen, würde ihm das auch nicht viel bringen, da er keine Ahnung vom Reiten hatte.

Blieb noch das Meer.

In dem Fall benötigte er ein Boot, aber keine Freizeitgondel und auch nichts, was ganz offensichtlich nach Schmugglerkahn aussah. Er brauchte einen Arbeitskahn, einen mit rostigen Klampen, ausgefransten Tauen und einem Deck, auf dem sich verbeulte Hummerfallen stapelten. Irgendeinen Kutter, der in Hull, Green Harbor oder Gloucester vor Anker lag. Wenn er gegen sieben an Bord ging, würde der betreffende Fischer wahrscheinlich erst gegen drei oder vier Uhr morgens bemerken, dass sein Boot verschwunden war.

Nun stahl er auch noch von denen, die sich ihr Brot im Schweiße ihres Angesichts verdienten.

Aber schließlich waren Boote ja registriert – und wenn das nicht der Fall war, würde er sich ein anderes suchen. Der Registrierung würde er die Adresse entnehmen und dem Besitzer genug Geld zukommen lassen, um sich zwei neue Boote kaufen oder das Hummergeschäft ein für alle Mal an den Nagel hängen zu können.

Womöglich erklärte genau diese Haltung, warum er trotz all der krummen Dinger selten reichlich Dollars in den Taschen hatte. Manchmal kam es ihm vor, als würde er bloß Geld von den einen stehlen, um es anderen zukommen zu lassen. Aber natürlich stahl er auch, weil es Spaß machte, weil er es draufhatte und die Raubzüge wiederum zu anderen Dingen führten, die er ebenfalls aus dem Effeff beherrschte – Schnapsbrennen und Rumschmuggel beispielsweise, weshalb er sich nicht zuletzt auch mit Booten auskannte. Im vergangenen Juni hatte er ein Boot von einem namenlosen Fischerdorf quer über den Huronsee nach Bay City in Michigan überführt, im Oktober ein weiteres von Jacksonville nach Baltimore, und erst im Winter hatte er Fässer mit frisch gebranntem Rum von Sarasota über den Golf von Mexiko nach New Orleans transportiert, wo er seine gesamte Kohle an einem Wochenende im French Quarter für Sünden verschleudert hatte, an die er sich kaum mehr als bruchstückhaft erinnern konnte.

Und so war er in der Lage, die meisten Boote zu steuern, was wiederum bedeutete, dass er jede Menge Kähne zur Auswahl hatte. Wenn er das Haus jetzt verließ, war er in einer halben Stunde an der South Shore. Der Weg zur North Shore war zwar ein wenig länger, doch um diese Jahreszeit würde er dort mehr Boote finden. Wenn er von Gloucester oder Rockport startete, konnte er in drei bis vier Tagen in Nova Scotia sein. Und ein paar Monate später konnte Emma dann nachkommen.

Was ihm schon ein bisschen lang vorkam.

Aber sie würde auf ihn warten. Sie liebte ihn. Zugegeben, sie sagte es nie, aber er spürte, dass sie sich danach sehnte. Sie liebte ihn. Er liebte sie.

Sie würde warten.

Aber vielleicht würde er trotz allem auf einen Sprung im Hotel vorbeisehen. Auf eine Stippvisite, womöglich fand er sie ja auf Anhieb. Wenn sie sich zusammen aus dem Staub machten, würde man sie in hundert Jahren nicht aufspüren. Wenn er hingegen allein verschwand, wurde es schwierig, Emma nachzuholen; bis dahin hatten Cops und FBI mit Sicherheit herausgefunden, wer sie war und was sie ihm bedeutete. Wenn sie in Halifax eintraf, dann garantiert mit einem Verfolgertrupp auf den Fersen – sobald er die Tür öffnete, um sie in die Arme zu schließen, würden sie im Kugelhagel sterben.

Sie würde nicht warten.

Also, entweder jetzt mit ihr zusammen – oder ohne sie bis in alle Ewigkeit.

Er betrachtete sich im Glas des Geschirrschranks und erinnerte sich daran, warum er in erster Linie hierhergekommen war – egal, für was er sich entscheiden mochte, in diesem Aufzug würde er nicht weit kommen. Die linke Schulter seines Mantels war blutgeschwärzt, sein Hemd zerfetzt und dunkelrot gesprenkelt, und seine Schuhe und Manschetten starrten vor Schlamm.

Er öffnete den Brotkasten und förderte eine Flasche A. Finke's Widow Rum zutage. Oder schlicht Finke's, wie die meisten sagten. Dann zog er die Schuhe aus und nahm sie und den Rum über die Dienstbotentreppe mit nach oben ins Schlafzimmer seines Vaters. Im Bad wusch er sich das Blut von seinem mittlerweile verschorften Ohr, so gut es eben ging, mit aller Vorsicht, um die Wunde nicht wieder aufbrechen zu lassen. Als er sicher war, dass es nicht wieder zu bluten anfangen würde, trat er zwei Schritte zurück und verglich seine beiden Gesichtshälften. Sobald die Wunde ganz verheilt war, würde niemand ein zweites Mal hinsehen. Außerdem war ja bloß der untere Teil seines Ohrs betroffen; klar sah man die Verletzung, doch ein blaues Auge oder eine gebrochene Nase wäre bei weitem mehr aufgefallen.

Er nahm ein paar Schlucke aus der Rumflasche, während er die Garderobe seines Vaters in Augenschein nahm. Im Schrank hingen fünfzehn Anzüge, etwa dreizehn zu viel für das Gehalt eines Polizisten. Dasselbe galt für die vorhandenen Hemden, Krawatten, Hüte und Schuhe. Joe entschied sich für einen maßgeschneiderten braunen Nadelstreifen-Einreiher von Hart, Schaffner & Marx, ein weißes Arrow-Hemd, eine dunkle Seidenkrawatte mit diagonalen roten Streifen, ein Paar schwarzer Nettletons und einen Knapp-Felt-Fedora, so weich und glatt wie das Brustgefieder einer Taube. Er zog seine eigenen Klamotten aus und legte sie, fein säuberlich zusammengefaltet, neben sich auf den Boden, plazierte seine Pistole und seine Schuhe obenauf und schlüpfte in die Sachen seines Vaters. Zu guter Letzt steckte er sich die Pistole wieder hinten in den Hosenbund.

Der Länge der Hosenbeine nach zu urteilen waren sein Vater und er doch nicht gleich groß, auch wenn es sich nur um ein, zwei Zentimeter handelte. Außerdem war sein Hut ein bisschen zu klein für Joes Kopf. Joe löste das Problem, indem er sich den Hut in den Nacken schob, so dass er ihm eine etwas beschwingte Aura verlieh. Dann krempelte er die Hosenaufschläge hoch und befestigte sie mit Sicherheitsnadeln aus der Nähschublade seiner verstorbenen Mutter.

Anschließend trug er seine Sachen und die Flasche mit dem guten Rum hinunter ins Arbeitszimmer seines Vaters. Noch heute hatte er das Gefühl, ein Sakrileg zu begehen, wenn er das Büro seines Vaters in dessen Abwesenheit betrat. Er verharrte auf der Schwelle und lauschte den Geräuschen im Haus – dem Ticken der gusseisernen Heizkörper, dem leisen Ratschen der Standuhr in der Diele, die sich anschickte, vier zu schlagen. Obwohl er sicher war, dass sich außer ihm niemand im Haus befand, fühlte er sich beobachtet.

Beim Glockenschlag betrat Joe das Büro.

Der Tisch stand vor den großen Erkerfenstern mit Blick auf die Straße. Es handelte sich um einen reichverzierten viktorianischen Doppelschreibtisch, der Mitte des vergangenen Jahrhunderts in Dublin geschreinert worden war – ein Prachtstück, von dem ein Kleinbauernsohn aus einem Drecksnest wie Clonakilty nicht im Traum geglaubt hätte, dass es je sein Wohnzimmer schmücken würde. Dasselbe galt für die dazu passende Anrichte, den Perserteppich, die schweren bernsteinfarbenen Gardinen, die Kristallkaraffen, die Eichenholzregale und die in Leder gebundenen Bücher, die sein Vater nie anrührte, die Vorhangstangen aus Bronze, das antike Ledersofa und die dazugehörigen Sessel, den Humidor aus Walnussholz.

Joe öffnete eins der Kabinettschränkchen unter den Regalen, ging vor dem Safe in die Hocke, stellte die richtige Zahlenkombination ein – 3-12-10, entsprechend den Monaten, in denen er und seine zwei Brüder zur Welt gekommen waren – und öffnete die Tresortür. Im Safe befanden sich ein paar Schmuckstücke seiner Mutter, fünfhundert Dollar in bar, die Eigentumsdokumente für das Haus, die Geburtsurkunden seiner Eltern, ein Stapel Papiere, um den sich Joe nicht weiter kümmerte, und etwas mehr als tausend Dollar in Schatzanweisungen. Er nahm alles heraus und legte den ganzen Kram neben die rechte Tür des Schränkchens. Die Rückwand des Safes bestand aus demselben massiven Stahl wie der Rest. Joe entfernte sie, indem er mit den Daumen fest gegen die oberen Ecken drückte, und fasste das Zahlenkombinationsschloss ins Auge, das dahinter zum Vorschein kam.

Die Kombination dieses Schlosses herauszufinden hatte ihn weit mehr Mühe gekostet. Vergebens hatte er alle Geburtstage in der Familie durchprobiert, dann die Nummern der Reviere, in denen sein Vater im Laufe der Jahre gearbeitet hatte – mit demselben Ergebnis. Als er sich daran erinnerte, dass sein Vater gelegentlich zu sagen pflegte, dass Glück, Pech und Tod immer dreimal aufeinanderfolgten, versuchte er es mit jeder erdenklichen Variation dieser Ziffer, abermals erfolglos. Mit vierzehn hatte er zum ersten Mal versucht, das Schloss zu öffnen. Und eines Tages – mittlerweile war er bereits siebzehn gewesen – war ihm ein Schreiben ins Auge gefallen, das sein Vater auf dem Tisch hatte liegen lassen – ein Brief an einen alten Freund, der inzwischen Chef der Feuerwehr in Lewiston, Maine, war. Der Brief, getippt auf der Underwood seines Vaters, bestand aus einer einzigen, schier endlosen Aneinanderreihung von Lügen – »Ellen und ich sind Kinder des Glücks, immer noch verliebt wie am ersten Tag…« »Aiden hat die Schicksalsschläge vom September '19 glänzend überwunden…« »Connor macht bemerkenswerte Fortschritte…« und »Joseph wird ab Herbst voraussichtlich am Boston College studieren und könnte sich vorstellen, später im Aktienhandel zu arbeiten…« Und ganz am Ende all dieses Zinnobers hatte er mit *Dein TXC* unterschrieben. So wie immer. Er unterzeichnete nie mit seinem vollen Namen, so als würde er sich damit irgendwie bloßstellen.

TXC.

Thomas Xavier Coughlin.

TXC.

20-24-3.

Nun stellte Joe die Zahlenkombination ein, und der zweite Safe öffnete sich mit einem scharfen Quietschen.

Er war etwa zwei Fuß tief. Anderthalb Fuß davon waren mit Banknoten zugepackt – fetten, von roten Gummibändern zusammengehaltenen Dollarbündeln. Manche Scheine stammten noch aus der Zeit vor Joes Geburt, andere wiederum waren dort wohl erst eine Woche zuvor verstaut worden. So sah das aus, wenn jemand ein Leben lang abkassiert hatte: Schmiergeld, Schwarzgeld, Schweigegeld. Sein Vater – eine Stütze der Stadt auf dem Hügel, dem Athen Amerikas, dem Dreh- und Angelpunkt des Universums – war ein Krimineller, dem Joe in tausend Jahren nicht das Wasser reichen konnte. Allein deshalb, weil er nie herausbekommen hatte, wie man der Welt mehr als ein Gesicht zeigte, während sein Vater mit so vielen Gesichtern jonglierte, dass stets unklar blieb, was eigentlich Original und was Fälschung war.

Joe wusste, dass er zehn Jahre lang ein Leben auf der Flucht führen konnte, wenn er jetzt den Safe ausräumte. Und wenn er weit genug kam, dass sie die Suche nach ihm abbrachen, konnte er sich sogar ins Zucker-und-Melasse-Geschäft einkaufen, sich an einer Destille beteiligen und innerhalb von drei Jahren zum Schwarzbrennerkönig aufsteigen, ohne sich je wieder Sorgen über eine warme Mahlzeit oder ein Dach über dem Kopf machen zu müssen.

Aber er wollte das Geld seines Vaters nicht. Er hatte seine Klamotten genommen, weil ihm die Vorstellung gefiel, die Stadt in der Kleidung des alten Drecksacks zu verlassen, doch lieber hätte er sich selbst die Hände gebrochen, als sich an der Kohle seines Vaters zu vergreifen.

Er nahm seine fein säuberlich zusammengelegten Sachen und plazierte sie zusammen mit den lehmverkrusteten Schuhen auf den dreckigen Dollarbündeln seines Vaters. Er überlegte, ob er eine Botschaft hinterlassen sollte, doch ihm fiel nichts Weltbewegendes ein, weshalb er einfach die Tür schloss, die falsche Rückwand wieder einsetzte und auch die erste Tresortür wieder verriegelte.

Etwa eine Minute lang schritt er noch auf und ab, spielte sämtliche Möglichkeiten noch einmal durch. Auf der Suche nach Emma in einen Empfang hineinzuplatzen, bei dem so gut wie alle Honoratioren der Stadt anwesend sein würden – allesamt persönlich eingeladen und in Limousinen vorgefahren –, wäre blanker Wahnsinn gewesen. Es war kühl im Arbeitszimmer seines Vaters, und fast schien es ihm, als hätte doch etwas vom erbarmungslosen Pragmatismus seines alten Herrn auf ihn abgefärbt. Er musste mit dem vorliebnehmen, was ihm die Götter an die Hand gegeben hatten: einen Weg aus der Stadt, indem er geradewegs in sie hineinfuhr. Aber die Zeit zerrann ihm zwischen den Fingern. Er sollte schleunigst los, in den geklauten Dodge springen und Richtung Norden jagen, als würde der Asphalt in Flammen stehen.

Es war ein nieseliger Frühlingsabend. Er sah auf die K Street hinunter und klammerte sich an den Gedanken, dass sie ihn liebte, dass sie auf ihn warten würde.

Nachdem er sich hinter das Steuer des Dodge gesetzt hatte, warf er einen letzten Blick auf sein Elternhaus, das Haus, das ihn zu dem Mann gemacht hatte, der er heute war. Für einen Bostoner Iren war er in purem Luxus aufgewachsen. Er war nie hungrig zu Bett gegangen, hatte nie das harte Pflaster durch löchrige Schuhsohlen spüren müssen. Erst war er von Nonnen, dann von Jesuiten unterrichtet worden, bis er in der elften Klasse die Schule abgebrochen hatte. Verglichen mit den meisten Burschen in seiner Branche war er geradezu auf Rosen gebettet gewesen.

Doch irgendwo in alldem klaffte ein Riesenloch. Die Distanz zwischen Joe und seinen Eltern entsprach der Distanz zwischen seiner Mutter und seinem Vater und dem Verhältnis seiner Mutter zum Rest der Welt. Vor seiner Geburt hatte zwischen seinen Eltern Krieg geherrscht, ein Krieg, der in einen so brüchigen Frieden gemündet war, dass dessen bloße Erwähnung ihn schon zu gefährden schien. Das Schlachtfeld zwischen ihnen existierte nach wie vor; sie stand auf ihrer Seite, er auf seiner. Und Joe saß in der Mitte, im Niemandsland, auf verbrannter Erde. Die Leere in seinem Elternhaus verdankte sich der Leere zwischen seiner Mutter und seinem Vater, und eines Tages hatte diese Leere auch von ihm Besitz ergriffen. Jahrelang hatte er gehofft, dass sich etwas ändern würde, doch schließlich erinnerte er sich nicht mal mehr, warum er sich überhaupt danach gesehnt hatte. Die Dinge waren nie so, wie sie sein sollten; sie waren, was sie waren, das war die simple Wahrheit, eine Wahrheit, an der es nichts zu rütteln gab, sosehr man es sich auch wünschte.

Er fuhr zum East-Coast-Busterminal an der St. James

Avenue. Es war ein kleines gelbes, von einer Reihe größerer Häuser umgebenes Klinkergebäude, und Joe setzte darauf, dass die Cops, die hier eventuell nach ihm suchten, sich bei den Terminals auf der Nordseite des Gebäudes aufhielten und nicht bei den Schließfächern im südwestlichen Teil des Busbahnhofs.

Er schlüpfte durch die Tür und geriet sofort in den Strom der Pendlermassen. Er ließ sich in der Menge treiben, locker und ohne Eile, und ausnahmsweise störte es ihn nicht, kein Gardemaß zu haben: Mitten im Gedränge war er bloß ein weiterer Kopf unter vielen, vielen anderen. Er erspähte zwei Cops nahe den Terminals und einen in der Menge, etwa zwanzig Meter von ihm entfernt.

Er drehte ab und verschwand im Raum mit den Schließfächern. Hier setzte er sich, schlicht, weil er allein war, dem größten Risiko aus. Er hatte der Tasche bereits dreitausend Dollar entnommen und eingesteckt. In der rechten Hand hielt er den Schlüssel zu Schließfach 217, in der linken die Tasche. In seinem Schließfach befanden sich 7435 Dollar, zwölf Taschen- und dreizehn Armbanduhren, zwei Geldscheinklammern aus Sterlingsilber, eine goldene Krawattennadel und eine ganze Reihe von Schmuckstücken, die er nicht verkauft hatte, aus Argwohn, von den Hehlern abgezockt zu werden. Er trat vor das Schließfach, hob die rechte Hand, die nur ein ganz klein wenig zitterte, und schloss auf.

Hinter ihm rief jemand: »Hey!«

Joe hielt den Blick starr geradeaus gerichtet. Der Tremor in seiner Hand verwandelte sich in einen Krampf, als er die Tür des Schließfachs aufzog.

»›Hey!‹, hab ich gesagt!«

Joe beförderte die Tasche ins Fach und schloss die Tür.

»Hey, du! Hey!«

Joe schloss ab und steckte den Schlüssel wieder ein.

»Hey!«

Joe wandte sich um, vor seinem inneren Auge einen Cop mit gezücktem Revolver, wahrscheinlich jung und ziemlich nervös …

Doch sein Blick fiel auf einen Wermutbruder, der auf dem Boden neben einem Mülleimer hockte – ein spargeldürrer Kerl, nichts als rote Augen, rote Wangen, Sehnen und Knochen. Er reckte das Kinn in Joes Richtung.

»Ja, Scheiße, was gibt's denn da zu glotzen?«, schnauzte er.

Das Lachen, das unvermittelt aus Joes Kehle drang, klang wie ein Bellen. Er griff in die Tasche, kramte einen Zehner hervor und reichte ihn dem alten Säufer.

»Ich schau doch nur, Väterchen.«

Der Alte quittierte das mit einem Rülpsen, doch Joe war bereits auf dem Weg zum Ausgang und dann auch schon in der Menschenmenge verschwunden.

Zurück auf der Straße, folgte er der St. James Avenue ostwärts in Richtung der beiden Karbidscheinwerfer, die das neue Hotel von oben anstrahlten. Sein Geld sicher untergebracht zu wissen, bis er es wieder benötigte, verlieh ihm zumindest für ein paar Momente ein Gefühl der Sicherheit. Obwohl es ein recht unorthodoxer Schritt war für jemanden, der davon ausging, dass er sein Leben auf der Flucht verbringen würde.

Wieso bunkerst du hier Geld, wenn du ohnehin vorhast, das Land zu verlassen?

Damit ich darauf zurückgreifen kann.

Weshalb solltest du darauf zurückgreifen müssen?

Falls sie mich doch kriegen.

Siehst du? Da hast du deine Antwort.

Wieso? Was für eine Antwort?

Du willst nicht, dass sie das Geld bei dir finden.

Genau.

Weil du genau weißt, dass sie dich schnappen werden.

Knochenarbeit

Er betrat das Statler Hotel durch den Personaleingang. Als ihn erst ein Page und dann ein Tellerwäscher misstrauisch beäugte, hob er den Hut, hielt zwei Finger hoch und lächelte verschwörerisch – ein Bonvivant, der den Menschenmassen aus dem Weg gehen wollte, und sie nickten ebenfalls lächelnd zurück.

Während er durch die Küche marschierte, hörte er die Klänge eines Pianos und einer beschwingten Klarinette, begleitet von einem steten Bassrhythmus. Er stieg einen dunklen Betonaufgang nach oben, öffnete eine Tür und stand vor einer Marmortreppe, die geradewegs in ein Reich aus Licht, Rauch und Musik führte.

Joe war schon in einigen Luxushotels gewesen, doch das hier übertraf seine kühnsten Vorstellungen. Der Cellist und der Klarinettist standen nahe den schweren Messingtüren, die so blank geputzt waren, dass sich die im Licht tanzenden Staubpartikel golden färbten. Korinthische Säulen reckten sich vom Marmorboden zu schmiedeeisernen Balkonen empor. Die Wände waren mit Stuck aus Alabaster verziert, und von der Decke hingen schwere Kronleuchter, ebenso ausladend geformt wie die fast zwei Meter hohen Kandelaber. Auf Orientteppichen luden dunkelrote Sofas zum Verweilen ein. An den entgegengesetzten Enden des Foyers standen zwei über und über mit weißen Blumen geschmückte Flügel. Die Pianisten ließen schmeichlerische Melodien perlen, warfen sich gegenseitig die Themen zu und gingen spontan auf die Menge ein.

Vor der Haupttreppe hatte der Sender WBZ drei Radiomikrophone nebst Ständern aufgestellt. Dort unterhielt sich eine voluminöse Frau in einem hellblauen Kleid mit einem Mann, der einen beigefarbenen Anzug und eine gelbe Fliege trug. Die Frau rückte wiederholt ihre modischen Wasserwellen zurecht und nippte an einem Glas, in dem sich eine neblig-trübe Flüssigkeit befand.

Die meisten Männer trugen Smoking. Einige aber waren nicht ganz so förmlich gekleidet, so dass Joe in seinem Anzug nicht weiter auffiel. Allerdings trug er als Einziger einen Hut. Er überlegte, ob er ihn absetzen sollte, doch genauso gut hätte er den Gästen auch eine der Spätausgaben mit seinem Konterfei auf der Titelseite unter die Nase halten können. Er sah nach oben und ließ den Blick über das Zwischengeschoss schweifen: jede Menge Hüte, da sich dort reichlich Reporter und Fotografen tummelten.

Er senkte das Kinn und kämpfte sich zum nächstgelegenen Treppenaufgang durch – kein leichtes Unterfangen, weil die Menge in Richtung der Mikrophone und der massigen Frau in dem blauen Kleid drängte. Doch selbst mit eingezogenem Kopf erspähte er Chappie Geygan und Boob Fowler, die gerade ein Schwätzchen mit Red Ruffing hielten. Joe, Anhänger der Red Sox, solange er denken konnte, ermahnte sich im Stillen, dass es für einen Mann auf der Flucht womöglich keine so brillante Idee war, drei Baseballspieler anzuquatschen und mit ihnen über ihre Trefferquoten zu plaudern. Stattdessen drückte er sich nahe genug an ihnen vorbei, um womöglich ein paar Brocken darüber aufzuschnappen, ob Geygan und Fowler tatsächlich verkauft werden sollten, doch sie sprachen nur über den Aktienmarkt, und er hörte lediglich, wie Geygan sagte, richtig Schotter an der Börse ließe sich nur mit Termingeschäften machen, alles andere sei für Trottel, die lieber arm bleiben wollten. Im selben Augenblick trat die Frau im blauen Kleid ans Mikrophon und räusperte sich. Der Mann neben ihr hob die Hand.

»*Ladies and Gentlemen,* wir haben die Ehre, heute ein Hörvergnügen der besonderen Art zu übertragen«, sagte er. »Hier ist wbz Radio, Boston, Wellenlänge 1030, live aus dem Foyer des einzigartigen Hotel Statler. Ich bin Edwin Mulver und freue mich, Ihnen Mademoiselle Florence Ferrel ansagen zu dürfen, Mezzosopranistin beim Symphonieorchester von San Francisco.«

Edwin Mulver trat mit hochgerecktem Kinn zurück, während Florence Ferrel noch einmal ihre Wasserwellen betastete und dann in ihr Mikrophon hauchte. Das Hauchen verwandelte sich unvermittelt in einen himmlisch hohen Ton, der den Zuhörern durch Mark und Bein ging und sich drei Etagen zur Decke emporschwang. Es war ein derart extravaganter und doch so authentischer Klang, dass Joe sich urplötzlich fühlte, als sei er der einsamste Mensch auf der ganzen Welt. Ihrer Stimme wohnte etwas Göttliches inne, und während es von ihrem Körper in seinen überging, wurde Joe jäh klar, dass er eines Tages sterben würde. Als er das Hotel betreten hatte, war sein Tod nichts weiter als eine entfernte Möglichkeit gewesen. Nun stellte er eine unumstößliche, grausame Gewissheit dar. Konfrontiert mit einem so klaren Beweis des Jenseitigen, spürte er, dass er unbedeutend und sterblich war wie alle anderen, dass bereits der Tag seiner Geburt nicht mehr als der Anfang vom Ende gewesen war.

Während sich die Sängerin weiter in der Arie vorarbeitete, wurden die Töne immer höher, immer länger, und Joe stellte sich ihre Stimme als einen dunklen, unendlich tiefen Ozean vor. Er betrachtete die Männer in ihren Smokings, die Frauen in ihren Taftkleidern, Seidenroben und Spitzengewändern, den Champagnerbrunnen in der Mitte des Foyers. Er erkannte einen Richter, Bürgermeister Curley, Gouverneur Fuller und einen weiteren Spieler der Sox, Baby Doll Jacobson. An einem der Flügel stand Constance Flagstead, ein hiesiger Theaterstar, und flirtete mit Ira Bumtroth, weithin bekannt als Strippenzieher, der über die richtigen Kontakte verfügte. Viele Gäste amüsierten sich, andere versuchten derart angestrengt, eine honorige Figur abzugeben, dass sie schlicht zum Lachen waren. Er sah strengblickende Männer mit Backenbart und vertrocknete Matronen in kirchenglockenartigen Kleidern, erspähte Mitglieder des Bostoner Geldadels, echte Blaublüter und schwerreiche Damen einer patriotischen Frauenvereinigung, Alkoholbarone und deren Anwälte und sogar den Tennisspieler Rory Johannsen, der im letzten Jahr bis ins Viertelfinale von Wimbledon vorgedrungen war, ehe ihn dieser Franzose, Henri Cochet, dann doch geschlagen hatte. Er sah bebrillte Intellektuelle, die sich größte Mühe gaben, nicht allzu offensichtlich zu einer Gruppe koketter Mädchen hinüberzugaffen, die zwar keinen allzu geistreichen Eindruck machten, aber hübsche Augen und außerordentlich wohlgeformte Beine hatten.

Und alle, alle, alle waren sie zum Sterben verdammt. Wenn in fünfzig Jahren jemand ein Foto von dieser Gesellschaft betrachten würde, hätten die meisten der Anwesenden längst das Zeitliche gesegnet.

Florence Ferrel näherte sich bereits dem Ende ihrer Arie, als Joe erneut das Zwischengeschoss ins Auge fasste und Albert White erblickte, flankiert von seiner Ehefrau, die pflichtbewusst hinter seinem rechten Ellbogen stand. Sie war mittleren Alters und gertenschlank, das genaue Gegenteil all der anderen gutsituierten Gattinnen, deren Leibesfülle nicht zu übersehen war. Das Auffälligste an ihr waren die Augen, selbst aus dieser Entfernung. Ihr Blick wirkte angsterfüllt, fast panisch, selbst als sie über eine Bemerkung Alberts lächelte, die sogar Bürgermeister Curley, der gerade mit einem Glas Scotch zu ihnen gestoßen war, zu einem breiten Grinsen nötigte.

Joe ließ den Blick über den Balkon wandern, und da war sie plötzlich: Emma. Sie trug ein silbernes Cocktailkleid und stand zwischen ein paar anderen Leuten an der Eisenbrüstung, ein Glas Champagner in der linken Hand. In diesem Licht war ihre Haut hell wie der Alabaster an den Wänden, und sie wirkte einsam, in sich versunken, als bedrücke sie ein stiller Kummer. War das ihr wahres Gesicht, das sie ihm sonst nicht zu zeigen wagte? Trauerte sie womöglich einem unaussprechlichen Verlust hinterher? Einen Moment befürchtete er, sie würde sich über die Brüstung stürzen, doch dann verwandelte sich ihre betrübte Miene urplötzlich in ein Lächeln. Im selben Augenblick begriff er, was der Grund für ihre Trauer gewesen war: Sie hatte nicht damit gerechnet, ihn jemals wiederzusehen.

Ihr Lächeln wurde breiter, und sie bedeckte den Mund

mit der Hand, wobei sie das Champagnerglas schräg hielt. Ein paar Tropfen fielen nach unten. Ein Mann fasste sich in den Nacken und sah nach oben. Eine korpulente Frau wischte sich über die Augenbraue und zwinkerte mehrmals mit ihrem rechten Auge.

Emma wandte den Kopf und sah zu der Treppe hinüber, die von seiner Seite der Lobby nach oben führte. Joe nickte, und sie wandte sich von der Brüstung ab.

Er verlor sie aus den Augen, während er sich den Weg durch die Menge bahnte. Ihm war aufgefallen, dass die Reporter im Zwischengeschoss ihre Hüte in den Nacken geschoben und ihre Krawatten gelockert hatten. Und so ließ er seinen Hut ebenfalls ein Stück nach hinten wandern und löste seinen Binder, während er sich durch die letzten Grüppchen Richtung Treppe quetschte.

Officer Donald Belinski kam ihm entgegen, ein Gespenst, das sich irgendwie vom Boden des Teichs aufgerappelt und das verbrannte Fleisch von den Knochen gekratzt hatte. Jedenfalls schritt er gerade die Treppe hinab – dasselbe blonde Haar, derselbe narbige Teint, dieselben absurd roten Lippen, derselbe fahle Blick. Aber Moment – dieser Typ war massiger, eigentlich eher rotblond und hatte bereits hohe Schläfen. Und obwohl Joe den toten Belinski nur auf dem Rücken hatte liegen sehen, war er ziemlich sicher, dass der Cop größer als dieser Mann gewesen war; wahrscheinlich hatte er sogar besser gerochen, der Kerl stank nämlich penetrant nach Zwiebeln. Im selben Moment bemerkte Joe, wie sich die Augen des Burschen verengten. Er strich sich eine Strähne öligen rotblonden Haars aus der Stirn, in der freien Hand seinen Hut, in dessen Band sein

Presseausweis steckte. Joe trat ihm im letzten Moment aus dem Weg.

»Pardon«, sagte Joe.

»Kein Problem«, gab der andere zurück, doch Joe spürte seinen Blick im Nacken, während er die nächsten Stufen nahm und nicht fassen konnte, dass er nun auch noch so blöd gewesen war, nicht nur irgendjemandem, sondern ausgerechnet einem Reporter direkt ins Gesicht zu sehen.

»Entschuldigung«, rief ihm der Typ hinterher, »Sie haben was verloren.« Aber Joe wusste genau, dass das nicht stimmte. Er eilte weiter, kämpfte sich durch eine Gruppe von reichlich angeschickerten Leuten, die gerade die Treppe betraten, darunter eine Frau, die an einer anderen hing wie ein nasser Fetzen, und dann hatte er sie auch schon hinter sich gelassen, lief weiter, ohne sich auch nur einmal umzudrehen, den Blick in die Zukunft gerichtet.

Auf sie.

Sie hielt eine kleine, zu ihrem Kleid, der Silberfeder und dem Silberband in ihrem Haar passende Tasche in Händen. Eine zarte Vene pulsierte an ihrer Kehle. Ihre Schultern bebten; ihre Lider flatterten. Er musste an sich halten, um sie nicht auf der Stelle in die Arme zu schließen und hochzuheben, so dass sie die Beine um ihn schlingen und ihr Gesicht an das seine schmiegen konnte. Doch stattdessen ging er an ihr vorbei und sagte: »Da hat mich gerade jemand erkannt. Lass uns schleunigst abhauen.«

Sie passte sich seinem Schritt an, während er über einen roten Teppich am großen Ballsaal vorbeimarschierte. Auch hier wimmelte es nur so von Gästen, doch war es nicht ganz so gedrängt voll wie im Foyer. Am Rand der Menge konnten sie sich problemlos fortbewegen.

»Beim nächsten Balkon ist ein Lastenaufzug«, sagte sie. »Damit kommen wir runter in den Keller. Ich kann nicht glauben, dass du hier bist.«

Er bog nach rechts in den nächsten Gang ab, blieb stehen und zog sich den Hut tief in die Stirn. »Was hätte ich sonst machen sollen?«

»Fliehen.«

»Wohin?«

»Woher soll ich das wissen? In deiner Situation hätte das wohl jeder so gemacht.«

»Ich bin aber nicht jeder.«

Im hinteren Teil des Zwischengeschosses herrschte wieder dichtes Gedränge. Unten hatte sich der Gouverneur ans Mikrophon gestellt; als er verkündete, heute sei Hotel Statler Day im gesamten Staat Massachusetts, brandete frenetischer Jubel auf. Im selben Augenblick spürte Joe, wie Emma ihn mit dem Ellbogen nach links dirigierte.

Jetzt sah er die dunkle Nische jenseits der Banketttische, der Leuchter, des Marmors und der roten Teppiche.

Im Foyer legte eine Blaskapelle los; die Menge stürzte an die Geländer, Blitzlichter zuckten, ploppten und zischten. Joe fragte sich, ob irgendeinem der Fotoreporter später auffallen würde, wer da auf den Bildern im Hintergrund zu sehen war – dieser Typ im braunen Anzug, auf den ein Kopfgeld ausgesetzt war.

»Links rüber«, flüsterte Emma.

Joe lief zwischen zwei Banketttischen hindurch, hinter denen der Marmorboden in schmale schwarze Fliesen überging. Nach ein paar weiteren Schritten stand er vor dem Aufzug und drückte auf den Knopf nach unten.

Vier betrunkene Kerle wankten vorbei. Sie waren ein paar Jahre älter als Joe und sangen »Soldiers Field«.

»*O'er the stands of flaming crimson*«, schmalzten sie, ohne auch nur einen richtigen Ton zu treffen, »*the Harvard banners fly.*«

Abermals betätigte Joe den Knopf.

Einer der Männer musterte ihn kurz, glotzte dann aber auf Emmas Hintern. Er stieß seinen Nebenmann an, während sie lauthals weitersangen: »*Cheer on like volleyed thunder echoes to the sky.*«

Emmas Hand streifte die seine. »Verdammte Scheiße«, sagte sie.

Wieder drückte er auf den Knopf.

Links von ihnen knallten zwei Schwingtüren, als ein Kellner unvermittelt auf den Gang trat, ein großes Tablett auf der hochgereckten Hand. Er war nur anderthalb Meter entfernt, schenkte ihnen aber keine Beachtung.

Die Harvard-Burschen waren nicht mehr zu sehen, aber nach wie vor zu hören:

»*Then fight, fight, fight! For we win tonight!*«

Emma streckte die Hand nach dem Fahrstuhlknopf aus, um es selbst zu versuchen.

»*Old Harvard forevermore!*«

Joe überlegte, ob sie nicht besser durch die Küche verschwinden sollten, doch wahrscheinlich handelte es sich ohnehin bloß um einen engen Verschlag mit bestenfalls einem Speiseaufzug, mit dem die Kanapees aus der zwei Etagen tiefer gelegenen Hauptküche nach oben befördert wurden. Im Nachhinein betrachtet wäre es um einiges schlauer gewesen, wenn Emma zu ihm gekommen wäre statt umgekehrt. Tja, hätte er nur einen kühlen Kopf bewahrt – nur dass er sich nicht erinnern konnte, wann er zuletzt einen klaren Gedanken gefasst hatte.

Er war gerade im Begriff, nochmals auf den Knopf zu drücken, als er hörte, wie der Lift kam.

»Dreh dich einfach um, wenn jemand drin ist«, sagte er. »Die sind garantiert in Eile.«

»Aber nicht mehr, wenn sie meinen Rücken sehen«, erwiderte sie, und er musste trotz seiner Sorgen lächeln.

Der Aufzug kam, doch die Türen öffneten sich nicht. Er wartete fünf Herzschläge lang und zog das Gitter und dann die Türen auf. Der Lift war leer. Über die Schulter warf er Emma einen Blick zu, und sie stieg ein. Er folgte ihr, schloss Gitter und Tür, legte den Hebel um, und schon fuhren sie abwärts.

Sie legte die flache Hand an seinen Hosenlatz, und er wurde sofort hart, während sie ihre Lippen auf die seinen presste. Als er die freie Hand unter ihr Kleid gleiten ließ, die Hitze zwischen ihren Schenkeln spürte, stöhnte sie in seinen Mund. Ihre Tränen tropften auf seine Wangen.

»Warum weinst du?«

»Weil ich dich vielleicht doch liebe.«

»Vielleicht?«

»Ja.«

»Aber dann lach doch lieber.«

»Ich kann nicht«, sagte sie. »Ich kann nicht.«

»Kennst du den Busbahnhof an der St. James?«

Ihre Augen verengten sich zu Schlitzen. »Was? Ja, na klar.«

Er drückte ihr den Schließfachschlüssel in die Hand. »Nur für den Fall, dass etwas passiert.«

»Was meinst du?«

»Zwischen hier und der Freiheit.«

»Nein«, gab sie zurück. »Kommt nicht in Frage. Nimm du das. Ich will das nicht.«

Er hob die Hände. »Steck den Schlüssel ein.«

»Joe, ich will das nicht.«

»Damit kommst du an eine Menge Geld.«

»Lass mich damit in Ruhe.« Sie versuchte ihm den Schlüssel zurückzugeben, aber er hielt die Hände weiter in die Höhe.

»Jetzt nimm ihn schon.«

»Nein«, sagte sie. »Wir geben die Kohle gemeinsam aus. Ich bin jetzt mit dir zusammen, Joe. Ich bin jetzt deine Freundin. Nimm ihn schon zurück.«

Im selben Moment erreichten sie den Keller.

Hinter dem Fenster in der Aufzugtür war es dunkel, weil das Licht aus *irgendeinem* Grund gelöscht worden war.

Doch nicht aus irgendeinem Grund, wie Joe siedend heiß aufging. Es gab nur einen Grund.

Er griff nach dem Hebel, doch im selben Augenblick wurde auch schon das Gitter aufgerissen, und Brendan Loomis zog ihn an der Krawatte aus dem Lift, klaubte ihm die Pistole aus dem Hosenbund und warf sie hinter sich ins Dunkel. Dann bearbeitete er Joes Gesicht mit den Fäusten, und zwar in einem solchen Tempo, dass Joe die Schläge nicht mehr mitzählen konnte – alles geschah so schnell, dass er kaum die Hände hochbekam.

Als es ihm endlich gelang, streckte er eine Hand nach

Emma aus, im Bemühen, sie irgendwie zu beschützen. Doch Brendan Loomis hatte eine Faust wie ein Fleischerhammer. Jedes Mal, wenn er Joes Kopf traf – *bap bap bap bap* –, spürte Joe, wie ihm die Sinne schwanden und sich ein weißer Rand um sein Sichtfeld legte. Seine Augen verrutschten in den Höhlen, sein Blick wurde trüb. Er hörte seine eigene Nase brechen, ehe Loomis – *bap bap bap* – die Faust noch dreimal hintereinander auf sein zertrümmertes Nasenbein knallte.

Als Loomis seine Krawatte losließ, stürzte Joe auf alle viere. Ein stetes Geräusch drang an seine Ohren – es klang wie ein undichter Wasserhahn –, und als er die Augen öffnete, sah er sein eigenes Blut auf dem Zementboden tropfen, Tropfen so groß wie Fünf-Cent-Stücke, die sich so schnell ansammelten, dass sie im Nu wie Amöben aussahen und sich alsbald zu Pfützen ausweiteten. Er wandte den Kopf, um sich zu vergewissern, ob es Emma vielleicht gelungen war, im allgemeinen Tohuwabohu die Fahrstuhltür zu schließen und sich aus dem Staub zu machen, doch der Fahrstuhl war nicht da, wo er ihn vermutete. Alles, was er sah, war eine nackte Betonwand.

In just diesem Augenblick trat ihn Brendan Loomis mit solcher Wucht in den Bauch, dass es ihn vom Boden riss. Er krümmte sich zusammen und bekam keine Luft mehr. Er schnappte danach, aber vergebens. Er versuchte wieder auf die Knie zu kommen, doch seine Beine gaben unter ihm nach, weshalb er sich mit den Ellbogen hochstemmte und wie ein Fisch an Land nach Sauerstoff rang, sich verzweifelt mühte, auch nur einen winzigen Hauch in seine Luftröhre zu saugen, doch seine Brust war wie ein schwarzer Fels, wie hartes, undurchdringliches Gestein, in dem kein Platz für etwas anderes war, und er befürchtete, jede Sekunde zu ersticken.

Die verbliebene Luft zwängte sich durch seine Luftröhre wie ein Ballon durch einen Federkiel, presste ihm das Herz ab, quetschte seine Lungen, schnürte ihm die Kehle zu und entwich schließlich schmerzhaft seinem Mund – gefolgt von einem Pfeifen und würgeähnlichen Keuchen, doch das war okay, das war wunderbar, da er endlich, endlich wieder atmen konnte.

Loomis trat ihm von hinten zwischen die Beine.

Joe presste die Stirn gegen den Betonboden, hustete und hätte sich um ein Haar übergeben, vielleicht hatte er sogar gekotzt, er wusste es nicht. Die Schmerzen waren unvorstellbar. Seine Eier fühlten sich an, als steckten sie tief in seinen Eingeweiden; Flammen leckten an seinen Magenwänden, sein Herz raste in einem Tempo, dass es jeden Moment schlappmachen musste, sein Schädel knirschte, als würde er mit bloßen Händen aufgestemmt, und Blut trat aus seinen Augen. Er erbrach sich, diesmal gab es keinen Zweifel, spuckte Glut und Galle auf den Beton. Dann glaubte er, es käme nichts mehr, doch schon folgte der nächste Schwall. Er fiel auf den Rücken und sah zu Brendan Loomis auf.

»Du machst mir« – Loomis steckte sich eine Zigarette an – »keinen besonders glücklichen Eindruck.«

Loomis schwang vor seinen Augen hin und her. Joe bewegte sich nicht, doch seine gesamte Umgebung schien an einem Pendel zu hängen. Loomis sah auf Joe herab, während er ein Paar Handschuhe überstreifte und die Finger darin streckte, bis sie ihm wie angegossen saßen. Neben ihn trat Albert White, der ebenfalls von einer Seite zur anderen schwang.

»Tja, leider muss ich an dir ein Exempel statuieren«, sagte er.

Durch einen blutigen Schleier richtete Joe den Blick auf Albert, der einen weißen Smoking trug.

»Damit alle wissen, was ihnen blüht, wenn sie mich zu linken versuchen.«

Joe sah sich nach Emma um, doch alles um ihn herum schaukelte so sehr, dass er den Fahrstuhl nirgends ausmachen konnte.

»Du wirst ihnen ein warnendes Beispiel sein«, sagte Albert White. »Auch wenn es mir in der Seele weh tut.« Er ging in die Hocke und setzte eine bekümmerte Miene auf. »Meine Mutter hat immer gesagt: Nichts geschieht ohne Grund. Ich bin nicht sicher, ob sie recht hatte, aber ich glaube, dass aus Menschen oft das wird, was aus ihnen werden soll. Ich dachte, ich wäre zum Cop geboren, aber dann habe ich meinen Job verloren und wurde zu dem, was ich heute bin. Ganz ehrlich, Joe, die meiste Zeit über bin ich nicht besonders stolz auf mich. Ich würde dir nur allzu gern die Wahrheit ersparen, aber dieses Leben liegt mir im Blut. Und dir liegt es eben im Blut, alles zu vermasseln, sosehr es mir widerstrebt, das zu sagen. Du hättest einfach nur abzuhauen brauchen, aber das hast du nicht getan. Und ich bin sicher … Sieh mich gefälligst an.«

Joes Kopf war zur Seite gesackt. Er zwang sich, wieder in Alberts freundliche Augen zu sehen.

»Du wirst dir jetzt bestimmt einreden, du hättest es für

die Liebe getan.« Er schenkte Joe ein betrübtes Lächeln. »Aber deshalb hast du's nicht vermasselt. Du hast es vermasselt, weil es deine Natur ist. Weil du ein schlechtes Gewissen hast wegen dem, was du tust, dich tief in dir drin sogar danach sehnst, geschnappt zu werden. Aber in diesem Geschäft sieht man sich jeden Morgen erneut seinem Gewissen gegenüber. Und dann nimmt man es einmal mehr in die Hand, zerknüllt es und wirft es in den Kamin. Während *du* dein ganzes kurzes Leben lang insgeheim darauf gehofft hast, irgendwann bestraft zu werden. Und ich bin derjenige, der dir diesen Gefallen tun wird.«

Albert erhob sich wieder, und einen Moment lang verschwamm Joe alles vor den Augen. Etwas Silbernes blitzte auf, dann noch einmal, und er versuchte seinen Blick wieder einigermaßen scharf zu stellen.

Er wünschte, er hätte es nicht getan.

Albert und Brendan schwankten immer noch ein wenig, aber immerhin hatte sich der Pendeleffekt verflüchtigt. Neben Albert stand Emma, die Hand an seinem Arm.

Einen Moment lang verstand Joe überhaupt nichts mehr. Aber dann fiel es ihm wie Schuppen von den Augen.

Er sah zu Emma auf, und mit einem Mal spielte es keine Rolle mehr, was sie mit ihm anstellten. Sterben schien auf einmal eine gute Sache, nachdem das Leben ohnehin nichts als Schmerz für ihn bereithielt.

»Es tut mir leid«, wisperte sie. »Es tut mir so leid.«

»Und nicht nur ihr«, sagte Albert White. »Es tut uns allen leid.« Er winkte jemanden heran, den Joe nicht sehen konnte. »Bring sie raus.«

Ein feister Kerl in grober Wolljacke, eine Strickmütze

tief in die Stirn gezogen, rückte in Joes Blickfeld und ergriff Emmas Arm.

»Du hast gesagt, ihr würdet ihn nicht töten«, sagte Emma zu Albert.

Albert zuckte mit den Schultern.

»Albert«, sagte Emma. »Das war meine Bedingung.«

»Das ehrt dich«, gab er zurück. »Mach dir keine Sorgen.«

»Albert«, wiederholte sie, doch diesmal drang kaum mehr als ein Krächzen aus ihrer Kehle.

»Schatz?« Albert klang um einiges zu ruhig.

»Ich hätte ihn nie hierhergelockt, wenn…«

Albert verpasste ihr eine Ohrfeige und strich mit der anderen Hand sein Hemd glatt. Der Schlag war so hart, dass ihre Unterlippe aufplatzte.

Er sah an seinem Hemd hinunter. »Glaubst du, *dir* könnte nichts passieren? Glaubst du ernstlich, ich würde mich von einer Hure am Nasenring durch die Manege ziehen lassen? Du meinst, ich wäre Wachs in deinen Händen. Und das war ich gestern vielleicht auch, aber inzwischen habe ich nachgedacht. Und du bist weg vom Fenster, ein für alle Mal, kapiert? Glaubst du, du wärst nicht zu ersetzen?«

»Du hast gesagt…«

Mit einem Taschentuch wischte sich Albert ihr Blut von den Fingern. »Bring sie zum Wagen, Donnie. Los, mach schon.«

Der feiste Bursche packte Emma von hinten und schleifte sie rückwärts zum Aufzug. »Hört auf, ihm weh zu tun!«, kreischte sie, während sie um sich trat und mit den Fingernägeln nach Donnies Kopf langte. »Joe, es tut mir leid, es tut mir so leid! Ich liebe dich, Joe! Ich liebe dich!«

Die Aufzugtür schlug hinter ihnen zu, und der Lift fuhr nach oben.

Albert hockte sich wieder neben ihn und steckte ihm eine Zigarette zwischen die Lippen. Ein Streichholz flackerte auf, der Tabak knisterte, und Albert sagte: »Zieh mal, dann kommst du schneller wieder zu dir.«

Joe kam seiner Aufforderung nach. Etwa eine Minute lang saß er auf dem Boden und rauchte, Albert an seiner Seite, der ebenfalls eine Zigarette rauchte, während Brendan Loomis sie dabei beobachtete.

»Was haben Sie mit ihr vor?«, fragte Joe, als er es endlich wagte, ein paar Worte durch seine geschundene Kehle zu pressen.

»Mit ihr? Sie hat dich gerade erst nach allen Regeln der Kunst hingehängt.«

»Dafür gab es doch garantiert einen Grund.« Er sah Albert an. »Einen guten Grund, stimmt's?«

Albert lachte leise in sich hinein. »Du hast die Weisheit auch nicht gerade mit Löffeln gefressen, was?«

Blut lief Joe ins Auge, als er die aufgeplatzte Augenbraue hochzog. Er wischte es fort. »Was haben Sie mit ihr vor?«

»Du solltest dir lieber Sorgen darüber machen, was ich mit dir vorhabe.«

»Tue ich«, gab Joe zu. »Trotzdem habe ich gefragt, was Sie mit ihr vorhaben.«

»Das weiß ich noch nicht.« Albert zuckte mit den Schultern, zupfte sich einen Tabakkrümel von der Zunge und schnippte ihn weg. »Aber du, Joe, wirst ihnen allen als abschreckendes Beispiel dienen.« Er wandte sich an Loomis. »Hoch mit ihm!«

»Inwiefern?«, sagte Joe, während Brendan Loomis ihm die Arme unter die Achseln schob und ihn auf die Füße zerrte.

»Wer sich mit Albert White und seinen Leuten anlegt, der wird genauso enden wie Joe Coughlin.«

Joe schwieg. Ihm fiel beim besten Willen nicht ein, was er darauf sagen sollte. Er war zwanzig Jahre alt. Zwanzig Jahre – mehr war ihm nicht vergönnt auf dieser Welt. Er hatte nicht mehr geweint, seit er vierzehn war, aber nun liefen ihm doch die Tränen über die Wangen – was immer noch besser war, als auf den Knien um sein nacktes Leben zu betteln.

Alberts Züge wurden milder. »Ich kann dich nicht am Leben lassen, Joe. Glaub mir, sähe ich irgendeine Möglichkeit, würde ich dich verschonen. Und es geht dabei nicht um die Kleine, falls dich das irgendwie trösten sollte. Huren kann ich an jeder Straßenecke kriegen. Ich habe eine Neue, die auf mich wartet, sobald ich mit dir fertig bin.« Einen Moment lang betrachtete er seine Hände, bevor er weitersprach. »Du hast dir ohne meine Genehmigung sechzigtausend Dollar unter den Nagel gerissen und eine halbe Kleinstadt zusammengeballert, inklusive dreier toter Cops. Und damit hast du uns bis zum Hals in die Scheiße geritten. Weil jetzt nämlich jeder einzelne Cop in Neuengland glaubt, dass Bostoner Gangster tollwütige Hunde sind, mit denen man auch genauso umspringen muss. Und ich bin gezwungen, das Ganze zurechtzurücken.« Er sah zu Loomis. »Wo steckt Bones?«

Er meinte Julian Bones, einen weiteren seiner Gorillas.

»In der Gasse. Motor läuft schon.«

»Dann nichts wie los.«

Albert ging voran zum Fahrstuhl und öffnete das Gitter. Brendan Loomis schleifte Joe in die Kabine.

»Dreh ihn um.«

Joe wurde herumgerissen, und die Zigarette fiel ihm aus dem Mund, als Loomis seine Haare packte und sein Gesicht gegen die Wand donnerte. Dann spürte er, wie Loomis ihm die Arme auf den Rücken drehte, ein grobes Seil um seine Handgelenke schlang und mehrmals festzog, ehe er die Enden verknotete. Und Joe, selbst eine Art Experte auf diesem Gebiet, wusste nur allzu genau, wann ein Knoten richtig fest saß. Selbst wenn sie jetzt gingen und ihn bis April allein ließen – er hätte sich ums Verrecken nicht befreien können.

Loomis riss ihn abermals herum und betätigte den Hebel, während Albert aus seinem Zinnetui eine frische Zigarette kramte, sie zwischen Joes Lippen steckte und anzündete. Als das Streichholz aufflackerte, sah Joe, dass Albert keinerlei Genugtuung empfand. Wenn Joe mit Säcken voller Steine an den Füßen auf den Grund des Mystic River sank, würde Albert reuevoll darüber nachsinnen, welch teuren Preis man zahlen musste, wenn man in diesem schmutzigen Geschäft tätig war.

Nun ja, wenigstens heute Nacht.

Sie stiegen im Erdgeschoss aus und gingen einen verlassenen Personalkorridor hinunter. Durch die Wände drangen die Geräusche der Party an ihre Ohren – das Geklimper der sich duellierenden Pianisten, eine Gruppe von Bläsern, die nach allen Regeln der Kunst losfetzte, und jede Menge fröhliches Gelächter.

Dann hatten sie eine Tür erreicht, auf der in frischen gelben Lettern ANLIEFERUNGEN stand.

»Ich peile mal die Lage.« Loomis öffnete die Tür und trat hinaus in die rauhe Märznacht. Im Nieselregen rochen die eisernen Feuerleitern nach Stanniol, und dazu stieg Joe der Geruch des Neubaus in die Nase, so frisch, als würde noch der von den Bohrern aufgewirbelte Kalkstaub in der Luft hängen.

Albert drehte Joe zu sich herum und richtete dessen Krawatte. Er spie in seine Handflächen und strich Joes Haare glatt. Mit leerem Blick sah er Joe an. »Ich wollte nie jemand werden, der andere umbringt, um seinen Anteil zu sichern, und trotzdem ist genau das aus mir geworden. Nachts kriege ich kein Auge mehr zu, und morgens steht die Angst neben mir – jeden Tag derselbe Alptraum, Joe.« Er rückte Joes Kragen gerade. »Und du?«

»Was?«

»Wolltest du schon mal jemand anders sein?«

»Nein.«

Albert wischte irgendetwas von Joes Schulter. »Ich habe ihr versprochen, dich nicht zu töten, wenn sie dich hierherlockt. Niemand hat geglaubt, du wärst blöd genug, dich tatsächlich hier blicken zu lassen, aber ich hätte meinen Hut drauf verwettet. Wie auch immer, jedenfalls hat sie eingewilligt – und sich eingebildet, damit deine Haut retten zu können. Aber du und ich, wir wissen, dass ich dich töten muss, Joe.« Ein feuchter Schimmer lag in seinem untröstlichen Blick. »Nicht wahr?«

Joe nickte.

Albert nickte ebenfalls. Er beugte sich zu Joe. »Und anschließend mache ich mit ihr kurzen Prozess.«

»Warum?«

»Weil ich sie auch geliebt habe.« Albert hob die Augenbrauen und senkte sie wieder. »Außerdem ist ja wohl klar, wer euch den Tipp gegeben hat, meine Spielhölle zu überfallen – du erinnerst dich sicher an den Morgen, oder?«

»Moment«, sagte Joe. »Sie hat mir überhaupt keinen Tipp gegeben.«

»Tja, was solltest du auch sonst sagen?« Albert rückte seinen Kragen gerade, glättete sein Hemd. »Sieh's einfach mal so: Wenn ihr tatsächlich füreinander geschaffen seid, seht ihr euch heute Nacht im Himmel wieder.«

Er rammte Joe die Faust in den Magen, direkt in den Solarplexus. Joe krümmte sich vornüber und bekam abermals keine Luft mehr. Er riss an seinen Fesseln und versuchte, Albert einen Kopfstoß zu verpassen, doch Albert wehrte ihn mit einer Ohrfeige ab und öffnete die Tür, die hinaus auf die Gasse führte.

Er packte Joe an den Haaren und riss seinen Kopf nach hinten, so dass Joe den Wagen sehen konnte, der auf ihn wartete. Die eine hintere Tür stand offen, daneben Julian Bones. Loomis trat zu ihnen, ergriff Joe am Ellbogen, und zusammen zerrten sie ihn zum Auto. Als sie ihn mit dem Kopf voran hineinstießen, roch Joe die dreckigen, ölverschmierten Lappen, die auf dem Boden vor dem Rücksitz lagen.

Dann ließen sie ihn urplötzlich los. Als er mit den Knien auf die Straße sackte, hörte er, wie Albert brüllte, »Los, weg! Weg, weg!«, dann die eiligen Schritte der drei auf den Pflastersteinen, und vielleicht hatten sie ihm ja bereits einen Kopfschuss verpasst, weil plötzlich der Himmel aufzureißen schien und ihm gleißende Lichter in die Augen stachen.

Sein Gesicht war ganz in Weiß getaucht, und die Gebäude ringsherum erstrahlten in Blau und Rot; Reifen quietschten, jemand rief irgendetwas durch ein Megaphon, und dann peitschten Schüsse durch die Nacht.

Ein Mann kam durch den weißen Nebel auf Joe zu, ein stattlicher, selbstsicherer Mann, der seine Autorität zur Schau trug, als sei sie ihm mit der Geburt verliehen worden.

Sein Vater.

Weitere Männer traten aus dem Gleißen, und kurz darauf war Joe von einem guten Dutzend Beamten des Boston Police Department umringt.

Sein Vater reckte das Kinn. »Jetzt hast du's also zum Polizistenmörder gebracht, Joseph.«

»Ich habe niemanden umgebracht«, sagte Joe.

Sein Vater schenkte dem keine Beachtung. »Sieht aus, als hätten dich deine Komplizen auf eine Spritztour ohne Wiederkehr mitnehmen wollen. Warst du ihnen plötzlich ein Klotz am Bein, oder was?«

Mehrere der Cops hielten plötzlich ihre Schlagstöcke in Händen.

»Sie haben Emma mit einem Wagen weggebracht. Sie werden sie töten.«

»Wer?«

»Albert White, Brendan Loomis, Julian Bones und irgendein Typ namens Donnie.«

Von der Straße hinter der Gasse drang das Kreischen mehrerer Frauen zu ihnen herüber. Ein Hupe ertönte, gefolgt vom schweren Aufprall eines Automobils. Weitere Schreie folgten. Es nieselte nicht mehr, sondern goss plötzlich wie aus Kannen.

Sein Vater blickte zu seinen Männern, dann wieder zu Joe. »Wirklich ein feiner Umgang, den du so pflegst, mein Junge. Hast du sonst noch irgendwelche Märchen auf Lager?«

»Das ist kein Märchen.« Joe spuckte einen Schwall Blut aus. »Sie werden Emma töten, Dad.«

»Nun, so weit werden wir in deinem Fall sicher nicht gehen, Joe. Tatsache ist sogar, dass ich dir kein Härchen krümmen werde. Allerdings würden einige meiner Kollegen gern mal unter vier Augen mit dir reden.«

Thomas Coughlin beugte sich vor, stützte die Hände auf die Knie und musterte seinen Sohn.

Irgendwo hinter jenem stählernen Blick verbarg sich ein Mann, der einst drei Tage lang auf dem Boden in einem Krankenhauszimmer geschlafen hatte, als Joe anno 1911 am Fieber erkrankt war, ein Mann, der ihm alle acht Zeitungen der Stadt von der ersten bis zur letzten Seite vorgelesen hatte, der ihm immer wieder gesagt hatte, wie sehr er ihn liebte und dass Gott, wenn er seinen Sohn zu sich holen wolle, sich erst einmal mit ihm, Thomas Xavier Coughlin, auseinandersetzen müsse – wobei Gott sicher klar war, dass das alles andere als ein Zuckerschlecken werden würde.

»Dad, hör mir zu. Emma ist in –«

Sein Vater spuckte ihm mitten ins Gesicht.

»Er gehört euch«, sagte er zu seinen Männern und ging.

»Ihr müsst den Wagen ausfindig machen!«, schrie Joe. »Sucht diesen Donnie! Der hat sie mitgenommen!«

Der erste Schlag – von einer Faust – traf seinen Kiefer, der zweite, ziemlich sicher ein Hieb mit einem Schlagstock, seine Schläfe. Und dann verloschen alle Lichter dieser Nacht.

6

Von Sündern und Heiligen

Der Fahrer des Krankenwagens gab Thomas einen Vorgeschmack auf den Schmutz, mit dem die Journaille das BPD überziehen würde.

Während sie Joe auf einer hölzernen Trage festschnallten und in den Wagen hoben, sagte er: »Habt ihr den Jungen vom Dach geworfen?«

Das Prasseln des Regens war so laut, dass sie sich nur schreiend verständigen konnten.

Thomas' Chauffeur und rechte Hand, Sergeant Michael Pooley, erwiderte: »Die Verletzungen wurden ihm zugefügt, bevor wir hier eingetroffen sind.«

»Ach ja?« Der Fahrer sah von Pooley zu Thomas; Wasser troff vom schwarzen Schirm seiner weißen Mütze. »Schwachsinn.«

Trotz der abendlichen Kälte spürte Thomas nur allzu genau, wie sich die Gemüter erhitzten. Er deutete auf seinen Sohn. »Dieser Mann war an der Ermordung der drei Polizisten in New Hampshire beteiligt.«

»Na, fühlst du dich jetzt besser, Arschloch?«, sagte Sergeant Pooley.

Der Krankenwagenfahrer fühlte Joes Puls, den Blick auf seine Armbanduhr gerichtet. »Ich habe die Zeitungen gelesen. Ich mach den lieben langen Tag nichts anderes, wenn ich in meiner Karre sitze und auf den nächsten Einsatz warte. Der Bursche hier war bloß der Fahrer. Und bei der Verfolgungsjagd haben eure Jungs den einen Streifenwagen selbst durchsiebt.« Er platzierte Joes Unterarm auf seiner Brust. »Der hat jedenfalls niemanden umgebracht.«

Thomas betrachtete Joes Gesicht – aufgeplatzte, schwarz verfärbte Lippen, eingeschlagene Nase, zugeschwollene Augen, ein zertrümmertes Jochbein, Augen, Ohren, Nase und Mundwinkel mit dunklem Blut verkrustet. Blut von seinem Blute. Blut, das auch in seinen Adern floss.

»Wenn er keine Bank überfallen hätte, wären unsere Männer noch am Leben«, sagte Thomas.

»Die wären noch am Leben, wenn Ihre Kollegen nicht mit einer Maschinenpistole wild durch die Gegend geballert hätten.« Der Fahrer schloss die Türen, und Thomas konnte kaum fassen, wie viel unverhohlene Abscheu in seinem Blick lag. »So wie ihr ihn zugerichtet habt, wird er die Nacht wohl kaum überleben. Und *er* soll hier der Kriminelle sein?«

Zwei Streifenwagen setzten sich hinter den Krankenwagen, und kurz darauf waren die drei Fahrzeuge in der Nacht verschwunden. Thomas musste sich abermals daran erinnern, den halb zu Tode geprügelten Mann im Krankenwagen als »Joe« abzuhaken. Ihn als »Sohn« zu sehen ging ihm schlicht zu sehr an die Nieren. Sein Fleisch und Blut, und von beidem war jetzt reichlich auf dem Straßenpflaster verteilt.

»Haben Sie Albert White schon zur Fahndung ausgeschrieben?«, fragte er Pooley.

Der Sergeant nickte. »Loomis und Bones auch. Ebenso

wie diesen Donnie ohne Nachnamen – wir gehen aber davon aus, dass es sich um Donnie Gishler handelt, der schon länger für White arbeitet.«

»Setzen Sie Gishler ganz oben auf die Liste. Und informieren Sie alle Einheiten darüber, dass sich wahrscheinlich eine Frau in seinem Wagen befindet. Wo steckt Forman?«

Pooley deutete mit dem Kinn die Gasse hinauf. »Irgendwo da vorne.«

Thomas setzte sich in Bewegung, und Pooley folgte ihm. Als sie die Gruppe von Polizisten erreichten, die vor dem Lieferanteneingang stand, vermied es Thomas, sich die Blutpfütze neben seinem rechten Fuß näher zu betrachten, eine Lache, die sich mit dem Regen vermischt hatte und immer noch karmesinrot schimmerte. Stattdessen richtete er seine Aufmerksamkeit auf Steve Forman, seinen Einsatzleiter.

»Habt ihr rausgefunden, um was für Fahrzeuge es sich handelt?«

Forman schlug seinen Stenoblock auf. »Einer der Tellerwäscher hat ausgesagt, zwischen 20.15 und 20.30 Uhr hätte ein Cole Roadster hier in der Gasse geparkt. Danach ist der Roadster verschwunden und stattdessen ein Dodge aufgetaucht.«

Der Dodge war der Wagen, in den sie Joe gerade stoßen wollten, als Thomas mit der Kavallerie eingetroffen war.

»Verschärfte Fahndung nach dem Roadster«, sagte Thomas. »Der Name des Fahrers ist Donald Gishler. Wir gehen davon aus, dass sich außer ihm noch eine Frau im Wagen befindet, eine gewisse Emma Gould. Steve, die Goulds aus Charlestown sagen dir auch was, oder?«

»Teufel, ja«, erwiderte Forman.

»Bobo ist nur ihr Onkel. Sie ist die Tochter von Ollie Gould.«

»Ah, ja.«

»Schick mal jemanden rüber in die Union Street, um zu überprüfen, ob sie nicht doch womöglich sanft und süß in ihrem Bett schlummert. Sergeant Pooley?«

»Ja, Sir!«

»Hatten Sie schon mal was mit diesem Gishler zu tun?«

Pooley nickte. »Er ist ungefähr 1,70 Meter groß, bringt etwa 85 Kilo auf die Waage. Trägt fast immer eine schwarze Strickmütze. Bei unserer letzten Begegnung hatte er einen Schnäuzer. Im Revier Sechzehn gibt's garantiert den üblichen Schnappschuss von ihm.«

»Den will ich haben. Und geben Sie seine Beschreibung an alle Einheiten durch.«

Sein Blick fiel auf die Blutlache zu seinen Füßen. Ein Zahn schwamm darin.

Er und sein ältester Sohn Aiden hatten schon seit Jahren nicht mehr miteinander gesprochen, auch wenn er sporadisch nüchterne Briefe von ihm erhielt – lapidare Fakten ohne jede persönliche Note. Er wusste nicht, wo er lebte, nicht mal, ob er überhaupt noch am Leben war. Sein zweiter Sohn, Connor, hatte während des Polizeistreiks von 1919 sein Augenlicht verloren. Körperlich hatte er sich in beeindruckendem Tempo auf sein Gebrechen eingestellt, doch seelisch hatte es seinen Hang zum Selbstmitleid verstärkt und er sich schnell dem Suff ergeben. Nachdem es ihm nicht gelungen war, sich zu Tode zu trinken, hatte er sich der Religion zugewandt. Kurz nachdem er diese Liebäugelei ad acta gelegt hatte, fand er einen Platz in der Silas-Abbotsford-Schule für Blinde und Versehrte. Sie boten ihm eine Stelle als Hausmeister an – ihm, der seinerzeit als jüngster Bezirksstaatsanwalt in der Geschichte des Staates Massachusetts mit den Ermittlungen in einem Fall von Hochverrat betraut worden war –, und so fristete er seine Tage damit, Böden zu wischen, die er nicht sehen konnte. Ein ums andere Mal wurde ihm ein Job als Lehrer an der Schule offeriert, doch er schob jedes Mal vor, er sei zu gehemmt und traue sich den Job nicht zu. Von wegen – keiner von Thomas' Söhnen war irgendwie gehemmt. Connor hatte schlicht und einfach beschlossen, sich von all jenen Menschen abzuschotten, die ihn liebten. Von Thomas, um genau zu sein.

Und dann war da eben noch sein jüngster Sohn, der die Verbrecherlaufbahn eingeschlagen hatte, mit Gangstern, Huren und Schwarzbrennern verkehrte, ein Leben führte, das Glamour und Reichtum verhieß, aber selten dazu führte. Und jetzt würde er aufgrund dessen, was seine Komplizen und Thomas' eigene Männer ihm angetan hatten, womöglich die Nacht nicht überleben.

Thomas stand im strömenden Regen, den widerwärtigen Gestank seiner selbst in der Nase.

Er richtete den Blick auf Pooley und Forman. »Findet das Mädchen«, sagte er.

Es war ein Streifenbeamter in Salem, der den Wagen mit Donnie Gishler und Emma Gould entdeckte. Am Ende waren insgesamt neun Streifenwagen an der Verfolgungsjagd beteiligt, alle aus Kleinstädten an der North Shore – Beverly, Peabody, Marblehead. Einige der Cops sahen eine Frau auf dem Rücksitz des Wagens, andere nicht; einer von ihnen behauptete, hinten hätten sogar zwei oder drei Mädchen gesessen, gab aber später zu, dass er im Dienst getrunken hatte. Nachdem Donnie Gishler mit Vollgas zwei Streifenwagen gerammt und von der Straße geschoben und auf die anderen Polizisten geschossen hatte (wenn auch schlecht gezielt), erwiderten diese das Feuer.

Donnie Gishlers Cole Roadster kam um 21:50 Uhr im strömenden Regen von der Straße ab. Sie rasten gerade die Ocean Avenue in Marblehead am Lady's Cove hinunter, als einer der Beamten entweder einen Glückstreffer in einen der Reifen landete oder – um einiges wahrscheinlicher bei satten vierzig Meilen pro Stunde auf nassem Asphalt – besagter Reifen, mittlerweile völlig verschlissen, schlicht und einfach platzte. Wie auch immer, jener Teil der Ocean Avenue bot wenig Avenue und reichlich Ozean. Der Cole schmierte auf den verbliebenen drei Reifen ab, holperte über den Seitenstreifen, wobei das Heck ausbrach und sich der Wagen plötzlich in der Luft befand. Mit zwei zerschossenen Fenstern stürzte er ins 2,50 Meter tiefe Wasser und ging unter, bevor die meisten Polizisten überhaupt aus ihren Fahrzeugen gestiegen waren.

Ein Streifencop aus Beverly, Lew Burliegh, zog sich bis auf die Unterwäsche aus und sprang ins Meer, doch unter Wasser konnte er nicht die Hand vor Augen sehen, und daran änderte sich auch nichts, als jemand auf die Idee kam, die Scheinwerfer der Streifenwagen auf die Bucht zu richten. Burliegh absolvierte insgesamt vier Tauchgänge, die ihn anschließend wegen Unterkühlung einen Tag lang ins Krankenhaus brachten, konnte den Wagen aber nicht ausfindig machen.

Das gelang am nächsten Tag den Polizeitauchern. Es war kurz nach zwei, und Gishler saß immer noch hinter dem Steuer. Ein Teil des Lenkrads war abgesplittert und hatte sich durch seine Achselhöhle gebohrt, die Gangschaltung seine Leiste durchstoßen. Doch das hatte ihn nicht umgebracht. Eine der mehr als fünfzig auf ihn abgefeuerten Kugeln hatte ihn im Hinterkopf getroffen. Selbst mit intakten Reifen wäre der Wagen unweigerlich im Wasser gelandet.

Sie fanden ein silbernes Haarband und eine dazu passende Feder, die an der Decke des Roadster trieb. Von Emma Gould fehlte jede Spur.

Die Schießerei zwischen der Polizei und drei Gangstern auf der Rückseite des Statler Hotels ging bereits nach zehn Minuten in die Annalen der Bostoner Geschichte ein – und das, obwohl niemand zu Schaden gekommen war und in all dem Chaos tatsächlich nur wenige Kugeln abgefeuert worden waren. Den Gangstern hatte der glückliche Zufall in die Hände gespielt, dass sie just in jenem Moment aus der Gasse geflohen waren, als das Theatervolk die Restaurants verließ und sich zum Colonial und zum Plymouth aufmachte. Die Wiederaufführung von *Pygmalion* war bereits seit drei Wochen ausverkauft, und das Plymouth hatte mit dem Drama *Playboy of the Western World* die Sittenwächterinnen der Watch & Ward Society auf den Plan gerufen. Dutzende von Demonstrantinnen waren gekommen, graue Mäuse mit säuerlich verzogenen Lippen und unermüdlichen Stimmbändern, was dem Stück aber lediglich zu noch mehr Aufmerksamkeit verhalf. Der lautstark-schrille Auftritt der Frauen kurbelte nicht nur das Geschäft an, sondern erwies sich auch als Segen für die Gangster. Als das Trio, dicht gefolgt von der Polizei, aus der Gasse stürmte und die Watch-&-Ward-Weiber die gezückten Waffen erblickten, kreischten sie los wie die Furien. Pärchen stürzten hastig in die nächstgelegenen Hauseingänge, um sich in Sicherheit zu bringen, und ein Chauffeur kam urplötzlich ins Schlingern und knallte mit dem Pierce-Arrow seines Chefs gegen einen Laternenmast, als der Nieselregen von einer Sekunde auf die andere in einen Wolkenbruch überging. Als die Beamten die Lage wieder einigermaßen überblickten, hatten die Gangster einen Wagen auf der Piedmont Street gekapert und sich im erbarmungslos niederprasselnden Regen davongemacht.

Die »Statler-Schießerei« sorgte für satte Auflagen. Die Story begann einfach – heldenhafte Cops liefern sich ein Feuergefecht mit Polizistenmördern und verhaften einen von ihnen. Dann allerdings wurde es schon komplizierter. Ein Krankenwagenfahrer namens Oscar Fayette steckte der Presse, dass der verhaftete Gangster in Lebensgefahr schwebte, nachdem er von den Cops aufs Übelste misshandelt worden war. Kurz nach Mitternacht verbreitete sich in den Redaktionen an der Washington Street das unbestätigte Gerücht, in Marblehead sei ein Wagen von der Straße abgekommen und bei Lady's Cove ins Meer gestürzt – ein Wagen, in dem sich eine eingeschlossene Frau befunden hatte.

Dann machte die Runde, dass es sich bei einem der in die

Schießerei verwickelten Gangster um den bekannten Unternehmer Albert White handelte. Bis zu diesem Zeitpunkt hatte Albert White in der Bostoner Gesellschaft eine beneidenswerte Position innegehabt – die eines *mutmaßlichen* Schwarzbrenners, Rumschmugglers und Kriminellen. Es wurde gemunkelt, dass er mit dem organisierten Verbrechen unter einer Decke steckte, doch allgemein herrschte die Auffassung, dass er mit dem brutalen Unwesen, das mittlerweile die Straßen aller großen Städte heimsuchte, nichts am Hut hatte. Albert White galt als »guter« Alkoholschmuggler, als freundlicher Förderer eines an sich harmlosen Lasters, der in seinen eierschalenfarbenen Anzügen eine wahrhaft eindrucksvolle Erscheinung abgab und seine Zuhörer gern auch im größeren Kreis mit Anekdötchen aus Kriegstagen und seiner Zeit als Cop zu amüsieren pflegte. Doch nach der Statler-Schießerei (ein Schlagwort, das E. M. Statler der Presse vergeblich auszureden versuchte) war Schluss mit lustig. Umgehend wurde ein Haftbefehl gegen ihn ausgestellt. Selbst wenn er am Ende womöglich straffrei ausging, seine Tage als gerngesehener Gast der städtischen Honoratioren waren ein für alle Mal vorbei. Sosehr die feinen Bürger ein wenig niederen Nervenkitzel zu schätzen wussten, war man sich in den Salons und Wintergärten von Beacon Hill darüber einig, dass es gewisse Grenzen gab.

Und schließlich war da noch das Verhängnis, das den stellvertretenden Polizeichef Thomas Coughlin ereilte, der lange als Nachfolger für das Amt des Commissioners, ja, sogar als Kandidat für den Senat gehandelt worden war. Als die Spätausgaben am nächsten Tag verbreiteten, dass der verhaftete und zur Räson gebrachte Gangster Coughlins eigener Sohn war, verurteilten die meisten Leser ihn zunächst keineswegs – schließlich wusste man ja, wie schwierig es war, seine Kinder in diesen sündhaften Zeiten zu verantwortungsvollen Bürgern zu erziehen. Doch dann erschien ein Artikel, in dem ein Reporter des *Examiner*, Billy Kelleher, von seiner Begegnung mit Joseph Coughlin auf der Treppe im Statler berichtete. Kelleher hatte die Polizei benachrichtigt und anschließend mit angesehen, wie Thomas Coughlin seinen Sohn höchstpersönlich an die Löwen unter seinem Kommando verfüttert hatte. Und nun ging die Öffentlichkeit gehörig auf Abstand. Bei der Erziehung eines Kinds versagt zu haben, war eine Sache – ihn ins Koma prügeln zu lassen, eine ganz andere.

Als Thomas ins Büro des Commissioners am Pemberton Square beordert wurde, war ihm nur allzu bewusst, dass er diese Räumlichkeiten nie sein Eigen nennen würde.

Commissioner Herbert Wilson stand hinter seinem Schreibtisch und deutete auf einen Sessel. Wilson leitete die Behörde seit 1922; sein Vorgänger Edwin Upton Curtis hatte dem Amt mehr Schaden zugefügt als der deutsche Kaiser seinen belgischen Nachbarn und war gnädigerweise an einem Herzanfall verschieden.

»Setzen Sie sich doch, Tom.«

Thomas Coughlin hasste es, Tom genannt zu werden, hasste die herablassende Art, die plumpe Vertraulichkeit, die hinter der Verkürzung seines Namens steckte.

Er setzte sich.

»Wie geht's Ihrem Sohn?«, fragte der Commissioner, der sich inzwischen auch gesetzt hatte.

»Er liegt im Koma.«

Wilson nickte und atmete langsam durch die Nasenlöcher aus. »Und mit jedem Tag wird er mehr zum Heiligen.« Er musterte ihn über den Schreibtisch hinweg. »Sie sehen furchtbar aus. Haben Sie ein bisschen schlafen können?«

Thomas schüttelte den Kopf. »Ich habe kein Auge zugetan, seit …« Die vergangenen zwei Nächte hatte er, zerfressen von Selbstvorwürfen, am Krankenhausbett seines Sohnes verbracht und zu einem Gott gebetet, an den er schon lange nicht mehr wirklich glaubte. Der zuständige Arzt hatte ihn davon in Kenntnis gesetzt, dass Joe möglicherweise einen Hirnschaden davontragen würde. In seiner blinden Wut – jener Weißglut, die schon seinen Dreckskerl von Vater zu Recht das Fürchten gelehrt hatte, ebenso wie seine Frau und seine Kinder – hatte er seine Untergebenen angewiesen, seinen eigenen Sohn zum Krüppel zu schlagen, und nun quälte ihn sein Gewissen gleich einer auf glühenden Kohlen erhitzten Klinge, scharfer, rußgeschwärzter Stahl, von dessen Kanten sich Rauch emporschlängelte, bevor er sich in seine Eingeweide bohrte, so schmerzhaft und tief, dass ihm schwarz vor Augen wurde und er keine Luft mehr bekam.

»Was ist mit den beiden anderen, den Bartolos?«, fragte der Commissioner. »Gibt's schon was Neues?«

»Ich dachte, Sie hätten schon davon gehört.«

Wilson schüttelte den Kopf. »Ich war den ganzen Morgen auf einer Haushaltssitzung.«

»Ist vor ein paar Minuten über den Fernschreiber hereingekommen. Sie haben Paolo Bartolo gefasst.«

»Sie?«

»Die Vermont State Police.«

»Lebend?«

Thomas schüttelte den Kopf.

Aus irgendeinem unerfindlichen Grund war Paolo Bartolo an jenem strahlend schönen Frühlingsmorgen in einem Wagen voller Dosenschinken unterwegs gewesen; die Büchsen hatten sich nicht nur im Kofferraum, sondern auch im Fußraum vor dem Beifahrersitz gestapelt. Als er auf der South Main Street in St. Alban's, etwa fünfzehn Meilen von der kanadischen Grenze entfernt, eine rote Ampel überfuhr, versuchte ihn eine Streife anzuhalten, doch Paolo trat das Gas durch. Der Cop nahm die Verfolgung auf, der sich im Nu weitere Streifenwagen anschlossen, und schließlich gelang es ihnen, Paolo nahe einer Meierei in Enosburg Falls von der Straße abzudrängen.

Ob Paolo beim Verlassen seines Automobils eine Waffe gezogen hatte, war noch nicht geklärt. Möglicherweise hatte er nur an seinen Gürtel gegriffen. Es konnte auch sein, dass er schlicht seine Hände nicht schnell genug gehoben hatte. Da die Bartolo-Brüder bereits einen State Trooper auf dem Gewissen hatten – Jacob Zobe war ums Leben gekommen auf einer ebenso abgelegenen Landstraße –, gingen die Polizisten kein Risiko ein. Alle beteiligten Cops hatten mindestens zwei Schüsse aus ihren Dienstrevolvern abgegeben.

»Wie viele Beamte waren denn involviert?«, fragte Wilson.

»Sieben, soweit ich informiert bin.«

»Ist bekannt, wie viele Kugeln den Verdächtigen getroffen haben?«

»Offenbar elf, aber über die tatsächliche Anzahl wird wohl erst die Autopsie Aufschluss geben.«

»Und Dion Bartolo?«

»Der hat sich schätzungsweise in Montreal verkrochen. Oder irgendwo dort in der Nähe. Dion war schon immer der Schlauere von den beiden.«

Der Commissioner fischte ein Blatt Papier von einem kleinen Stapel auf seinem Schreibtisch und plazierte es auf ein paar anderen Unterlagen. Er blickte aus dem Fenster zur Turmspitze des ein paar Blocks entfernten Custom House hinüber, die ihn ganz und gar in ihren Bann zu ziehen schien. »Das Department hat keine Wahl, Tom. Sie können dieses Büro unmöglich als stellvertretender Polizeichef verlassen. Das leuchtet Ihnen doch hoffentlich ein, oder?«

»Ja, verstehe.« Thomas ließ den Blick durch das Büro wandern, auf das er seit zehn Jahren scharf gewesen war, ohne auch nur ansatzweise ein Gefühl von Verlust zu empfinden.

»Wenn ich Sie jetzt zum Captain degradieren würde, bräuchte ich allerdings ein Revier, das ich Ihnen übergeben könnte.«

»Und das haben Sie nicht.«

»Nein.« Der Commissioner beugte sich mit verschränkten Händen vor. »Was Ihre Karriere angeht, können Sie jetzt ganz in Ruhe für Ihren Sohn beten, Thomas. Sie sind nämlich gerade am Ende der Fahnenstange angelangt.«

»Sie ist nicht tot«, sagte Joe.

Vier Stunden zuvor war er aus dem Koma erwacht. Zehn Minuten nach dem Anruf des Doktors war Thomas im Mass General eingetroffen, flankiert von Jack D'Jarvis, einem kleinen älteren Herrn, der stets Anzüge aus Baumwolle in den scheußlichsten Farben trug – baumrindenbraune, schlämmsandgraue und schwarze, die offenbar zu lange in der Sonne gelegen hatten. Seine Krawatten passten farblich wie die Faust aufs Auge; seine Hemdkragen waren vergilbt, und wenn er ausnahmsweise mal einen Hut trug, war dieser zu groß für seinen Kopf und saß auf den Ohren. Jack D'Jarvis sah aus, als befände er sich schon seit einer Ewigkeit auf dem absteigenden Ast – tatsächlich lief er schon seit fast drei Jahrzehnten so herum –, doch nur Leute, die ihn nicht kannten, ließen sich von seinem Aufzug täuschen. Er war der beste Strafverteidiger Bostons, und niemand konnte ihm auch nur ansatzweise das Wasser reichen. Im Lauf der Jahre hatte Jack D'Jarvis vor Gericht mindestens zwei Dutzend Fälle zerpflückt, die Thomas und der zuständige Staatsanwalt für absolut wasserdicht gehalten hatten. Es hieß, nach seinem Ableben würde D'Jarvis sich die Zeit im Himmel wohl damit vertreiben, seine früheren Klienten aus der Hölle herauszupauken.

Die Ärzte untersuchten Joe satte zwei Stunden lang; Thomas und D'Jarvis standen sich draußen auf dem Gang die Beine in den Bauch, zusammen mit dem jungen Streifenpolizisten, der vor der Tür Wache hielt.

»Einen Freispruch können Sie vergessen«, sagte D'Jarvis.

»Das ist mir klar.«

»Andererseits ist die Anklage wegen fahrlässiger Tötung eine Farce, und das weiß der Staatsanwalt auch. Trotzdem wird Ihr Sohn nicht um eine Haftstrafe herumkommen.«

»Was werden sie ihm aufbrummen?«

D'Jarvis zuckte mit den Schultern. »Zehn Jahre, schätze ich.«

»In Charlestown?« Thomas schüttelte den Kopf. »Danach schafft er es nicht mal mehr durchs Gefängnistor.«

»Es sind drei Polizisten ums Leben gekommen, Thomas.«

»Aber er hat sie nicht auf dem Gewissen.«

»Deshalb bleibt ihm ja auch der Stuhl erspart. Wäre es nicht Ihr Sohn, würden Ihnen zwanzig Jahre gerade angemessen erscheinen.«

»Er ist aber nun mal mein Sohn.«

Die Ärzte kamen aus dem Krankenzimmer. Einer von ihnen blieb stehen und sprach Thomas an. »Woraus auch immer sein Schädel bestehen mag – Knochensubstanz scheint es jedenfalls nicht zu sein.«

»Doktor?«

»Ihm geht es gut. Keine Hirnblutung, kein Gedächtnisverlust, keine Sprachstörungen. Seine Nase und die Hälfte der Rippen sind gebrochen, und es wird eine Zeitlang dauern, bis kein Blut mehr im Urin ist, aber eine Hirnschädigung konnten wir nicht feststellen.«

Thomas und D'Jarvis betraten das Zimmer und setzten sich an Joes Bett. Wortlos blickte er sie an; das Gewebe um seine Augen war dunkelblau verfärbt und immer noch dick geschwollen.

»Es war ein Fehler«, sagte Thomas. »Ein schwerer Fehler. Mir ist auch bewusst, dass es keine Entschuldigung dafür gibt.«

Joes schwarz verkrustete Lippen zierte eine Zickzacknaht. »Du meinst, du hättest mich nicht verprügeln lassen dürfen?«

Thomas nickte. »Ja.«

»Wie? Du wirst doch wohl nicht weich auf deine alten Tage, oder?«

Thomas schüttelte den Kopf. »Ich hätte es selbst tun sollen.«

Ein leises Lachen drang durch Joes Nase. »Bei allem Respekt, dann bin ich froh, dass es deine Männer waren. Deine Prügel hätte ich wahrscheinlich nicht überlebt.«

Thomas lächelte. »Du hasst mich also nicht?«

»Ganz im Gegenteil. Zum ersten Mal seit zehn Jahren bist du mir sympathisch.« Joe versuchte sich aufzurichten, sackte aber wieder in das Kissen zurück. »Wo ist Emma?«

Jack D'Jarvis öffnete den Mund, doch Thomas hob die Hand. Er sah seinem Sohn fest in die Augen, während er ihm berichtete, was in Marblehead passiert war.

Joe ließ sich das Gehörte erst einmal durch den Kopf gehen. Dann sagte er, und dabei klang leise Verzweiflung in seiner Stimme mit: »Sie ist nicht tot.«

»Doch, mein Junge. Und selbst wenn es uns gelungen wäre, den Wagen früher zu stoppen, hätte Gishler sich nicht lebend schnappen lassen. Und sie hätte er vorher umgebracht.«

»Ihr habt keine Leiche gefunden«, erwiderte Joe. »Also ist sie auch nicht tot.«

»Die Hälfte der *Titanic*-Passagiere ist auch nicht gefunden worden, Joseph. Und trotzdem weilen ihre armen Seelen nicht mehr unter uns.«

»Ich glaube das einfach nicht.«

»Du glaubst es nicht? Oder *willst* du es nicht glauben?«

»Das ist doch dasselbe.«

»Ganz und gar nicht.« Thomas schüttelte den Kopf. »Wir

haben teilweise rekonstruieren können, was in dieser Nacht passiert ist. Sie war Albert Whites Konkubine. Sie hat dich verraten.«

»Ich weiß«, sagte Joe.

»Und?«

Joe lächelte trotz seiner genähten Lippen. »Und es ist mir scheißegal. Ich bin verrückt nach ihr.«

»Das ist keine Liebe«, sagte sein Vater.

»Ach ja? Was denn sonst?«

»Verrückt.«

»Bei allem Respekt, Dad – ich war achtzehn Jahre lang Zeuge deiner Ehe, und das war ganz bestimmt keine Liebe.«

»Nein«, räumte sein Vater ein. »Sicher nicht. Und deshalb weiß ich auch, wovon ich rede.« Er gab einen Seufzer von sich. »Aber wie auch immer, sie ist tot, mein Junge. Genau wie deine Mutter, Gott hab sie selig.«

»Was ist mit Albert?«, fragte Joe.

Thomas hockte sich auf die Bettkante. »Der hat sich ab-gesetzt.«

»Verhandelt aber anscheinend schon über seine Rück-kehr«, fügte D'Jarvis hinzu.

Thomas warf ihm einen Blick zu, und D'Jarvis nickte.

»Wer sind Sie?«, fragte Joe.

Der Anwalt streckte die Hand aus. »John D'Jarvis, Mr. Coughlin. Die meisten Leute nennen mich einfach Jack.«

Joes Augen öffneten sich so weit, wie es die Blutergüsse eben zuließen. »Verdammt«, platzte er heraus. »Von Ihnen habe ich schon gehört.«

»Und ich von Ihnen«, gab D'Jarvis zurück. »So wie lei-der auch der gesamte Bundesstaat. Andererseits hat sich Ihr

Vater zu etwas hinreißen lassen, was sich noch als echter Glücksfall für Sie erweisen könnte.«

»Inwiefern?«, fragte Thomas.

»Durch die brutale Misshandlung steht Ihr Sohn jetzt in der Öffentlichkeit als Opfer da. Die Staatsanwaltschaft kann kein Interesse daran haben, den Fall groß auszubreiten. Sie ist bloß *gezwungen*, sich damit zu beschäftigen.«

»Bondurant ist momentan Oberstaatsanwalt, nicht wahr?«, fragte Joe.

D'Jarvis nickte. »Kennen Sie ihn?«

»Ich weiß, wer er ist«, erwiderte Joe. Die Furcht stand ihm ins geschwollene Gesicht geschrieben.

»Thomas?« D'Jarvis' Augen funkelten. »Kennen Sie Bondurant?«

»Und ob«, sagte Thomas.

Calvin Bondurant hatte eine Lenox aus Beacon Hill geehelicht und mit ihr drei gertenschlanke Töchter gezeugt, von denen eine erst kürzlich mit einem Lodge vermählt worden war – die Zeitungen hatten auf ihren Gesellschaftsseiten ausführlich darüber berichtet. Bondurant war ein unermüdlicher Verfechter der Prohibition, ein unerschrockener Kreuzritter wider alle nur erdenklichen Zügellosigkeiten, die sich, wie er ein ums andere Mal öffentlich betonte, speziell den unteren Klassen und den minderwertigen Rassen verdankten, die in den letzten siebzig Jahren an die Gestade dieses großartigen Lands gespült worden waren. Da sich die Einwanderer der letzten siebzig Jahre vornehmlich aus zwei »Rassen« rekrutierten – Iren und Italienern –, ließ sich Bondurants Diktum nicht gerade als sehr subtil bezeichnen. Doch wenn er in ein paar Jahren für das Gouverneursamt kandidierte, würden ihm seine Geldgeber in Back Bay und Beacon Hill nur allzu gern zur Wahl verhelfen.

Bondurants Sekretärin führte Thomas in sein Büro in der Kirkby Street und schloss die Tür hinter ihnen. Calvin wandte sich vom Fenster ab und musterte Thomas mit ausdrucksloser Miene.

»Ich habe Sie schon erwartet.«

Zehn Jahre zuvor hatte Thomas den Staatsanwalt im Zuge einer Razzia hopsgenommen. Bondurant hatte sich in einer Absteige mit reichlich Champagner und einem jungen Mann mexikanischer Herkunft verlustiert. Wie sich herausstellte, konnte der Mexikaner nicht nur auf eine ertragreiche Karriere als Lustknabe zurückblicken, sondern hatte obendrein Pancho Villas Division del Norte angehört und wurde in seiner Heimat wegen Hochverrats gesucht. Thomas hatte den Revolutionär nach Chihuahua überstellt und dafür gesorgt, dass Bondurants Name aus den Unterlagen verschwand.

»Tja, da wäre ich«, sagte Thomas.

»Erstklassiger Trick, wie es Ihnen gelungen ist, Ihren Sohn als Opfer dastehen zu lassen. Sind Sie tatsächlich so clever, Deputy Superintendent?«

»Niemand ist so clever.«

Bondurant schüttelte den Kopf. »Manche Leute schon. Und Ihnen würde ich es durchaus zutrauen. Sagen Sie Ihrem Sohn, er soll sich schuldig bekennen. Die drei toten Cops werden morgen beerdigt, und sämtliche Zeitungen werden flächendeckend darüber berichten. Wenn er den

Bankraub gesteht, werde ich ein Strafmaß von zwölf Jahren ins Auge fassen.«

»*Zwölf* Jahre?«

»Für drei tote Cops ist das ein Witz, Thomas.«

»Fünf.«

»Was?«

»Fünf«, wiederholte Thomas.

»Keine Chance.« Bondurant schüttelte den Kopf.

Thomas ließ sich in einem der Sessel nieder und musterte Bondurant wortlos.

Abermals schüttelte Bondurant den Kopf.

Thomas lehnte sich zurück und schlug die Beine übereinander.

»Hören Sie mir zu«, sagte Bondurant.

Kaum merklich reckte Thomas das Kinn.

»Ich fürchte, ich muss Ihnen ein paar Illusionen nehmen, Deputy Superintendent.«

»Chief Inspector.«

»Pardon?«

»Man hat mich gestern zum Chief Inspector degradiert.«

In Bondurants Augen spiegelte sich ein Lächeln – ein leises Funkeln, dann war es auch schon wieder verschwunden.

»Dann kann ich Ihnen Ihre Illusionen ja lassen.«

»Ich mache mir keine Illusionen«, sagte Thomas. »Ich bin Pragmatiker.« Er holte eine Fotografie aus seiner Jacke und legte sie auf Bondurants Schreibtisch.

Bondurant warf einen Blick auf das Bild. Es zeigte eine verblichene rote Tür, auf der die Ziffer 29 stand. Es war die Eingangstür eines Reihenhauses in Back Bay. Diesmal sah Bondurant alles andere als erfreut aus.

Thomas deutete auf das Bild. »Wenn Sie sich ein anderes Liebesnest suchen, erfahre ich das innerhalb einer Stunde. Wie ich höre, stocken Sie gerade Ihre Kriegskasse für Ihre Kandidatur bei den Gouverneurswahlen auf. Sorgen Sie dafür, dass sie bis obenhin gefüllt ist. Mit einer fetten Kriegskasse ist man gegen alle Unwägbarkeiten gewappnet.« Thomas setzte seinen Hut auf und zog die Krempe zurecht, bis er richtig saß.

Bondurant betrachtete das Foto. »Ich sehe mal, was sich machen lässt.«

»Damit ist mir nicht geholfen.«

»Das habe ich nicht allein zu entscheiden.«

»Fünf Jahre«, sagte Thomas. »Ende der Diskussion.«

Zwei weitere Wochen verstrichen, ehe der Unterarm einer Frau in der Nähe von Nahant angespült wurde. Drei Tage später fand ein Fischer vor der Küste von Lynn einen Oberschenkelknochen in seinem Netz. Der Pathologe stellte fest, dass Oberschenkelknochen und Unterarm von derselben Person stammten – einer Frau Anfang zwanzig, wahrscheinlich nordeuropäischer Herkunft, mit blassem, sommersprossigem Teint.

Im Verfahren *The Commonwealth of Massachusetts gegen Joseph Coughlin* bekannte sich Joe der Beihilfe zu einem Banküberfall schuldig. Er wurde zu fünf Jahren und vier Monaten Zuchthaus verurteilt.

Er wusste, dass sie noch am Leben war.

Er wusste es, weil alles andere unerträglich für ihn gewesen wäre. Er musste einfach daran glauben, weil er ohne diese Gewissheit einer Leere ausgeliefert war, die ihn schier zu erdrosseln schien.

»Sie ist tot«, sagte sein Vater zu ihm, kurz bevor Joe vom Suffolk County Jail in die Strafanstalt von Charlestown gebracht wurde.

»Nein, ist sie nicht.«

»Du solltest dich mal reden hören.«

»Niemand hat gesehen, dass sie in dem Wagen saß, als er von der Straße abgekommen ist.«

»Bei dem Regen und dem Tempo? Die Kerle haben sie in dem Auto verschleppt. Der Wagen ist in die Bucht gestürzt – und sie dabei umgekommen und ins Meer hinausgetrieben.«

»Das glaube ich erst, wenn ich ihre Leiche gesehen habe.«

»Die Leichen*teile* waren dir noch nicht genug?« Entschuldigend hob sein Vater die Hand. In ruhigerem Tonfall fuhr er fort: »Wann nimmst du endlich Vernunft an?«

»Was hat das mit Vernunft zu tun? Ich weiß, dass sie nicht tot ist.«

Je öfter Joe es sagte, desto sicherer wusste er, dass sie nicht mehr am Leben war. Er spürte es genauso untrüglich, wie er gespürt hatte, dass sie ihn liebte, auch wenn sie mit einem anderen Mann ins Bett gegangen war. Doch was blieb ihm jetzt noch, nachdem er zu fünf Jahren im schlimmsten Knast weit und breit verurteilt worden war? An Freunde, Gott, Familie konnte er sich jedenfalls nicht mehr klammern.

»Sie lebt noch, Dad.«

Sein Vater musterte ihn schweigend. »Was hast du an ihr geliebt?«, fragte er dann.

»Wie bitte?«

»Was hast du an dieser Frau geliebt?«

Joe überlegte, versuchte die richtigen Worte zu finden, und schließlich fielen ihm ein paar ein, die ihm nicht ganz so unzulänglich wie all die anderen erschienen. »Ich hatte das Gefühl, dass in meiner Gegenwart ein anderer Mensch aus ihr wird. Jedenfalls hat sie mir ein ganz anderes Gesicht gezeigt als dem Rest der Welt. Sie war irgendwie, na ja, weicher.«

»Dann hast du ein Potential geliebt, keine Frau.«

»Was weißt du schon?«

Sein Vater reckte das Kinn. »Du warst das Kind, das den Riss zwischen uns kitten sollte – zwischen deiner Mutter und mir. War dir das bewusst?«

»Ich wusste, dass ihr euch nichts mehr zu sagen habt.«

»Dann ist dir ja auch klar, wie gut der Plan funktioniert hat. Kein Mensch kann einen anderen ändern. Menschen bleiben stets das, was sie schon immer waren.«

»Das glaube ich nicht.«

»Du *willst* es nicht glauben.« Sein Vater schloss die Augen. »Jeder Atemzug, Junge, ist pures Glück.« Ein rosa Schimmer stand in seinen Augenwinkeln, als er die Lider wieder öffnete. »Alles, was du im Leben erreichst, hängt von Glück ab – davon, zur richtigen Zeit am richtigen Ort geboren zu sein und die richtige Hautfarbe zu haben. Davon, lang genug zur richtigen Zeit am richtigen Ort zu leben, um es zu etwas zu bringen, nach oben zu kommen. Sicher, Talent und harte Arbeit gehören auch dazu, gar keine Frage, und du weißt genau, dass ich das keine Sekunde in Abrede stellen würde. Aber letztlich beruht *alles* auf Glück, das ganze Leben, und wenn du es in Händen hältst, zerrinnt es dir bereits zwischen den Fingern. Also hör endlich auf, deine Zeit mit einem toten Mädchen zu verschwenden, das dich sowieso nicht wert war.«

Joe musste hart schlucken, sagte aber nur: »Du hast dein Glück beim Schopf gepackt, Dad.«

»Nicht immer«, erwiderte sein Vater. »Manchmal war es auch umgekehrt.«

Eine Weile lang schwiegen sie. Joes Herz schlug so heftig wie nie zuvor in seinem Leben, hämmerte wie eine panische Faust in seiner Brust. Ein tiefes Gefühl des Mitleids beschlich ihn, wie er es sonst vielleicht für einen streunenden Hund im nächtlichen Regen empfunden hätte. Beide waren sie nun Gefangene, sein Herz und er, rüttelten verzweifelt an den Gittern, denen sie nicht entkommen konnten.

Sein Vater warf einen Blick auf seine Taschenuhr und steckte sie wieder an. »Direkt in der ersten Woche wird dich jemand einzuschüchtern versuchen. Spätestens in der zweiten. Du wirst schon an seinem Blick erkennen, was er von dir will.«

Joe hatte plötzlich einen trockenen Mund.

»Und dann wird sich irgendeiner – ein echt netter Bursche – im Hof oder im Speisesaal vor dich stellen. Den anderen Kerl in die Schranken weisen und dir anschließend seinen Schutz anbieten. Joe? Hör mir genau zu. Diesem Typ zeigst du, wo der Hammer hängt. Du machst ihn so fertig, dass er nie wieder etwas gegen dich ausrichten kann.

Nimm dir seinen Ellbogen oder die Kniescheibe vor. Oder beides.«

Eine Vene an Joes Kehle fing heftig an zu pochen. »Und dann lassen sie mich in Frieden?«

Sein Vater bedachte ihn mit einem schmallippigen Lächeln und nickte, doch dann verschwand das Lächeln, und er nickte auch nicht mehr. »Nein.«

»Und was kann ich dagegen tun?«

Sein Vater wandte einen Moment lang den Blick ab; sein Kiefer mahlte. Als er Joe wieder ansah, war der feuchte Schimmer aus seinen Augen verschwunden. »Nichts.«

7

Der Schlund der Bestie

Das Charlestown State Prison war etwas mehr als eine Meile vom Suffolk County Jail entfernt. In der Zeit, die es kostete, sie in den Bus zu verfrachten und ihre Fußfesseln am Boden anzuketten, hätten sie die Strecke auch zu Fuß gehen können. An jenem Morgen wurden vier von ihnen ins Zuchthaus überstellt – ein dünner Schwarzer und ein fetter Russe, deren Namen Joe nie erfuhr, ein zarter, schüchterner weißer Junge namens Norman und Joe. Norman und Joe hatten das eine oder andere Mal miteinander gesprochen, da sich ihre Zellen gegenübergelegen hatten. Norman hatte das Pech gehabt, sich in die Tochter seines Arbeitgebers zu vergucken, der am Fuß von Beacon Hill einen Mietstall betrieb. Das Mädchen, fünfzehn Jahre alt, war schwanger geworden, und Norman, siebzehn und seit seinem zwölften Lebensjahr Waise, wegen Vergewaltigung zu drei Jahren Hochsicherheitsgefängnis verurteilt.

Er hatte Joe erzählt, er habe die Bibel gelesen und sei bereit, für seine Verfehlungen zu büßen. Der Herr sei sein Hirte, und in jedem Menschen stecke etwas Gutes, selbst in den niedrigsten, gemeinsten Individuen, ja, er ging sogar davon aus, hinter den Gefängnismauern mehr Herzensgüte zu finden, als ihm jenseits von ihnen zuteil geworden war.

Nie war Joe eine verängstigtere Kreatur unter die Augen gekommen.

Während der Bus über die Charles River Road holperte, überprüfte eine der Wachen abermals ihre Fußfesseln und stellte sich ihnen als Mr. Hammond vor. Er informierte sie darüber, dass sie im Ostflügel untergebracht würden, mit Ausnahme des Niggers natürlich, der zu seinesgleichen in den Südflügel wandern würde.

»Aber die Regeln gelten für alle von euch, ungeachtet eurer Hautfarbe oder Religion. Seht niemals einem Wärter in die Augen. Dem Befehl eines Wärters ist stets und unmittelbar Folge zu leisten. Das Betreten des Kieswegs an der Hofmauer ist strengstens untersagt. Dasselbe gilt für ungebührliche körperliche Annäherungsversuche. Sitzt einfach eure Zeit ab, ohne aufzumucken, und wir werden in trauter Eintracht den Pfad eurer Resozialisierung beschreiten.«

Das Zuchthaus war über hundert Jahre alt; zu den ursprünglichen Gebäuden aus dunklem Granit waren neuere Bauten aus rotem Backstein gekommen. Im Zentrum der kreuzförmigen Anlage befand sich ein Turm, der sich hoch über die vier Gebäudeflügel erhob; die Kuppel des Turms war rund um die Uhr mit vier bewaffneten Wachen besetzt, eine für jede Fluchtrichtung. Gleisanlagen und Fabriken, Gießereien und Webereien umgaben den Gefängniskomplex, erstreckten sich vom North End den Fluss hinunter bis nach Somerville. In den Fabriken wurden Öfen, in den Webereien Textilien hergestellt, und in den Gießereien roch es nach Magnesium, Kupfer und Eisenlegierungen. Als der Bus den Hügel hinunterfuhr, verschwand der Himmel hinter einer Wand aus Rauchschwaden. Der langgezogene Pfiff eines Frachtzugs ertönte, und sie mussten warten, bis sie die Schienen überqueren und die letzten dreihundert Meter zum Zuchthausgelände fahren konnten.

Der Bus hielt an, und Mr. Hammond und eine weitere Wache machten ihre Fußfesseln los. Norman fing an zu zittern, und dann begann er auch noch zu flennen. Die Tränen liefen ihm in Bächen über die Wangen, tropften wie Schweiß von seinem Kinn.

»Norman«, sagte Joe.

Norman sah zu ihm herüber.

»Krieg dich wieder ein.«

Doch Norman gelang es einfach nicht.

Seine Zelle befand sich im obersten Gang des Ostflügels. Sie lag den ganzen Tag über in der prallen Sonne, und die Hitze hielt sich während der Nacht. In den Zellen selbst gab es keinen elektrischen Strom, der den Korridoren, dem Speisesaal und dem Hinrichtungsstuhl im Todestrakt vorbehalten war. Die Zellen wurden mit Kerzen beleuchtet. Fließend Wasser war noch Zukunftsmusik, weshalb die Insassen mit einem Holzeimer als Toilette vorliebnehmen mussten. Eigentlich handelte es sich um eine Einzelzelle, in die man allerdings vier Betten hineingestellt hatte. Seine drei Zellengenossen hießen Oliver, Eugene und Tooms. Oliver und Eugene waren stinknormale Null-acht-fünfzehn-Kriminelle, der eine aus Revere, der andere aus Quincy. Beide hatten seinerzeit das eine oder andere Ding für Tom Hickey gedreht. Zwar waren sie Joe noch nie über den Weg gelaufen, hatten auch noch nie von ihm gehört, doch nachdem sie ein paar Namen ausgetauscht hatten, wussten sie, dass er koscher genug und es nicht nötig war, ihn einfach mal pro forma durch die Mangel zu drehen.

Tooms war älter und um einiges schweigsamer, seine Haare so drahtig wie der Rest seines Körpers, und hinter seinen Augen lebte irgendetwas durch und durch Verdorbenes, auf das man lieber keinen genaueren Blick werfen wollte. Als die Sonne unterging, hockte er oben auf seiner Pritsche, ließ die Beine über die Kante baumeln, und immer wieder merkte Joe, wie Tooms ihn mit leeren Augen anstarrte, ohne dass er etwas dagegen unternehmen konnte, außer seinen Blick beiläufig zu erwidern und wieder wegzusehen.

Joe schlief auf einer der unteren Pritschen gegenüber von Oliver. Die Matratze war durchgelegen, und die grobe, mottenzerfressene Decke stank wie feuchter Pelz. Er döste ein wenig, schlief aber keine einzige Sekunde.

Am nächsten Morgen kam Norman auf dem Hof auf ihn zu. Er hatte zwei blaue Augen und anscheinend auch eine gebrochene Nase. Joe wollte ihn gerade fragen, was passiert war, als Norman ihm einen finsteren Blick zuwarf, sich auf die Unterlippe biss und Joe unvermittelt einen Schlag gegen den Hals verpasste. Joe wich nach rechts aus und ignorierte den Schmerz, während er kurz überlegte, ob er Norman fragen sollte, welcher Teufel ihn gerade ritt. Doch dazu hatte er keine Zeit, da Norman mit ungelenk erhobenen Armen erneut auf ihn losging. Und sobald er nicht mehr nach seinem Kopf schlug, sondern seinen Rumpf attackierte, war Joe erledigt. Seine gebrochenen Rippen waren längst nicht verheilt; wenn er sich morgens aufsetzte, taten ihm die Knochen noch immer so weh, dass er Sterne sah. Seine Hacken scharrten im Dreck, während er hin- und hertänzelte. Die Wachen auf dem Turm waren offensichtlich damit beschäftigt, den westlich gelegenen Fluss oder das östlich gelegene Meer im Auge zu behalten. Als Norman ihm einen weiteren Hieb gegen den Hals versetzte, hob Joe den Fuß und trat mit voller Wucht gegen seine Kniescheibe.

Norman stürzte rücklings in den Staub; sein rechtes Bein war seltsam verdreht. Er wälzte sich im Staub und versuchte dann, sich mit dem Ellbogen aufzurichten. Als Joe ein zweites Mal auf das Knie stampfte, hörte der halbe Hof, wie Normans Bein brach. Das, was seiner Kehle entwich, war kein richtiger Schrei, sondern ein gedämpfter tiefer Laut, wie ihn vielleicht ein Hund ausstieß, nachdem er zum Sterben unter ein Haus gekrochen war.

Norman sackte zurück in den Staub, und die Tränen flossen ihm aus den Augenwinkeln in die Ohren. Joe war bewusst, dass er Norman hätte aufhelfen können, da keine Gefahr mehr von ihm ausging, doch das wäre ihm als Schwäche ausgelegt worden. Und so ließ er ihn einfach im Dreck liegen. Während er über den Hof marschierte – es war gerade mal neun Uhr morgens und bereits brütend heiß –, spürte er die Blicke, die auf ihm lasteten, alle, alle glotzten sie zu ihm herüber, während sie bereits überlegten, welcher Test als nächster folgen sollte, wie lange sie mit der Maus spielen würden, ehe sie die Krallen einsetzten.

Norman war gar nichts. Eine Aufwärmnummer. Und wenn hier jemand spitzkriegte, wie es um Joes Rippen stand – jeder einzelne Schritt schmerzte, jeder verdammte Atemzug –, würde spätestens morgen früh nur noch ein blutiger Haufen von ihm übrig sein.

Joe hatte Oliver und Eugene an der Westmauer erspäht, doch im selben Augenblick sah er, wie sie zu einer Gruppe anderer Männer traten. Sie wollten nichts mit ihm zu tun haben, bevor sie nicht wussten, wie das Ganze ausging. Was bedeutete, dass er sich nun auf eine Schar von Kerlen zubewegte, die er nicht kannte. Wenn er plötzlich stehen blieb, würde er sich zum Affen machen. Und sich zum Affen zu machen bedeutete ebenfalls, Schwäche zu zeigen.

Er hatte die Gruppe fast erreicht, als sie sich allesamt abwandten und davonmarschierten.

Und so ging es den ganzen Tag – keiner sprach auch nur ein Wort mit ihm. Es war, als hätte er eine heimtückische Krankheit, mit der sich niemand anstecken wollte.

Als er in seine Zelle zurückkam, war sie leer. Seine zerlumpte Matratze lag auf dem Boden, die anderen waren verschwunden. Selbst die Etagenbetten waren nicht mehr da – nur die Matratze, die kratzige Decke und der Scheißeimer. Joe wandte sich um zu Mr. Hammond, der gerade im Begriff war, die Tür zu schließen.

»Wo sind die anderen hin?«

»Andere Zelle«, sagte Mr. Hammond und ging.

In der Nacht lag Joe in dem aufgeheizten Kabuff und fand wiederum so gut wie keinen Schlaf. Es lag nicht bloß an seinen schmerzenden Rippen und auch nicht einfach nur an seiner Angst – ein Übriges tat der Gestank der umliegenden Fabriken, der dem Mief innerhalb der Zuchthausmauern in nichts nachstand. Zehn Fuß über ihm befand sich ein kleines Zellenfenster. Vielleicht war damit ursprünglich die Absicht verbunden gewesen, dem Insassen einen barmherzigen Hauch der Außenwelt zu vergönnen. Nun aber fungierte es lediglich als Durchlass für die Fabrikschwaden, die von draußen zu ihm hineinwehten. Während Nagetiere an den Wänden entlanghuschten, das Schnarchen, Grunzen, Ächzen anderer Männer an seine Ohren drang, fragte sich Joe ein ums andere Mal, wie er hier fünf Tage, geschweige denn fünf Jahre überleben sollte. Er hatte Emma ebenso verloren wie seine Freiheit, und allmählich merkte er, wie sein Lebensmut zu schwinden begann. Sie hatten ihm alles genommen.

Am Tag darauf ging es nahtlos so weiter. Und am nächsten auch. Alle, denen er sich näherte, machten sich auf der Stelle davon. Jeder, dem er in die Augen sah, wandte sofort den Blick ab. Trotzdem spürte er genau, wie sie ihn beobachteten, sobald er sich wegdrehte. Sonst passierte nichts – sie beobachteten ihn, ließen ihn keine Sekunde aus den Augen.

Und warteten.

»Aber worauf?«, fragte er, als das Licht gelöscht worden war und Mr. Hammond den Schlüssel in der Zellentür drehte. »Worauf warten sie?«

Mit ausdruckslosem Blick musterte ihn Mr. Hammond durch die Gitterstäbe.

»Es ist doch so«, fuhr Joe fort. »Sollte ich jemandem auf den Schlips getreten sein, bring ich das gern in Ordnung. Also, wie gesagt, ich bin bereit…«

»Du bist im Schlund der Bestie«, sagte Mr. Hammond. Er ließ den Blick über die Gitterroste der Gänge über sich schweifen. »Sie entscheidet, ob sie dich ein bisschen auf ihrer Zunge tanzen lässt. Oder ob sie vielleicht mehr Spaß daran hat, ihre Fänge in dein Fleisch zu graben. Womöglich lässt sie dich sogar über ihre Zähne klettern und herausspringen. Aber sie entscheidet. Sie allein, nicht du.« Mr. Hammond ließ seinen großen Ring mit den Schlüsseln einmal durch die Luft kreisen, ehe er ihn wieder an seinem Gürtel befestigte. »Warte einfach ab.«

»Wie lange denn noch?«, fragte Joe.

»Das liegt ganz bei ihr.« Dann entfernten sich Mr. Hammonds Schritte.

Der Junge, der ihn als Nächster attackierte, war tatsächlich nicht mehr als das: ein Junge. Er bebte vor Angst und Nervosität, doch das machte ihn nicht weniger gefährlich. Es war Samstag, und Joe wollte gerade unter die Dusche, als er sich aus der Schlange der Wartenden löste und auf Joe zuhielt.

Joe wusste sofort Bescheid, doch er war dem Lauf der Dinge hilflos ausgeliefert. Der Junge trug seine gestreifte Gefängniskluft und hatte wie alle anderen Handtuch und Seife dabei, doch in der rechten Hand hielt er außerdem einen Kartoffelschäler, dessen Kanten mit einem Schleifstein geschärft worden waren.

Joe spannte jede Faser seines Körpers an, bereit, den Angriff abzuwehren, doch der Junge tat, als wolle er bloß an ihm vorbeigehen, ehe er einen Sekundenbruchteil später Handtuch und Seife fallen ließ, sein Gewicht auf das eine Bein verlagerte und nach Joes Kopf ausholte. Joe täuschte einen Ausfall nach rechts an – was der Junge vorausgesehen haben musste, da er in der Bewegung mitging und den Kartoffelschäler stattdessen in die Innenseite von Joes Oberschenkel rammte. Noch ehe Joe den Schmerz überhaupt registrierte, zog der Bursche die Klinge auch schon wieder aus seinem Fleisch – und das Geräusch, das dabei entstand, versetzte Joe in blanke Wut. Es klang, als würden Fischabfälle in einen Abfluss gesogen. Sein Fleisch hing an den scharfen Kanten der Waffe, sein Blut tropfte von der Klinge.

Mit dem nächsten Hieb zielte der Junge auf Joes Bauch oder auf seinen Unterleib; bei all dem hektischen Hin und Her, Antäuschen und Ausweichen war das schwer zu sagen. Er ging frontal auf den Jungen los, packte ihn am Hinterkopf und rammte sein Gesicht gegen seine Brust. Der Junge stieß abermals mit dem Kartoffelschäler zu und erwischte ihn in der Hüfte, doch diesmal war kaum Schwung in seiner Bewegung, so dass es bloß ein mehr oder minder schwacher Stich war, der trotzdem schlimmer schmerzte als ein Hundebiss. Als er erneut ausholte, warf sich Joe mit seinem ganzen Körpergewicht gegen ihn und knallte seinen Kopf mit voller Wucht gegen die Granitwand.

Der Junge gab ein dumpfes Ächzen von sich und ließ den Kartoffelschäler fallen. Um ganz sicherzugehen, knallte Joe seinen Kopf noch zweimal gegen die Wand. Der Junge sackte zu Boden.

Joe hatte ihn nie zuvor gesehen.

Auf der Krankenstation desinfizierte ein Arzt seine Wunden, nähte den Stich in seinem Oberschenkel und legte ihm einen engen Verband an. Der Arzt, der nach irgendwelchen Chemikalien roch, riet ihm, das Bein und die Hüfte vorerst so wenig wie möglich zu belasten.

»Und wie soll ich das machen?«, fragte Joe.

Der Arzt fuhr fort, als hätte Joe überhaupt nichts gesagt. »Und halten Sie die Wunden sauber. Wechseln Sie den Verband zweimal täglich.«

»Sie geben mir also noch Verbandszeug mit?«

»Nein«, erwiderte der Arzt in einem Ton, als würde ihn die Frage persönlich beleidigen.

»Aber ...«

»Ach was, Sie sind schon wieder so gut wie neu«, sagte der Arzt und verließ den Raum.

Er wartete darauf, dass sie ihn holten. Er wollte wissen, welche Bestrafung auf ihn zukam. Er wollte wissen, ob der Bursche, der ihn angegriffen hatte, noch lebte. Doch niemand verlor auch nur ein Wort über die Sache. Es war, als hätte er sich alles nur eingebildet.

Nachdem das Licht gelöscht worden war, fragte er Mr. Hammond, ob er etwas über den Zwischenfall vor den Duschen gehört hatte.

»Nein.«

»Nein, Sie haben nichts gehört?«, hakte Joe nach. »Oder nein, es hat gar keine Schlägerei gegeben?«

»Nein«, sagte Mr. Hammond und ging.

Ein paar Tage später wurde er tatsächlich von einem anderen Häftling angesprochen. Die rauhe Stimme des Mannes, der mit leichtem Akzent sprach (italienisch, schätzte

Joe), war nicht sonderlich bemerkenswert, doch nach einer Woche fast ungebrochenen Schweigens klang sie so engelsgleich, dass Joe einen Kloß im Hals verspürte.

Es war ein alter Mann mit einer dicken Brille, die zu groß für sein Gesicht war. Er trat zu Joe, als dieser hinkend seine Runden auf dem Hof drehte. Am Samstag hatte er ebenfalls in der Schlange vor den Duschen gestanden. Joe erinnerte sich an ihn, weil er so gebeugt, so gebrechlich ausgesehen hatte, dass er sich nicht einmal vorzustellen wagte, welchen Greueln der alte Mann hier im Lauf der Jahre ausgesetzt gewesen war.

»Glaubst du, sie hören irgendwann auf damit?«

Er war etwa so groß wie Joe und hatte eine Halbglatze. Seine verbliebenen Haare waren graumeliert, ebenso wie sein bleistiftdünner Schnäuzer. Er hatte lange Beine, einen gedrungenen Oberkörper und auffällig kleine Hände. Seine Bewegungen wirkten elegant und katzenhaft wie die eines Fassadenkletterers, doch sein Blick war so unschuldig und erwartungsvoll wie der eines Kindes am ersten Schultag.

»Wohl kaum«, sagte Joe. »Die haben bestimmt noch einiges in petto.«

»Was meinst du, wie lange du das durchhältst?«

»Bis es nicht mehr geht«, gab Joe zurück. »Aber das dauert noch ein bisschen.«

»Du bist sehr schnell.«

»Schnell. Aber nicht sehr schnell.«

»Finde ich schon.« Der alte Mann kramte ein Leinensäckchen hervor und förderte zwei Zigaretten zutage. Eine davon reichte er Joe. »Ich habe beide Prügeleien mitverfolgt. Du bist so schnell, dass die meisten hier nicht mal mitgekriegt haben, wie du deine Rippen abschirmst.«

Joe blieb stehen, während der Alte ein Streichholz an seinem Daumennagel anriss und ihm Feuer gab. »Ich schirme überhaupt nichts ab.«

Der alte Mann lächelte. »Vor langer Zeit, in einem anderen Leben, vor alldem hier« – er deutete mit vager Geste auf die Mauern und den Stacheldraht –, »hatte ich mal einige Boxer unter Vertrag. Ein paar Wrestler auch. Viel Geld ist dabei nicht rumgekommen, aber ich habe eine Menge hübscher Mädels kennengelernt. Wo Boxer sind, gibt es immer jede Menge hübscher Mädels. Und hübsche Mädels sind immer mit anderen hübschen Mädels unterwegs.« Er zuckte mit den Schultern, während sie weitergingen. »Wie auch immer, ich erkenne sofort, wenn jemand seine Rippen schützt. Sind sie gebrochen?«

»Mit mir ist alles in Ordnung«, sagte Joe.

»Ehrenwort«, sagte der alte Mann. »Wenn ich gegen dich antreten müsste, würde ich mich darauf beschränken, deine Knöchel zu packen und dich umzureißen.«

Joe lachte. »Nur die Knöchel?«

»Na ja«, sagte der Alte. »Vielleicht würde ich dir auch eins auf die Nase geben, wenn du deine Deckung vernachlässigst.«

Joe fasste den Alten ein wenig genauer ins Auge. Offenbar saß er hier schon so lange ein, dass er jede nur erdenkliche Demütigung erfahren und längst jede Hoffnung aufgegeben hatte, und nun ließen sie ihn in Ruhe, weil er all den Wahnsinn überlebt hatte. Oder vielleicht einfach, weil er ein müder Greis war, bei dem es nichts zu holen gab. Harmlos.

»Apropos Deckung…« Joe nahm einen langen Zug von seiner Zigarette. Es war schlicht unglaublich, wie gut eine

Kippe schmecken konnte, wenn man nicht wusste, wo man die nächste herbekommen sollte. »Vor ein paar Monaten habe ich mir sechs Rippen gebrochen und die anderen auch ziemlich lädiert.«

»Vor ein paar Monaten? Dann musst du ja nur noch zwei weitere durchhalten.«

»Wie? Im Ernst?«

Der alte Mann nickte. »Gebrochene Rippen sind wie gebrochene Herzen – beides heilt erst nach sechs Monaten.«

Tatsächlich?, dachte Joe.

»Tja, würden die Mahlzeiten bloß so lange vorhalten.« Der Alte rieb sich seinen kleinen Schmerbauch. »Wie heißt du überhaupt?«

»Joe.«

»Nicht Joseph?«

»So nennt mich nur mein Vater.«

Der Mann nickte und blies genüsslich eine Rauchwolke über die Lippen. »Das hier ist der Friedhof aller Hoffnungen. Aber zu der Erkenntnis bist du sicher auch schon gelangt.«

Joe nickte.

»Der Knast frisst Menschen bei lebendigem Leib. Und hinterher spuckt er sie nicht mal wieder aus.«

»Wie lange sind Sie schon hier?«

»Oh«, sagte der alte Mann. »Ich habe schon vor Jahren mit dem Zählen aufgehört.« Er ließ den Blick über den schmierig blauen Himmel schweifen und spuckte einen Tabakkrümel von seiner Zunge. »Keiner kennt dieses Loch besser als ich. Also frag mich einfach, wenn dir irgendwas unklar sein sollte.«

Joe mutmaßte, dass sich der alte Knabe offenbar maßlos überschätzte, aber ein wenig Höflichkeit konnte trotzdem nicht schaden. »Ich komme drauf zurück. Vielen Dank für das Angebot.«

Sie hatten das Ende des Hofs erreicht. Als sie kehrtmachten, um ihren Weg in die andere Richtung fortzusetzen, legte der Alte plötzlich seinen Arm um Joes Schultern.

Der gesamte Hof beobachtete sie.

Der alte Mann schnippte seine Zigarette in den Staub und streckte die Rechte aus. Joe schüttelte ihm die Hand.

»Ich bin Tommaso Pescatore, aber alle nennen mich Maso. Du stehst ab jetzt unter meinem persönlichen Schutz.«

Joe kannte den Namen. Maso Pescatore kontrollierte das North End und die meisten Spielhöllen und Puffs an der North Shore. Aus dem Knast heraus organisierte er das Geschäft mit dem karibischen Rum, der aus Florida an die Ostküste kam. Tim Hickey hatte im Lauf der Jahre des Öfteren mit ihm zusammengearbeitet und stets darauf hingewiesen, dass im Umgang mit diesem Mann höchste Vorsicht geboten war.

»Ich habe nicht um Ihren Schutz gebeten, Maso.«

»Tja, ob gut oder schlecht – was kann man sich schon aussuchen im Leben?« Maso nahm seinen Arm von Joes Schultern und legte die Hand an die Stirn, um seine Augen vor der Sonne abzuschirmen. In seinem eben noch so unschuldigen Blick spiegelte sich plötzlich nichts als Verschlagenheit. »Von jetzt an bin ich für dich Mr. Pescatore, Joseph. Und das hier gibst du deinem Vater bei seinem nächsten Besuch.« Mit diesen Worten drückte er ihm ein Stück Papier in die Hand.

Auf den Zettel war eine Adresse gekritzelt: *1417 Blue Hill Ave.* Das war alles – kein Name, keine Telefonnummer, nur die Adresse.

»Tu mir den Gefallen. Nur dieses eine Mal, mehr verlange ich überhaupt nicht.«

»Und wenn ich nicht mitspiele?«, sagte Joe.

Die Frage schien Maso ernsthaft aus dem Konzept zu bringen. Er wiegte den Kopf hin und her, und während er Joe ansah, spielte ein kleines sonderbares Lächeln um seine Lippen. Dann wurde das Lächeln immer breiter und verwandelte sich in ein leises Lachen. Ein ums andere Mal schüttelte er den Kopf, ehe er Joe mit zwei Fingern einen militärischen Gruß entbot und zu seinen Männern ging, die an der Mauer auf ihn warteten.

Thomas Coughlin sah seinem Sohn entgegen, als dieser in den Besucherraum hinkte und ihm gegenüber Platz nahm.

»Was ist passiert?«

»Irgend so ein Arschloch hat mir einen Kartoffelschäler ins Bein gerammt.«

»Warum?«

Joe schüttelte den Kopf. Als er die Hand über den Tisch gleiten ließ, sah Thomas das Stück Papier darunter. Er legte seine Hand auf die seines Sohnes, kostete die Berührung aus und fragte sich, weshalb er über ein Jahrzehnt davor zurückgeschreckt war. Er nahm den Zettel und steckte ihn ein. Er betrachtete seinen Sohn, mutlos und mit dunklen Ringen unter den Augen, und plötzlich dämmerte ihm, worum es ging.

»Ich soll jemandem eine Gefälligkeit erweisen«, sagte er. Joe blickte auf.

»Wem, Joseph?«

»Maso Pescatore.«

Thomas lehnte sich zurück und fragte sich, wie weit die Liebe zu seinen Sohn tatsächlich reichte.

Joe konnte an seiner Miene ablesen, was in ihm vorging. »Jetzt versuch bloß nicht, mir zu verklickern, du wärst sauber, Dad.«

»Ich mache legale Geschäfte mit zivilisierten Menschen. Und du verlangst von mir, dass ich mich unter die Knute von einer Bande Itakern zwingen lasse, die vor zwanzig Jahren noch in Höhlen gelebt haben.«

»Darum geht's doch gar nicht.«

»Ach, nein? Was steht auf dem Zettel?«

»Eine Adresse.«

»Bloß eine Adresse?«

»Ja. Ich weiß auch nicht mehr.«

Sein Vater nickte mehrmals und atmete geräuschvoll aus. »Weil du ein Kindskopf bist. Irgendein Spaghettifresser gibt dir eine Adresse, die du an deinen Vater weiterreichen sollst, der ganz zufällig ein hochrangiger Polizeibeamter ist – und du kapierst nicht, dass es sich bei dieser Adresse nur um das Nachschublager eines Rivalen handeln kann.«

»Um was?«

»Höchstwahrscheinlich ein Lager, das bis zum Dach mit hochprozentigem Sprit gefüllt ist.« Sein Vater warf einen Blick zur Zimmerdecke und fuhr sich mit der Hand über die kurzgeschnittenen grauen Haare.

»Er hat gesagt, nur dieses eine Mal.«

Sein Vater bedachte ihn mit einem höhnischen Lächeln. »Und du hast ihm geglaubt.«

Thomas verließ das Gefängnis.

Beißender Chemiegestank stieg ihm in die Nase, als er den Weg zu seinem Wagen hinunterging. Rauch stieg aus den Fabrikschornsteinen; die Schwaden waren dunkelgrau, färbten aber den Himmel braun und die Erde schwarz. Züge ratterten über die unweit entfernten Gleise. Aus irgendeinem unerfindlichen Grund erinnerten sie Thomas an Wölfe, die um ein Feldlazarett herumschlichen.

Im Lauf seiner Karriere hatte er mindestens tausend Männer hinter ebendiese Gitter geschickt. Viele davon waren hinter ebendiesen Mauern gestorben. Wer hier mit Illusionen über menschlichen Anstand und Würde einfuhr, wurde in null Komma nichts eines Besseren belehrt. Es gab zu viele Gefangene und zu wenig Wärter, um aus dem Gefängnis etwas anderes zu machen, als es tatsächlich war – eine Müllhalde und nicht zuletzt eine Brutstätte für Ungeheuer. Wer diesen Ort als Mensch betrat, verließ ihn als Bestie. Wer ihn als Bestie betrat, konnte das Tier in sich erst so richtig herauslassen.

Er fürchtete, dass sein Sohn zu weich war. Trotz all seiner Verfehlungen, seinem Widerspruchsgeist, seiner Unfähigkeit, sich seinem Vater oder irgendwelchen Regeln zu beugen, war Joseph der offenste, freimütigste seiner Söhne. Selbst der dickste Wintermantel konnte sein Herz nicht verbergen.

Gleich neben seinem Wagen stand eine Notrufsäule. Der Schlüssel dazu hing an seiner Uhrkette; er steckte ihn ins Schloss und öffnete die Klappe. Abermals warf er einen Blick auf den Zettel in seiner Hand: 1417 Blue Hill Avenue in Mattapan. Da, wo die Juden wohnten. Was bedeutete, dass das betreffende Lagerhaus wahrscheinlich Jacob Rosen gehörte, einem aktenkundigen Lieferanten Albert Whites.

White war mittlerweile wieder in der Stadt. Und er hatte keine einzige Nacht hinter Gittern verbracht – wahrscheinlich, weil er sich ebenfalls Jack D'Jarvis' Dienste gesichert hatte.

Thomas warf einen Blick zu dem Gefängnis zurück, das nun das Zuhause seines Sohnes war. Ja, es war tragisch, aber alles andere als überraschend gekommen. Immer wieder hatte Thomas ihn gewarnt, seine Missbilligung zum Ausdruck gebracht, und trotzdem hatte sein Sohn die Laufbahn eingeschlagen, deren Endstation Zuchthaus hieß. Wenn Thomas jetzt den Notruf benutzte, war er lebenslänglich Handlanger des Pescatore-Clans, Sklave eines Menschenschlags, der Krieg und Anarchie, Mord und Totschlag in dieses Land gebracht, die sogenannte *omertà organiza* ins Leben gerufen und den Handel mit illegalem Alkohol fast vollständig an sich gerissen hatte.

Und er sollte ihnen zu noch mehr Macht verhelfen?

Mit ihnen gemeinsame Sache machen?

Ihre Ringe küssen?

Er schloss die Klappe der Notrufsäule, steckte den Schlüssel wieder ein und stieg in seinen Wagen.

Zwei Tage lang überlegte er, was er tun sollte. Zwei Tage lang betete er zu einem Gott, den es, wie er fürchtete, gar nicht gab. Er betete um Beistand. Er betete für seinen Sohn, der hinter jenen Granitmauern einsaß.

Samstag war sein freier Tag. Thomas stand gerade auf einer Leiter, die an seinem Haus in der K Street lehnte, und erneuerte den schwarzen Anstrich der Fensterbänke, als ihn jemand nach dem Weg fragte. Es war ein schwülheißer Nachmittag, und über den Himmel trieben ein paar vereinzelte lila Wolken. Durch ein Fenster im zweiten Stock warf er einen Blick in das Zimmer, das einst Aidens gewesen war. Drei Jahre lang hatte es leergestanden, ehe seine Frau Ellen es sich als Nähzimmer eingerichtet hatte. Seit ihrem Tod vor zwei Jahren – sie war im Schlaf gestorben – standen dort nur noch eine pedalbetriebene Nähmaschine und ein Kleiderständer, an dem noch die Sachen hingen, die sie hatte flicken wollen. Thomas tauchte den Pinsel in den Farbtopf. Es würde immer Aidens Zimmer bleiben.

»Entschuldigung, ich fürchte, ich habe mich irgendwie verlaufen.«

Thomas sah aus zehn Metern Höhe zu dem Mann hinunter, der auf dem Gehsteig stand. Er trug einen leichten blauen Leinenanzug, ein weißes Hemd und eine rote Fliege, keinen Hut.

»Was suchen Sie denn?«, fragte Thomas.

»Die Badeanstalt in der L Street.«

Von hier oben konnte Thomas das Badehaus sehen, und

nicht bloß das Dach, sondern das ganze Backsteingebäude. Er sah die kleine Bucht dahinter und jenseits der Bucht den Atlantik, der sich bis hinüber zu seinem Geburtsland erstreckte.

»Die ist gleich da vorn.« Thomas deutete zum Ende der Straße, nickte dem Mann zu und wandte sich wieder seiner Arbeit zu.

»Ah, ja?«, sagte der Mann. »Da drüben, meinten Sie?«

Thomas wandte sich abermals um und nickte.

»Tja, manchmal kriege ich's echt nicht hin«, sagte der Mann. »Ist Ihnen das auch schon mal passiert? Sie wissen genau, wo's langgeht, aber irgendwie stehen Sie sich selbst im Weg?«

Der Mann war blond und farblos, auf unbestimmte Weise gut aussehend, wenn auch völlig durchschnittlich. Weder groß noch klein, dick oder dünn.

»Sie werden ihn nicht töten«, sagte er in fast liebenswürdigem Tonfall.

»Pardon?«, sagte Thomas und ließ den Pinsel in den Farbtopf fallen.

Der Mann legte die Hand an die Leiter.

Zehn Meter. Die richtige Höhe, um sich den Hals zu brechen.

Der Mann sah blinzelnd zu Thomas auf und blickte dann die Straße hinunter. »Aber er wird sich wünschen, tot zu sein. Dafür werden sie schon sorgen – jeden verdammten Tag seines Lebens.«

»Ihnen ist sicher bekannt, welchen Rang ich innerhalb des Boston Police Department bekleide«, sagte Thomas.

»Er wird mit dem Gedanken spielen, Selbstmord zu begehen«, sagte der Mann. »Aber das werden sie zu verhindern wissen – indem sie ihm klarmachen, dass Sie ein toter Mann sind, sobald er auch nur den Versuch unternimmt. Und dazu werden sie ihm rund um die Uhr die Hölle auf Erden bereiten.«

Ein schwarzer Model T löste sich vom Bordstein und fuhr im Schritttempo los. Der Mann verließ den Gehsteig, stieg ein, und dann waren sie auch schon um die nächste Straßenecke verschwunden.

Thomas kletterte die Leiter hinab. Überrascht stellte er fest, dass seine Hände zitterten, und selbst nachdem er die Haustür hinter sich geschlossen hatte, wollte das Zittern nicht aufhören. Er wurde alt. Besser, wenn er sich nicht mehr auf hohen Leitern herumtrieb. Besser, wenn er nicht länger stur auf seinen Grundsätzen beharrte.

Die Kunst des Alterns bestand darin, dem Neuen so elegant wie möglich Platz zu machen – am Ende wurde man so oder so beiseitegedrängt.

Er rief Kenny Donlan an, den Captain des Third District von Mattapan. Kenny war fünf Jahre lang sein Lieutenant im Sechsten Revier in Südboston gewesen. Wie eine ganze Reihe anderer leitender Beamter des Departments hatte er seine Karriere Thomas zu verdanken.

»Selbst am freien Tag im Dienst«, sagte Kenny, als Thomas von seiner Sekretärin durchgestellt worden war.

»In unserem Job gibt es keine freien Tage, mein Lieber.«

»Wohl wahr«, sagte Kenny. »Was kann ich für dich tun, Thomas?«

»1417 Blue Hill Avenue«, sagte Thomas. »Das ist eine Lagerhalle, in der sich angeblich jede Menge Spielhöllenkram befindet – einarmige Banditen und das übliche Zeugs.«

»Aber von wegen«, sagte Kenny.

»Genau.«

»Sollen wir den Laden so richtig auseinandernehmen?«

»Bis zur letzten Flasche«, sagte Thomas, und irgendetwas in ihm schien ein letztes Mal aufzuschreien, bevor es starb. »Bis zum letzten Tropfen.«

8

Zwielicht

In jenem Sommer wurde im Zuchthaus von Charlestown die Hinrichtung zweier berühmter Anarchisten in die Wege geleitet. Auch weltweite Proteste konnten den Commonwealth of Massachusetts nicht von seinem Vorhaben abbringen, ebenso wenig wie eine Flut von Gnadengesuchen und Anträgen auf Hinrichtungsaufschub. Nachdem Sacco und Vanzetti von Dedham in den Todestrakt des Charlestown Penitentiary verlegt worden waren, wurde Joe jede Nacht von Scharen empörter Bürger aus dem Schlaf gerissen, die auf der anderen Seite der Granitmauern demonstrierten. Manchmal hielten sie dort die ganze Nacht aus, sangen Lieder, brüllten durch Megaphone und skandierten ihre Parolen. Mehrmals argwöhnte Joe, dass sie Fackeln mitgebracht hatten, da er den Gestank von brennendem Pech in der Nase hatte, wenn er einmal mehr aus dem Schlaf schreckte.

Doch abgesehen von ein paar Nächten unruhigen Schlafs hatte das Schicksal der beiden zum Tode Verurteilten keinerlei Auswirkungen auf sein Leben oder das irgendeines anderen Insassen – abgesehen von Maso Pescatore, der auf seine nächtlichen Spaziergänge auf den Gefängnismauern verzichten musste, solange die Augen der Welt auf das Zuchthaus von Charlestown gerichtet waren.

In jener geschichtsträchtigen Nacht im August zog der elektrische Stuhl während der Hinrichtung der beiden unglückseligen Italiener so viel Strom ab, dass die Glühbirnen auf den Gängen flackerten und teils ganz verloschen. Die beiden Leichen wurden zum Forest-Hills-Friedhof gebracht und eingeäschert. Immer weniger Demonstranten stellten sich ein, und schließlich war der Spuk vorbei.

Maso nahm seinen nächtlichen Zeitvertreib wieder auf, dem er seit nunmehr zehn Jahren nachging: Er flanierte über die Mauerkronen, entlang des spiralförmig gewundenen Stacheldrahts und der dunklen Wachtürme, die auf den Innenhof und die trostlose Fabriklandschaft jenseits der Mauern hinausgingen.

Häufig ließ er sich dabei von Joe begleiten. Er schien ihn als eine Art Maskottchen zu betrachten – ob nun als Faustpfand, mit dem er einen hochrangigen Polizeibeamten erpresste, als potentielles Mitglied seiner Organisation oder als Schoßhündchen, wusste Joe nicht, und er hakte auch nicht weiter nach. Warum auch, da seine Gegenwart hier oben eine Tatsache ganz klar bewies – dass Maso ihn unter seine Fittiche genommen hatte.

»Glauben Sie, dass die beiden schuldig waren?«, fragte Joe ihn eines späten Abends.

Maso zuckte mit den Schultern. »Das spielt keine Rolle. Was zählt, ist die Botschaft, die hinter dem Todesurteil steckt.«

»Was für eine Botschaft? Sie haben zwei Männer hingerichtet, die womöglich unschuldig waren.«

»Genau das war die Botschaft«, sagte Maso. »Und jeder auf diesem Planeten mit ähnlichen Ambitionen hat es mitbekommen.«

Das Zuchthaus von Charlestown ertrank in jenem Sommer regelrecht in Blut. Zunächst glaubte Joe, dass die gnadenlose Abschlachterei nur der sinnlosen Brutalität von Männern entsprang, die permanent ihren Platz in der Hackordnung ausfochten und sich dabei gegenseitig an die Gurgel gingen, egal, ob sich nun jemand in einer Schlange vorgedrängelt hatte, einem anderen auf dem Hof im Weg stand oder irgendwem auf die Schuhspitze getreten war.

Wie sich herausstellte, war es um einiges komplizierter.

Ein Häftling im Ostflügel erblindete, als ihm jemand zwei Handvoll Scherben in die Augen drückte. Im Südflügel fanden Wärter einen Toten, dem jemand ein Dutzend Messerstiche in den Oberbauch verpasst hatte, von denen einer, dem Geruch nach zu urteilen, seine Leber durchbohrt haben musste. Den Gestank hatte man noch zwei Gänge darunter gerochen. Joe hörte von nächtlichen Vergewaltigungspartys im Lawson-Block, der so hieß, weil dort einst drei Generationen der Lawson-Sippe – der Großvater, einer seiner Söhne sowie drei seiner Enkel – zur gleichen Zeit gesessen hatten. Das letzte verbliebene Familienmitglied, Emil Lawson, war damals der Jüngste der Sippe, aber schon immer der Schlimmste von ihnen gewesen. Rauskommen würde er jedenfalls nie mehr: Insgesamt belief sich sein Strafmaß auf einhundertvierzehn Jahre. Schön für die Bürger Bostons, weniger schön für seine Mithäftlinge. Wenn er nicht gerade Gruppenvergewaltigungen von Neuankömmlingen organisierte, übernahm er Auftragsmorde für jeden, der ihn dafür bezahlte, auch wenn gemunkelt wurde, dass er momentan exklusiv für Maso arbeitete – eine Kooperation, der sich ganz offensichtlich auch die aktuellen Gewaltexzesse verdankten.

In diesem Krieg ging es um Rum. Natürlich wurde er zum Unmut der Öffentlichkeit vor allem draußen auf den Straßen geführt, doch eben auch innerhalb der Knastmauern, hinter die niemand einen Blick warf, ganz abgesehen davon, dass sicher niemand eine Träne verdrückt hätte. Albert White hatte beschlossen, nicht mehr nur Whiskey aus dem Norden, sondern auch Rum aus dem Süden zu importieren, bevor Maso Pescatore aus dem Gefängnis entlassen wurde. Tim Hickey war das erste Opfer im White-Pescatore-Krieg gewesen. Doch als sich der Sommer seinem Ende zuneigte, hatte es bereits ein Dutzend Tote gegeben.

In Sachen Whiskey kam es in Boston, Portland und entlang der kanadischen Grenze zu wilden Schießereien. In Städten wie Massena, New York, Derby, Vermont und Allagash, Maine, wurden Fahrer in schöner Regelmäßigkeit von der Straße abgedrängt. Einige kamen mit einer Tracht Prügel davon, andere nicht – einem von Albert Whites schnellsten Fahrern hatten die Italiener in einem Waldstück fein säuberlich den Unterkiefer weggeschossen, weil er frech geworden war.

In Sachen Rum setzten Whites Leute alles daran, den Nachschub zu unterbinden. Lieferungen wurden ebenso unten im Süden wie oben im Norden abgefangen, manchmal bereits in den Carolinas, dann wiederum erst in Rhode Island. Nachdem die Lastwagen zum Halten und die Fahrer zum Aussteigen gezwungen worden waren, steckten Whites Männer die Fahrzeuge in Brand. Die Transporter brannten wie die Boote, mit denen die Wikinger ihre Toten auf die letzte Reise geschickt hatten, und der fahlgelbe Widerschein, der über das nächtliche Firmament tanzte, war noch Meilen weiter zu sehen.

»Er hat irgendwo ein Lager, wo er seinen Sprit bunkert«, sagte Maso auf einem ihrer Spaziergänge. »Er wartet, bis er ganz New England ausgetrocknet hat, und dann spielt er den großen Retter, der endlich wieder für feuchte Kehlen sorgt.«

»Wer wäre denn so blöde, ihn zu beliefern?« Joe kannte die meisten Zulieferer im Süden Floridas.

»Das ist nicht blöde, sondern clever«, sagte Maso. »Ich wüsste jedenfalls, was ich tun würde, wenn ich die Wahl hätte zwischen einem gewieften Hund wie Albert und einem alten Mann, der hier schon sitzt, seit der Zar abdanken musste.«

»Aber Sie haben Ihre Augen und Ohren überall.«

Der Alte nickte. »Aber genau genommen sind es eben nicht *meine* Augen und *meine* Ohren. Und wie willst du das Zepter richtig schwingen, wenn dir die Hände gebunden sind?«

An jenem Abend vergnügte sich einer der Wärter, die auf Masos Gehaltsliste standen, in einem Speakeasy im South End und verließ den Laden mit einer Frau, die niemand kannte. Wohl eine echte Augenweide, und definitiv eine Professionelle. Der Wärter wurde drei Stunden später am Franklin Square aufgefunden, mit einem klaffenden Schlitz über dem Adamsapfel und toter als Thomas Jefferson.

Masos Haft endete in einem Vierteljahr, und Albert schien zu spüren, wie ihm die Zeit zwischen den Fingern zerrann – was ihn nur noch gefährlicher machte. Erst in der Nacht zuvor hatte Boyd Holter, Masos bester Fälscher, einen unfreiwilligen Abflug vom Ames Building im Stadtzentrum gemacht und war auf seinem Steißbein gelandet –

mit dem Effekt, dass die Splitter seines Rückgrats wie Hagel unter seine Gehirnschale prasselten.

Masos Leute revanchierten sich, indem sie einen Fleischerladen in der Morton Street in die Luft jagten, der als Tarnung für Alberts Geschäfte diente. Der Frisiersalon und die Kurzwarenhandlung nebenan brannten ebenfalls bis auf die Grundmauern nieder, und von mehreren Automobilen blieben nur Blechgerippe übrig.

Bis jetzt gab es keinen Sieger. Nur Chaos.

Während Joe und Maso einen Augenblick an der Mauer verharrten und den Mond betrachteten, der sich wie eine riesige Orange über den Fabrikschornsteinen und der von Asche verregneten Landschaft erhob, griff der Alte in seine Tasche und reichte Joe ein zusammengefaltetes Stück Papier.

Mittlerweile sah Joe sich die Zettel nicht einmal mehr an, pflegte sie lediglich noch weitere zwei, drei Mal zu falten und in dem Schlitz zu verstecken, den er in seine Schuhsohle geschnitten hatte. Doch diesmal kam er nicht dazu.

»Lies das«, sagte Maso.

Joe sah ihn an. Der Mond beleuchtete die Umgebung beinahe taghell.

Maso nickte.

Joe entfaltete das Stück Papier. Im ersten Moment verstand er nur Bahnhof, als er die beiden Wörter auf dem Zettel sah.

Brendan Loomis.

»Er ist gestern Abend verhaftet worden«, sagte Maso. »Hat einem Typen bei Filene die Fresse poliert. Weil er auf denselben Mantel scharf war. Der Kerl hat sie nicht alle. Tja, aber das Opfer hat Freunde, was wiederum bedeutet, dass Albert Whites rechte Hand so bald nicht wieder einsatzfähig ist.« Sein Gesicht schimmerte orangefarben im Mondlicht. »Du hasst das Schwein?«

»Und wie«, sagte Joe.

»Gut.« Maso tätschelte seinen Arm. »Dann gib das deinem Vater.«

Am unteren Rand des Drahtgeflechts zwischen Joe und seinem Vater befand sich eine kleine Lücke, durch die man Botschaften hin- und herbefördern konnte. Joe musste nur noch den Zettel durch die Lücke schieben, doch er brachte es nicht über sich, seine Hand zum Gitter zu bewegen.

Der Teint seines Vaters war während jenes Sommers fast durchsichtig geworden, wie die Haut einer Zwiebel, und die Venen in seinen Händen leuchteten unnatürlich Blau. Sein Haar war schütter, die Lider wirkten schwer, die Schultern hingen kraftlos herab. Man sah ihm jede einzelne Sekunde seiner neunundfünfzig Jahre an.

Doch an jenem Morgen klang seine Stimme wieder ein wenig entschlossener, und im gebrochenen Grün seiner Augen schimmerte neue Lebenskraft.

»Rat mal, wer unsere schöne Stadt mit seinem Besuch beehrt«, sagte er. »Da kommst du nie im Leben drauf.«

»Wer denn?«

»Dein Bruder. Aiden höchstpersönlich.«

Aha. Das erklärte so einiges. Sein Lieblingssohn hatte sich angekündigt. Der geliebte verlorene Sohn.

»Wie, Danny kommt? Wo hat er die ganze Zeit gesteckt?«

»Oh, so ziemlich überall«, sagte Thomas. »Er hat mir einen endlos langen Brief geschrieben – eine Viertelstunde habe ich gebraucht, um ihn zu lesen. Er war in Tulsa und Austin, sogar in Mexiko. Zuletzt hat er sich offenbar in New York aufgehalten. Morgen kommt er jedenfalls zu Besuch.«

»Mit Nora?«

»Von ihr war keine Rede«, sagte Thomas in einem Tonfall, der deutlich durchblicken ließ, dass ihm das so auch lieber war.

»Hat er geschrieben, was er hier vorhat?«

Thomas schüttelte den Kopf. »Anscheinend ist er bloß auf der Durchreise.« Er schwieg einen Augenblick, während er den Blick über die Wände schweifen ließ, als könne er sich ums Verrecken nicht an ihren Anblick gewöhnen. Was wohl auch zu viel verlangt war – wer konnte das schon außer denen, die keine andere Wahl hatten? »Und? Hältst du durch?«

»Ich …« Joe zuckte mit den Schultern.

»Was?«

»Ich versuch's, Dad. Ich versuch's.«

»Tja, da bleibt dir auch wenig anderes übrig.«

»Sieht so aus.«

Wortlos musterten sie sich durch das Drahtgeflecht, und schließlich brachte Joe doch den Mut auf, das Stück Papier in seiner Hand durch die Lücke zu schieben.

Thomas Coughlin entfaltete den Zettel und starrte auf den Namen, der dort stand. Einen schier endlosen Moment lang war Joe sich nicht sicher, ob er überhaupt noch atmete. Und dann …

»Nein.«

»Was?«

»Nein.« Thomas schob den Zettel zurück und wiederholte: »Nein.«

»Das wird Maso nicht akzeptieren, Dad.«

»Ach, ihr duzt euch schon?«

Joe schwieg.

»Ich übernehme keine Auftragsmorde, Joseph.«

»Darum geht's doch gar nicht«, erwiderte Joe, während er sich gleichzeitig fragte: *Wirklich?*

»Wie naiv bist du eigentlich?« Langsam ließ sein Vater den Atem durch die Nase entweichen. »Wenn sie dir den Namen eines Mannes geben, der sich in Polizeigewahrsam befindet, wollen sie, dass derjenige entweder erhängt in seiner Zelle aufgefunden oder ›auf der Flucht‹ erschossen wird. Deine Leichtgläubigkeit in solchen Angelegenheiten ist wahrlich erschreckend, Joseph. Hör mir jetzt bitte ganz genau zu.«

Joe erschrak beinahe, als er sah, welch tiefe Zuneigung, welch tiefe Sorge im Blick seines Vaters lag. Sein Vater, das war offensichtlich, hatte sein Leben gelebt und schien Bilanz ziehen, ihm etwas Fundamentales mitteilen zu wollen.

»Ich werde niemanden töten, ohne dafür einen triftigen Grund zu haben.«

»Auch keinen Mörder?«, sagte Joe.

»Auch keinen Mörder.«

»Der Dreckskerl hat eine Frau auf dem Gewissen, die ich geliebt habe.«

»Du hast doch gesagt, sie wäre noch am Leben.«

»Das ist nicht der Punkt«, sagte Joe.

»Nein«, stimmte sein Vater zu. »Der Punkt ist, dass ich keinen Mord begehen werde. Für niemanden, und erst recht nicht für diesen Itaker, mit dem du dich verbrüdert hast.«

»Ich muss hier drin überleben«, gab Joe zurück. »In der *Hölle*.«

»Und du musst tun, was immer dafür nötig ist.« Thomas Coughlin nickte; seine grünen Augen schimmerten heller als sonst. »Und ich würde dir nie einen Vorwurf daraus machen. Aber ich werde keinen Mord begehen.«

»Nicht einmal für mich?«

»Gerade nicht für dich.«

»Dann werde ich hier drin sterben, Dad.«

»Möglich, ja.«

Joe senkte den Blick, und plötzlich verschwamm alles vor seinen Augen. »Und zwar ziemlich bald.«

»Wenn es dazu kommt« – die Stimme seines Vaters war nur noch ein Flüstern –, »wird es mir das Herz brechen. Aber ich werde keinen Mord für dich begehen, Joseph. Ich würde für dich töten, aber Mord ist nicht drin, in hundert Jahren nicht.«

Joe blickte auf. Er schämte sich, wie tränenfeucht seine Stimme klang, als er das Wort über die Lippen brachte: »Bitte.«

Sein Vater schüttelte den Kopf. Langsam. Matt.

Tja, das war's dann wohl. Es gab nichts mehr zu sagen.

Joe stand auf.

»Warte«, sagte sein Vater.

»Was gibt's denn noch?«

Sein Vater richtete den Blick auf den Wärter, der hinter Joe an der Tür lehnte. »Steht der Heini da auf Masos Gehaltsliste?«

»Ja. Wieso?«

Sein Vater zog seine Taschenuhr hervor. Dann löste er sie von der Kette.

»Nein, Dad. Nein.«

Thomas steckte die Kette zurück in die Weste und schob die Uhr über den Tisch.

Mühsam versuchte Joe, die Tränen zurückzuhalten. »Das kann ich nicht.«

»Und ob du es kannst.« Sein Vater sah ihn durch das Drahtgeflecht an, als hätte irgendetwas in ihm Feuer gefangen; all die Erschöpfung, all die Hoffnungslosigkeit war mit einem Mal aus seinen Zügen gewichen. »Das Stück Metall hier ist ein Vermögen wert. Aber am Ende ist es trotz allem bloß ein Stück Metall. Du kannst dir damit dein Leben erkaufen. Hast du mich verstanden? Du gibst die Uhr dem Scheiß-Itaker und kaufst dich frei.«

Joe schloss die Finger um die Uhr. Sie war noch warm, und einen Moment lang kam es ihm vor, als hielte er ein pochendes Herz in der Hand.

Schon im Speisesaal musste er mit der Wahrheit herausrücken. Er hatte es nicht vorgehabt, war davon ausgegangen, die Sache noch ein wenig hinausschieben zu können. Während der Mahlzeiten saß Joe mit Pescatores Männern zusammen, aber nicht an dem Tisch, an dem Maso mit seinen engsten Vertrauten speiste. Ihm war der Nebentisch vorbehalten mit Typen wie Rico Gastemeyer, der für die illegalen Lotteriespiele zuständig war, und Larry Kahn, der im Quartier der Wärter in den Kloschüsseln Fusel brannte. Joe kam direkt von der Unterredung mit seinem Vater und nahm gegenüber von Rico und Ernie Rowland Platz, einem Geldfälscher aus Saugus. Im selben Augenblick schob Hippo Fasini, einer von Masos treuesten Gefolgsleuten, die beiden so weit beiseite, dass Joe direkt zu Maso hinübersah.

»Also, wann können wir damit rechnen?«, fragte Maso.

»Sir?«

Maso sah enttäuscht aus, wie immer, wenn er sich wiederholen musste. »Joseph.«

Joes Kehle war wie zugeschnürt. »Er macht nicht mit.«

Naldo Aliente, der neben Maso saß, schüttelte den Kopf und lachte leise in sich hinein.

»Er hat abgelehnt?«, sagte Maso.

Joe nickte.

Maso warf erst Naldo, dann Hippo Fasini einen Blick zu. Eine Weile sprach keiner ein Wort. Joe sah auf seinen Teller, sich nur allzu bewusst, dass sein Essen kalt wurde, dass er dringend etwas zu sich nehmen musste – wer hier drin Mahlzeiten ausließ, schwächte sich nur selbst.

»Sieh mich an, Joseph.«

Joe blickte auf. Maso musterte ihn so amüsiert und neugierig wie ein Wolf, der gerade auf ein Nest frisch geschlüpfter Küken gestoßen war, wo er sie am allerwenigsten erwartet hatte.

»Du warst offenbar nicht sehr überzeugend.«

»Ich hab's versucht, Mr. Pescatore«, sagte Joe.

Erneut ließ Maso den Blick zu seinen Männern schweifen. »Er hat's versucht.«

Naldo Alientes Grinsen entblößte eine Reihe von Zähnen, die aussahen wie Fledermäuse, die in einer Höhle von der Decke hingen. »Und voll vergeigt.«

»Hören Sie, Mr. Pescatore«, sagte Joe. »Er hat mir etwas gegeben.«

Maso legte die Hand hinter sein rechtes Ohr. »Er hat was?«

»Er hat mir etwas für Sie gegeben.« Joe reichte die Uhr hinüber.

Maso nahm die Goldlegierung in Augenschein. Er ließ die Uhr aufspringen, besah sie sich eingehend und inspizierte die Innenseite des Deckels, wo in feinst geschwungenen Lettern die Worte *Patek Philippe* eingraviert waren. Anerkennend hob er die Augenbrauen.

»Das ist die 1902er, achtzehn Karat«, erklärte er Naldo, ehe er sich wieder zu Joe wandte: »Von der sind nur zweitausend Stück hergestellt worden. Das Ding ist mehr wert als mein Haus. Wie kommt ein Bulle an so eine Uhr?«

»Er hat 1908 einen Banküberfall vereitelt«, spulte Joe die Geschichte ab, die ihm sein Onkel Eddie tausendmal erzählt hatte – sein Vater selbst sprach nie darüber. »Am Codman Square. Er hat einen der Kerle erschossen, bevor der den Filialleiter erschießen konnte.«

»Und der Filialleiter hat ihm die Uhr geschenkt?«

Joe schüttelte den Kopf. »Der Bankdirektor. Der Filialleiter war sein Sohn.«

»Und dein Vater schenkt die Uhr jetzt mir, um das Leben *seines* Sohnes zu retten?«

Joe nickte.

»Ich habe selbst drei Söhne. Wusstest du das?«

»Ja«, sagte Joe, »hab ich gehört.«

»Siehst du? Und deshalb weiß ich auch, was es heißt, seine Söhne zu lieben.«

Maso lehnte sich zurück und betrachtete wieder die Uhr. Schließlich gab er einen Seufzer von sich und steckte sie ein. »Sprich noch mal mit deinem Vater. Und richte ihm meinen besten Dank aus.« Maso stand auf. »Und dann sag ihm, dass er gefälligst tun soll, was ich ihm aufgetragen habe.«

Masos Leute erhoben sich wie ein Mann, und dann hatten sie den Speisesaal auch schon verlassen.

Als Joe, verschwitzt und schmutzig, nach der Arbeit in der Kettenfabrik seine Zelle betrat, warteten dort drei Männer auf ihn. Die Etagenbetten waren immer noch nicht wieder da, doch die Matratzen lagen auf dem Boden. Und auf den Matratzen hockten die drei Männer. Seine eigene lag hinter ihnen an der Wand unter dem hohen Fenster, am weitesten von der Zellentür entfernt. Zwei der Kerle hatte er noch nie gesehen, da war er sich ganz sicher, doch der dritte kam ihm irgendwie bekannt vor. Er war um die dreißig und eher klein, hatte aber ein auffällig langes Gesicht und ein Kinn, das so spitz wie seine Ohren war. In Gedanken ging Joe die Namen und Gesichter sämtlicher Männer im Knast durch, bis ihm klar wurde, dass er sich Basil Chigis gegenübersah, einem von Emil Lawsons Leuten, der ebenso wie sein Boss lebenslänglich einsaß. Dem Hörensagen nach hatte er die Finger eines Jungen verspeist, den er in einem Keller in Chelsea getötet hatte.

Joe sah von einem zum anderen, lange genug, um deutlich zu machen, dass er keine Angst vor ihnen hatte, auch wenn das Gegenteil der Fall war, und sie musterten ihn ihrerseits, blinzelten zwar ein paarmal, gaben aber keinen Ton von sich. Weshalb Joe sich ebenso in Schweigen hüllte.

Schließlich hörten die Kerle auf zu glotzen und fingen an, Karten zu spielen. Sie spielten um Knochen, Knochen von Wachteln, Hühnern und kleineren Raubvögeln, die sie in Leinenbeutelchen bei sich führten. Die bleich gekochten Knochen klapperten, wenn sie in den Pott geworfen wurden. Als die Sonne unterging, spielten die Männer immer noch; außer »Erhöhe«, »Lass sehen« und »Passe« fiel kein einziges Wort. Ab und zu sah einer von ihnen zu Joe herüber, widmete sich dann aber gleich wieder dem Kartenspiel.

Als es dunkel geworden war, wurde das Licht auf den Gängen gelöscht. Die drei Männer versuchten, ihre Hand zu Ende zu spielen, doch dann drang Basil Chigis' Stimme durch die stockfinstere Zelle – »Drauf geschissen« –, und Joe hörte, wie sie die Karten vom Boden klaubten und die Knochen klappernd in die Beutel zurückwanderten.

Schweigend hockten sie im Dunkel. Nur ihr Atem war zu hören.

Zeit spielte in dieser Nacht keine Rolle. Ob er nun erst seit einer halben Stunde oder bereits seit zwei Stunden hier saß – er wusste es nicht. Die Männer hockten ihm im Halbkreis gegenüber; ihr Atem und ihre Körperausdünstungen stiegen ihm in die Nase. Der Typ rechts von ihm stank besonders widerlich, nach getrocknetem alten Schweiß, der wie ranziger Essig roch.

Als sich seine Augen allmählich an das Dunkel gewöhnten, verwandelte sich die Schwärze um ihn herum in diffuses Dämmerlicht. Sie saßen ihm mit angezogenen Beinen gegenüber, die Knöchel gekreuzt, den Blick starr auf ihn gerichtet.

Von einer der umliegenden Fabriken drang das Heulen einer Sirene zu ihnen herauf.

Selbst wenn er im Besitz eines Messers gewesen wäre, hätte er es wohl kaum mit allen dreien aufnehmen können. Womöglich nicht mal mit einem – da er noch nie jemanden mit einem Messer attackiert hatte, hätten sie ihm die Waffe wahrscheinlich ruck, zuck abgenommen und postwendend an ihm ausprobiert.

Eins war klar: Sie warteten darauf, dass er etwas sagte. Er wusste nicht, woher er das wusste, aber er wusste es. Sobald er das Schweigen brach, würden sie in die Tat umsetzen, was immer sie mit ihm vorhatten. Jetzt den Mund aufzumachen hieß um Gnade zu winseln. Er brauchte gar nicht um sein Leben zu flehen: Sobald auch nur ein einziges Wort über seine Lippen kam, würden sie ihm das als Bettelei auslegen – und sich scheckig lachen, bevor sie ihm den Garaus machten.

Basil Chigis' Augen hatten die Farbe eines winterlichen Flusses, der kurz vor dem Zufrieren stand. Es hatte eine Weile gedauert, bis Joe sie im Dunkel wieder richtig erkennen konnte, doch dann sah er sie fast so deutlich wie zuvor. Er stellte sich vor, wie das Winterblau auf seinem Daumen brennen würde, wenn er Basil die Augäpfel mit aller Macht in die Höhlen drückte.

Es sind bloß Menschen, sagte er sich, *keine Dämonen. Ei-*

nen Menschen kann man töten. Auch drei, wenn es drauf ankommt. Du musst nur handeln.

Je länger er in Basil Chigis' fahlblau flackernde Augen blickte, desto deutlicher spürte er, wie sie ihre Macht über ihn verloren, während er sich ein ums andere Mal daran erinnerte, dass diese Männer keine übermenschlichen Kräfte besaßen, jedenfalls auch auf nichts anderes zurückgreifen konnten als er selbst – Entschlossenheit, physische Kraft und Willensstärke –, weshalb es durchaus möglich war, dass er sie überrumpeln konnte.

Und dann was? Wie weiter? Seine Zelle war sieben Fuß lang und elf Fuß breit.

Du musst den Willen aufbringen, sie zu töten. Zuschlagen, bevor sie es tun. Und wenn sie am Boden liegen, brich ihnen das Genick.

Aber er konnte sich gut zureden, soviel er wollte; er wusste, dass er auf verlorenem Posten stand. Hätte er sich bloß einem Mann gegenübergesehen, hätte er *vielleicht* eine Chance gehabt. Aber drei ausgewachsene Kerle aus sitzender Position zu überwältigen... Das war absolut aussichtslos.

Die Angst rumorte in seinen Eingeweiden, schnürte ihm die Kehle zu. Plötzlich konnte er keinen klaren Gedanken mehr fassen. Er spürte, wie ihm der kalte Schweiß ausbrach, wie seine Schultern zu beben begannen.

Im selben Augenblick nahmen sie ihn von rechts und links in die Zange, so blitzartig, dass er es erst realisierte, als sie die Enden von zwei spitz zugefeilten Metallstücken bis zum Trommelfell in seine Gehörgänge geschoben hatten. Er konnte nicht sehen, was sie in Händen hielten, wohl aber, was Basil Chigis unter seinen Häftlingsklamotten hervorzog: eine dünne Metallstange, etwa halb so lang wie ein Billardqueue, deren Spitze sich von oben in Joes Halsansatz bohrte. Chigis griff hinter sich und förderte etwas aus seinem Gürtel zutage, bei dessen Anblick Joe unwillkürlich blinzeln musste, schlicht, weil er nicht glauben konnte, was er da vor sich sah. Basil Chigis hielt einen Fleischhammer in der erhobenen Hand.

Gegrüßet seist du, Maria, dachte Joe, *voll der Gnaden...*

Den Rest hatte er vergessen. Sechs Jahre lang war er Messdiener gewesen, und trotzdem hatte er alles vergessen.

Basil Chigis' Blick war unverändert starr, verriet nichts, aber auch gar nichts über seine Absichten. In der Linken hielt er die Stange, die Finger seiner Rechten umklammerten den Griff des Fleischhammers. Ein Schlag, und die Spitze der Metallstange würde erst seine Kehle und dann sein Herz durchbohren.

... der Herr ist mit dir. Komm, Herr Jesus, sei unser Gast, und segne, was du uns bescheret hast...

Nein, Quatsch. Das war das Tischgebet, das sie früher vor dem Abendessen gesprochen hatten. Das Ave-Maria ging anders. Es ging...

Er konnte sich ums Verrecken nicht daran erinnern.

Vater unser, der du bist im Himmel...

Die Zellentür wurde geöffnet, und Emil Lawson kam herein. Er kniete sich rechts neben Basil Chigis und musterte Joe mit schräggelegtem Kopf.

»Bist ja wirklich ein Hübscher«, sagte er und rieb sich die unrasierten Wangen. »Fällt dir irgendwas ein, was ich jetzt nicht von dir kriegen könnte?«

Meine Seele?, dachte Joe. Im Moment war er sich jedoch selbst da nicht sicher.

Eine Antwort würde der Dreckskerl jedenfalls nicht bekommen.

»Ich hab dich was gefragt«, sagte Emil Lawson. »Antworte, oder ich reiß dir ein Auge raus und verfüttere es an Basil.«

»Nein, nichts«, sagte Joe.

Emil Lawson wischte mit der Handfläche über den Boden, bevor er sich setzte. »Du hättest bestimmt nichts dagegen, wenn wir wieder abhauen, oder?«

»Nein.«

»Du solltest etwas für Mr. Pescatore erledigen. Und du hast dich geweigert.«

»Habe ich nicht. Die Entscheidung lag nicht bei mir.«

Joe schwitzte derart, dass die Metallspitze an seinem Hals verrutschte und schmerzhaft über seine Kehle schrammte. Basil Chigis stieß sie wieder unter seinen Adamsapfel.

»Sondern bei deinem Vater.« Emil Lawson nickte. »Dem Bullen. Was sollte er tun?«

Was?

»Sie wissen doch, was er tun sollte.«

»Ich will's von dir hören. Also antworte gefälligst.«

Joe holte tief Luft. »Brendan Loomis.«

»Und?«

»Sie haben ihn hopsgenommen. Übermorgen kommt er vor Gericht.«

Emil Lawson verschränkte die Arme hinter dem Kopf und lächelte. »Und dein alter Herr sollte dafür sorgen, dass er umgelegt wird. Aber er wollte nicht mitspielen.«

»Genau.«

»Aber schließlich hat er doch eingewilligt.«

»Hat er nicht.«

Emil Lawson schüttelte den Kopf. »Sobald dir morgen einer von Pescatores Männern über den Weg läuft, gibst du Bescheid, dass sich dein Vater über einen Wärter mit dir in Verbindung gesetzt hat. Er wird sich um Brenny Loomis kümmern. Außerdem hat er herausgekriegt, in welchen Unterschlupf sich Albert White zum Schlafen zurückzieht, und du hast die Adresse. Aber du gibst sie dem alten Pescatore nur unter vier Augen. Kannst du mir so weit folgen, mein Hübscher?«

Joe nickte.

Emil Lawson reichte Joe etwas, das in Wachstuch eingeschlagen war. Joe öffnete das Bündel – ein weiteres Metallstück, fast nadeldünn. Es war einst ein Schraubenzieher gewesen, einer von den kleinen, mit denen man die Schrauben an Brillenscharnieren festzog. Mit dem unwesentlichen Unterschied, dass Schraubenzieher lange nicht so scharf waren. Die Spitze erinnerte an einen Rosendorn. Vorsichtig fuhr Joe mit der Handfläche darüber und handelte sich einen Kratzer ein.

Sie ließen von ihm ab und steckten ihre Waffen weg.

Emil beugte sich zu ihm. »Wenn du dem Alten nah genug bist, um ihm die Adresse ins Ohr zu flüstern, rammst du ihm das Ding direkt in sein verdammtes Hirn.« Er zuckte mit den Schultern. »Oder in die Kehle. Hauptsache, er ist weg vom Fenster.«

»Ich dachte, ihr arbeitet für ihn«, sagte Joe.

»Ich arbeite für mich.« Lawson schüttelte den Kopf. »Ich

habe ab und zu mal 'nen Job für ihn übernommen. Aber jetzt bezahlt mich jemand anders.«

»Albert White«, sagte Joe.

»Das ist mein Boss.« Emil Lawson gab Joe einen Klaps auf die Wange. »Und deiner jetzt auch, mein Hübscher.«

Hinter seinem Haus in der K Street unterhielt Thomas Coughlin einen kleinen Gemüsegarten. Im Lauf der Jahre waren seine Mühen mal mehr, mal weniger belohnt worden, doch seit Ellen vor zwei Jahren von ihm gegangen war, hatte er dem Garten mehr Zeit widmen können, und mittlerweile trug er ihm sogar ein hübsches Extrasümmchen ein, da er stets weiterverkaufte, was er nicht verbrauchen konnte.

Vor einer kleinen Ewigkeit hatte Joe – damals war er fünf oder sechs gewesen – Anfang Juni beschlossen, seinem Vater bei der Ernte zu helfen. Thomas hatte nach einer Doppelschicht und diversen Absackern mit Eddie McKenna noch geschlafen, als er von der Stimme seines Jüngsten geweckt worden war, der draußen im Garten mit sich selbst redete oder womöglich auch mit einem imaginären Freund. Jedenfalls hatte er offenbar eine Menge Gesprächsbedarf, was kein Wunder war, da er zu Hause kaum Ansprache bekam. Thomas arbeitete zu viel, und Ellen hatte zu jenem Zeitpunkt bereits eine, nun ja, recht ausgeprägte Vorliebe für Tincture No. 23 entwickelt, ein Allheilmittel, das sie seit einer der Fehlgeburten nahm, die Joe vorausgegangen waren. Damals hatte sich ihr Faible noch nicht zu dem Problem ausgewachsen, zu dem es schließlich werden sollte, zumindest hatte sich Thomas das eingeredet. Dennoch musste er an jenem Morgen eine Art siebten Sinn gehabt haben, da ihm sofort klar war, dass Joe unbeaufsichtigt im Garten spielte. Und so lag er im Bett und lauschte seinem Sohn, der offensichtlich zwischen Garten und Veranda auf und ab lief und dabei vor sich hin brabbelte – bis er sich schließlich fragte, *wieso* sein Sohn eigentlich dauernd hin und her ging.

Er stand auf, zog seinen Morgenmantel an und schlüpfte in seine Hausschuhe. Ellen saß mit einer Tasse Tee am Tisch und lächelte mit leerem Blick, als er die Küche betrat. Und dann stieß er die Tür zur Veranda auf.

Im ersten Moment hätte er um ein Haar laut aufgeschrien. Am liebsten wäre er auf die Knie gesunken und hätte dem lieben Gott sein Leid geklagt. Seine Karotten, seine Pastinaken und Tomaten – alle noch so grün wie Gras – lagen auf der Veranda, ihre Wurzeln auf den schmutzigen Dielen ausgebreitet wie struppiges Haar. Und dann kam auch schon Joe über den Rasen, einen weiteren Teil seiner Ernte in Händen – diesmal die Rote Bete. Er hatte sich in einen Maulwurf verwandelt, sah aus, als hätte er stundenlang in der Erde gewühlt. Nur das Weiß seiner Augen stach aus seinem vor Schmutz starrenden Gesicht, und dann das Weiß seiner Zähne, als er mit strahlendem Lächeln zu Thomas aufsah.

»Hi, Daddy.«

Thomas war sprachlos.

»Schau, ich helfe dir, Daddy.« Joe legte eine Rübe zu seinen Füßen nieder und lief wieder in den Garten.

Die Arbeit eines Jahres ruiniert, die Ernte eines Herbsts vernichtet. Während Thomas seinem Sohn hinterhersah, der sich gerade anschickte, sein zerstörerisches Werk zu vollenden, entrang sich seinem Innersten ein Lachen, das ihn selbst am meisten überraschte. Er lachte so laut, dass die Eichhörnchen im nächstgelegenen Baum auf die höchsten Äste flüchteten. Er lachte so laut, dass die Veranda unter ihm erbebte.

Noch immer musste er unwillkürlich lächeln, wenn er sich daran erinnerte.

Erst kürzlich hatte er seinem Sohn erklärt, dass es Glück war, was das Leben ausmachte. Doch wie ihm das zunehmende Alter gezeigt hatte, beruhte es auch auf Erinnerungen. Die Erinnerung an so manche Momente war oft größer als die Augenblicke selbst.

Aus reiner Gewohnheit griff er nach seiner Uhr, ehe ihm einfiel, dass sie nicht mehr in seiner Westentasche steckte. Die Wahrheit über die Uhr war ein wenig komplizierter als die Legende, die sie umgab. Der Wahrheit entsprach, dass sie ein Geschenk von Barrett W. Stanford Senior gewesen war. Auch stand außer Frage, dass Thomas sein Leben für Barrett W. Stanford II. riskiert hatte, den Leiter der First-Boston-Bankfiliale am Codman Square. Richtig war auch, dass Thomas in Ausübung seiner Pflichten einen gewissen Maurice Dobson, 26, mit einem Schuss aus seinem Dienstrevolver getötet hatte.

In jenem Moment, ehe er den Abzug drückte, hatte Thomas im Blick Maurice Dobsons dessen wahre Absichten erkannt. Zuerst hatte er der Geisel, Barrett W. Stanford II., davon erzählt, und dann dieselbe Geschichte Eddie McKenna, seinem Einsatzleiter, und schließlich den Mitgliedern des Untersuchungsausschusses aufgetischt. Barrett W. Stanford

Senior war so überglücklich gewesen, dass er Thomas aus lauter Dankbarkeit eine Uhr geschenkt hatte, die ihm seinerzeit in Zürich von Joseph Emile Philippe höchstpersönlich vorgeführt worden war. Thomas versuchte das extravagante Geschenk mehrmals zurückzuweisen, doch Barrett W. Stanford Senior wollte nichts davon hören.

Und so hatte er die Uhr all die Jahre getragen, zwar nicht mit Stolz, wie so viele glaubten, aber doch mit einer ebenso geheimen wie tief empfundenen Genugtuung. Der Legende zufolge war Maurice Dobson drauf und dran gewesen, den jungen Barrett W. Stanford II. zu töten. Und wer konnte diese Sicht der Dinge schon anzweifeln, gemessen daran, dass Dobson einen Pistolenlauf an Barretts Hals gedrückt hatte?

Doch Thomas hatte in jenem letzten Moment – und mehr als ein Moment war es tatsächlich nicht gewesen – etwas ganz anderes in Maurice Dobsons Blick erkannt: seine Kapitulation. Er war nur vier Fuß von ihm entfernt gewesen, den Dienstrevolver in der ausgestreckten Hand, mehr als bereit, jeden Sekundenbruchteil den Finger am Abzug zu krümmen – und bereit musste man sein, sonst konnte man die Waffe auch gleich stecken lassen –, und in jenem Augenblick, als er in Maurice Dobsons kieselgrauen Augen las, dass er sich in sein Schicksal ergeben, mit Festnahme und Zuchthaus abgefunden hatte, fühlte sich Thomas schlicht betrogen – doch erst als er den Abzug betätigte, ging ihm auf, warum.

Die Kugel drang in das linke Auge des unglückseligen Maurice Dobson ein – der schon tot war, bevor er auf dem Boden aufschlug –, und versengte das Gesicht von Barrett

W. Stanford ii. knapp unterhalb der Schläfe. Als das Geschoss seine Bestimmung erfüllte, endgültig und unwiderruflich, verstand Thomas mit einem Mal, warum er sich betrogen gefühlt und zu so drastischen Maßnahmen gegriffen hatte.

Wenn zwei Männer ihre Waffen aufeinander richteten, wurde zwischen ihnen vor Gott ein Vertrag geschlossen, der nur dadurch erfüllt werden konnte, dass einer von beiden sein Gegenüber ins Jenseits schickte.

So ähnlich war es ihm damals jedenfalls vorgekommen.

In all den Jahren hatte Thomas niemandem gegenüber auch nur ein Sterbenswörtchen darüber verlauten lassen, was er tatsächlich in Maurice Dobsons Blick gesehen hatte; selbst Eddie McKenna, mit dem er die meisten seiner Geheimnisse teilte, hatte er nicht eingeweiht. Doch obwohl er keineswegs stolz darauf war, was er an jenem Tag getan hatte, und so auch nicht stolz auf die Uhr sein konnte, verließ er das Haus nie ohne sie, da sie von der tiefgreifenden Verantwortung zeugte, die seinen Beruf kennzeichnete – sie vollstreckten nicht vom Menschen gemachte Gesetze, sondern vielmehr den Willen der Natur. Und offenbarte sich Gott nicht am deutlichsten in der Erhabenheit eines Ozeans, der Härte eines bitterkalten Winters? Gott war kein weißgewandeter Wolkenkönig, der über all dem menschlichen Weh und Ach sentimentale Anwandlungen bekam. Er war die Quintessenz der Welt, das Eisen, aus dem ihr Kern bestand, er war das Feuer in den Hochöfen, die das Eisen in Stahl verwandelten und hundert Jahre brannten, deren Flammen am nächtlichen Himmel leckten. Gott war das Gesetz des Eisens, das Gesetz des Feuers und das Gesetz der Natur. Das eine war nicht denkbar ohne das andere.

Und du, Joseph, mein Jüngster, mein verirrter Romantiker, du Stachel in meinem Herzen – nun ist es an dir, deine Umgebung an diese Gesetze zu erinnern, das Pack, dem du auf Gedeih und Verderb ausgeliefert bist. Sobald du Schwäche zeigst, dich unterkriegen, dich brechen lässt, bist du dem Tod geweiht.

Ich bete für dich, weil einem nur noch Gebete bleiben, wenn man keine Macht mehr hat. Und ich habe keine Macht mehr. Mir sind die Hände gebunden. Ich kann den Lauf der Dinge nicht aufhalten. Verdammt, im Augenblick könnte ich dir nicht mal sagen, wie spät es ist.

Er lachte leise in sich hinein, während er in seinen Garten hinaussah; bald stand die Ernte an. Er betete für Joe. Er betete für die endlos lange Reihe seiner Vorfahren; die meisten waren ihm unbekannt, und dennoch sah er sie ganz deutlich vor sich, einen in alle Winde zerstreuten, von Suff, Hunger und dunklen Trieben gezeichneten Haufen geschundener Seelen. Er wünschte ihnen ewige Ruhe und Frieden, und er wünschte sich einen Enkel.

Als er Hippo Fasini auf dem Hof begegnete, erzählte Joe ihm, dass sein Vater es sich anders überlegt hatte.

»Tja, so was kommt vor«, sagte Hippo nur.

»Außerdem hat er mir eine Adresse zukommen lassen.«

»Ach ja?« Der Fettsack lehnte sich auf den Fersen zurück, den Blick ins Nirgendwo gerichtet. »Was denn für eine?«

»Die von Albert White.«

»Albert White wohnt in Ashmont Hill.«

»Soweit ich weiß, lässt er sich da nicht mehr blicken.«

»Dann gib mir die Adresse.«

»Du kannst mich mal.«

Hippo Fasinis Dreifachkinn sackte in seinen Häftlings-
drillich, als er zu Boden sah. »Wie bitte?«

»Sag Maso, dass ich ihm die Adresse heute Abend persönlich gebe. Oben auf der Mauer.«

»Für dich gibt's hier keine Extrawürste, Junge.«

Joe sah ihn so lange schweigend an, bis Hippo den Blick
hob. »Und ob«, sagte er dann, wandte ihm den Rücken zu
und ging.

Eine Stunde vor seinem Treffen mit dem alten Pescatore
übergab sich Joe zweimal in den Holzkübel. Seine Hände
zitterten, selbst sein Kinn und die Lippen bebten. Das Blut
rauschte in seinen Adern, dass es sich anhörte, als würde
es mit Fäusten gegen seine Trommelfelle hämmern. Den
präparierten Schraubenzieher hatte er mit einem ledernen
Schnürsenkel an seinem Handgelenk befestigt. Kurz bevor
er seine Zelle verließ, sollte er ihn sich zwischen die Arschbacken stecken. Emil Lawson hatte ihm dringlich geraten,
sich das Teil *in* den Arsch zu schieben, doch die Vorstellung, dass ihn einer von Masos Handlangern, aus welchen
Gründen auch immer, womöglich zum Hinsetzen auffor-
derte, hatte ihn von der Idee schnell Abstand nehmen lassen. Eigentlich hatte er geplant, den Schraubenzieher zehn
Minuten vor Verlassen der Zelle von der einen zur ande-

ren Stelle wandern zu lassen, um sich ans Gehen mit dem Fremdkörper zwischen den Hinterbacken zu gewöhnen, doch dann tauchte vierzig Minuten vorher ein Wärter mit der Neuigkeit auf, dass er einen Besucher hatte.

Draußen wurde es allmählich dunkel. Die Besuchszeit war längst vorbei.

»Wer ist es denn?«, fragte er, während er dem Wärter den Gang hinunter folgte. Jetzt erst merkte er, dass sich das Mordinstrument nach wie vor an seinem Handgelenk befand.

»Jemand, der weiß, wie man die richtigen Hände schmiert.«

»Schon klar.« Joe eilte dem Wärter hinterher, der mit weit ausholenden Schritten vorausging. »Aber wer?«

Der Wärter öffnete die erste Sicherheitstür und winkte Joe hindurch. »Hat gesagt, er wäre dein Bruder.«

Er nahm den Hut ab und duckte sich, als er durch den Türrahmen trat – ein Mann, der die meisten anderen um Haupteslänge überragte. Sein dunkles Haar hatte sich ein wenig gelichtet und war im Lauf der Jahre leicht ergraut. Joe rechnete kurz nach; fünfunddreißig war Danny jetzt. Er sah immer noch verdammt gut aus, wenn auch etwas älter, als Joe ihn in Erinnerung hatte.

Er trug einen dunklen, offenbar häufig getragenen Dreiteiler mit Kleeblattrevers – einen Anzug, wie ihn vielleicht der Verwalter eines Kornspeichers trug oder auch jemand, der viel unterwegs war, etwa ein Handelsvertreter oder ein Gewerkschaftsfunktionär. Darunter trug Danny ein weißes Hemd ohne Krawatte.

Er legte den Hut neben sich und musterte Joe durch das Drahtgeflecht.

»Du liebe Scheiße«, sagte er dann. »Du bist keine dreizehn mehr, oder?«

Joe fiel auf, dass die Augen seines Bruders gerötet waren. »Und du keine fünfundzwanzig.«

Dannys Finger schienen leicht zu zittern, als er sich eine Zigarette ansteckte; eine große Narbe lief über seinen Handrücken, in der Mitte leicht erhöht. »Den Arsch würde ich dir immer noch locker versohlen.«

Joe zuckte mit den Schultern. »Oder auch nicht. Ich habe hier reichlich schmutzige Tricks gelernt.«

Danny zog die Augenbrauen hoch und blies Rauch über seine Lippen. »Er hat uns verlassen, Joe.«

Joe wusste gleich, von wem die Rede war. Irgendwie hatte er es bereits gewusst, als er seinem Vater das letzte Mal gegenübergesessen hatte. Und trotzdem wollte er sich nicht damit abfinden.

»Wer?«

Sein Bruder sah an die Decke, ehe er den Blick wieder auf ihn richtete. »Dad, Joe. Dad ist tot.«

»Wie ist er gestorben?«

»An einem Herzanfall, würde ich sagen.«

»Hast du …«

»Was?«

»Warst du bei ihm?«

Danny schüttelte den Kopf. »Ich bin eine halbe Stunde zu spät gekommen. Er war noch warm, als ich ihn gefunden habe.«

»Und du bist sicher, dass …«

»Was?«

»Dass da niemand nachgeholfen hat?«

»Du lieber Himmel, was machen die hier drin mit dir?« Er ließ den Blick durch den Besucherraum schweifen. »Nein, Joe. Es war entweder ein Herzinfarkt oder ein Schlaganfall.«

»Woher willst du das so genau wissen?«

Danny verengte die Augen. »Weil er gelächelt hat.«

»Was?«

»Als würde er allein Bescheid wissen.« Er lachte leise. »So, als hätte er gerade einen Witz gehört oder sich an etwas von früher erinnert, aus der Zeit, als wir noch gar nicht geboren waren. Du weißt, was ich meine, oder?«

»Ja«, sagte Joe, und zu seiner Überraschung drang das Wort noch einmal kaum hörbar über seine Lippen. »Ja.«

»Nur eins fand ich irgendwie seltsam. Dass seine Uhr weg war.«

In Joes Kopf drehte sich alles. »Hmm?«

»Seine Uhr«, wiederholte Danny. »Sie war nicht da, und sonst hat er doch keinen Schritt ohne das Ding getan.«

»Ich habe sie«, sagte Joe. »Er hat sie mir gegeben, nur für den Fall, dass ich hier drin in Schwierigkeiten gerate.«

»Du hast sie also.«

»Genau.« Die Lüge verursachte ihm Magenschmerzen. Vor seinem inneren Auge sah er, wie Masos Finger sich um die Uhr geschlossen hatten, und am liebsten hätte er seinen Kopf mit aller Macht gegen die nächste Betonwand gestoßen.

»Gut«, sagte Danny. »Das ist gut.«

»Es ist scheiße«, erwiderte Joe. »Aber so liegen die Dinge nun mal.«

Ein paar Augenblicke saßen sie sich schweigend gegenüber. Gedämpft drang das langgezogene Heulen einer Fabriksirene von draußen zu ihnen herein.

»Hast du eine Ahnung, wo ich Con finden kann?«, fragte Danny.

Joe nickte. »In der Silas-Abbotsford-Schule.«

»Dem Blindenheim? Was treibt er denn da?«

»Er lebt dort«, gab Joe zurück. »Eines Morgens ist er aufgewacht und hat alles hinter sich gelassen.«

»Hmm«, sagte Danny. »So ein Schicksalsschlag kann einen schon verbittern.«

»Das war er schon lange vorher.«

Danny stimmte ihm mit einem Schulterzucken zu, und eine Weile fiel abermals kein Wort zwischen ihnen.

Schließlich sagte Joe: »Wo hast du Dad gefunden?«

»Na, was glaubst du?« Danny ließ seine Zigarette auf den Boden fallen und trat sie aus; Rauch drang aus seinem Mund, während der Anflug eines Lächelns seine Lippen umspielte. »Draußen auf seinem Verandastuhl. Mit Blick auf seinen…« Danny senkte den Kopf und hob hilflos die Hände.

»Garten«, sagte Joe.

9

Väter und Söhne

Selbst im Gefängnis war man nicht völlig von der Außenwelt abgeschnitten. Im Sport drehte sich in jenem Jahr alles um die New York Yankees und ihr Mörder-Team um Combs, Koenig, Ruth, Gehrig, Meusel und Lazzeri. Ruth allein schlug schwindelerregende sechzig Homeruns, und die anderen fünf waren derart überlegen, dass nur noch die Frage blieb, wie hoch sie die Pirates in der World Series schlagen würden.

Joe, ein wandelndes Baseball-Lexikon, hätte so ziemlich alles dafür gegeben, seine Mannschaft spielen zu sehen, da ihm klar war, dass es ein solches Team wohl nie wieder geben würde. Dennoch hatte er während seiner Zeit in Charlestown eine tiefe Verachtung für alle entwickelt, die ein paar Baseballspieler als Mörder-Team bezeichneten.

Wenn ihr so scharf auf Mörder-Teams seid, dachte er an jenem Abend kurz vor Einbruch der Dunkelheit, *lasst euch doch einfach mal* hier *blicken.*

Auf die Mauerkrone des Gefängnisses gelangte man durch eine Tür am Ende von Block F im obersten Zellengang des Nordflügels. Unbemerkt zu dieser Tür zu kommen war schlicht unmöglich. Um überhaupt in den Trakt zu gelangen, musste er durch drei separate Sicherheitsschleusen. Dann lag der verlassene Gang vor ihm. Obwohl das Zuchthaus völlig überbelegt war, standen die zwölf Zellen hier oben leer; obendrein waren sie sauberer als ein Taufbecken in der gepflegtesten Kirche von Beacon Hill.

Als Joe den Gang hinuntermarschierte, sah er, wie das möglich war – jede einzelne wurde von einem Häftling gewischt. Die hochgelegenen Fenster, identisch mit dem in seiner eigenen Zelle, gaben den Blick auf je ein kleines Rechteck Himmel frei. Die dunkelblauen Ausschnitte des Firmaments waren fast schwarz, und Joe fragte sich, ob die Jungs von der Putzkolonne die Hand vor Augen sehen konnten. Nur der Zellengang war beleuchtet. Vielleicht würden die Wärter ja Laternen bereitstellen, wenn gleich die Nacht hereinbrach.

Nur dass keine Wärter zugegen waren. Bloß der, der ihm vorausging, derselbe, der ihn bereits in den Besucherraum zu Danny geführt und wieder zurückgebracht hatte, der Bursche mit dem Stechschritt, der deshalb irgendwann noch mal Probleme kriegen würde, weil nämlich Vorschrift war, dass der Häftling vorauslief. Ging ein Wärter voran, forderte er krumme Touren regelrecht heraus – und genau deshalb war es für Joe auch kinderleicht gewesen, das messerscharfe Mordinstrument vom Handgelenk zu lösen und zwischen seine Arschbacken wandern zu lassen. Nun wünschte er allerdings, er hätte vorher geübt. Tatsächlich war es alles andere als einfach, mit zusammengekniffenem Hintern herumzulaufen und dabei einigermaßen natürlich zu wirken.

Doch wo steckten die anderen Wärter? Wenn Maso seine nächtlichen Spaziergänge unternahm, war hier oben immer leichte Besetzung; zwar standen nicht alle auf seiner Gehaltsliste, doch diejenigen, die nicht geschmiert wurden, hätten niemals ihre Kollegen verpfiffen. Aber Joe ahnte Böses, und mit jedem Schritt bestätigten sich seine Befürchtungen – hier oben war kein einziger Wärter. Und dann wurde ihm klar, wer in den Zellen saubermachte:

Ein echtes Mörder-Team.

Basil Chigis' spitzer Schädel war unverkennbar. Nicht mal die gefängnisübliche Strickmütze konnte ihn verbergen, während er seinen Mop in der siebten Zelle schwang. Der übelriechende Dreckskerl, der Joe seinen Dolch Marke Eigenbau ins Ohr gebohrt hatte, schrubbte Zelle Nummer acht. Und in der zehnten war Dom Pokaski zugange, der seine eigene Familie bei lebendigem Leib verbrannt hatte – seine Frau, seine zwei Töchter und seine Schwiegermutter, gar nicht zu reden von den drei Katzen, die in der Vorratskammer eingesperrt gewesen waren.

Am Ende des Gangs warteten Hippo und Naldo Aliente vor der Tür zur Treppe. Falls sie sich wunderten, dass sich hier oben so viele Häftlinge und so wenige Wärter herumtrieben, ließen sie sich davon jedenfalls nichts anmerken. In ihren Gesichtern spiegelte sich nichts als der selbstzufriedene Ausdruck der herrschenden Kaste.

Tja, Jungs, dachte Joe, *ihr werdet noch euer blaues Wunder erleben.*

»Arme hoch«, sagte Hippo. »Ich muss dich filzen.«

Joe reckte die Hände in die Luft und bereute bereits, sich den spitzgefeilten Schraubenzieher nicht doch *in* den Hintern gesteckt zu haben. Der Griff, so klein er auch war, lag zwar an seinem Steißbein, doch womöglich erregte die winzige Beule Hippos Verdacht, und dann war Schluss mit lustig. Joe hielt die Hände in die Höhe, selbst erstaunt darüber, wie ruhig er war; er schwitzte nicht mal. Hippo tastete seine Beine, dann seine Rippen ab, ließ die eine Pfote über seine Brust, die andere über seinen Rücken wandern. Joe spürte, wie er den Griff mit einer Fingerspitze streifte, und kniff die Arschbacken so fest wie möglich zusammen, sich nur allzu bewusst darüber, dass groteskerweise sein Leben davon abhing.

Hippo fasste ihn an den Schultern und drehte ihn zu sich. »Mach den Mund auf.«

Joe ließ sich nicht lange bitten.

»Weiter.«

Joe gehorchte.

Hippo spähte in seinen Mund. »Er ist sauber«, sagte er dann und trat zurück.

Joe wollte weitergehen, doch Naldo Aliente versperrte ihm den Weg. Er musterte Joe, als wüsste er genau, was er im Schilde führte.

»Wenn dem Alten was passiert, bist du dran«, sagte er. »Verstanden?«

Joe nickte. Naldo war ohnehin so gut wie tot. »Klar.«

Naldo trat beiseite, und Hippo öffnete die Tür, hinter der sich nichts außer einer eisernen Wendeltreppe befand. Die Stufen führten zu einer Falltür hinauf, die gegen den Nachthimmel geöffnet war. Er förderte den Schraubenzieher zutage und steckte ihn in die Tasche seiner groben Streifenjacke. Oben angekommen, reckte er die zur Faust geballte Rechte aus dem Loch, hielt dann Zeige- und Mittelfinger hoch und schwenkte die Hand, bis ihn die Wache auf dem nächstgelegenen Turm bemerkte. Der Scheinwerfer schwang kurz nach links, nach rechts und wieder nach links – das Signal, dass die Luft rein war. Joe kletterte durch die Öffnung und sah sich um, bis er Maso erspähte, der etwa fünfzehn Meter weiter an der Mauer vor dem Hauptwachturm stand.

Während er auf ihn zuging, spürte er, wie der Schraubenzieher leicht gegen seine Hüfte schlug. Maso stand an der einzigen Stelle, die vom Hauptwachturm aus gesehen im toten Winkel lag. Solange er sich dort nicht wegbewegte, waren sie unsichtbar. Maso blickte hinaus auf das westlich von ihnen gelegene Ödland und rauchte eine von seinen Lieblingszigaretten, den bitteren französischen mit dem gelben Papier.

Als Joe zu ihm trat, sah Maso ihn ein Weilchen nur schweigend an, während er den Rauch inhalierte und feucht rasselnd wieder ausstieß.

»Tut mir leid mit deinem Vater«, sagte er dann.

Joe hörte abrupt auf, nach seiner eigenen Zigarette zu kramen. Der Nachthimmel schien sich wie ein dunkles Tuch über sein Gesicht zu legen, und mit einem Mal war die Luft so dünn, dass er nach Atem rang.

Niemals. Davon konnte Maso unmöglich Wind bekommen haben. Trotz seiner Allwissenheit, seiner weitreichenden Verbindungen. Joe wusste, dass Danny keinen Geringeren als Superintendent Crowley kontaktiert hatte, der seinerzeit mit ihrem Vater noch Streife gelaufen war; vor den fatalen Ereignissen hinter dem Statler Hotel war beschlossene Sache gewesen, dass ihr Vater Crowley als Polizeichef beerben würde. Wie auch immer, jedenfalls hatten sie Thomas Coughlins Leiche klammheimlich mit einem

Zivilstreifenwagen abgeholt und über die Tiefgarage ins städtische Leichenschauhaus gebracht.

Tut mir leid mit deinem Vater.

Nein, sagte sich Joe. Niemals. Keine Chance. Das konnte er einfach nicht wissen.

Joe fand seine Zigarette und steckte sie sich zwischen die Lippen. Maso riss ein Streichholz an der Mauerbrüstung an und gab ihm Feuer, während jener großzügige Schimmer in seinen Blick trat, den er stets abrief, wenn es ihm gerade zupasskam.

»Was tut Ihnen leid?«, fragte Joe.

Maso zuckte mit den Schultern. »Niemand sollte zu etwas gedrängt werden, das sich nicht mit seinem Wesen vereinbaren lässt, Joseph, selbst wenn er damit einem Menschen helfen kann, der ihm nahesteht. Was wir von ihm und von dir verlangt haben, war nicht fair. Tja, aber was ist schon fair auf dieser Welt?«

Joes Herz, das ihm eben noch bis zur Kehle geschlagen hatte, beruhigte sich wieder.

Er und Maso stützten sich mit den Ellbogen auf die Brüstung und rauchten. Lichter von den Frachtkähnen auf dem Mystic River huschten durch den dichten grauen Nebel wie Sterne, die nach einer Heimat suchten. Aus den Schornsteinen der Gießereien trieben weiße Rauchschlangen in ihre Richtung. Die Luft roch nach aufgestauter Hitze und Regen, der einfach nicht fallen wollte.

»Es war das letzte Mal, dass ich von dir oder deinem Vater so etwas verlangt habe.« Maso bekräftigte seine Worte mit einem nachdrücklichen Nicken. »Versprochen.«

Joe sah ihm in die Augen. »Glaub ich Ihnen, Maso.«

»Mr. Pescatore, Joseph.«

»Pardon«, sagte Joe, und plötzlich fiel ihm die Zigarette aus den Fingern. Zumindest sah es so aus für Maso, ebenso wie er glaubte, Joe würde sich bloß bücken, um die Kippe wieder aufzuheben.

Doch stattdessen umklammerte Joe urplötzlich seine Knöchel und zog ihm die Füße weg, so dass der alte Mann mit dem Oberkörper über die Brüstung kippte. »Wehe, Sie schreien. Ein Ton, und ich lasse Sie los.«

Der Alte schnappte hörbar nach Luft, während er mit den Füßen nach Joe stieß.

»Das würde ich tunlichst lassen, sonst kann ich Sie nämlich nicht mehr halten.«

Es dauerte ein paar Sekunden, doch dann hielt Maso still.

»Haben Sie irgendwelche Waffen dabei? Und lügen Sie mich nicht an.«

Masos gepresste Stimme drang an seine Ohren. »Ja.«

»Wie viele?«

»Bloß eine.«

Joe ließ seine Knöchel los.

Der Alte wedelte mit den Armen, als würde er sich auf seinen Abflug vorbereiten. Er rutschte noch ein Stück weiter über die Brüstung, und sein Kopf und der Oberkörper verschwanden in der Dunkelheit. Wahrscheinlich lag ihm der Todesschrei bereits auf der Zunge, doch Joe krallte die Finger in seinen Hosensaum und stemmte sich mit der Ferse gegen die Mauer.

Maso gab eine Reihe seltsamer Laute von sich, irgendwo zwischen Keuchen und Wimmern; er klang wie ein ausgesetztes Neugeborenes.

»Wie viele?«, wiederholte Joe.

Eine Weile war nur Masos Keuchen zu hören. Dann: »Zwei.«

»Wo?«

»An meinem Knöchel und in meiner Tasche. Ein Rasiermesser und Nägel.«

Nägel? Als Joe mit der freien Hand Masos Taschen abklopfte, ertastete er ein merkwürdiges Gebilde. Vorsichtig förderte er es zutage; auf den ersten Blick hätte er das Ding womöglich mit einem Kamm verwechselt – ein Stück Metall, an dem vorn vier kurze Nägel und hinten vier unförmige Ringe festgelötet waren.

»Ein Schlagring?«, sagte Joe.

»Ja.«

»Wie hässlich.«

Er legte ihn auf die Brüstung, ehe er das Rasiermesser aus Masos Socke fischte – eine Wilkinson-Klinge mit Perlmuttgriff – und ebenfalls auf der Mauer plazierte.

»Na, ist Ihnen schon schwindelig?«

»Ja«, ertönte es gedämpft.

»Tja, das war zu erwarten.« Joe zog an Masos Hosensaum. »Sind wir uns einig, Maso? Dass Sie mausetot sind, wenn ich Sie loslasse?«

»Ja.«

»Wegen Ihnen habe ich ein Loch von einem verdammten Kartoffelschäler in meinem Bein.«

»Ich … ich …«

»Was? Ich kann Sie nicht verstehen.«

»Ich habe dir das Leben gerettet«, zischte der Alte.

»Um an meinen Vater heranzukommen«, gab Joe zurück. Maso stieß einen Schmerzenslaut aus, als Joe ihm den Ellbogen in den Rücken rammte.

Maso rang hörbar nach Luft. »Was willst du von mir?«

»Emma Gould – sagt Ihnen der Name etwas?«

»Nein.«

»Albert White hat sie auf dem Gewissen.«

»Nie von ihr gehört.«

Joe zerrte ihn über die Brüstung und wirbelte ihn herum. Dann trat er einen Schritt zurück und wartete, bis der alte Mann wieder einigermaßen zu Atem gekommen war.

Joe streckte die Hand aus und schnippte mit den Fingern. »Die Uhr.«

Maso gehorchte. Er griff in die Hosentasche und reichte Joe die Uhr. Fest schloss Joe die Finger um sie, spürte, wie das Ticken in seinen Blutkreislauf überging.

»Mein Vater ist heute gestorben«, sagte er. Ihm war durchaus bewusst, dass es nicht sonderlich viel Sinn ergab, derart abrupt das Thema zu wechseln. Aber es war ihm egal. Er wollte etwas in Worte fassen, für das es keine Worte gab.

Maso wich Joes Blick aus.

Joe nickte. »Herzversagen. Und ich gebe mir die Schuld daran.« Unvermittelt trat er dem Alten so heftig auf den Fuß, dass dieser jäh einen Satz nach hinten machte. Joe bleckte die Zähne. »Und Ihnen genauso, verdammt noch mal.«

»Dann töte mich«, sagte Maso, doch es klang ziemlich lahm. Er sah kurz über die Schulter, ehe er den Blick wieder auf Joe richtete.

»Tja, genau das ist mir aufgetragen worden.«

»Von wem?«

»Lawson«, sagte Joe. »Da unten wartet eine ganze Armee auf Sie – Basil Chigis, Pokaski, Emils versammelte Psychopathenbande. Naldo und Hippo?« Joe schüttelte den Kopf. »Die sind definitiv Geschichte. Falls ich es vermasseln sollte, kriegen Sie es postwendend mit Lawsons Jagdgesellschaft zu tun.«

Ein Hauch von Trotz mischte sich in Masos Tonfall. »Und du glaubst, dich lassen sie leben?«

Darüber hatte Joe lange nachgedacht. »Wahrscheinlich. Der Krieg zwischen Albert und Ihnen hat eine Menge Menschenleben gekostet. Es sind nicht mehr allzu viele übrig, die fehlerfrei ›Omelett‹ buchstabieren und auch noch eins zubereiten können. Außerdem kenne ich Albert. Wir hatten mal was gemein. Und so, wie ich es sehe, hat er mir ein Friedensangebot unterbreitet – leg Maso um, und komm zurück in die Gemeinschaft.«

»Und warum hast du's nicht getan?«

»Weil ich Sie nicht umlegen will.«

»Nein?«

Joe schüttelte den Kopf. »Ich will Albert zerstören.«

»Ihn töten?«

Maso kramte nach seinen französischen Zigaretten und zündete sich, immer noch kurzatmig, eine an. Schließlich sah er Joe in die Augen und nickte. »Also, meinen Segen hast du.«

»Den brauche ich nicht«, erwiderte Joe.

»Ich werde nicht versuchen, es dir auszureden«, sagte Maso, »aber welcher Profit lässt sich schon aus Racheakten schlagen?«

»Es geht nicht um Profit.«

»Das ganze Leben dreht sich um Profit. Um Profit oder Aufstieg.« Maso sah ihn an. »Und wie kommen wir hier lebend wieder runter?«

»Steht irgendeine von den Turmwachen in Ihrer Schuld?«

»Der Mann auf dem Turm direkt über uns«, sagte Maso. »Die beiden anderen halten sich an den, der die meiste Kohle bietet.«

»Kann Ihr Mann die Wärter drinnen alarmieren? Dann könnten sie Lawsons Leute einkesseln und hopsnehmen.«

Maso schüttelte den Kopf. »Wenn nur ein Wärter auf Lawsons Gehaltsliste steht, sind seine Jungs schneller hier oben, als wir mit der Wimper zucken können.«

»Schöne Scheiße.« Joe atmete tief aus und blickte sich um. »Dann ziehen wir es eben auf die schmutzige Tour durch.«

Während Maso mit der Turmwache sprach, ging Joe zur Falltür zurück. Wenn es ans Sterben ging, dann wahrscheinlich jetzt. Er konnte das Gefühl nicht abschütteln, dass sich womöglich jede Sekunde eine Kugel in seinen Kopf oder seine Brust bohren würde.

Joe warf einen Blick zurück. Maso hatte den Mauerpfad verlassen, so dass er nichts als die im dräuenden Dunkel liegenden Wachtürme sah. Keine Sterne, kein Mond, nichts als Finsternis.

Er öffnete die Falltür und rief: »Die Sache ist gegessen.«

»Hast du was abbekommen?«, rief Basil Chigis von unten zurück.

»Nein. Aber ich brauche frische Klamotten.«

Jemand lachte im Dunkeln.

»Dann komm runter.«

»Kommt hoch. Wir müssen noch seine Leiche wegschaffen.«

»Das können wir auch …«

»Bevor ihr herauskommt, hebt die rechte Hand, und haltet Daumen und Zeigefinger hoch. Falls jemandem der eine oder andere Finger fehlen sollte, bleibt er besser unten.«

Er entfernte sich von der Falltür, bevor jemand Einspruch erheben konnte.

Etwa eine Minute später hörte er, wie der Erste von ihnen die Treppe erklomm. Mit zwei erhobenen Fingern reckte sich die Hand aus dem Loch. Das Licht des Turmscheinwerfers huschte darüber hinweg. »Alles klar«, zischte Joe.

Es war Pokaski, der Kerl, der seine Familie geröstet hatte. Vorsichtig reckte er den Kopf und blickte sich um.

»Beeil dich«, sagte Joe. »Und gib den anderen Bescheid. Wir brauchen Verstärkung. Totes Gewicht ist doppelt so schwer, und meine Rippen sind angeknackst.«

Pokaski grinste. »Ich dachte, du wärst nicht verletzt.«

»Nicht tödlich jedenfalls«, gab Joe zurück. »Jetzt mach schon.«

»Noch zwei«, rief Pokaski mit gedämpfter Stimme zu den anderen hinunter.

Kurz darauf folgten Basil Chigis und ein kleiner Bursche mit Hasenscharte. Joe wusste, wie er hieß – Eldon Douglas –, konnte sich aber nicht erinnern, was für ein Verbrechen er begangen hatte.

»Wo liegt die Leiche?«, fragte Basil Chigis.

Joe deutete ins Dunkel.

»Also, dann…«

Plötzlich fiel der Lichtkegel auf Basil Chigis, und nur einen Sekundenbruchteil später schlug auch schon eine Kugel in seinem Hinterkopf ein, trat mitten durch sein Gesicht wieder aus und riss dabei einen Teil seiner Nase mit sich. Pokaski blieb gerade noch genug Zeit, ein letztes Mal zu blinzeln, als unvermittelt ein Loch in seiner Kehle klaffte, aus dem sich ein Blutstrom ergoss; er stürzte zu Boden, und seine Beine zuckten im Todeskampf. Eldon Douglas versuchte in Richtung Falltür zu hechten, doch die dritte Kugel der Turmwache zerschmetterte seinen Schädel mit der Wucht eines Vorschlaghammers. Sein halber Kopf fehlte, als er neben der Falltür zu Boden ging.

Über und über mit Blut besudelt, starrte Joe ins Licht. Unter ihm ertönten laute Rufe; er hörte, wie Lawsons Männer die Flucht ergriffen. Er wünschte, er hätte sich ihnen anschließen können. Sein Plan war durch und durch naiv gewesen. Während ihm das gleißende Licht in die Augen stach, spürte er die auf seine Brust gerichteten Gewehrläufe. Die Kugeln, sie waren die primitive, gnadenlose Brut, vor der sein Vater ihn gewarnt hatte; ehe er vor seinen Schöpfer trat, würde er Bekanntschaft mit der Gewalt machen, die er selbst hervorgebracht hatte. Sein einziger Trost bestand darin, dass es schnell gehen würde. In einer Viertelstunde würde er mit seinem Vater und Onkel Eddie das erste Bierchen zischen.

Dann schwenkte der Scheinwerfer von ihm ab.

Etwas Weiches traf ihn im Gesicht und fiel auf seine Schulter – ein alter Lappen.

»Wisch dir mal das Gesicht ab«, sagte Maso. »Du siehst ja schlimm aus.«

Als Joes Augen sich wieder an das Dunkel gewöhnt hatten, sah er, dass Maso nur ein paar Fuß von ihm entfernt stand und sich erneut eine seiner französischen Zigaretten angesteckt hatte.

»Hast du geglaubt, ich wollte dich töten?«

»Kam mir in den Sinn.«

Maso schüttelte den Kopf. »Ich bin ein einfacher Spaghettifresser aus der Endicott Street. Geh ich mal schick essen, weiß ich immer noch nicht, welche Gabel ich benutzen soll. Aber auch wenn ich keine Kinderstube habe und nicht besonders gebildet bin, würde ich niemals linke Touren fahren. Ich kläre die Sachen direkt. Genau wie du.«

Joe nickte, während er den Blick über die drei Toten schweifen ließ. »Und was ist mit denen? Ich würde sagen, die haben wir ganz ordentlich aufs Kreuz gelegt.«

»Drauf geschissen«, sagte Maso. »Sie wollten es nicht anders.« Er trat über Pokaskis Leiche. »Du wirst hier schneller rauskommen, als du glaubst. Hättest du Interesse, an ein bisschen Kohle zu kommen, wenn es so weit ist?«

»Klar.«

»Aber an erster Stelle steht immer die Pescatore-Familie. Kannst du dich daran halten?«

Joe sah dem alten Mann in die Augen. Er war sicher, dass sie eine Menge Kohle machen würden – und dass er dem Alten keinen Meter über den Weg trauen konnte.

»Kann ich.«

Maso streckte die Hand aus. »Also, dann.«

Joe wischte sich die blutverschmierten Finger an der Hose ab und schlug ein. »Okay.«

»Mr. Pescatore«, rief jemand von unten.

»Schon unterwegs.« Maso ging zu der Falltür. »Komm, Joseph.«

»Sagen Sie Joe. Nur mein Vater hat mich Joseph genannt.«

»In Ordnung.« Als sie die dunkle Wendeltreppe hinunterstiegen, sagte Maso: »Ist schon merkwürdig mit Vätern und Söhnen. Söhne können ganze Imperien aufbauen, über Königreiche herrschen, Kaiser der Vereinigten Staaten werden, gottgleichen Status erringen, und trotzdem gelingt es ihnen nie, aus dem Schatten ihres Vaters herauszutreten.«

Joe folgte ihm die Treppe hinunter. »Hatte ich auch gar nicht vor.«

10

Besuchszeit

Nach einem morgendlichen Trauergottesdienst in der Gate-of-Heaven-Kirche in Südboston wurde Thomas Coughlin auf dem Cedar-Grove-Friedhof in Dorchester zur letzten Ruhe gebettet. Joe erhielt keine Erlaubnis, an der Beerdigung teilzunehmen, las aber davon in einer Ausgabe des *Traveller*, die ihm einer der Wärter, die auf Masos Gehaltsliste standen, am Abend jenes Tages zusteckte.

Zwei ehemalige Bürgermeister, Honey Fitz und Andrew Peters, waren ebenso erschienen wie das aktuelle Stadtoberhaupt, James Michael Curley. Außerdem befanden sich zwei ehemalige Gouverneure, fünf frühere Bezirksstaatsanwälte und zwei Justizminister unter den Trauergästen.

Die Cops – Bostoner Beamte und State Police, pensionierte und aktive – kamen von überall her, sogar aus Delaware und Bangor, Maine. Alle Dienstgrade, alle Dezernate waren vertreten. Auf dem Foto über dem Artikel schlängelte sich der Neponset River am anderen Ende des Friedhofs entlang, doch war er kaum zu sehen, da es vor Uniformen nur so wimmelte.

Geballte Macht, dachte er. *Was für ein Vermächtnis.*

Und beinahe im selben Augenblick kam ihm noch ein Nachgedanke: *Na und?*

An die tausend Menschen waren auf den Friedhof am

Ufer des Neponset River geströmt, um seinem Vater die letzte Ehre zu erweisen. Und eines Tages würden womöglich Anwärter für den höheren Vollzugsdienst im Thomas-X.-Coughlin-Gebäude an der Bostoner Polizeiakademie studieren oder morgens über die Coughlin Bridge zur Arbeit fahren.

Eine schöne Vorstellung.

Und trotzdem war Dad tot. Er war nicht mehr da und würde auch nicht zurückkommen. Kein Gebäude, keine Brücke, kein wie auch immer geartetes Vermächtnis vermochte etwas daran zu ändern.

Man bekam nur ein Leben geschenkt. Es ging darum, das Beste daraus zu machen.

Er legte die Zeitung neben seine Pritsche. Die Matratze war neu und hatte am Tag zuvor in seiner Zelle auf ihn gewartet, als er von der Arbeit gekommen war – ebenso wie ein kleiner Beistelltisch, ein Stuhl und eine Kerosinlampe. In der Schublade des Tisches lagen Streichhölzer und ein brandneuer Kamm.

Er blies die Lampe aus und rauchte im Dunkeln weiter. Er lauschte den Geräuschen aus den Fabriken und dem Tuten der Frachtkähne auf dem Fluss. Er öffnete die Uhr seines Vaters, klappte sie wieder zu und öffnete sie abermals. Immer wieder klappte er sie auf und zu, während der Chemiegestank durch das Zellenfenster drang.

Sein Vater war tot. Und er kein Sohn mehr.

Er war ein Mann. Ohne Geschichte, ohne Erwartungen. Ein unbeschriebenes Blatt, niemandem verpflichtet.

Er fühlte sich wie ein Pilger, der von den Gestaden einer Heimat abgelegt hatte, die er nie wiedersehen würde, und nach einer langen Reise unter schwarzem Himmel in einer neuen, unberührten Welt gelandet war, die wartete, als ob sie schon immer gewartet hätte.

Auf ihn.

Darauf, dass er ihr einen Namen gab, sie nach seinen Vorstellungen formte, auf dass sie sich seine Werte zu eigen machte und über alle Grenzen verbreitete.

Er klappte die Uhr ein letztes Mal zu, legte die Finger fest darum und schloss die Augen, bis er das Ufer seiner neuen Welt vor sich sah und der schwarze Himmel sich in ein von weißen Sternen übersätes Firmament verwandelte, die hell auf ihn und die letzten Meter zwischen ihm und dem neuen Ufer herabschienen.

Als sein Vater gestorben war, hatte er Joes Vergangenheit mit sich genommen.

Du wirst mir fehlen. Ich werde um dich weinen. Aber jetzt bin ich ein neuer Mensch. Und wahrhaft frei.

Zwei Tage nach der Beerdigung besuchte Danny ihn ein letztes Mal.

Er blickte Joe durch das Drahtgeflecht an. »Wie geht's dir, kleiner Bruder?«

»Ich beiße mich durch, so gut es geht«, sagte Joe. »Und dir?«

»Weißt du doch«, sagte Danny.

»Von wegen«, erwiderte Joe. »Ich weiß nichts, absolut gar nichts über dich. Du bist vor acht Jahren mit Nora und Luther nach Tulsa verschwunden, und seither habe ich nur noch Gerüchte gehört.«

Danny nickte. Er kramte nach seinen Zigaretten, steckte sich eine an und überlegte ein paar lange Momente. »Luther und ich haben uns da unten als Unternehmer versucht. Häuser im Schwarzenviertel gebaut. Lief ganz gut, nicht großartig, aber okay. Zwischendurch war ich sogar mal Stellvertreter des Sheriffs – unglaublich, was?«

Joe grinste. »Mit Cowboyhut?«

»Und zwei Colts, Kleiner«, sagte Danny mit Südstaaten-Akzent. »Keiner zog schneller.«

Joe lachte. »Totengräberfliege?«

Danny lachte ebenfalls. »Und ob. Die Stiefel nicht zu vergessen.«

»Sporen?«

Danny verengte die Augen und schüttelte den Kopf. »Es gibt Grenzen.«

»Und was ist passiert?«, fragte Joe, immer noch ein Lächeln auf den Lippen. »Es gab einen Aufstand oder so, stimmt's?«

Das Licht in Dannys Augen erlosch von einem Moment auf den anderen. »Sie haben alles niedergebrannt.«

»Tulsa?«

»Das schwarze Tulsa – Greenwood, das Viertel, in dem auch Luther wohnte. Eines Abends tauchten ein paar Weiße vor dem Gefängnis auf, um einen Farbigen zu lynchen, der einem Mädchen angeblich in einem Fahrstuhl zwischen die Beine gegriffen hatte. Dabei hatte sie in Wahrheit monatelang eine Affäre mit dem Jungen gehabt. Er hatte mit ihr Schluss gemacht und sie ihm deshalb diese miese Geschichte angehängt, und uns blieb keine andere Wahl, als ihn zu verhaften. Er wäre ohnehin aus Mangel an Beweisen freigekommen, doch dann standen plötzlich die ehrbaren weißen Bürger Tulsas mit ihren Stricken vor der Tür. Und kurz darauf auch noch ein Haufen Farbiger, darunter auch Luther. Tja, und die Farbigen waren bewaffnet. Weshalb der Lynchmob erst mal unverrichteter Dinge abziehen musste.« Danny trat seine Zigarette mit dem Absatz aus. »Am nächsten Morgen sind die Weißen dann ins Schwarzenviertel gekommen. Und haben den farbigen Jungs gezeigt, was ihnen blüht, wenn sie ihre Knarren auf Weiße richten.«

»Das war also der Aufstand.«

Danny schüttelte den Kopf. »Es war kein Aufstand. Es war ein Massaker. Sie knallten die Farbigen ab oder zündeten sie an – Kinder, Frauen, alte Männer, alles, was ihnen vor die Flinte lief. Und die, die den Finger am Abzug hatten, waren lauter brave Bürger und Biedermänner, Kirchgänger und Rotarier. Am Ende haben die Drecksekerle die Häuser mit Brandflaschen beworfen. Die Flüchtenden wurden einfach niedergemäht – an beiden Enden des Viertels hatten sie Maschinengewehrnester aufgebaut. In den Straßen lagen Hunderte Toter – wie ein riesiger Haufen rotverfärbter Wäsche sahen sie aus.« Danny verschränkte die Hände hinter dem Kopf und atmete tief aus. »Beim Abtransport der Leichen habe ich mich immer wieder gefragt: Was ist nur aus meinem Land geworden? Wo soll das alles enden?«

Sie schwiegen ein paar lange Augenblicke, ehe Joe sagte: »Und Luther?«

Danny hob eine Hand. »Er hat überlebt. Bei unserer letzten Begegnung war er gerade dabei, seine Sachen zu packen. Er ist mit seiner Frau und dem Kleinen nach Chicago gezogen.« Er hielt einen Moment inne. »Nach so etwas ist man nicht mehr derselbe, Joe. Man schämt sich, weil man überlebt hat. Ich könnte nicht mal richtig erklären, warum. Aber diese Scham frisst einen von innen auf, und allen anderen Überlebenden geht es genauso. Man kann sich nicht mehr in die Augen sehen. An allen, die so etwas miterlebt haben, klebt ein unerträglicher Gestank, und jeder muss für sich selbst herausfinden, wie er damit weiterleben soll. Und deshalb geht man sich gegenseitig aus dem Weg, um nicht noch mehr von diesem Gestank in die Nase zu bekommen.«

»Was ist mit Nora?«, fragte Joe.

Danny nickte. »Wir sind immer noch zusammen.«

»Habt ihr Kinder?«

Danny schüttelte den Kopf. »Glaubst du, ich hätte dir nicht Bescheid gegeben, wenn du Onkel geworden wärst?«

»Woher soll ich das wissen? Wir haben uns in den letzten acht Jahren nur ein einziges Mal gesehen, Dan.«

Danny nickte, und plötzlich erkannte Joe ganz deutlich, was er bis dahin nur vermutet hatte – dass etwas im tiefsten Innern seines Bruders zerbrochen war.

Doch just im selben Moment kehrte ein Teil des alten Danny zurück. Ein verschmitztes Lächeln spielte um seine Lippen. »Bis vor kurzem haben Nora und ich in New York gelebt. Fünf Jahre lang.«

»Und was habt ihr dort gemacht?«

»Streifen.«

»Streifen?«

»Filme. Kintopp, Kinofilme, na, Streifen eben.«

»Du bist jetzt beim Film?«

Danny nickte, nun offenbar ganz in seinem Element. »Nora hat das angeleiert. Sie hat einen Job bei einer Filmgesellschaft an Land gezogen, Silver Frame heißt der Laden. Juden, trotzdem anständige Kerle. Erst ging's nur um die Buchhaltung, aber dann ist sie auch mit der Pressearbeit betraut worden, hat für den einen oder anderen Streifen sogar die Kostüme gemacht. So lief das damals, alle haben mit angepackt, da war sich der Regisseur nicht zu schade, mal Kaffee zu machen, und wenn Not am Mann war, ist der Kameramann mit dem Hund der Hauptdarstellerin Gassi gegangen.«

»*Filme?*« Joe konnte es immer noch nicht glauben.

Danny lachte. »Warte, es wird noch besser. Als ich dann ihre Chefs kennengelernt habe, hat mich der eine von ihnen – Herm Silver, ein echtes Ass – gefragt, ob ich vielleicht Lust hätte, bei ein paar Stunts einzuspringen.«

Joe zündete sich eine Zigarette an. »Was, zum Teufel, sind Stunts?«

»Schon mal gesehen, wenn ein Schauspieler vom Pferd fällt? Das ist er nicht selbst, sondern ein Stuntman. Ein Profi, der bei bestimmten Szenen einspringt, zum Beispiel, wenn der Hauptdarsteller auf einer Bananenschale ausrutscht, über die Bordsteinkante stolpert oder aus dem zweiten Stock fällt. Sieh mal genau hin, wenn du das nächste Mal im Kino bist. Bei den heiklen Sachen ist immer ein Stuntman im Bild – also jemand wie ich, verstehst du?«

»Warte mal«, sagte Joe. »In wie vielen Filmen hast du denn mitgespielt?«

Danny überlegte einen Moment. »So etwa fünfundsiebzig.«

Joe fiel beinahe die Zigarette aus dem Mund. »Fünfund-siebzig?«

»Na ja, eine Menge davon waren bloß Kurzfilme. Das sind die Streifen, die im Kino vor dem eigentlichen –«

»Jetzt mach aber mal halblang. Ich weiß, was Kurzfilme sind.«

»Wieso? Du hattest doch auch keine Ahnung, was Stunts sind.«

Joe zeigte ihm den Mittelfinger.

»Nun ja, jedenfalls habe ich den einen oder anderen Film gedreht. Ein paar von den Kurzstreifen habe ich sogar ge-schrieben.«

Joe blieb der Mund offen stehen. »Du hast…«

Danny nickte. »Kleinkram. Ein paar Kids von der Lower East Side wollen sich ein bisschen was dazuverdienen, in-dem sie den Fiffi einer reichen Lady waschen, der Hund läuft ihnen weg, die reiche Lady ruft die Cops, es geht drunter und drüber, na ja, solche Nummern eben.«

Joe ließ seine Zigarette fallen, bevor er sich die Finger daran verbrannte. »Wie viele Filme hast du geschrieben?«

»Fünf bis jetzt, aber Herm meint, ich hätte ein Händchen dafür. Er hat mich gefragt, ob ich nicht Lust hätte, mal ei-nen richtigen Spielfilm zu schreiben – jedenfalls glaubt er, ich hätte das Zeug zum Drehbuchautor.«

»Was ist ein Drehbuchautor?«

»Einer, der Filme schreibt, du Blitzmerker«, sagte Danny und hob seinerseits den Mittelfinger.

»Und was sagt Nora dazu?«

»Die ist in Kalifornien.«

»Ich dachte, ihr wohnt in New York.«

»Haben wir auch. Aber kürzlich hat Silver Frame zwei billig heruntergekurbelte Streifen herausgebracht, die beide Kassenschlager waren. Das Problem besteht darin, dass Edison in New York alles und jeden wegen seiner Kamerapatente verklagt. In Kalifornien hingegen bedeuten diese Patente gar nichts. Außerdem ist das Wetter dort unschlagbar, dreihundertfünfundsechzig Tage Sonne im Jahr. Wie auch immer, die Silvers haben gesagt, jetzt oder nie. Nora ist jetzt Produktionsleiterin und schon mal vorgefahren, um das Terrain zu sondieren – in drei Wochen drehen wir einen Western, *Das Gesetz des Todestals*. Ich habe hier bloß vorbeigeschaut, um Dad Bescheid zu geben, dass wir an die Westküste ziehen, wer weiß, wann wir uns sonst wiedergesehen hätten.«

»Ich freu mich für dich«, sagte Joe und konnte es immer noch nicht fassen. Dannys Leben – Boxer, Cop, Gewerkschaftsfunktionär, Geschäftsmann, Sheriff, Stuntman, angehender Schriftsteller – war eine amerikanische Karriere wie aus dem Bilderbuch.

»Na, wie wär's«, sagte sein Bruder.

»Was?«

»Wenn du hier rauskommst. Steig bei uns ein.«

»Was?«

»Ich mein's ernst. Ist nicht das Schlechteste, für Geld vom Pferd zu fallen oder durch Fensterscheiben aus Zuckerglas zu stürzen. Und die übrige Zeit liegst du am Pool und flirtest ein bisschen mit den Starlets.«

Einen Moment lang konnte Joe dieses neue Leben vor sich sehen – traumhaft blaues Wasser, Palmen und Mädchen mit golden schimmernder Haut.

»Zwei Wochen mit dem Zug, kleiner Bruder, und schon bist du bei uns.«

Joe lachte, während er sich all das vorstellte.

»Der Job macht Spaß«, sagte Danny. »Und ich könnte dir zeigen, wie's geht.«

Joe lächelte immer noch, schüttelte aber den Kopf.

»Und es ist ehrliche Arbeit«, fügte Danny hinzu.

»Ich weiß«, sagte Joe.

»Außerdem würdest du ein Leben führen, bei dem du nicht mehr dauernd über die Schulter sehen musst.«

»Darum geht's nicht.«

»Worum dann?« Danny schien aufrichtig interessiert.

»Die Nacht. Sie hat ihre eigenen Gesetze.«

»Der Tag genauso.«

»Oh, natürlich«, sagte Joe. »Aber sie gefallen mir nicht.«

Wortlos musterten sie sich durch das Drahtgeflecht.

»Ich verstehe dich nicht«, sagte Danny schließlich.

»Das war mir klar«, erwiderte Joe. »Du glaubst eben an Gut und Böse. Ein Kredithai lässt jemandem die Beine brechen, weil er seine Schulden nicht bezahlt hat, ein Bankier sperrt jemand anderem das Konto, und du glaubst, da gäbe es einen Unterschied – als wäre der Banker ein Ehrenmann, der Kredithai aber ein Krimineller. Ich bin auf Seiten des Kredithais, weil er niemandem etwas vormacht, und wenn du mich fragst, sollte der Bankier genau dort sitzen, wo ich gerade mein Leben friste. Ich habe keine Lust, Steuern zu zahlen, dem Boss beim Firmenpicknick eine Limonade zu holen und eine Lebensversicherung abzuschließen. Ich sehe keinen Sinn darin, immer älter und fetter zu werden, um dann schließlich irgendeinem Herrenclub in Back Bay beizutreten, mit irgendwelchen Arschgeigen Zigarren zu rauchen und über die Schulnoten meiner Kinder zu quatschen. Na toll – und am Ende sacke ich über meinem Schreibtisch zusammen, und dann kratzen sie meinen Namen von der Glastür ab, noch ehe ich überhaupt unter der Erde bin.«

»Aber so ist das Leben«, sagte Danny.

»Für dich vielleicht. Wenn du nach ihren Regeln spielen willst, na schön. Aber diesen Schwachsinn tue ich mir nicht an. Für einen echten Mann zählen nur die Regeln, die er sich selbst auferlegt.«

Abermals taxierten sie sich durch das Drahtgeflecht. Danny war immer Joes Held gewesen, ach was, sein Gott. Und nun war Gott bloß noch jemand, der sich von Pferden fallen ließ, um seine Brötchen zu verdienen.

»Meine Fresse«, sagte Danny leise. »Und du hältst dich für erwachsen?«

»Und ob«, sagte Joe.

Danny steckte die Zigaretten ein und setzte seinen Hut auf.

»Selbst schuld«, sagte er.

Innerhalb der Gefängnismauern galt der White-Pescatore-Krieg mehr oder weniger als beendet, nachdem drei von Alberts Männern bei einem »nächtlichen Fluchtversuch« auf dem Dach erschossen worden waren.

Dennoch kam es immer wieder zu vereinzelten Scharmützeln, und es gab weiterhin böses Blut. Während der nächsten sechs Monate wurde Joe ein ums andere Mal vor

Augen geführt, dass Kriege niemals enden. Zwar hatten er, Maso und der Rest des Pescatore-Clans ihre Macht konsolidiert, doch ließ sich unmöglich sagen, ob dieser oder jener Wärter womöglich von der Gegenseite geschmiert wurde oder man diesem oder jenem Häftling vertrauen konnte.

Micky Baer wurde auf dem Hof von einem Typen niedergestochen, der, wie sich herausstellte, mit der Schwester des verstorbenen Dom Pokaski verheiratet war. Micky überlebte, sollte aber für den Rest seines Lebens Probleme beim Pinkeln haben. Von draußen hörten sie, dass ein Wärter namens Colvin Wettschulden bei Syd Mayo hatte, einem Geschäftspartner Albert Whites. Und Colvin verlor weiter.

Dann bekamen sie neue Gesellschaft: Holly Peletos, einer von Whites Gorillas, musste fünf Jahre wegen Totschlags in Charlestown absitzen. Als er im Speisesaal dauernd die Klappe aufriss, dass es Zeit für einen Regimewechsel sei, sorgten sie dafür, dass er den Abflug über das Geländer des obersten Zellengangs machte.

In manchen Nächten tat Joe kein Auge zu, teils, weil ihm die Angst im Nacken saß, teils, weil er sich den Kopf darüber zerbrach, welche Intrigen gerade wieder gesponnen wurden, oder auch einfach nur, weil sein Herz so heftig hämmerte, als wolle es geradewegs durch seine Rippen brechen.

Du hast geschworen, den ganzen Wahnsinn nicht an dich heranzulassen.

Du hast geschworen, dich davon nicht fertigmachen zu lassen.

Vergiss nicht, was für dich immer zuoberst stand: *Ich will leben.*

Ich komme hier wieder raus.

Was immer es kosten mag.

Maso wurde an einem Frühlingstag im Jahr 1928 entlassen.

»Nächstes Mal siehst du mich am Besuchstag«, sagte er zu Joe. »Auf der anderen Seite des Drahts.«

Joe schüttelte ihm die Hand. »Passen Sie auf sich auf.«

»Ich habe meinen Anwalt mit deinem Fall betraut. Bald bist du wieder draußen. Bleib wachsam, mein Junge, und am Leben.«

Joe versuchte Trost in seinen Worten zu finden, doch war ihm nur allzu bewusst, dass sich seine Haftstrafe doppelt so lang anfühlen würde, sollte das nur ein Lippenbekenntnis sein – schlicht deshalb, weil er ein Fünkchen Hoffnung in sein Leben gelassen hatte. Sobald Maso dem Knast den Rücken kehrte, bestand durchaus die Möglichkeit, dass auch Joe keine Rolle mehr für ihn spielte.

Oder vielleicht hängte er ihm auch einfach nur ein Weilchen die Karotte vor die Nase, damit Joe seine Geschäfte hinter den Gefängnismauern am Laufen hielt, ohne wirklich in Betracht zu ziehen, ihn nach seiner Entlassung anzuheuern.

Wie auch immer, er konnte so oder so nichts anderes tun, als seine Zeit abzusitzen und zu warten, was sich am Ende ergeben würde.

Dass Maso wieder draußen war, konnte kaum jemandem verborgen bleiben. Was hinter den Gefängnismauern nur geschwelt hatte, wurde nun gleichsam mit Benzin übergossen. Im »Mörderischen Mai«, wie die Revolverblätter den Monat tauften, ging es auf Bostons Straßen erstmals zu wie in Detroit oder Chicago. Masos Soldaten fielen über Albert

Whites Buchmacher, Schwarzbrenner, Fahrer und Handlanger her, als sei soeben die Jagdsaison eröffnet worden. Innerhalb eines Monats hatte Maso seinen Konkurrenten aus Boston vertrieben, und Whites paar verbliebene Leute machten ebenfalls, dass sie wegkamen.

Im Gefängnis ging es plötzlich zu, als wäre das Wasser mit einer satten Dosis Harmonie angereichert worden. Es gab keine Messerstechereien mehr. Für den Rest des Jahres 1928 machte keiner mehr den Abgang übers Geländer im obersten Stockwerk, und auch in der Schlange vor der Essensausgabe wurde niemand mehr abgestochen. Und als es Joe gelang, einen Deal mit Albert Whites zwei besten Schwarzbrennern einzufädeln, wusste er, dass wirklich Frieden im Zuchthaus von Charlestown eingekehrt war. Bald darauf schmuggelten Wärter den Gin nach *draußen*; das Zeug war so gut, dass es auf der Straße unter einem eigenen Namen gehandelt wurde – Penal Code.

Zum ersten Mal, seit er im Sommer '27 durch das Gefängnistor marschiert war, schlief Joe tief und fest. Nun fand er auch endlich Zeit, seinen Vater und Emma zu betrauern, was er sich bislang nicht erlaubt hatte, um sich nicht ablenken zu lassen, während andere ihre Ränke gegen ihn schmiedeten.

Der grausamste Streich, den Gott ihm in der zweiten Hälfte des Jahres 1928 spielte, bestand darin, dass er ihm Emma sandte. Im Schlaf spürte er, wie sie ihm das Bein zwischen die Schenkel schob, roch er den dezenten Duft ihres Parfums; er sah ihr in die Augen, spürte ihren Atem auf seinen Lippen und hob die Arme von der Pritsche, um seine Hände über ihren nackten Rücken gleiten zu lassen.

Und im selben Moment schlug er tatsächlich die Augen auf.

Doch da war niemand.

Nur die Dunkelheit.

Und er betete. Er betete zu Gott, sie möge noch am Leben sein, selbst wenn er sie niemals wiedersehen würde. *Bitte mach, dass sie noch lebt.*

Aber bitte, lieber Gott, lass sie nicht mehr in meinen Träumen erscheinen. Ich ertrage es nicht, sie immer wieder zu verlieren. Ich halte das nicht länger aus. O Gott, flehte Joe, *habe Gnade mit mir.*

Doch Gott hatte keine Gnade mit ihm.

Die Heimsuchungen nahmen bis zu seinem letzten Tag im Charlestown State Prison kein Ende.

Sein Vater tauchte nie in seinen Träumen auf, und doch war er Joe näher als zu seinen Lebzeiten. Manchmal saß Joe auf seiner Pritsche, klappte immer wieder den Uhrendeckel auf und zu und stellte sich vor, welche Gespräche er und sein Vater wohl geführt hätten, wären da nicht all die alten Sünden, all die verkümmerten Erwartungen gewesen.

Erzähl mir von Mom.

Was willst du denn wissen?

Was war sie für ein Mensch?

Sie hatte Angst. Große Angst, Joseph.

Wovor?

Vor all den Dingen da draußen.

Was meinst du damit?

Vor allem, was sie nicht verstand.

Hat sie mich geliebt?

Auf ihre Weise schon.

Das ist keine Liebe.

Für sie aber doch. Du darfst nicht denken, sie hätte dich verlassen.

Was denn sonst?

Dass sie wegen dir weiter ausgehalten hat. Sonst wäre sie schon viel früher von uns gegangen.

Sie fehlt mir nicht.

Komisch. Mir schon.

Joe blickte ins Dunkel. *Du fehlst mir.*

Ach was. Wir sehen uns noch früh genug.

Nachdem Joe sowohl die Produktionsabläufe in der Knastdestille als auch den Schmuggel perfektioniert hatte, blieb ihm reichlich Zeit zum Lesen. Er las so ziemlich alles, was die Gefängnisbibliothek zu bieten hatte – eine Herkulesaufgabe, die sich einem gewissen Lancelot Hudson III. verdankte.

Lancelot Hudson III. war der einzige reiche Bürger Bostons, der je in Charlestown eingesessen hatte. Doch sein Verbrechen war derart ungeheuerlich gewesen und noch dazu in aller Öffentlichkeit geschehen – er hatte seine untreue Frau Catherine anno 1919 vom Dach ihres dreistöckigen Hauses in der Beacon Street geworfen, mitten hinein in die Parade am Unabhängigkeitstag, die sich gerade den Beacon Hill hinunterbewegte –, dass selbst seinen ebenso betuchten Freunden die kostbaren Teetassen aus der Hand gefallen waren, ehe sie postwendend beschlossen hatten, ihren Standesgenossen den Wölfen zum Fraß vorzuwerfen.

Lancelot Hudson III. wurde wegen Totschlags zu sieben Jahren Zuchthaus verurteilt. Auch wenn er dort keine Steine klopfen musste, war der Knastalltag brutal genug, und nur seine Bücher boten ihm zwischenzeitlich ein wenig Zuflucht; er hatte sie mitbringen dürfen unter der Bedingung, dass sie nach seiner Entlassung in der Gefängnisbibliothek verbleiben würden. Joe las mindestens hundert Bücher aus der Hudson-Sammlung. Sie waren daran zu erkennen, dass auf jeder Titelseite in seiner winzigen, verkrampften Handschrift vermerkt stand: »Ehemaliges Eigentum von Lancelot Hudson III. L. m. a. A.« Joe las Dumas, Dickens und Twain. Er las Malthus, Adam Smith, Marx & Engels, Machiavelli, die *Federalist Papers* und die Werke von Bastiat. Als er sich durch die Hudson-Kollektion geackert hatte, las er, was sonst vorhanden war – größtenteils Groschenromane und Western –, dazu jede Zeitschrift und Zeitung, deren Lektüre die Gefängnisleitung gestattete.

Als er in einer Ausgabe des *Boston Traveller* blätterte, stieß er auf einen Artikel über einen Brand im East-Coast-Busterminal in der St. James Avenue. Eine defekte Oberleitung hatte Funken gesprüht und den Weihnachtsbaum in Brand gesetzt, mit dem die Wartehalle geschmückt gewesen war. Kurz darauf hatten die Flammen auf das gesamte Gebäude übergegriffen. Joe stockte der Atem, während er die zum Artikel gehörenden Fotos in Augenschein nahm. In der Ecke eines Bilds entdeckte er das Schließfach, in dem er seine Ersparnisse – inklusive der 62000 Dollar aus dem Banküberfall – gebunkert hatte. Ein brennender Deckenbalken war darauf gestürzt, und das Metall hatte sich in der Gluthitze schwarz verfärbt.

Joe wusste nicht, was schlimmer war – dass er plötzlich keine Luft mehr bekam, oder das Gefühl, dass seine Luftröhre brannte, als würde er gleich Feuer kotzen.

Dem Artikel zufolge was das Gebäude völlig zerstört worden. Nichts hatte aus den Flammen gerettet werden können. Was Joe bezweifelte. Eines Tages, wenn er genug Zeit dazu hatte, würde er überprüfen, welcher Angestellte der East-Coast-Buslinie sich dem Vernehmen nach mit reichlich Kohle vorzeitig in den Ruhestand verabschiedet hatte.

Doch das musste warten. Erst einmal brauchte er einen Job.

Und genau den Job bot ihm Maso im späten Winter an, an jenem Tag, als er Joe darüber unterrichtete, dass seinem Antrag auf vorzeitige Haftentlassung über kurz oder lang stattgegeben würde.

Maso blickte ihn durch das Drahtgeflecht an. »Bald bist du wieder draußen.«

»Bei allem Respekt«, sagte Joe. »Wann?«

»Spätestens im Sommer.«

Joe lächelte. »Wirklich?«

Maso nickte. »So ein Richter kostet aber einiges. Das musst du natürlich abarbeiten.«

»Ich hätte gedacht, wir sind quitt. Weil ich Sie am Leben gelassen habe.«

Maso verengte die Augen. Flott sah er aus in seinem Kaschmirmantel und einem Anzug mit einer weißen Nelke am Revers, die farblich perfekt zum seidenen Hutband passte.

»Einverstanden. Unser gemeinsamer Freund, Mr. White, hält sich übrigens in Tampa auf – und macht da reichlich Furore.«

»In Tampa?«

Maso nickte. »Ein paar Läden hier hat er immer noch unter Kontrolle. Leider sind mir die Hände gebunden, weil unsere Jungs aus New York auch beteiligt sind und klargemacht haben, dass ich erst mal den Ball flach halten soll. Er schafft den Rum über unsere Routen hierher, aber ich kann nichts unternehmen. Aber weil er dort unten in meinem Gebiet wildert, hat uns New York grünes Licht gegeben, ihn aus Tampa zu vertreiben.«

»Und wie weit geht das grüne Licht?«

»Alles außer Mord.«

»Okay. Also, was haben Sie vor?«

»Das ist die falsche Frage, Joe. Die Frage ist, was *du* machen willst. Ich möchte, dass du da unten übernimmst.«

»In Tampa? Da hat doch Lou Ormino den Daumen drauf.«

»Lou wird zu dem Schluss kommen, dass ihm der Job nichts als Kopfschmerzen bereitet.«

»Ach ja? Und wann?«

»Etwa zehn Minuten, bevor du dort eintrudelst.«

Joe überlegte ein paar Sekunden. »Tampa, ja?«

»Heiß dort.«

»Hitze macht mir nichts.«

»So heiß wird dir garantiert nie wieder.«

Joe zuckte mit den Schultern. Der Alte neigte zu Übertreibungen. »Ich brauche aber jemanden, dem ich trauen kann.«

»Ich wusste, dass du das sagen würdest.«

»Ja?«

Maso nickte wieder. »Dein Mann ist schon da. Seit sechs Monaten.«

»Wo kommt er her?«

»Montreal.«

»Seit sechs Monaten?«, sagte Joe. »Wie lange bereiten Sie das schon vor?«

»Seit Lou Ormino in die eigene Tasche wirtschaftet und Albert White mir den Rest meiner Kohle streitig macht.« Maso beugte sich vor. »Wenn du das dort unten klärst, Joe, wirst du den Rest deines Lebens wie ein König verbringen.«

»Und wir sind dann gleichberechtigte Partner?«

»Nein«, sagte Maso.

»Lou ist doch auch gleichgestellt.«

»Tja.« Einen Augenblick lang ließ Maso die Maske herunter. »Und sieh dir an, wie die Sache endet.«

»Was ist mein Anteil?«

»Zwanzig Prozent.«

»Fünfundzwanzig«, sagte Joe.

»Okay.« Masos Blinzeln verriet, dass er auch bis dreißig hochgegangen wäre. »Aber dafür musst du auch was tun.«

Zweiter Teil

Ybor
1929–1933

11

Alles vom Feinsten

Als er Joe vorgeschlagen hatte, seine Geschäfte in West-Florida zu übernehmen, hatte Maso ihn auch vor der Hitze gewarnt. Trotzdem hatte Joe das Gefühl, gegen eine Wand zu laufen, als er an einem Augustmorgen im Jahr 1929 aus dem Zug auf den Bahnsteig der Tampa Union Station trat. Er trug einen karierten Sommeranzug. Die dazugehörige Weste hatte er im Koffer verstaut und die Krawatte gelöst, doch während er, seine Jacke über dem Arm, darauf wartete, dass der Gepäckträger seine Sachen brachte, war er durchgeschwitzt, noch ehe er seine Zigarette zu Ende geraucht hatte. Seinen Wilton hatte er abgenommen, da er befürchtete, die Pomade in seinem Haar würde schmelzen und das Seidenfutter versauen, ihn dann aber schnell wieder aufgesetzt, um seinen Kopf vor der sengenden Sonne zu schützen, während ihm der Schweiß aus den Poren strömte.

Und es lag nicht nur an der Sonne, die hoch und weiß an einem so wolkenlosen Himmel hing, als hätten nie Wolken am Firmament existiert (und vielleicht gab es hier unten ja tatsächlich keine). Es lag an der dschungelartigen Schwüle, und er fühlte sich, als wäre er in einem Ballen Stahlwolle eingeschlossen, den jemand in einen Kessel mit heißem Öl geworfen hatte, einen Kessel, in dem die Temperatur mit jeder Sekunde weiter anstieg.

Die anderen Männer, die aus dem Zug gestiegen waren, hatten ihre Jacken ebenfalls ausgezogen; einige hatten sich ihrer Westen und Krawatten entledigt und die Ärmel aufgekrempelt. Manche trugen ihre Hüte, andere fächelten sich damit Luft zu. Bei den Frauen sah man breitkrempige Samthüte, Glockenhüte aus Filz oder Kapotthütchen. Einige arme Seelen hatten sich für noch wärmere Materialien und schwere Ohrgehänge entschieden; sie trugen Kreppkleider und Seidenschals, wirkten aber nicht sehr glücklich in ihrer Garderobe, wie ihre roten Gesichter nur allzu deutlich verrieten, während sich sorgfältig frisierte Haare kräuselten und so mancher Dutt sich im Stadium der Auflösung befand.

Die Einheimischen waren unschwer zu erkennen – die Männer trugen flache Strohhüte, Kreissägen genannt, kurzärmlige Hemden und Gabardinehosen, dazu zweifarbige Budapester, wie sie dieser Tage in Mode waren, aber deutlich auffälligere als die Zugpassagiere. Wenn die Frauen überhaupt Kopfbedeckungen trugen, dann kleine Hütchen aus Stroh, und dazu einfache weiße Kleidung – so wie die Hübsche, die gerade an ihm vorbeiging. Ihr weißer Rock und die etwas fadenscheinige weiße Bluse waren alles andere als bemerkenswert, aber, Teufel auch, ihr Körper bewegte sich unter dem dünnen Stoff wie etwas, das sich klammheimlich davonzustehlen versuchte, ehe die Sitte davon Wind bekam. Dunkle Haut und üppige Rundungen, die ihn an eine sanfte Dünung erinnerten – einfach paradiesisch, dachte Joe.

Anscheinend machte ihn die Hitze träge, da sie ihn dabei erwischte, wie er sie anstarrte – etwas, das ihm zu Hause in Boston nie passiert war. Doch die Frau – eine Mulattin oder womöglich sogar eine Negerin, er wusste es nicht genau, jedenfalls definitiv dunkelhäutig, bronzefarben – warf ihm einen vernichtenden Blick zu und ging weiter. Vielleicht lag es an der Bullenhitze, vielleicht daran, dass er zwei Jahre im Gefängnis gewesen war, doch Joe gelang es nicht, den Blick abzuwenden. Ihre Hüften schaukelten im selben trägen Rhythmus wie ihr Hintern, zusammen mit den Muskeln ihres Rückens die reinste Sinfonie. Du lieber Himmel, dachte er, ich habe einfach zu lange gesessen. Eine einzelne Strähne hatte sich aus ihrem dunklen, gelockten Haar gelöst, das sie in einem Knoten am Hinterkopf trug. Als sie sich abermals umwandte und ihn scharf fixierte, senkte er den Blick und kam sich vor wie ein Neunjähriger, der gerade dabei erwischt worden war, wie er ein Mädchen an den Zöpfen gezogen hatte. Im selben Moment aber fragte er sich, weshalb er sich schämen sollte. Schließlich hatte sie sich nach ihm umgedreht, oder?

Als er wieder aufsah, war sie in der Menge am anderen Ende des Bahnsteigs verschwunden. *Keine Angst,* hätte er ihr am liebsten hinterhergerufen. *Du wirst mir ebenso wenig das Herz brechen wie ich deins. Meine Tage als Herzensbrecher sind ein für alle Mal vorbei.*

In den vergangenen zwei Jahren hatte Joe sich nicht nur damit abgefunden, dass Emma tot war, sondern auch beschlossen, dass er sich nie wieder verlieben würde. Vielleicht würde er eines Tages heiraten, dann aber eine Vernunftehe mit einer Frau eingehen, die seiner Karriere förderlich sein und ihm Erben schenken würde. Er ließ sich das Wort auf der Zunge zergehen – *Erben.* (Arbeiter bekamen Söhne, erfolgreiche Männer zeugten Erben.) Bis dahin würde er sich

an Huren halten. Vielleicht war die Kleine, die ihn so miss-
billigend angesehen hatte, ja in Wirklichkeit eine Nutte,
die auf keusch machte. Und falls dem so war, würde er sie
garantiert nicht von der Bettkante stoßen – eine wunderschöne Mulattin, wie sie einem echten Verbrecherkönig
gebührte.

Der Gepäckträger brachte seine Koffer, und Joe drückte
ihm ein paar feuchte Dollarnoten in die Hand. Ihm war gesagt worden, dass ihn jemand abholen würde, doch blöder-
weise hatte er nicht nachgehakt, wie ihn derjenige überhaupt
erkennen sollte. Langsam drehte er sich um die eigene
Achse und hielt Ausschau nach einem Typen, der entsprechend nach Unterwelt aussah, doch stattdessen erspähte er
erneut die Mulattin, die nun wieder auf ihn zukam. Mit der
freien Hand strich sie sich eine Strähne aus der Stirn; mit
dem anderen Arm hatte sie sich bei einem Latino unterge-
hakt, der eine Kreissäge, eine braune Seidenhose mit messer-
scharfen Bügelfalten und ein weißes kragenloses Hemd
trug, das bis obenhin zugeknöpft war. Nicht eine Schweiß-
perle stand auf seiner Stirn, und auch das Hemd war kno-
chentrocken, selbst am Kragen unterhalb seines Adams-
apfels. Er hatte denselben sanft federnden Gang wie die
Frau, und in seinen Bewegungen lag purer Rhythmus, auch
wenn seine Schritte so zackig waren, dass die Absätze laut
auf den Boden klackten.

Als sie an Joe vorbeiliefen, hörte er, dass sie Spanisch
sprachen; ihre Unterhaltung perlte schnell und leichtfüßig,
und die Frau warf Joe im Vorübergehen einen flüchtigen
Blick zu, so flüchtig, dass er glaubte, es sich nur eingebildet
zu haben. Der Mann deutete zum Ende des Bahnsteigs und

sagte etwas in seinem lebhaften Spanisch; beide lachten, und dann waren sie auch schon an ihm vorbei.

Er wollte sich gerade erneut nach der Person umsehen, die ihn abholen sollte, als ihn jemand vom glutheißen Boden lupfte, als sei er nicht schwerer als ein Wäschesack. Verdutzt blickte Joe auf die zwei fleischigen Arme, die sich von hinten um seine Taille schlangen, während ihm gleichzeitig ein vertrauter Geruch von rohen Zwiebeln und Arabian-Sheik-Herrenparfum in die Nase stieg.

Als er wieder heruntergelassen wurde, wirbelte er herum – und sah sich zum ersten Mal seit jenem verhängnisvollen Tag in Pittsfield seinem alten Freund gegenüber.

»Dion«, platzte er heraus.

Früher bereits leicht dicklich, hatte Dion schwer zugelegt. Er trug einen champagnerfarbenen Nadelstreifenanzug, dazu ein lavendelfarbenes Hemd mit weißem Kragen und eine blutrote Krawatte mit schwarzen Streifen. Seine schwarzweißen Budapester passten wie die Faust aufs Auge. Hätte man einen Greis mit schlechten Augen gebeten, aus hundert Meter Entfernung zu sagen, wer von den Leuten auf dem Bahnsteig ein Gangster war, hätte er den zittrigen Finger geradewegs auf Dion gerichtet.

»Joseph«, sagte er förmlich, dann machte sich ein ausladendes Grinsen in seinem runden Gesicht breit. Abermals schlang er die Arme um Joe, diesmal von vorn, hob ihn hoch und drückte ihn so fest an sich, dass Joe um sein Rückgrat fürchtete.

»Tut mir leid, das mit deinem Vater«, sagte Dion leise.

»Mir das mit deinem Bruder auch.«

»Danke.« Eine seltsame Heiterkeit schwang in Dions

Stimme. »Und alles wegen dem verdammten Dosenschinken.« Er ließ Joe wieder herunter und lächelte. »Ich hätte ihm eine eigene Schweinezucht gekauft.«

Zusammen gingen sie den Bahnsteig entlang.

Dion nahm Joe einen seiner Koffer ab. »Als Lefty Downer mich in Montreal aufgestöbert und mir gesagt hat, dass die Pescatores einen Job für mich hätten, habe ich ehrlich gesagt angenommen, er will mich verarschen. Aber dann hat er mir erzählt, du wärst im selben Knast wie der Alte, und da habe ich mir gedacht, tja, wenn irgendwer den Teufel höchstpersönlich um den Finger wickeln könnte, dann wohl mein alter Partner.« Er ließ seine feiste Pranke auf Joes Schulter niedergehen. »Fabelhaft, dass du wieder da bist!«

»Tut gut, mal wieder ein bisschen frische Luft um die Nase zu haben«, sagte Joe.

»War Charlestown ...«

Joe nickte. »Schlimm genug. Aber ich habe mich halbwegs anständig geschlagen.«

»Das glaube ich gern.«

Auf dem mit Muschelsplitt gestreuten Parkplatz stach ihnen die Sonne noch greller in die Augen; Joe hielt sich die Hand über die Augen, doch auch das half nicht viel.

»Du lieber Himmel«, sagte er zu Dion. »Und du trägst auch noch einen Dreiteiler.«

»Ich sag dir, wie's geht«, antwortete Dion, während er vor einem Marmon 34 stehen blieb und Joes Koffer abstellte. »Das nächste Mal, wenn du im Kaufhaus bist, reißt du dir alle Hemden in deiner Größe unter den Nagel. Ich verbrauche vier pro Tag.«

Joe warf einen Blick auf Dions Hemd. »Lavendel? Die hatten vier in der Farbe auf Lager?«

»Sogar acht.« Dion öffnete die hintere Wagentür und verfrachtete Joes Gepäck auf den Rücksitz. »Wir fahren nur ein paar Blocks, aber bei der Hitze ...«

Joe wollte die Beifahrertür öffnen, doch Dion war schneller als er. Joe musterte ihn stirnrunzelnd. »Willst du mich verscheißern, oder was?«

»Ist mein Job«, sagte Dion. »Du bist jetzt der Boss.«

»Hör bloß auf mit dem Mist.« Joe schüttelte den Kopf und stieg ein.

Als sie vom Parkplatz fuhren, sagte Dion: »Unter dem Sitz wartet ein Freund auf dich.«

Joe beugte sich vor und förderte eine Savage-Automatik Kaliber 32 zutage. Indianerkopf-Griff und Neun-Zentimeter-Lauf. Joe steckte die Pistole in die rechte Hosentasche und sagte Dion, dass er noch ein Halfter benötigte, während er sich fragte, wieso Dion nicht gleich daran gedacht hatte.

»Willst du meins haben?«

»Nein«, sagte Joe. »Schon okay.«

»Ehrlich, kein Problem.«

»Nein, schon gut.« In die Chef-Nummer musste er wohl erst noch hineinwachsen, dachte Joe. »Hauptsache, ich kriege eins.«

»Spätestens heute Abend«, sagte Dion. »Versprochen.«

Der Verkehr schlängelte sich ebenso träge dahin wie alles andere hier unten. Dion ließ West Tampa hinter sich und fuhr Richtung Ybor City. Das grelle Weiß des Himmels vermischte sich mit dem bräunlichen Rauch aus den Fabrikschloten. Die Zigarrenindustrie, erklärte Dion, hatte dieses

Viertel zu dem gemacht, was es war. Er zeigte auf die Backsteinbauten, die hohen Schornsteine und andere, kleinere Gebäude – manche davon bloß Schuppen, deren Türen offen standen –, in denen Arbeiter gebeugt über Tischen saßen und Zigarren rollten.

Dion ratterte die Markennamen herunter – *El Reloj* und *Cuesta-Rey, Bustillo, Celestino Vega, El Paraiso, La Pila, La Trocha, El Naranjal, Perfecto Garcia*. Die angesehenste Stellung in den Fabriken, erläuterte er Joe, bekleidete der Vorleser, ein Mann, der auf einem Stuhl in der Mitte der jeweiligen Halle saß und laut aus großen Romanen der Weltliteratur vorlas. Er erklärte, dass die Zigarrenroller *tabaqueros* und die kleinen Fabriken *chinchals* genannt wurden, und der Essensgeruch, der sich mit dem stinkenden Qualm vermischte, stammte vermutlich von *bolos* oder *empanadas*.

»Was sagt man dazu?« Joe pfiff durch die Zähne. »Das geht dir ja so locker über die Lippen wie dem König von Spanien.«

»Ohne Spanisch geht hier gar nichts«, sagte Dion. »Das gilt übrigens auch für Italienisch.«

»Mein Bruder und du, ihr könnt Italienisch, aber ich habe es nie gelernt.«

»Dann streng deine grauen Zellen mal ein bisschen an. Dass wir hier in Ybor schalten und walten können, wie es uns gefällt, liegt einzig und allein daran, dass uns der Rest der Stadt in Ruhe lässt. Für die sind wir bloß ein Haufen dreckiger Bohnenfresser und Itaker, und solange wir nicht groß auffallen oder die Zigarrenroller mal wieder streiken, können wir hier tun und lassen, was wir wollen.« Er bog in die 7th Avenue ab, ganz offensichtlich eine der Hauptstraßen, da jede Menge Leute auf den Gehsteigen unterwegs waren;

die zweistöckigen Häuser mit ihren ausladenden Balkonen, geschwungenen Eisengittern und Stuckfassaden erinnerten Joe an das durchzechte Wochenende, das er vor ein paar Jahren in New Orleans verbracht hatte. In der Straßenmitte verliefen Schienen, und mehrere Häuserblocks entfernt tauchte eine Straßenbahn wie eine Fata Morgana aus der flirrenden Hitze auf.

»Tja, eigentlich könnte hier Friede, Freude, Eierkuchen herrschen«, sagte Dion, »aber leider ist das nicht immer so. Gut, Italiener und Kubaner bleiben unter sich. Aber die schwarzen Kubaner hassen die weißen Kubaner, und die weißen Kubaner behandeln die schwarzen wie ihre Nigger, und sowohl die einen wie die anderen rümpfen die Nase über den Rest der Welt. Alle Kubaner hassen die Spanier wie die Pest, und die Spanier halten die Kubaner für renitente Neger, die vergessen haben, wo sie herkommen, seit die USA sie anno '98 befreit haben. Die Kubaner *und* die Spanier sehen auf die Puertoricaner herab, und die Dominikaner sind für alle der letzte Dreck. Die Italiener respektieren dich nur, wenn du in Italien geboren worden bist, und die *Americanos* glauben tatsächlich, irgendjemand würde einen Scheiß auf ihren Schwachsinn geben.«

»Hast du uns gerade wirklich *Americanos* genannt?«

»Ich bin Italiener«, sagte Dion, während er nach links auf eine andere breite, allerdings ungepflasterte Straße abbog. »Und stolz darauf, hier erst recht.«

Joe sah das Blau des Golfs, die im Hafen ankernden Schiffe und die hoch aufragenden Kräne. Die Luft roch nach Salz, Ölschlick und Niedrigwasser.

»Der Hafen von Tampa«, sagte Dion mit weit ausholender Geste, während er den Wagen über das Ziegelstein-pflaster lenkte. Gabelstapler mit knatternden Dieselmoto-ren kreuzten ihren Weg, und die Schatten von Frachtnetzen huschten über die Windschutzscheibe, während Kräne ton-nenschwere Paletten über die Straße schwenkten. Das Tu-ten einer Dampfpfeife drang an ihre Ohren.

Dion hielt an einem Löschplatz. Sie stiegen aus und sahen zu den Männern in der Grube hinunter, die sich gerade eine Ladung Jutesäcke mit dem Stempel ANSEMENTE, GUATEMALA vornahmen. Am Geruch erkannte Joe, dass die Säcke Kaf-fee- und Kakaobohnen enthielten. Nachdem die Arbeiter die Fracht im Handumdrehen gelöscht hatten, hievte der Kran Frachtnetz und Palette wieder hinauf, und die Män-ner verschwanden durch eine angrenzende Tür.

Dion deutete auf die nach unten führende Leiter und stieg auf die erste Sprosse.

»Wo willst du hin?«, fragte Joe.

»Wirst du gleich sehen.«

Unten sonderte der nackte Boden einen Geruch nach al-lem ab, was jemals unter der heißen Sonne Tampas gelöscht worden war – nach Bananen, Ananas und Getreide, Öl, Kar-toffeln, Benzin, Essig, Schießpulver, verdorbenen Früchten und frisch geernteten Kaffeebohnen. Es knirschte unter ih-ren Füßen. Dion trat an die Betonwand gegenüber der Lei-ter, drückte mit der flachen Hand dagegen, und… wupp, gab die Wand plötzlich nach und den Blick frei auf eine dahinter liegende Tür. Dion klopfte zweimal und bewegte lautlos die Lippen, während er wartete. Dann klopfte er noch viermal hintereinander, und nun ertönte eine Stimme von der anderen Seite. »Wer ist da?«

»Kamin«, sagte Dion, und gleich darauf wurde auch schon geöffnet.

Ein Korridor wurde sichtbar, so schmal wie der Mann, der vor ihnen stand. Er trug ein Hemd, das einst wohl weiß gewesen war, ehe endlose Schweißbäche es auf immer gelblich verfärbt hatten, eine Hose aus braunem Denim, ein Halstuch und einen Cowboyhut. In seinem Gürtel steckte ein sechsschüssiger Revolver. Er nickte Dion zu und ließ sie passieren, ehe er die Wand wieder an Ort und Stelle schob.

Der Korridor war so eng, dass Dions Schultern die Wände streiften, während er Joe vorausging. Etwa alle fünf Meter hingen, trübes Licht verbreitend, nackte Glühbirnen von der Decke, gut die Hälfte davon dunkel. Joe meinte, eine Tür am anderen Ende des Gangs zu erkennen, doch da sie ungefähr fünfhundert Meter entfernt war, konnte er sich auch irren. Sie stapften durch Schlamm und Pfützen; von der Decke tropfte es unentwegt, und Dion erklärte Joe, dass die Tunnel häufig unter Wasser standen, weshalb sie morgens schon den einen oder anderen toten Säufer gefunden hatten – es war eben nicht sonderlich ratsam, hier unten seinen Rausch auszuschlafen.

»Ohne Scheiß?«, fragte Joe.

»Ehrenwort. Und weißt du, was es noch schlimmer macht? Manchmal naschen die Ratten an ihnen.«

Joe ließ den Blick über den Boden schweifen. »Ist ja widerlich.«

Dion zuckte mit den Schultern und ging weiter voraus, während Joe sich abermals umsah. Aber weit und breit waren keine Ratten zu entdecken. Noch nicht.

»Was ist eigentlich mit dem Geld?«, fragte Dion. »Der Beute aus Pittsfield?«

»Habe ich gebunkert«, sagte Joe. Über sich hörte er das typische Rattern von Straßenbahnrädern, dann ein schweres Klappern, wohl von Pferdehufen.

Dion sah über die Schulter. »Wo?«

»Wer hat den Bullen Bescheid gesagt?«, gab Joe zurück.

Über ihnen ertönte ein Hupkonzert, gefolgt vom Geräusch eines aufheulenden Motors.

»Bescheid gestoßen? Was meinst du?« Dions Haar hatte sich ziemlich gelichtet, wie Joe auffiel; an den Seiten war es zwar noch dicht und ölig, aber oben mittlerweile recht übersichtlich.

»Die Cops haben uns abgefangen.«

Erneut sah Dion über die Schulter. »Zufall.«

»Von wegen Zufall. Wir hatten die Gegend seit Wochen ausgespäht, und für die Polizei gab es keinen Grund, auf einmal mitten in der Pampa aufzutauchen, um sich dort als Freund und Helfer hervorzutun.«

Dion nickte ein paarmal. »Also, ich habe uns jedenfalls nicht verpfiffen.«

»Ich auch nicht«, sagte Joe.

Als sie sich dem Ende des Tunnels näherten, erkannte Joe, dass es sich tatsächlich um eine Tür aus gebürstetem Stahl mit einem Bolzenschloss handelte. Statt Straßengeräuschen hörte er nun das entfernte Klirren von Besteck, das Klappern von Tellern und die Schritte von hin- und hereilenden Kellnern. Joe zog die Uhr seines Vaters hervor und ließ den Deckel aufspringen: zwölf Uhr mittags.

Dion förderte einen Riesenschlüsselbund aus den Untie-

fen seiner weiten Hose zutage und entriegelte die Tür. Dann
löste er den Schlüssel vom Bund und reichte ihn Joe. »Da,
nimm. Glaub mir, den wirst du noch gut brauchen können.«

Joe steckte den Schlüssel ein. »Wem gehört der Schuppen?«

»Er gehörte Ormino.«

»Gehörte?«

»Oh, du hast heute noch keine Zeitung gelesen?«

Joe schüttelte den Kopf.

»Ormino hat gestern Abend reichlich Blei gefressen.«

Dion öffnete die Tür, und sie stiegen eine Leiter empor,
die zu einer weiteren, unverschlossenen Tür führte. Dahinter lag ein großer muffiger Raum mit Betonfußboden. Entlang der kahlen Wände standen Tische, auf denen sich die
verschiedensten Gerätschaften drängten – Gärbottiche und
Pressen, Destillierkolben und Bunsenbrenner, Bechergläser,
Kühlrohre und jede Menge anderer Utensilien.

»Absolute Spitzenware, vom Allerfeinsten.« Dion deutete auf die an der Wand befestigten Thermometer, die durch
Gummischläuche mit den Destillen verbunden waren. »Wenn
du weißen Rum herstellen willst, musst du die Fraktion bei
einer Temperatur zwischen 168 und 186 Grad Fahrenheit
abtrennen – es sei denn, du willst mit deinem Fusel jemanden umbringen. Aber mit diesen Schätzchen hier kannst du
gar nichts falsch machen, weil –«

»Ich weiß, wie man Rum macht«, sagte Joe. »Nach zwei
Jahren Knast brenne ich dir, was immer du willst, im Not-
fall mache ich sogar Sprit aus deinen verdammten Tretern.
Allerdings fehlen mir hier zwei Dinge, ohne die wir ziemlich aufgeschmissen sind.«

»Oh?«, sagte Dion. »Und die wären?«

»Melasse und Arbeiter.«

»Tja«, sagte Dion. »Ich hätte dir sagen sollen, dass die Sache einen Haken hat.«

Sie liefen durch ein leeres Speakeasy, ließen an einer weiteren Tür noch einmal das Losungswort hören und betraten die Küche eines italienischen Restaurants in der East Palm Avenue. Im Gastraum setzten sie sich an einen Tisch mit Blick auf die Straße; unweit entfernt von ihnen befand sich ein großer schwarzer Ventilator, den selbst drei Männer und ein Ochse nur mit Mühe von der Stelle bewegt hätten.

»Unser Zwischenhändler hat einen Engpass.« Dion entfaltete seine Serviette, steckte sie sich in den Hemdkragen und strich sie über seiner Krawatte glatt.

»Offensichtlich«, sagte Joe. »Und warum?«

»Anscheinend sind ein paar seiner Boote versenkt worden.«

»Wer ist dieser Zwischenhändler?«

»Er heißt Gary L. Smith.«

»Ellsmith?«

»Nein«, sagte Dion. »Das L ist seine mittlere Initiale. Er besteht drauf.«

»Wieso?«

»Ist hier im Süden so üblich.«

»Oder bloß unter Arschlöchern?«

»Auch möglich.«

Der Ober brachte die Speisekarten, und Dion bestellte

Limonade für sie – die beste, die Joe je getrunken hatte, wie er ihm versicherte.

»Wozu brauchen wir überhaupt einen Zwischenhändler?«, fragte Joe. »Warum machen wir unsere Geschäfte nicht direkt mit dem Lieferanten?«

»Tja, da gibt's jede Menge. Aber alles Kubaner. Smith übernimmt das für uns. Er kümmert sich auch um die Dixies.«

»Die Schmuggler.«

Dion nickte, während der Ober ihre Limonade brachte. »Ja, die Provinzgangster von hier bis Virginia. Sie transportieren den Stoff quer durch Florida und die Küste rauf.«

»Aber von den Ladungen sind auch viele nicht angekommen.«

»Ja.«

»Und wie viele Boote können sinken, wie viele lkws überfallen werden, bevor es nicht mehr einfach nur Pech ist?«

»Tja«, sagte Dion, da ihm augenscheinlich nichts anderes einfiel.

Joe nippte an seiner Limonade. Ob es die beste war, die er je getrunken hatte, ließ sich schwer sagen, und selbst wenn – es fiel ihm schwer, sich für eine beschissene Limo zu begeistern.

»Habt ihr die Maßnahmen ergriffen, die ich in meinem Brief vorgeschlagen hatte?«

Dion nickte. »Bis aufs i-Tüpfelchen.«

»Und wie viele Ladungen haben ihr Ziel erreicht?«

»Die meisten.«

Joe überflog die Speisekarte, aber er kannte kein einziges Gericht.

»Nimm das Ossobuco«, empfahl Dion. »Ist wirklich vom Feinsten.«

»Bei dir ist alles vom Feinsten«, sagte Joe. »Die Limonade, die Thermometer...«

Dion zuckte mit den Schultern und schlug seine Karte auf. »Mein Geschmack hat sich eben entwickelt.«

»Also das Ossobuco«, sagte Joe. Er klappte seine Speisekarte zu und warf dem Ober einen Blick zu. »Lass uns essen, und dann statten wir Gary L. Smith einen Besuch ab.«

»Mit Vergnügen.«

Auf einem Tischchen im Vorraum von Gary L. Smiths Büro lag die Morgenausgabe der *Tampa Tribune*. Das Bild auf der Titelseite zeigte Lou Orminos Leiche, die in einem Wagen mit zerschossenen Fenstern und blutbefleckten Sitzen lag – eine Schwarzweißaufnahme, die – wie jedes Foto dieser Art – dem Toten jegliche Würde nahm. Die Schlagzeile lautete:

MUTMASSLICHER UNTERWELT-BOSS ERMORDET

»Kanntest du ihn gut?«

Dion nickte. »Ja.«

»War er dir sympathisch?«

Dion zuckte mit den Schultern. »Er war kein übler Typ. Hatte zwar die Angewohnheit, sich bei unseren Unterredungen die Fußnägel zu schneiden, aber zu Weihnachten hat er mir eine Gans geschenkt.«

»Eine lebendige?«

Dion nickte. »Bis wir bei mir zu Hause waren.«

»Welche Gründe hatte Maso, ihn abservieren zu wollen?«

»Hat er dir das nicht gesagt?«

Joe schüttelte den Kopf.

Dion hob die Schultern. »Mir auch nicht.«

Ein Weilchen lauschte Joe nur dem Ticken einer Uhr und Gary L. Smiths Sekretärin, wie sie in den Hochglanzseiten der neuesten *Photoplay*-Ausgabe blätterte. Sie hieß Miss Roe, hatte dunkles Haar, das sich als kurzer Bob an ihren Kopf schmiegte, und trug eine kurzärmlige silberfarbene Hemdbluse mit einem schwarzen Damenschlips, der wie ein erhörtes Gebet über ihre Brüste fiel. Die Art und Weise, wie sie sich auf ihrem Stuhl bewegte – nein, kaum merklich *wand* –, erregte Joe derart, dass er die Zeitung zusammenfaltete, um sich erst einmal ein bisschen Luft zuzufächeln.

Du lieber Gott, dachte er. *Ich muss dringend mal wieder eine Nummer schieben.*

Er beugte sich zu Dion. »Hatte er Familie?«

»Wer?«

»Na, wer wohl?«

»Lou? Ja, hatte er.« Dions Miene verfinsterte sich. »Ist das irgendwie wichtig?«

»Nur so 'ne Frage.«

»Wahrscheinlich hat er sich die Fußnägel auch vor Frau und Kindern geschnitten. Die sind bestimmt froh, ihn endlich los zu sein.«

Die Sprechanlage auf dem Tisch der Sekretärin summte, und eine dünne Stimme erklang: »Miss Roe, schicken Sie die Jungs rein.«

Joe und Dion erhoben sich.

»Jungs«, sagte Dion.

»Jungs«, sagte Joe, schüttelte seine Manschetten aus und fuhr sich durch die Haare.

Gary L. Smith hatte winzige Zähne, die wie Maiskörner aussahen und fast genauso gelb waren. Er lächelte, während sie sein Büro betraten und Miss Roe die Tür hinter ihnen schloss, stand aber nicht auf, um sie zu begrüßen, und besonders viel Mühe gab er sich bei seinem Lächeln auch nicht. Die wenigen Sonnenstrahlen, die durch die Jalousien drangen, tauchten den Raum in bernsteinfarbenes Licht. Smith gab den typischen Südstaaten-Gentleman – weißer Anzug, weißes Hemd, schmale schwarze Krawatte. Während sie sich setzten, musterte er sie mit einem Anflug von Verwirrung, was Joe als Angst interpretierte.

»Sie sind also Masos neuer Mann.« Smith schob einen Humidor über den Tisch. »Bedienen Sie sich. Die besten Zigarren weit und breit.«

Dion grunzte.

Joe winkte ab, doch Dion grapschte sich gleich vier Zigarren, steckte drei ein und biss das Ende der vierten ab. Er spuckte es in die Hand und deponierte es auf der Tischkante.

»Also, was führt Sie zu mir?«

»Ich bin gebeten worden, mich ein bisschen um Lou Orminos Geschäfte zu kümmern.«

»Aber wohl nur vorläufig.« Smith zündete sich seine eigene Zigarre an.

»Wie kommen Sie darauf?«

»Als Lous Nachfolger sind Sie hier aufgeschmissen. Ich

sage das nur, weil die Leute hier gern mit Geschäftspartnern arbeiten, die sie kennen. Und Sie sind ein völlig unbeschriebenes Blatt – nichts für ungut.«

»Wen würden Sie denn vorschlagen?«

Smith überlegte. »Rickie Pozzetta.«

Dion reckte das Kinn, als er den Namen hörte. »Pozzetta könnte nicht mal 'nen Köter zum nächsten Hydranten führen.«

»Dann Delmore Sears.«

»Noch so ein Schwachkopf.«

»Tja, also … und wenn ich übernehmen würde?«

»Gar keine so schlechte Idee«, sagte Joe.

Gary L. Smith hob die Hände. »Aber nur, wenn Sie glauben, dass ich der Richtige für den Job bin.«

»Durchaus. Wir müssten nur erst mal rauskriegen, wieso die letzten drei Ladungen abgefangen worden sind.«

»Sie meinen die, die für den Norden bestimmt waren?«

Joe nickte.

»Das war einfach Pech, wenn Sie mich fragen. So was passiert schon mal.«

»Warum ändern Sie die Routen dann nicht?«

Smith nahm einen Federhalter zur Hand und kritzelte etwas auf ein Stück Papier. »Gute Idee, Mr. Coughlin.«

Joe nickte.

»Eine ausgezeichnete sogar. Das sollten wir wirklich ins Auge fassen.«

Joe betrachtete den Mann, sah zu, wie sich der Rauch seiner Zigarre im diffusen Licht kräuselte und nach oben stieg, musterte ihn so lange, bis ein irritiertes Flackern in Smiths Blick trat.

»Wieso kommen die Melasselieferungen so unregelmäßig?«

»Oh«, sagte Smith. »So sind die Kubaner eben. Da haben wir keinen Einfluss.«

»Vor zwei Monaten«, sagte Dion, »kamen vierzehn Lieferungen in einer Woche. Drei Wochen später waren es nur fünf, und letzte Woche kam überhaupt nichts.«

»Wir reden hier nicht vom Zementmischen«, sagte Gary L. Smith. »Wir haben diverse Lieferanten mit unterschiedlichen Terminplänen, und was sollen die machen, wenn gerade auf irgendeiner Zuckerrohrplantage gestreikt wird? Oder der Kapitän des betreffenden Boots plötzlich krank wird?«

»Dann übernimmt einfach ein anderer Lieferant«, sagte Joe.

»So einfach ist das nicht.«

»Weshalb?«

Smith klang so müde, als müsse er einer Katze erklären, wie ein Flugzeug funktioniert. »Weil alle für dieselbe Gruppe arbeiten.«

Joe zog ein Notizbuch aus seiner Tasche und schlug es auf. »Wir sprechen hier von der Suarez-Familie, richtig?«

Smith warf einen Blick auf das Notizbuch. »Ja. Ihnen gehört das Tropicale auf der Siebten.«

»Sie sind also die einzigen Anbieter?«

»Nein, habe ich doch gerade gesagt.«

Joe verengte die Augen. »Was haben Sie gesagt?«

»Na ja, wir beziehen schon einiges über sie, aber da sind eben auch noch jede Menge andere. Dieser Ernesto zum Beispiel, so ein alter Knabe mit einer hölzernen Hand. Mal ehrlich, ist das zu glauben? Der Kerl –«

»Wenn alle Zulieferer für denselben Anbieter arbeiten, hält der das Monopol. Die Suarez bestimmen über die Preise, und alle anderen unterwerfen sich ihrem Diktat, richtig?«

Smith gab einen entnervten Seufzer von sich. »Im Prinzip schon.«

»Im Prinzip?«

»Wie gesagt, das ist alles nicht so einfach.«

»Warum nicht?«

Joe wartete. Dion wartete. Smith zündete sich seine Zigarre wieder an. »Weil es eben noch andere Bereiche gibt. Da sind die Boote, die –«

»Das sind Subunternehmer, weiter nichts«, sagte Joe. »Ich will direkt mit den Auftraggebern verhandeln. Mit den Suarez. Und deshalb möchte ich so schnell wie möglich persönlich mit ihnen sprechen.«

»Das geht nicht«, sagte Smith.

»Ah ja?«

»Mr. Coughlin, Sie verstehen einfach nicht, wie es hier in Ybor läuft. *Ich* verhandle mit Esteban Suarez und seiner Schwester. Ich verhandle mit allen Mittelsmännern.«

Joe schob Smith das Telefon zu. »Rufen Sie sie an.«

»Sie hören mir nicht zu, Mr. Coughlin.«

»Doch, das tue ich«, erwiderte Joe sanft. »Sie rufen jetzt die Suarez an und richten ihnen aus, dass mein Partner und ich heute Abend ins Tropicale kommen – wir hätten gern den besten Tisch und würden uns freuen, wenn sie ein paar Minuten ihrer wertvollen Zeit für uns erübrigen könnten.«

»Warum nehmen Sie sich nicht erst mal ein paar Tage Zeit, um sich mit den hiesigen Sitten vertraut zu machen?«, gab Smith zurück. »Glauben Sie mir, anschließend werden Sie sich bei mir bedanken, dass ich Ihnen diesen Anruf ausgeredet habe. Und dann treffen wir uns mit den beiden – versprochen.«

Joe griff in seine Jackentasche. Er kramte ein bisschen Kleingeld heraus und legte es auf den Schreibtisch. Dann folgten seine Zigaretten, die Uhr seines Vaters und seine 32er, die er so vor der Schreibunterlage plazierte, dass der Lauf auf Smith zeigte. Er schüttelte eine Zigarette aus der Packung, den Blick weiter auf Smith gerichtet, während dieser zum Hörer griff und darauf wartete, verbunden zu werden.

Joe rauchte, während Smith auf Spanisch in den Hörer sprach. Dion übersetzte ein bisschen, und schließlich hängte Smith auf.

»Er hat uns einen Tisch für neun Uhr reserviert«, sagte Dion.

»Ich habe Ihnen einen Tisch für neun Uhr reserviert«, sagte Smith.

»Besten Dank.« Joe schlug die Beine übereinander. »Die beiden sind Geschwister, richtig?«

Smith nickte. »Ja. Esteban und Ivelia Suarez.«

»Sagen Sie mal, Gary –«, begann Joe und riss einen losen Faden von seiner Socke ab. »Kriegen Sie Ihre Anweisungen *direkt* von Albert White?« Er ließ den Faden zwischen seinen Fingern baumeln und dann auf Gary L. Smiths Teppich fallen. »Oder gibt's da einen Mittelsmann, den wir noch nicht kennen?«

»Was?«

»Wir haben Ihre Flaschen markiert, Smith.«

»Wie bitte?«

»Alle Flaschen, die von Ihren Leuten abgefüllt worden sind«, sagte Dion. »Vor ein paar Monaten haben wir damit angefangen. Kleine Punkte in der oberen rechten Ecke des Etiketts.«

Gary lächelte Joe an, als könne er sich nichts Abstruseres vorstellen.

»Tja, die ganzen Lieferungen, die nicht angekommen sind«, sagte Joe. »Fast alle Flaschen sind in einem von Albert Whites Speakeasys gelandet.« Er schnippte seine Zigarettenasche auf den Schreibtisch. »Haben Sie eine Erklärung dafür?«

»Ich verstehe kein Wort.«

»Tatsächlich nicht?«

»Nein. Ich –«

Joe griff nach seiner Waffe. »Und ob Sie verstehen.«

Gary lächelte, ehe sein Lächeln plötzlich wie weggewischt war. Dann lächelte er doch wieder. »Sie irren sich. Und jetzt mal ganz mit der Ruhe.«

»Sie haben Albert White über unsere Lieferungen und Schmuggelrouten im Nordosten informiert.« Joe leerte das Magazin der 32er und ließ die Patronen in seine Handfläche gleiten.

»Hey, hey«, sagte Gary.

Joe spähte mit einem Auge den Lauf entlang. »Da ist noch eine in der Kammer«, sagte er zu Dion.

»Sollte man grundsätzlich so halten. Nur für den Fall.«

»Was für 'nen Fall?« Joe ließ die Patrone aus der Kammer springen, fing sie auf und legte sie auf den Schreibtisch – so, dass die Spitze auf Gary zeigte.

»Keine Ahnung«, sagte Dion. »Den Fall der Fälle eben.«

Joe rammte das Magazin zurück in den Griff, drückte

eine Patrone in die Kammer und legte die Waffe in seinen Schoß. »Auf dem Weg hierher habe ich mir von Dion Ihr Haus zeigen lassen. Hübsch da draußen. Die Gegend heißt Hyde Park, stimmt's?«

»Äh, ja.«

»Komisch.«

»Was?«

»Bei uns in Boston gibt's auch einen Hyde Park.«

»Oh. Das ist wirklich komisch.«

»Jedenfalls ein interessanter Zufall.«

»Ja.«

»Und hübsch verputzt.«

»Was?«

»Na ja, Ihr Haus. Ein wahres Schmuckstück. Gefällt's Ihnen dort?«

»Bitte?«

»In Ihrem Prachtbau. Gefällt's Ihnen dort?«

»Nun ja, inzwischen ist es ein bisschen groß für mich und meine Frau, nachdem die Kinder...«

»Was?«

»Sie sind erwachsen. Sie wohnen nicht mehr bei uns.«

Joe kratzte sich mit dem Lauf der 32er am Hinterkopf. »Sie werden das Haus jedenfalls umgehend räumen.«

»Ich –«

»Oder Sie beauftragen ein Umzugsunternehmen.« Joe zog die Augenbrauen hoch und sah zum Telefon. »Die können Ihren Kram dann ja an Ihre neue Adresse schicken.«

Smith versuchte die Illusion aufrechtzuerhalten, dass er nach wie vor Herr der Lage war. »Neue Adresse? Sie kriegen mich hier nicht weg.«

Joe stand auf und griff in die Innentasche seines Jacketts. »Vögeln Sie die Kleine?«

»Was? Wen?«

Joe deutete mit dem Daumen auf die Tür hinter sich. »Miss Roe.«

»*Was?*«, platzte Smith heraus.

Joe sah zu Dion. »Er vögelt sie.«

Dion erhob sich ebenfalls. »Jede Wette.«

Joe förderte zwei Zugfahrkarten zutage. »Ein echtes Kunstwerk, die Frau. Wer in ihr einschläft, kommt dem Himmel bestimmt ziemlich nahe. Was soll einen danach noch kratzen?«

Er legte die Tickets auf den Schreibtisch.

»Mir ist egal, wer Sie begleitet – Ihre Frau, Miss Roe, von mir aus auch beide oder keine. Jedenfalls werden Sie den Zug um elf nehmen. Und zwar heute Abend, Gary.«

Smith gab ein kurzes, trockenes Lachen von sich. »Sie haben offenbar nicht den blassesten Schimmer, was –«

Joe schlug Gary so hart ins Gesicht, dass er von seinem Stuhl fiel und mit dem Kopf gegen die Wand knallte.

Sie warteten, bis er sich wieder aufgerappelt hatte. Smith rückte den Stuhl zurecht und setzte sich wieder. Alles Blut war aus seinem Gesicht gewichen, auch wenn ein paar rote Tropfen seine Wange und seine Lippen sprenkelten. Dion warf ihm ein Taschentuch zu.

»Nehmen Sie lieber den Zug, Gary«, sagte Joe, während er seine Patrone vom Schreibtisch klaubte. »Sonst legen wir Sie drunter.«

Auf dem Weg zum Wagen sagte Dion: »Hast du das ernst gemeint?«

»Und ob.« Plötzlich war Joe gereizt, auch wenn er nicht genau wusste, warum. Manchmal überkamen ihn diese düsteren Anwandlungen aus heiterem Himmel. Er wünschte, er hätte sagen können, dass es ihm erst seit dem Gefängnis so ging, doch tatsächlich befielen ihn solche depressiven Schübe schon, solange er zurückdenken konnte – und zuweilen ohne jeden ersichtlichen Grund. In diesem Fall aber vielleicht wegen Smiths Bemerkung, dass er Kinder hatte – die Vorstellung, gerade einen Mann gedemütigt zu haben, der auch ein Privatleben hatte, wollte ihm ganz und gar nicht behagen.

»Du willst ihn also umlegen, wenn er nicht den Zug nimmt?«

Vielleicht aber auch nur, weil er einfach zu finsteren Stimmungen neigte.

»Nein.« Joe blieb an der Beifahrertür stehen und wartete. »Das erledigen unsere Leute.« Er sah Dion an. »Glaubst du, ich würde mir die Hände selbst schmutzig machen?«

Dion öffnete den Wagenschlag, und Joe stieg ein.

12

Schwere Kaliber

Joe hatte Maso gebeten, ihn in einem Hotel unterzubringen. Während des ersten Monats hier unten wollte er sich ausschließlich auf geschäftliche Dinge konzentrieren – und sich keine Gedanken darüber machen, wo er die nächste Mahlzeit herbekam, wer sich um die Wäsche kümmerte und wie lange sich vor ihm jemand im Bad aufhielt. Maso hatte ihm ein Zimmer im Tampa Bay Hotel reservieren lassen; der Name klang keineswegs nach Absteige, auch wenn Joe ihn ein wenig phantasielos fand. Er ging davon aus, dass es dort ordentliche Betten mit flachen Kissen und fades, aber sättigendes Essen gab.

Stattdessen steuerte Dion nun geradewegs auf einen Palast mit Blick aufs Wasser zu. Als Joe seinen Gedanken laut aussprach, sagte Dion: »So wird der Schuppen hier auch genannt – Plant's Palace.« Henry Plant hatte es erbaut, der Eisenbahnmagnat, der fast ganz Florida touristisch erschlossen hatte, um Investoren zu ködern, die in den vergangenen zwei Jahrzehnten hier unten wie Heuschrecken eingefallen waren.

Ehe Dion vor dem Eingang vorfahren konnte, kreuzte ein Zug ihren Weg. Und zwar keine Spielzeugeisenbahn, sondern ein Transkontinentalzug, der eine gute Viertelmeile lang war. Joe und Dion, nur einen Steinwurf vom Hotelparkplatz entfernt, sahen zu, wie der Zug hielt und reiche Männer, reiche Frauen und ihre reichen Kinder ausspie. Während sie warteten, zählte Joe über hundert Fenster in dem riesigen roten Backsteingebäude des Hotels. Hoch oben erblickte er eine Reihe von Gauben, hinter denen sich vermutlich die Suiten befanden, und über den Gauben ragten sechs Minarette in den grellweißen Himmel – ein russischer Winterpalast inmitten des trockengelegten Sumpflands von Florida.

Ein neureiches Paar in gestärkten weißen Edelklamotten stieg aus dem Zug, gefolgt von drei Kindermädchen und drei ebenso herausgeputzten Kindern. Zwei schwarze Gepäckträger schoben Wagen mit aufeinandergestapelten Überseekoffern hinter ihnen her.

»Lass uns später wiederkommen«, sagte Joe.

»Wieso?«, gab Dion zurück. »Lass uns doch erst mal deine Sachen reinbringen, und dann –«

»Später.« Joe blickte den Neureichen hinterher, die so selbstverständlich über die Schwelle spazierten, als wären sie in doppelt so großen Häusern aufgewachsen. »Ich habe keine Lust, Schlange zu stehen.«

Dion sah ihn an, als wolle er noch etwas hinzufügen, doch dann seufzte er nur leise und wendete. Sie fuhren die Straße zurück, über ein paar kleine Holzbrücken und an einem Golfplatz vorbei. Ein älteres Paar saß in einer Rikscha, die von einem schmächtigen Latino mit langärmligem weißen Hemd und weißer Hose gezogen wurde. Hölzerne Schilder wiesen den Weg zu den Shuffleboard-Courts, dem hoteleigenen Jagdrevier, den Kanus, den Tennisplätzen und einer Pferderennbahn. Der Golfplatz war grüner, als Joe es sich bei der Hitze hätte vorstellen können. Die meisten Golfer waren weiß gekleidet, und selbst die Männer hatten Sonnenschirme dabei; aus der Entfernung drang ihr Gelächter zu Joe herüber.

Sie fuhren auf die Lafayette und dann ins Stadtzentrum. Dion klärte Joe darüber auf, dass die Suarez zwischen Kuba und Florida hin- und herpendelten und kaum jemand Genaueres über sie wusste. Dem Hörensagen nach war Ivelia mit einem Mann verheiratet gewesen, der 1912 während der Arbeiterrevolte auf den Zuckerrohrplantagen ums Leben gekommen war. Außerdem ging das Gerücht, sie habe die Geschichte nur in die Welt gesetzt, um von ihren sexuellen Präferenzen abzulenken.

»Esteban«, fuhr Dion fort, »gehört eine ganze Reihe von Unternehmen, sowohl hier als auch auf Kuba. Junger Bursche, um einiges jünger als seine Schwester, aber verdammt clever. Sein Vater hat noch mit Ybor persönlich Geschäfte gemacht, als Ybor –«

»Moment mal«, unterbrach Joe ihn. »Die Stadt ist nach einer Person benannt?«

»Ja, klar«, sagte Dion. »Nach Vicente Ybor. Einem Zigarrenbaron.«

»Das nenne ich Macht«, sagte Joe. Östlich von ihnen sah er Ybor City, ein schmuckes Städtchen, das ihn aus der Entfernung einmal mehr an New Orleans erinnerte.

»Also, ich weiß nicht«, sagte Dion. »Coughlin City?« Er schüttelte den Kopf. »Klingt irgendwie nach gar nichts.«

»Stimmt«, sagte Joe. »Und Coughlin County?«

Dion lachte. »Schon besser.«

»Hat was, oder?«

»Sag mal, bist du im Gefängnis größenwahnsinnig geworden?«, fragte Dion.

»Du kannst ja weiter kleine Brötchen backen«, gab Joe zurück.

»Warum dann nicht gleich Coughlin Country? Nee, warte mal ... Coughlin *Continent*.«

Dion röhrte los und schlug mit der flachen Hand auf das Lenkrad, und Joe stimmte in sein Lachen ein, selbst ein wenig verblüfft darüber, wie sehr ihm sein alter Freund gefehlt hatte – es würde ihm das Herz brechen, wenn er gegen Ende der Woche womöglich seine Ermordung in Auftrag geben musste.

Dion fuhr die Jefferson in Richtung der Gerichts- und Amtsgebäude; als sie in einen kleinen Stau gerieten, wurde die Hitze im Auto wieder unerträglich.

»Und was steht als Nächstes auf der Agenda?«, fragte Joe.

»Willst du Heroin? Morphium? Koks?«

Joe schüttelte den Kopf. »Habe ich alles in der Fastenzeit drangegeben.«

»Falls dir mal wieder danach ist, bist du hier jedenfalls an der richtigen Adresse, Alter. Tampa, Florida – Drogenhauptstadt des Südens.«

»Weiß die Handelskammer davon?«

»Ja, und es stinkt ihnen gewaltig. Egal, eigentlich wollte ich darauf hinaus ...«

»Ach, die Pointe kommt noch«, sagte Joe.

»Ich hab durchaus meine lichten Momente«, erwiderte Dion.

»Dann mal raus mit der Sprache.«

»Einer von Estebans Jungs, Arturo Torres heißt er, ist letzte Woche mit Kokain erwischt worden. Unter normalen

Umständen wäre er eine halbe Stunde später wieder draußen gewesen, aber im Augenblick schnüffelt hier eine Son-
dereinheit herum. Vor ein paar Wochen ist die Steuerfahn-
dung angerückt, zusammen mit einem Haufen Richtern,
und seitdem ist die Kacke am Dampfen. Jedenfalls soll Arturo abgeschoben werden.«

»Und was juckt uns das?«

»Er ist Estebans bester Brenner. Wenn hier eine Flasche
Rum mit Arturos Initialen im Angebot ist, zahlst du das
Doppelte.«

»Und wann soll er abgeschoben werden?«

»In ungefähr zwei Stunden.«

Joe zog den Hut tief in die Stirn und ließ sich tiefer in
den Sitz sinken. Die lange Zugfahrt, die Hitze, die tausend
Dinge, die ihm im Kopf herumgingen, der nervtötende Anblick reicher weißer Leute in ihren teuren weißen Klamotten – all das machte ihn plötzlich hundemüde. »Weck mich,
wenn wir da sind«, sagte er.

Nachdem sie mit dem Richter gesprochen hatten, statteten
sie Chief Irving Figgis vom Tampa Police Department einen
Höflichkeitsbesuch ab.

Das Polizeipräsidium befand sich an der Ecke Florida
und Jackson; inzwischen war Joe mit den Örtlichkeiten vertraut genug, um zu erkennen, dass er hier jeden Tag auf dem
Weg vom Hotel nach Ybor vorbeikommen würde. In dieser
Hinsicht waren die Cops wie Nonnen – stets erinnerten sie
einen daran, dass man unter Beobachtung stand.

»Er hat gefragt, ob du nicht auf einen Sprung vorbeikommen könntest«, erklärte Dion, als sie die Treppe im Präsidium erklommen. »Damit er dich nicht extra aufsuchen muss.«

»Wie ist er denn so?«

»Er ist ein Bulle, also ein Arschloch«, sagte Dion. »Davon abgesehen ist er in Ordnung.«

Figgis saß hinter seinem Schreibtisch, umgeben von lauter Fotos, die seine Frau, seinen Sohn und seine Tochter zeigten, alle drei rothaarig und außergewöhnlich hübsch; die Kinder hatten eine so makellose Haut, als seien sie von Engeln blank geschrubbt worden. Der Chief schüttelte Joe die Hand, sah ihm offen in die Augen und bat ihn, Platz zu nehmen. Irving Figgis war weder besonders groß noch besonders muskulös, sondern von unscheinbarer, eher schmächtiger Statur; sein graues Haar war raspelkurz geschnitten. Er sah aus wie ein Mann, der durchaus mit sich reden ließ, wenn man ihm auf Augenhöhe begegnete, aber auch wie einer, der einem die Hölle doppelt so heiß machte, wenn man ihn für dumm verkaufte.

»Reden wir nicht lange um den heißen Brei herum«, sagte er. »Ich werde Sie nicht fragen, womit Sie Ihre Brötchen verdienen, und Sie brauchen mir keine Märchen zu erzählen. Okay?«

Joe nickte.

»Stimmt es, dass Sie der Sohn eines Polizeicaptains sind?«

Joe nickte abermals. »Ja, Sir.«

»Dann wissen Sie ja Bescheid.«

»Inwiefern, Sir?«

»Darüber, dass wir« – er zeigte zwischen Joe und sich

hin und her – »einen Job haben.« Dann deutete er auf die Fotos. »Aber auch noch ein anderes Leben.«

Joe nickte. »Und sie werden nie zueinanderfinden.«

Chief Figgis lächelte. »Ich habe schon gehört, dass Sie gebildet sind.« Ein kurzer Seitenblick auf Dion. »Was man ja wahrlich nicht von jedem in Ihrer Branche behaupten kann.«

»Oder auch in Ihrer«, sagte Dion.

Figgis tippte sich zustimmend an den Kopf. Er musterte Joe milde. »Bevor ich nach Tampa gekommen bin, war ich Soldat und U.S. Marshal. In Ausübung meiner Pflicht habe ich sieben Männer getötet.« Kein bisschen Stolz widerklang in seinen Worten.

Sieben?, dachte Joe. Du lieber Himmel.

Der Blick des Chiefs blieb so milde und gleichmütig wie zuvor. »Ich habe sie getötet, weil es mein Job war. Ich empfinde weder Freude noch Genugtuung, wenn ich daran zurückdenke, und um der Wahrheit die Ehre zu geben, verfolgen mich ihre Gesichter noch heute so manche Nacht im Schlaf. Wenn mir morgen aber nichts anderes übrigbliebe, als einen achten Mann zu töten, damit die Bürger dieser Stadt ruhig schlafen können, würde ich es tun, ohne mit der Wimper zu zucken. Verstehen wir uns so weit?«

»Absolut«, sagte Joe.

Chief Figgis trat an eine Karte der Stadt, die hinter seinem Schreibtisch an der Wand hing, und beschrieb mit dem Zeigefinger langsam einen kleinen Kreis um Ybor City. »Wenn Sie sich auf dieses Gebiet beschränken – nördlich der Zweiten, südlich der Siebenundzwanzigsten, westlich der Vierunddreißigsten und östlich der Nebraska Avenue –, werden wir uns kaum ins Gehege kommen.« Er zog eine Augenbraue hoch. »Na, wie hört sich das an?«

»Klingt gut«, sagte Joe, während er sich fragte, wann Figgis seinen Preis nennen würde.

Der Chief las die Frage aus Joes Blick heraus, und einen Moment lang verfinsterte sich seine Miene. »Ich nehme kein Schmiergeld. Wäre ich bestechlich, würden drei der Männer, die ich getötet habe, noch leben.« Er setzte sich auf die Schreibtischkante und sprach mit leiser Stimme weiter. »Ich mache mir keine Illusionen über die Geschäfte in unserer Stadt, mein junger Freund. Würden Sie mich privat fragen, wie ich über die Prohibition denke, könnten Sie dabei zuschauen, wie mir der Hut hochgeht. Ich weiß, dass viele meiner Männer für ein paar Scheine jederzeit in die andere Richtung sehen. Ich weiß, dass in dieser Stadt die Korruption blüht. Ich weiß, dass wir in einer durch und durch schlechten Welt leben. Aber nur, weil ich korrupte Luft atme und von korrupten Kollegen umgeben bin, sollten Sie nicht den Fehler machen, auch mich für korrupt zu halten.«

Joe nahm Figgis genau ins Auge, forschte nach Spuren von Arroganz, Stolz oder Selbstherrlichkeit in seinen Zügen – den üblichen Schwächen von Männern, die es aus eigener Kraft nach oben geschafft hatten.

Doch er sah nichts als stille Entschlossenheit.

Joe kam zu dem Schluss, dass sie den Chief besser nicht unterschätzen sollten.

»Das werde ich sicher nicht tun«, sagte Joe.

Chief Figgis streckte die Rechte aus, und Joe schüttelte sie.

»Danke, dass Sie vorbeigesehen haben. Und Vorsicht in

der Sonne.« Ein Anflug von Schalk blitzte in seinen Augen auf. »Ihr Teint wirkt nicht gerade feuerfest.«

»Hat mich sehr gefreut, Chief.«

Als Dion die Tür für ihn öffnete, stand plötzlich ein junges Mädchen vor Joe, außer Atem, aber sprühend vor Energie. Es war das wunderschöne rothaarige Mädchen, das er auf den Fotos gesehen hatte; ihr rosig-goldener Teint war so zart, dass ein sanftes Strahlen von ihr ausging. Joe schätzte sie auf etwa siebzehn. Einen Moment lang verschlug es ihm regelrecht die Sprache, und er brachte lediglich ein zögerliches »Miss« hervor. Dennoch weckte ihre Schönheit keinerlei Begierde in ihm. Sie hatte etwas Heiliges an sich, das man nicht beschmutzen, sondern verehren, ja anbeten wollte.

»Entschuldige, Vater«, sagte sie. »Ich dachte, du wärst allein.«

»Du störst nicht, Loretta. Die Gentlemen wollten sowieso gerade gehen.« Er hielt kurz inne. »Denk an deine Manieren.«

»Oh, tut mir leid, Vater.« Sie wandte sich zu Joe und Dion und machte einen kleinen Knicks. »Miss Loretta Figgis, Gentlemen.«

»Joe Coughlin, Miss Loretta. Sehr erfreut.«

Als Joe ihr die Hand schüttelte, wäre er am liebsten vor ihr auf die Knie gegangen. Den ganzen Nachmittag über wollte ihm ihre Unschuld nicht mehr aus dem Kopf gehen, und immer wieder beschäftigte ihn die Frage, wie schwierig es sein musste, Vater eines so zerbrechlichen Geschöpfs zu sein.

Ihr Tisch im Vedado Tropicale, der sich rechts von der Bühne befand, bot ihnen beste Sicht auf die Band und die Tänzerinnen. Es war noch so früh am Abend, dass die Combo – ein Schlagzeuger, ein Pianist, ein Trompeter und ein Posaunist – zwar schwungvoll aufspielte, aber noch nicht richtig losfetzte. Die Kostüme der Tänzerinnen waren kaum mehr als dünne blassblaue Fähnchen, dazu trugen sie Kopfschmuck in derselben Farbe: paillettenbesetzte Stirnbänder mit Federbüschen, silberne Haarnetze mit matt glänzenden Perlenrosetten und Fransen. Beim Tanzen stemmten sie die eine Hand in die Hüfte, während sie die andere in die Luft reckten oder ins Publikum deuteten, und ließen gerade genug nackte Haut sehen, um bei den speisenden Gattinnen keinen Anstoß zu erregen und gleichzeitig sicherzustellen, dass die Herren eine Stunde später wiederkommen würden.

Joe fragte Dion, ob es sich um das beste Restaurant der Stadt handelte.

Dion grinste, eine Gabel mit *lechón asado* und gebratener Yucca vor dem Mund. »Von ganz Florida.«

Joe lächelte. »Zugegeben, gar nicht übel.« Joe hatte *ropa vieja* mit schwarzen Bohnen und gelbem Reis bestellt. Er wischte seinen Teller sauber und wünschte, die Portion wäre größer gewesen.

Der Maître d' trat zu ihnen und informierte sie darüber, dass ihre Gastgeber zum Kaffee bitten ließen. Joe und Dion folgten ihm über den weißgefliesten Boden, an der Bühne vorbei und durch einen dunklen Vorhang. Dahinter lag ein Korridor, der mit dem gleichen Eichenholz ausgekleidet war, aus dem Rumfässer gemacht wurden, und Joe fragte sich, ob sie einfach ein paar Hundert über den Golf geschippert hatten. Tatsächlich mussten es deutlich mehr gewesen sein, da das Büro ebenso vertäfelt war.

Kühl war es hier. Schwarzer Steinfußboden, von der Decke hingen schwere Ventilatoren, die sich knarrend unter den Querbalken drehten. Durch die geöffneten Lamellen der honigfarbenen Jalousien sah man den Abendhimmel; von draußen drang das unablässige Summen der Libellen herein.

Esteban Suarez war ein schmaler Mann mit hellem Teint, der an die Farbe dünnen Tees erinnerte. Er hatte die blassen gelben Augen einer Katze, und sein mit Pomade nach hinten gekämmtes Haar war so dunkel wie der Rum, der sich in der Flasche auf seinem Kaffeetisch befand. Er trug einen Abendanzug und eine schwarze Seidenkrawatte, begrüßte sie mit breitem Lächeln und festem Handschlag, ehe er sie bat, in zwei Lehnsesseln Platz zu nehmen. Auf dem kupfernen Tisch standen vier Tässchen mit kubanischem Kaffee, vier Wassergläser und die Flasche Suarez Reserve Rum, die Joe bereits ins Auge gefallen war.

Estebans Schwester Ivelia erhob sich und streckte die Hand aus. Joe verbeugte sich und hauchte einen Handkuss über ihre Knöchel. Sie war deutlich älter als ihr Bruder; dunkle Haut spannte sich über einem langen Kinn und ausgeprägten Wangenknochen. Ihre Brauen waren so dick wie Seidenwürmer, und die großen Augen wölbten sich vor, als sei ihr Schädel ein Gefängnis, dem sie vergeblich zu entkommen versuchten.

»Wie war Ihr Essen?«, fragte Esteban, als sie sich gesetzt hatten.

»Ausgezeichnet«, sagte Joe. »Vielen Dank.«

Esteban schenkte ihnen ein und erhob sein Glas. »Auf eine gedeihliche Zusammenarbeit.«

Sie tranken. Joe war verblüfft, wie weich und aromatisch der Rum schmeckte. So bekam man das also hin, wenn die Maische länger als eine Woche gären konnte und einem für die Destillierung mehr als eine Stunde zur Verfügung stand. Wahnsinn.

»Wirklich erstklassig. Außergewöhnlich sogar.«

»Fünfzehn Jahre gereift«, sagte Esteban. »Die Ansicht der Spanier, dass weißer Rum der bessere sei, habe ich noch nie geteilt.« Er schüttelte den Kopf und schlug die Beine übereinander. »Aber bei uns Kubanern gilt ja generell das Motto ›Je heller, desto besser‹ – selbstredend auch für Haare, Haut und Augenfarbe.«

Da die Suarez von Spaniern und nicht von Afrikanern abstammten, hatten sie selbst recht helle Haut.

»Ja.« Esteban hatte Joes Gedanken erraten. »Meine Schwester und ich stammen aus komfortablen Verhältnissen. Was aber nicht heißt, dass wir mit der Gesellschaftsordnung auf unserer Insel einverstanden sind.«

Er trank einen weiteren Schluck Rum, und Joe tat es ihm nach.

»Wäre doch nett, wenn wir das hier auch im Norden verkaufen könnten.«

Ivelia gab ein kurzes, scharfes Lachen von sich. »Eines schönen Tages vielleicht, wenn ihre Regierung sie wieder wie Erwachsene behandelt.«

»Das hat keine Eile«, sagte Joe. »Sonst wären wir ja plötzlich arbeitslos.«

»Für meine Schwester und mich spielt das ohnehin keine

Rolle«, sagte Esteban. »Außer diesem Restaurant betreiben wir noch zwei in Havanna und eins in Key West. Außerdem gehören uns eine Zuckerplantage in Cardenas und eine Kaffeeplantage in Marianao.«

»Wieso machen Sie dann überhaupt Geschäfte mit uns?«

Estebans Schultern zuckten unter seinem perfekt sitzendem Jackett. »Geld.«

»Sie meinen, noch mehr Geld.«

Esteban hob sein Glas. »Man kann seine Dollars eben auch anders investieren.« Mit weit ausholender Geste deutete er durch den Raum. »Das sind doch alles nur Dinge.«

»Sagte der Mann, der sowieso schon alles hatte«, sagte Dion, und Joe warf ihm einen warnenden Blick zu.

Erst jetzt fiel ihm auf, dass an der einen Wand des Büros Dutzende von Schwarzweißfotografien hingen – Aufnahmen von Straßenszenen, Nachtclubfassaden und ein paar völlig heruntergekommenen Dörfern, Ansammlungen von halbverfallenen Hütten, die aussahen, als ob sie beim leisesten Lüftchen einstürzen würden.

Ivelia folgte seinem Blick. »Die Bilder hat mein Bruder gemacht.«

»Im Ernst?«, sagte Joe.

Esteban nickte. »Drüben auf Kuba. Ist mein Hobby.«

»Von wegen Hobby«, sagte seine Schwester spöttisch. »Die Fotos meines Bruders sind im TIME Magazine erschienen.«

Esteban tat das mit einem Schulterzucken ab.

»Tolle Bilder«, sagte Joe.

»Vielleicht knipse ich Sie eines Tages auch mal, Mr. Coughlin.«

»Daraus wird leider nichts.« Joe schüttelte den Kopf. »Da halte ich es wie die Indianer.«

Esteban lächelte trocken. »Tja, da wir gerade von armen Seelen reden – mit großem Bedauern habe ich vernommen, dass Señor Ormino gestern Nacht von uns gegangen ist.«

»Mit großem Bedauern?«, fragte Dion.

Esteban lachte so leise, dass es sich mehr wie ein Ausatmen anhörte. »Außerdem ist mir zu Ohren gekommen, dass ein Zug mit Gary L. Smith an Bord die Stadt verlassen hat. Seine Frau und seine *puta maestra* sollen auch dabei gewesen sein, die Damen allerdings in verschiedenen Waggons. Offenbar hatte er reichlich Koffer dabei, auch wenn es so aussah, als hätte er in aller Eile packen müssen.«

»Ein kleiner Tapetenwechsel eröffnet einem zuweilen ganz neue Perspektiven«, sagte Joe.

»Auch in Ihrem Fall?«, warf Ivelia ein. »Wollen Sie hier in Ybor ein neues Leben anfangen?«

»Ich bin hierhergekommen, um teuflisch guten Rum zu brennen. Aber momentan sehe ich da ziemlich schwarz, so wie es mit dem Nachschub läuft.«

»Wir kontrollieren eben auch nicht jedes Boot und jeden Zollbeamten.«

»Von wegen.«

»Und auf die Gezeiten haben wir erst recht keinen Einfluss.«

»Der Bootsverkehr nach Miami ist jedenfalls nicht beeinträchtigt worden.«

»Und was habe ich mit Miami zu schaffen?«

»Schon klar.« Joe nickte. »Das ist Nestor Famosas Domäne. Wie auch immer, meinen Geschäftspartnern hat Famosa gesagt, dass die See selten so ruhig war wie in diesem Sommer. Und soweit mir bekannt, erzählt Señor Famosa für gewöhnlich keine Märchen.«

»Was Sie jetzt mir unterstellen wollen.« Esteban schenkte ihnen allen noch einmal nach. »Sie bringen Señor Famosa doch nur ins Spiel, um mir durch die Blume zu sagen, dass er unsere Transportrouten übernimmt, wenn ich mich nicht mit Ihnen einigen kann.«

Joe nippte an seinem Glas. »Ich habe Famosa nur erwähnt – du liebe Güte, das ist ja ein Traum von einem Rum –, um zu unterstreichen, dass die See in diesem Sommer bislang ruhig war. Außergewöhnlich ruhig, wie mir zugetragen wurde. Ich spreche nicht mit gespaltener Zunge, Señor Suarez, und genauso wenig spreche ich in Rätseln. Fragen Sie Gary L. Smith, wenn Sie mir nicht glauben. Ich will mit Ihnen direkt verhandeln und nicht über irgendwelche Mittelsmänner. Ich kaufe alles an Zucker und Melasse, was Sie zu bieten haben, und ich würde vorschlagen, dass wir gemeinsam in eine neue Destillerie investieren, statt weiter minderwertigen Sprit in diesem Rattenloch unter der Seventh Avenue zu produzieren. Und was Lou Ormino angeht: Die Stadträte, Cops und Richter, die er in der Tasche hatte, tanzen jetzt nach meiner Pfeife, Männer, die einen Kubaner nicht mal mit dem Arsch angucken würden, egal, aus welch hochwohlgeborenen Verhältnissen er auch stammen mag. Und durch mich können Sie Einfluss auf diese Männer nehmen.«

»Mr. Coughlin, Señor Ormino ist nur an diese Polizisten und Richter herangekommen, weil Señor Smith sein verlängerter Arm war. Diese Leute würden sich mit einem Italiener ebenso wenig abgeben wie mit einem Kubaner. Für die sind wir allesamt Latinos, dunkelhäutiges Gesindel, gerade gut genug, um für sie zu ackern, aber sonst zu nichts nütze.«

»Gut, dass ich Ire bin«, sagte Joe. »Der Name Arturo Torres sagt Ihnen bestimmt etwas.«

Kaum merklich hob Esteban die Augenbrauen.

»Er sollte heute Nachmittag abgeschoben werden«, fuhr Joe fort.

»Das habe ich auch gehört«, sagte Esteban.

Joe nickte. »Arturo ist vor einer halben Stunde aus der Haft entlassen worden – ein kleines Zeichen unseres guten Willens. Wahrscheinlich ist er mittlerweile hier eingetrudelt.«

Einen Moment lang schien Ivelias Gesicht vor Erstaunen noch länger zu werden; ihre Miene wurde merklich freundlicher. Sie blickte zu Esteban. Als er nickte, trat sie an den Schreibtisch und griff zum Telefon. Die Männer genehmigten sich derweil noch einen Schluck Rum.

Ivelia legte auf und setzte sich wieder zu ihnen. »Er ist unten an der Bar.«

Esteban lehnte sich zurück und breitete die Hände aus, den Blick auf Joe gerichtet. »Sie wollen also, dass ich unsere Melasse exklusiv an Sie verkaufe.«

»Nicht exklusiv«, sagte Joe. »Aber weder an die White-Organisation noch an deren Geschäftspartner. Kleinere, unabhängige Unternehmer können ihre Melasse gern weiterhin über Sie beziehen. Über kurz oder lang werden wir sie so oder so mit ins Boot holen.«

»Und dafür erweisen mir Ihre Cops und Politiker den einen oder anderen Gefallen.«

Joe nickte. »Meine Richter nicht zu vergessen. Und nicht nur die, die wir bereits im Sack haben – es kommen noch einige dazu.«

»Für Arturos Abschiebung war ein Bundesrichter zuständig.«

»Ein Bundesrichter, der drei Kinder mit einer Negerin aus Ocala hat. Was seine Frau und Herbert Hoover wohl einigermaßen überraschen würde.«

Esteban wechselte einen langen Blick mit seiner Schwester, ehe er sich wieder Joe zuwandte. »Albert White ist ein guter Kunde. Schon seit längerer Zeit.«

»Seit zwei Jahren«, sagte Joe. »Seit jemand Clive Green in einem Bordell in der East Twenty-Fourth die Kehle durchgeschnitten hat.«

Esteban zog die Augenbrauen hoch.

»Ich war seit März '27 im Gefängnis, Señor Suarez. Ich hatte genug Zeit, meine Hausaufgaben zu machen. Kann Albert White Ihnen dasselbe bieten wie ich?«

»Nein«, räumte Esteban ein. »Aber ich kann mir keinen Krieg mit ihm leisten, beim besten Willen nicht. Schade, dass wir uns nicht vor zwei Jahren kennengelernt haben.«

»Nun, Sie lernen mich jetzt kennen«, erwiderte Joe. »Ich biete Ihnen Richter, Cops, Politiker und eine zentralisierte Produktion, von der wir beide gleichermaßen profitieren würden. Ich habe die zwei schwächsten Glieder in meiner Organisation eliminiert und dafür gesorgt, dass Ihr bester Brenner nicht abgeschoben wird – in der Hoffnung, dass Sie Ihr Embargo gegen uns aufheben. Ich habe es nämlich für einen Wink mit dem Zaunpfahl gehalten, und glauben Sie mir, ich habe die Botschaft verstanden. Sie sagen mir, was ich für Sie tun kann, und ich erledige die Sache. Aber dafür müssen Sie mir auch ein Stück weit entgegenkommen.«

Abermals wechselten Esteban und seine Schwester einen langen Blick.

»Da ist tatsächlich etwas, wobei Sie uns helfen könnten«, sagte Ivelia.

»Was auch immer«, sagte Joe. »Wir kümmern uns darum.«

»Sie wissen doch nicht mal, worum es geht.«

»Und Sie schicken Albert White und seine Geschäftspartner in die Wüste, wenn wir den Job erledigen?«

»Ja.«

»Selbst wenn es dabei zu Blutvergießen kommt.«

»Und dazu wird es kommen«, sagte Esteban.

»Mit Sicherheit«, sagte Joe.

Esteban schwieg einen Moment lang ergriffen, als könne er die Vorstellung nicht ertragen. Doch dann war seine düstere Stimmung schlagartig wie weggeblasen. »Wenn Sie die Sache übernehmen, sieht Albert White von uns keinen Tropfen Melasse oder Rum mehr. Nie wieder.«

»Auch keine Zuckerlieferungen?«

»Nein.«

»Abgemacht«, sagte Joe. »Was brauchen Sie?«

»Waffen.«

»Okay. Welcher Art?«

Esteban griff hinter sich und nahm ein Blatt Papier von seinem Schreibtisch. »Browning-Schnellfeuergewehre, Automatikpistolen und Fünfzig-Kaliber-Maschinengewehre mit Dreibein.«

Joe sah zu Dion, und beide lachten.

»Sonst noch was?«

»Ja«, sagte Esteban. »Granaten. Und Kastenminen.«

»Was, bitte, sind Kastenminen?«

»Ist alles auf dem Schiff«, sagte Esteban.

»Welchem Schiff?«

»Einem Transportschiff des Militärs«, sagte Ivelia. »Pier sieben.« Mit einer Kopfbewegung deutete sie zur Wand hinter sich. »Neun Blocks von hier.«

»Wir sollen ein Kriegsschiff überfallen?«, fragte Joe.

»Genau.« Esteban warf einen Blick auf seine Uhr. »Und möglichst bald, da sie in zwei Tagen auslaufen.« Er reichte Joe ein zusammengefaltetes Stück Papier. Als Joe es entgegennahm, erinnerte er sich an die Besuche seines Vaters im Gefängnis, und er spürte einen Kloß im Hals. Zwei Jahre lang hatte er sich wieder und wieder einzureden versucht, dass jene Zettel – die mit ihnen verbundene Belastung – nichts mit dem Tod seines Vater zu tun gehabt hatten. Und manchmal glaubte er tatsächlich fast daran.

Circulo Cubano, 8:00 Uhr.

»Fragen Sie nach Graciela Corrales«, sagte Esteban. »Alle weiteren Anweisungen erhalten Sie von ihr.«

Joe steckte den Zettel ein. »Ich nehme keine Befehle von Frauen entgegen.«

»Sollten Sie aber«, gab Esteban zurück. »Es sei denn, Ihnen liegt doch nichts daran, dass Albert White aus Tampa verschwindet.«

13

Offene Wunden

Dion fuhr Joe zum Hotel, und Joe bat ihn zu warten, bis er sich entschieden hatte, ob er heute noch einmal ausgehen wollte.

Der Page in seiner roten Samtuniform und dem dazugehörigen Fez sah aus wie ein Zirkusaffe. Er schoss hinter einer Topfpalme auf der Veranda hervor, nahm Joes Koffer an sich und ging voraus zur Rezeption, während Dion am Wagen verblieb. Joe trat an den marmornen Empfangstresen und trug sich mit einem goldenen Federhalter ins Gästebuch ein. Der Rezeptionist, ein energischer Franzose mit unverwüstlichem Lächeln und Augen, die so tot wie die einer Puppe waren, reichte ihm einen Messingschlüssel, an dem eine rote Samtkordel nebst einem schweren goldenen Schildchen mit seiner Zimmernummer hing: 509.

Tatsächlich war es sogar eine Suite, mit einem Bett so groß wie Südboston, eleganten französischen Stühlen und einem eleganten französischen Schreibtisch, von dem aus man die See überblickte. Natürlich gab es auch ein Bad; es war größer als seine Zelle in Charlestown. Der Page zeigte ihm, wo sich die Schalter für die Lampen und Deckenventilatoren befanden. Er öffnete einen Wandschrank aus Zedernholz, in dem sich Fächer für Wäsche befanden. Als er nebenbei darauf hinwies, dass alle Zimmer mit Radio ausgestattet waren, musste Joe unwillkürlich an Emma und das Hotel Statler denken. Er drückte dem Pagen ein Trinkgeld in die Hand, scheuchte ihn hinaus und setzte sich auf einen der eleganten Stühle. Während er eine Zigarette rauchte und auf die dunkle See hinausblickte, in der sich das riesige Hotel spiegelte, lauter schiefe Rechtecke aus Licht auf schwarzem Untergrund, fragte er sich, was sein Vater und Emma jetzt wohl gerade sahen. Konnten sie ihn sehen? Konnten sie in die Vergangenheit und in die Zukunft blicken, in Welten, die weit jenseits seiner Vorstellungskraft lagen? Oder sahen sie überhaupt nichts? Weil sie selbst nicht mehr existierten? Sie waren nicht mehr da, sie waren tot, ein Haufen Knochen in einer Kiste, und in Emmas Fall nicht mal das.

Er befürchtete, dass sonst nichts von ihnen übriggeblieben war. Nein, er wusste es, während er auf diesem lächerlichen Stuhl saß und auf die gelben Fenster hinaussah, die sich im schwarzen Wasser spiegelten.

Er sah an die hohe Zimmerdecke, ließ den Blick über den Kronleuchter, das ausladende Bett und die wadendicken Vorhänge schweifen, und auf einmal fühlte er sich nicht mehr wohl in seiner Haut.

»Es tut mir leid«, sagte er leise zu seinem Vater, auch wenn ihm klar war, dass er ihn nicht hören konnte. »Das« – er sah sich abermals um – »ist wirklich zu viel des Guten.«

Er drückte seine Zigarette aus und ging.

Außerhalb von Ybor waren Menschen anderer Hautfarbe und Kulturen in Tampa strikt unerwünscht. Dion zeigte Joe ein paar Läden oberhalb der Twenty-Fourth, deren Inhaber ihre Einstellungen deutlich zum Ausdruck brachten. KEINE HUNDE ODER LATINOS stand auf einem Holzschild an einem Lebensmittelgeschäft in der Nineteenth Avenue, und am Eingang einer Apotheke in der Columbus Street stand links KEINE LATINOS und rechts KEINE ITAKER.

Joe sah Dion an. »Und damit bist du einverstanden?«

»Natürlich nicht, aber was will man da machen?«

Joe nahm einen Schluck aus Dions Flachmann. »Hier lassen sich doch bestimmt ein paar Steine finden.«

Es hatte zu regnen begonnen, aber es kühlte trotzdem kein bisschen ab. Hier unten fühlte sich der Regen eher wie Schweiß an. Es war kurz vor Mitternacht, doch trotzdem schien es nur heißer zu werden, und die schwüle Luft hüllte sie ein wie feuchte Wolle. Joe setzte sich hinters Steuer und ließ den Motor im Leerlauf tuckern, während Dion beide Fensterscheiben der Apotheke einschmiss. Anschließend fuhren sie nach Ybor zurück. Dion erklärte Joe, dass die Italiener zwischen Fifteenth und Twenty-Third wohnten, die hellhäutigen Latinos zwischen Tenth und Fifteenth und die dunkelhäutigen unterhalb der Tenth, wo sich auch die meisten Zigarrenfabriken befanden.

Am Ende eines Feldwegs, der hinter der Vayo Cigar Factory verlief und in ein Dickicht von Mangroven und Zypressen mündete, fanden sie eine Kneipe, eigentlich kaum mehr als eine Bretterbude auf Pfählen, die auf einen Sumpf hinausging. Über dem Schuppen, den billigen Holztischen vor dem Eingang und der rückwärtigen Veranda hingen Moskitonetze, die in den Bäumen am Ufer befestigt worden waren.

Und drinnen ging die Post ab, aber wie. Solche Musik hatte Joe noch nie gehört – kubanische Rumba, schätzte er, aber schmutziger und gewagter, und was die Leute auf der Tanzfläche trieben, sah weit mehr nach Sex als nach Tanzen aus. Fast alle Anwesenden waren Farbige – die meisten schwarze Kubaner, auch wenn ein paar schwarze Amerikaner darunter waren –, und die Hellhäutigeren hatten rundere Gesichter und krauseres Haar als zum Beispiel Esteban oder Ivelia. Dion schien so gut wie jeden zu kennen. Die Bardame, eine ältere Frau, stellte unaufgefordert eine Flasche Rum und zwei Gläser auf den Tresen.

»Sind Sie der neue Boss?«, fragte sie Joe.

»Schätze schon«, sagte er. »Ich heiße Joe. Und Sie?«

»Phyllis.« Sie schüttelte ihm die Hand. »Das ist meine Kneipe.«

»Nett hier. Und wie heißt Ihr Laden?«

»Bei Phyllis.«

»Hätte ich mir eigentlich denken können.«

»Na, was hältst du von ihm?«, fragte Dion.

»Mir ist er zu hübsch.« Sie sah Joe an. »Dich muss mal einer durch die Mangel drehen.«

»Wir arbeiten dran.«

»Das merke ich.« Sie wandte sich dem nächsten Gast zu.

Sie nahmen die Flasche mit auf die Veranda, suchten sich einen Tisch und nahmen in zwei Schaukelstühlen Platz. Durch das Moskitonetz blickten sie hinaus auf den Sumpf; allmählich hörte es auf zu regnen, und die Libellen kehrten zurück. Joe hörte, wie sich irgendetwas Massiges im Unterholz bewegte. Und dann noch so etwas, diesmal unter der Veranda.

»Reptilien«, sagte Dion.

Joe nahm die Füße von der Veranda. »Was?«

»Alligatoren«, sagte Dion.

»Du willst mich verarschen.«

»Nee«, sagte Dion. »Eher beißen die dich in den Allerwertesten.«

Joe zog die Knie an. »Was, zum Teufel, machen wir dann hier?«

Dion hob die Schultern. »Man stolpert regelrecht über die Biester. Sobald du irgendwo ans Wasser kommst, warten sie schon, stieren mit ihren Glotzaugen aus der Brühe.« Er wackelte mit den Fingern und ließ seine Augen aus den Höhlen treten. »Nur für den Fall, dass irgendein blöder Yankee eine Runde schwimmen gehen will.«

Joe hörte, wie das Vieh unter ihm wegglitt und dann mit einem Platscher in den Mangroven abtauchte. Ihm fehlten die Worte.

Dion lachte leise. »Also, mach lieber einen großen Bogen ums kühle Nass.«

»Aber was für einen«, sagte Joe.

»So ist's recht.«

Sie saßen auf der Veranda und nippten an ihren Drinks, während sich auch die letzten Regenwolken verzogen. Dann schien der Mond auf sie herab, und Joe konnte Dion so deutlich sehen, als hätte jemand einen Scheinwerfer angeknipst. Sein alter Freund starrte ihn wortlos an, und er starrte zurück. Eine ganze Weile schwiegen sie, doch Joe kam es vor, als würden sie sich ganze Romane erzählen. Erleichtert begriff er, dass Dion reinen Tisch machen wollte.

Dion kippte einen ordentlichen Schluck und wischte sich mit dem Handrücken über die Lippen. »Woher wusstest du, dass ich uns verpfiffen habe?«

»Weil ich es nicht war«, sagte Joe.

»Genauso gut hätte es mein Bruder gewesen sein können.«

»Friede seiner Asche«, sagte Joe. »Aber Paolo war so beschränkt, dass er nicht mal einen Blinden hinters Licht geführt hätte.«

Dion nickte und sah eine kleine Ewigkeit auf seine Schuhe, ehe er weitersprach. »Glaub mir, es wäre ein Segen.«

»Was?«

»Der Tod.« Dion blickte ihn an. »Ich habe meinen Bruder auf dem Gewissen, Joe. Hast du eine Vorstellung, was es bedeutet, damit weiterleben zu müssen?«

»Ich denke schon.«

»Du hast keinen blassen Schimmer.«

»Glaub mir, ich weiß Bescheid.«

»Er war zwei Jahre älter als ich«, sagte Dion, »aber eigentlich war ich der große Bruder, verstehst du? Ich war derjenige, der immer auf ihn aufpassen musste. Erinnerst du dich, wie wir früher zusammen Zeitungsstände abgefackelt haben? Damals hat unser kleiner Bruder noch gelebt. Wir nannten ihn Seppi, von Giuseppe, weißt du noch?«

Joe nickte. Merkwürdig – an den Kleinen hatte er schon seit Ewigkeiten nicht mehr gedacht. »Er hatte Kinderlähmung.«

Dion nickte ebenfalls. »Giuseppe war erst acht, als er gestorben ist, und unsere Mutter hat sich davon nie mehr richtig erholt. Ich habe damals zu Paolo gesagt, dass es nicht in unserer Macht stand, ihn zu retten. Es war einfach Gottes Wille, und Gott kriegt immer seinen Willen. Aber wir beide, Paolo und ich?« Er verschränkte die Daumen ineinander und führte die Fäuste zu den Lippen. »Wir würden uns gegenseitig beschützen.«

Hinter ihnen ließen Bassrhythmen und stampfende Füße die Wände erbeben. Vor ihnen erhoben sich Moskitoschwärme wie Staubwolken aus dem Sumpf und strebten ins Mondlicht.

»Tja, und was nun? Da haben mich Masos Leute oben in Montreal aufgestöbert und hierhergeholt, mir ein richtig feines Leben ermöglicht. Und wozu?«

»Warum hast du es getan?«, fragte Joe.

»Weil er es so wollte.«

»Albert?«

»Wer sonst?«

Joe schloss die Augen einen Moment lang und ermahnte sich, ruhig und langsam durchzuatmen. »Du hast in seinem Auftrag gehandelt?«

»Ja.«

»Was hast du dafür kassiert?«

»Keinen Cent, gar nichts. Er hat mir Kohle angeboten, aber ich wollte das Scheißgeld von dem Dreckskerl nicht.«

»Arbeitest du noch für ihn?«

»Nein.«

»Als Märchenerzähler taugst du nicht viel, D.«

Dion förderte ein Springmesser zutage und legte es auf den kleinen Tisch zwischen ihnen. Es folgten zwei langläufige 38er und eine kurznasige 32er, und schließlich packte er noch einen Totschläger und einen Schlagring dazu, ehe er Joe die leeren Handflächen hinhielt.

»Nach meiner Beerdigung«, sagte er, »kannst du dich in Ybor ja mal nach einem gewissen Brucie Blum umhören. Manchmal treibt er sich in der Gegend um die Sixth Avenue herum. Er kann nicht mehr richtig gehen, brabbelt wirres Zeug vor sich hin, hat keine Ahnung davon, dass er mal 'ne große Nummer war. Hat für Albert gearbeitet, der Bursche, ist gerade mal sechs Monate her. Lief immer in todschicken Anzügen herum, hat die Weiber reihenweise flachgelegt, und jetzt hinkt er mit 'nem Becher durch die Straßen, bettelt um Kleingeld, pisst sich in die Hose und kann seine verdammten Schuhe nicht mehr selber zubinden. Und was war seine letzte Amtshandlung als große Nummer? Er hat mich in einem Speakeasy drüben in der Palm Avenue angequatscht, Albert wolle mit mir sprechen, und ich solle schleunigst meinen Arsch in Bewegung setzen, sonst wäre Schluss mit lustig. Und das war's dann tatsächlich, weil ich ihm den verdammten Schädel eingeschlagen habe. Diese Nummer damals war etwas Einmaliges, und sonst habe ich mit Albert nichts am Hut. Frag einfach Brucie Blum.«

Joe nippte an seinem Rum – was für ein mieser Fusel – und schwieg.

»Willst du mich selbst umlegen? Oder überlässt du's jemand anderem?«

»Das erledige ich schon selbst.«

»Okay.«

»Falls ich dich umlege.«

»Wäre nett, wenn du mich nicht länger auf die Folter spannen würdest.«

»Was dir gerade in den Kram passt, ist mir scheißegal.«

Das brachte Dion zum Schweigen. Drinnen wurde längst nicht mehr so wild getanzt, und auch der Bassist spielte jetzt leiser. Mehr und mehr Autos verließen das Gelände, fuhren den schlammigen Pfad in Richtung der Zigarrenfabrik zurück.

»Mein Vater ist gestorben«, sagte Joe schließlich. »Emma ist tot. Dein Bruder ebenfalls, und meine eigenen Brüder sehe ich nur noch alle Jubeljahre. Verdammt, D., außer dir gibt's niemanden mehr in meinem Leben. Was, zum Teufel, wird aus mir, wenn ich dich auch noch verliere?«

Dion sah ihn an; die Tränen kullerten wie Perlen über seine feisten Wangen.

»Du hast mich also nicht der Kohle wegen verpfiffen«, sagte Joe. »Warum dann?«

»Weil du uns alle geradewegs unter die Erde gebracht hättest.« Dion atmete schwer. »Die Kleine hat dir den Verstand geraubt. Du warst einfach nicht mehr du selbst. So wie bei dem Bankraub. Du hättest uns einfach immer weiter in die Scheiße geritten. Und dabei wäre Paolo als Erster draufgegangen. Er war einfach ein bisschen langsam im Kopf, Joe, nicht so wie wir. Und da habe ich mir gedacht, ich, na ja, ich …« Er rang nach Luft. »Ich habe gedacht, ich ziehe uns mal für eine Weile aus dem Verkehr. Das war der Deal. Albert kannte einen Richter, und wir wären alle bloß für ein Jahr eingefahren, schließlich hatten wir den Überfall ja ohne Waffengewalt durchgezogen. Ein Jahr, genug Zeit für Alberts Mädchen, dich zu vergessen – und vielleicht wärst du am Ende ja auch über sie hinweggekommen.«

»Heiliger Strohsack«, sagte Joe. »Und all das nur, weil ich mich in Alberts Geliebte verknallt habe?«

»Ihr wart beide verrückt nach ihr. Es war dir nicht bewusst, aber nachdem du sie kennengelernt hattest, warst du völlig von der Rolle. Und ich werd's nie kapieren. Solche Puppen gibt's doch wie Sand am Meer.«

»Nein«, sagte Joe. »Das ist nicht wahr.«

»Ach ja? Was hatte sie denn, was ich nicht sehen konnte?«

Joe kippte den Rest seines Rums. »Bevor sie mir über den Weg gelaufen ist, habe ich's nicht bemerkt. Aber da war ein Loch in meinem Herzen, ein Loch wie eine Schusswunde.« Er tippte sich an die Brust. »Sie hat mir mein Herz zurückgegeben. Aber jetzt ist sie tot, und die Wunde in meiner Brust ist wieder da und reißt immer weiter auf. Und ich wünsche mir die ganze Zeit, dass sie von den Toten zurückkehrt und sie endlich wieder schließt.«

Dion musterte ihn eingehend, während die Tränen auf seinem Gesicht trockneten. »Wenn du mich fragst, Joe«, sagte er schließlich, »war sie dein wunder Punkt.«

Als Joe ins Hotel zurückkehrte, kam der Rezeptionist hinter dem Empfang hervor und überreichte ihm eine Handvoll Mitteilungen. Maso hatte mehrmals angerufen.

»Ist Ihre Vermittlung rund um die Uhr besetzt?«, fragte Joe.

»Selbstverständlich, Sir.«

In seinem Zimmer angekommen, rief er bei der Telefonzentrale an und ließ sich verbinden. Es klingelte im Bostoner Norden, und dann hob Maso auch schon ab. Joe steckte sich eine Zigarette an und berichtete, was im Lauf des langen Tages geschehen war.

»Ein Schiff?«, sagte Maso. »Die wollen, dass ihr ein Schiff überfallt?«

»Ja«, sagte Joe. »Ein Kriegsschiff.«

»Und die andere Sache? Hast du deine Antwort bekommen?«

»Ja.«

»Und?«

»Es war nicht Dion.« Joe zog sein Hemd aus und ließ es zu Boden fallen. »Sein Bruder hat mich verpfiffen.«

14

Boom

Der Circulo Cubano war der neueste Club dieser Art in Ybor. Den ersten, das Centro Español, hatten die Spanier in den 1890er Jahren in der Seventh Avenue gebaut. Um die Jahrhundertwende hatte sich eine Gruppe von Nordspaniern abgespalten und das Centro Asturiano an der Ecke Ninth und Nebraska gegründet.

Der Italian Club befand sich ebenfalls in der Seventh Avenue, wenige Häuserblocks vom Centro Español entfernt und damit genauso in bester Lage von Ybor. Da die Kubaner auf der sozialen Leiter ganz unten standen, hatten sie sich mit einer weit weniger schicken Adresse zufriedengeben müssen. Das Circulo Cubano lag an der Ecke Ninth Avenue und Fourteenth Street. Gegenüber befanden sich die Läden einer durchaus achtbaren Näherin und eines ebenso respektablen Apothekers, doch gleich nebenan betrieb Silvana Padilla ihren Puff, der nicht von Geschäftsleuten, sondern von den Arbeitern aus den umliegenden Zigarrenfabriken frequentiert wurde, weshalb es regelmäßig zu Messerstechereien kam und die Nutten verwahrlost und häufig krank waren.

Als Dion und Joe am Bordstein hielten, kam gerade eine von ihnen aus einer angrenzenden Gasse. Während sie vorbeiging, versuchte sie ihr völlig zerknittertes Kleid glattzustreichen; sie wirkte verbraucht, uralt und ganz so, als bräuchte sie schnellstens einen Drink. Joe schätzte sie auf etwa achtzehn. Der Bursche, der hinter ihr aus der Gasse kam, trug einen Anzug und einen modischen weißen Strohhut. Vor sich hin pfeifend, marschierte er in die andere Richtung, und urplötzlich verspürte Joe den absurden Drang, kurzerhand auszusteigen und den Schädel des Mistkerls mit voller Wucht gegen die nächste Backsteinfassade zu schlagen – so lange, bis ihm das Blut aus den Ohren lief.

Joe reckte das Kinn in Richtung des Bordells. »Gehört uns der Laden?«

»Wir sind beteiligt.«

»Dann sagt unsere Beteiligung, dass die Mädchen nicht auf den Straßenstrich gehen.«

Dion warf ihm einen Blick zu, als wolle er sichergehen, dass Joe es ernst meinte. »Okay. Ich kümmere mich drum, Pater Joe. Können wir uns jetzt vielleicht wieder der Tagesordnung zuwenden?«

»Ich bin voll da.« Joe sah in den Rückspiegel, richtete seine Krawatte und stieg aus. Um acht Uhr morgens war der Bürgersteig bereits so heiß, dass ihm die Fußsohlen brannten, obwohl er erstklassig gearbeitete Schuhe trug. Die Hitze lähmte seine Gedanken, und gerade jetzt war er auf seinen Scharfsinn angewiesen. Jede Menge anderer Typen waren härter als er, mutiger und kundiger im Umgang mit Waffen, doch in Sachen Cleverness und Köpfchen konnte er es mit jedem aufnehmen. Trotzdem wäre es schön gewesen, wenn jemand die verdammte Hitze abgedreht hätte.

Also, Junge, konzentriere dich. Du hast ein Problem, das du lösen musst: Wie willst du die Marine der Vereinigten

Staaten um sechzig Kisten Waffen erleichtern, ohne dabei den Löffel abzugeben oder als Krüppel zu enden?

Als sie die Treppe zum Eingang des Circulo Cubano hinaufstiegen, trat eine Frau aus der Tür, um sie zu begrüßen.

Tatsächlich hatte Joe eine Idee gehabt, wie er die Waffen in seinen Besitz bringen konnte, doch dieser Geistesblitz war passé, als ihm plötzlich dämmerte, wo ihm die Frau schon einmal begegnet war. Es war die Schöne, die er tags zuvor auf dem Bahnsteig gesehen hatte, mit der kupferfarbenen Haut und dem kohlrabenschwarzen Haar – schwärzer als alles, was Joe je erblickt hatte, außer vielleicht ihren Augen, die genauso dunkel waren und sich geradewegs auf ihn richteten, während er die letzten Stufen nahm.

»Señor Coughlin?«

Er schüttelte ihr die Hand. »Sehr erfreut.«

»Graciela Corrales.« Sofort entzog sie ihm ihre Hand wieder. »Sie haben sich verspätet.«

Sie ging ihnen durch einen schwarzweiß gefliesten Vorraum zu einer Treppe aus weißem Marmor voraus. Hier drin war es um einiges kühler, und die hohen Decken, die mit dunklem Holz vertäfelten Wände sowie all der Marmor würden die Hitze sicher noch ein paar Stunden in Schach halten.

»Sie sind aus Boston, richtig?«, fragte Graciela Corrales, ohne sich nach Joe und Dion umzudrehen.

»Ja«, sagte Joe.

»Glotzen alle Bostoner Männer auf Bahnsteigen wildfremden Frauen hinterher?«

»Nicht immer, aber immer öfter.«

Sie warf einen Blick über die Schulter. »Eine tolle Kinderstube haben Sie.«

»Also, ich komme ursprünglich aus Italien«, sagte Dion.

»Da ist Anstand ja wohl auch ein Fremdwort.« Sie führte Dion und Joe durch einen Ballsaal, dessen Wände mit Fotos gepflastert waren, alles Aufnahmen aus ebendiesem Raum. Einige der Bilder waren gestellt, andere fingen die Atmosphäre der Tanzabende perfekt ein, fliegende Arme, zuckende Hüften, wirbelnde Röcke. Sie gingen zügig, doch Joe glaubte, Graciela auf einem der Fotos erkannt zu haben. Ganz sicher war er allerdings nicht, da die Frau auf dem Bild lachte und ihr Haar offen trug, und er konnte sich Graciela Corrales beim besten Willen nicht mit offenen Haaren vorstellen.

An den Ballsaal schloss sich ein Billardsalon an – allmählich dämmerte es Joe, dass manche Kubaner offenbar ein recht angenehmes Leben führten –, und hinter dem Billardsalon lag eine Bibliothek mit schweren weißen Vorhängen und vier Holzstühlen. Dort erwartete sie ein Mann mit breitem Grinsen und festem Händedruck.

Esteban. Er begrüßte sie, als hätten sie sich noch nie gesehen.

»Esteban Suarez, Gentlemen. Ich freue mich, dass Sie gekommen sind. Nehmen Sie doch Platz.«

Sie setzten sich.

»Gibt's plötzlich zwei von Ihnen?«, fragte Dion.

»Pardon?«

»Wir haben gestern Abend noch mit Ihnen gesprochen. Und jetzt tun Sie so, als wären wir völlig Fremde.«

»Gestern Abend haben Sie den Besitzer des Vedado Tropicale kennengelernt. Und heute Morgen lernen Sie den Protokollführer des Circulo Cubano kennen.« Er lächelte wie ein Lehrer, der zwei Schüler aufzumuntern versucht, die sowieso durchfallen würden. »Wie auch immer«, sagte er. »Danke für Ihre Unterstützung.«

Joe und Dion nickten, sagten aber nichts.

»Ich habe dreißig Männer«, sagte Esteban. »Ich schätze aber, dass ich noch dreißig weitere benötige. Wie viele Leute können Sie –«

»Gar keine«, sagte Joe. »Von meiner Seite gibt es *keinerlei* Zusagen.«

»Nein?« Graciela sah Esteban an. »Jetzt verstehe ich gar nichts mehr.«

»Ich würde gern erst mal hören, wie Sie sich das Ganze vorstellen«, sagte Joe. »Ob wir bei der Sache mitmachen, wird sich dann weisen.«

Graciela nahm neben Esteban Platz. »Tun Sie nicht so, als hätten Sie irgendeine Wahl. Sie beide sind Gangster und auf etwas angewiesen, das Ihnen nur eine einzige Quelle liefern kann. Wenn Sie sich weigern, sitzen Sie auf dem Trockenen, so einfach ist das.«

»In dem Fall«, erwiderte Joe, »gibt es Krieg. Und den gewinnen wir, weil wir zahlenmäßig schlicht überlegen sind. Ich habe mir das mal in Ruhe durch den Kopf gehen lassen. Ich soll mein Leben bei einem Anschlag auf ein amerikanisches Kriegsschiff riskieren? Da nehme ich's doch lieber mit ein paar Dutzend Kubanern im Straßenkampf auf. In dem Fall weiß ich wenigstens, wofür ich kämpfe.«

»Für Ihren Profit«, sagte Graciela.

»Irgendwie muss man ja seine Brötchen verdienen«, sagte Joe.

»Als Krimineller.«

»Was machen Sie denn beruflich?« Er beugte sich vor und ließ den Blick durch den Raum schweifen. »Oder vertreiben Sie sich die Zeit damit, hier Ihre Orientteppiche zu zählen?«

»Ich drehe Zigarren, Mr. Coughlin. Ich schufte mir jeden Tag von morgens zehn bis abends um acht bei La Trocha den Rücken krumm. Als Sie mich gestern auf dem Bahnsteig angeglotzt haben –«

»Ich habe Sie nicht *angeglotzt*.«

»... war das mein erster freier Tag seit zwei Wochen. Und wenn ich nicht dort arbeite, bin ich hier ehrenamtlich tätig.« Ein bitteres Lächeln spielte um ihre Lippen. »Lassen Sie sich von Äußerlichkeiten nicht täuschen.«

Was ihr Äußeres betraf, so war ihr Kleid noch fadenscheiniger als jenes, in dem er sie am Vortag gesehen hatte – ein Baumwollkleid mit Volants und einer Zigeunerinnenschärpe, das mindestens ein, wenn nicht schon zwei Jahre aus der Mode war, so oft getragen und gewaschen, dass sich nicht sagen ließ, ob es ursprünglich weiß oder hellbraun gewesen war.

»Der Circulo Cubano wird durch Spenden finanziert«, erklärte Esteban. »Wenn Kubaner freitagabends ausgehen, wollen sie sich nach allen Regeln der Kunst aufbrezeln und richtig einen draufmachen, so als wären sie wieder drüben in Havanna – mit Stil, Schwung und Eleganz, verstehen Sie?« Er schnippte mit den Fingern. »Innerhalb dieser Wände müssen wir uns von niemandem als Bohnenfresser oder Schmierlappen bezeichnen lassen. Hier können wir unsere Sprache sprechen, unsere Lieder singen und unsere Gedichte vortragen.«

»Freut mich für Sie. Aber Gedichte hin oder her, warum sollte ich Ihnen den Gefallen tun, einen Marinefrachter zu überfallen, statt einfach Ihre Organisation plattzumachen?«

Graciela öffnete den Mund. In ihren Augen flackerte es, doch Esteban legte ihr eine Hand aufs Knie. »Sie haben recht – wahrscheinlich würden Sie den Krieg gewinnen. Aber was hätten Sie schon davon außer leeren Lagerhäusern? Meine Lieferanten, meine Kontakte in Havanna, all meine Leute in Kuba – sie würden im Leben nicht mit Ihnen zusammenarbeiten. Und für ein paar verlassene Häuser und ein paar Kisten Rum wollen Sie doch nicht ernstlich die Gans schlachten, die goldene Eier legt.«

Joe erwiderte sein Lächeln. Allmählich begannen sie sich zu verstehen. Vielleicht würden sie sich irgendwann sogar respektieren.

Joe deutete mit dem Daumen hinter sich. »Haben Sie die Fotos in dem Ballsaal geknipst?«

»Die meisten davon.«

»Gibt's irgendwas, das Sie *nicht* machen, Esteban?«

Esteban nahm seine Hand von Gracielas Knie und lehnte sich zurück. »Was wissen Sie über kubanische Politik, Mr. Coughlin?«

»So gut wie nichts«, erwiderte Joe. »Und ich bin auch nicht scharf drauf, mehr zu erfahren. Das würde mich bloß von der Arbeit ablenken.«

Esteban kreuzte die Knöchel. »Und über Nicaragua?«

»Dort haben wir vor ein paar Jahren eine Rebellion niedergeschlagen, wenn ich mich recht erinnere.«

»Die Waffen sind für Nicaragua bestimmt«, sagte Graciela. »Und eine Rebellion hat es dort nie gegeben. Ihr Land hält Nicaragua besetzt – so wie ihr Amerikaner jederzeit auch meine Heimat besetzen könnt, wenn es euch in den Kram passt.«

»Das haben Sie dem Platt Amendment zu verdanken.«

Sie zog eine Augenbraue hoch. »Ein gebildeter Gangster?«

»Ich bin kein Gangster, sondern ein Gesetzloser«, sagte er, selbst nicht mehr sicher, ob das überhaupt noch stimmte. »Außerdem hatte ich in den letzten paar Jahren reichlich Zeit zum Lesen. Wie auch immer, warum schafft unsere Marine Waffen nach Nicaragua?«

»Weil sie dort ein Ausbildungslager eingerichtet haben«, erklärte Esteban. »Für Soldaten und Polizisten aus Nicaragua, Guatemala und Panama. Damit sie den einheimischen Bauern so richtig zeigen können, wie der Hase läuft.«

»Sie wollen also der amerikanischen Marine Waffen klauen, um damit nicaraguanische Rebellen auszurüsten?«

»Mein Herz schlägt nicht für Nicaragua«, sagte Esteban.

»Also kubanische Rebellen.«

Ein Nicken. »Machado ist kein Präsident, sondern nichts weiter als ein bewaffneter Strauchdieb.«

»Die Waffen unserer Armee sollen also dazu dienen, *Ihre* Armee zu bekämpfen?«

Esteban nickte abermals.

»Haben Sie etwa ein Problem damit?«, fragte Graciela.

»Ist mir scheißegal.« Joe warf Dion einen Blick zu. »Stört's dich?«

Dion sah Graciela an. »Wie wär's, wenn Ihre Landsleute zur Abwechslung mal jemanden wählen würden, der sie nicht bis aufs Hemd auszieht, sobald er vereidigt ist? Dann müssten wir nämlich auch nicht den Besatzer spielen, verstehen Sie?«

Graciela musterte ihn mit ausdruckslosem Blick. »Wenn es bei uns nichts zu holen gäbe, hättet ihr von Kuba noch nie gehört.«

Dion sah Joe an. »Was habe ich damit zu schaffen? Lass uns seinen Plan anhören.«

Joe wandte sich zu Esteban. »Ich nehme doch an, Sie haben einen Plan?«

Zum ersten Mal wirkte Esteban gekränkt. »Einer unserer Männer wird dem Schiff heute Nacht einen Besuch abstatten und im vorderen Teil ein Ablenkungsmanöver —«

»Was für ein Ablenkungsmanöver?«, fragte Dion.

»Ein Feuer. Während sie damit beschäftigt sind, den Brand zu löschen, holen wir uns die Waffen aus dem Frachtraum.«

»Der Frachtraum ist mit Sicherheit verriegelt.«

Esteban lächelte überlegen. »Wir haben Bolzenschneider dabei.«

»Wissen Sie, um was für ein Schloss es sich handelt?«

»Es ist mir beschrieben worden.«

Dion beugte sich vor. »Aber Sie wissen nicht, aus welchem Material es ist. Was, wenn es Ihren Bolzenschneidern standhält?«

»Dann schießen wir es auf.«

»Damit alarmieren Sie nur die Besatzung«, sagte Joe. »Außerdem riskieren Sie, dass sich jemand einen Querschläger einfängt.«

»Wir sind schnell. Das Ganze geht in null Komma nichts über die Bühne.«

»Ach ja? Ihre Leute wollen sechzig Kisten Gewehre und Granaten im Sprinttempo davontragen?«

»Wir haben dreißig Männer. Und noch mal so viele, wenn Sie mitmachen.«

»Auf dem Schiff sind dreihundert«, sagte Joe.

»Aber keine dreihundert *Cubanos*. Der amerikanische Soldat kämpft für seinen Ruhm. Ein *Cubano* kämpft für sein Land.«

»Auch das noch«, sagte Joe.

Estebans Lächeln wurde noch gönnerhafter. »Zweifeln Sie an unserem Mut?«

»Nein«, sagte Joe. »An Ihrer Intelligenz.«

»Ich habe keine Angst zu sterben«, sagte Esteban.

»Ich schon.« Joe zündete sich eine Zigarette an. »Und selbst wenn ich keine Angst vor dem Tod hätte, würde ich lieber für etwas Lohnenswerteres sterben. Pro Kiste brauchen Sie zwei Männer. Was bedeutet, dass sechzig Mann zweimal hintereinander auf das brennende Kriegsschiff müssten. Und das halten Sie für möglich?«

»Wir haben erst vor zwei Tagen von der Fracht erfahren«, sagte Graciela. »Wüssten wir schon länger Bescheid, hätten wir uns einen besseren Plan zurechtlegen können. Und da das Schiff morgen ausläuft…«

»Nicht notwendigerweise«, sagte Joe.

»Was meinen Sie?«

»Sie haben doch gesagt, Sie könnten jemanden an Bord bringen.«

»Ja.«

»Das heißt doch, dass Sie bereits einen Kontaktmann auf dem Schiff haben.«

»Warum wollen Sie das wissen?«

»Verdammt noch mal, Esteban, warum ist die Wurst krumm gewachsen? Also, steht einer der Matrosen auf Ihrer Gehaltsliste oder nicht?«

»Ja«, sagte Graciela.

»Was ist sein Job?«

»Er arbeitet im Maschinenraum.«

»Und was soll er für Sie tun?«

»Einen Defekt vortäuschen.«

»Ihr Mann draußen ist also Mechaniker, richtig?«

Beide nickten.

»Er kommt an Bord, um den Schaden zu beheben, legt Feuer, und schon stürmen Ihre Männer den Frachtraum mit den Waffen.«

»Exakt.«

»Gar nicht so schlecht, der Plan«, sagte Joe.

»Danke.«

»Aber eben leider auch nicht gut. Wann wollten Sie losschlagen?«

»Heute Abend«, sagte Esteban. »Um Punkt zehn. Der Mond soll auch kaum durchkommen, soweit ich gehört habe.«

»Ich würde drei Uhr nachts für idealer halten«, sagte Joe. »Um diese Zeit wird fast die gesamte Besatzung in der Koje liegen. Keine Helden, um die wir uns Sorgen machen müssten, kaum Zeugen. Sonst glaube ich kaum, dass Ihr Mann wieder von dem Schiff herunterkommt.« Er verschränkte die Hände hinter dem Kopf und überlegte. »Dieser Mechaniker… Ist er Kubaner?«

»Ja.«

»Wie sieht er aus?«

»Pardon?«, sagte Esteban. »Ich verstehe nicht, was –«

»Hat er eher Ihre Hautfarbe?« Joe richtete den Blick auf Graciela. »Oder ist er so dunkel wie sie?«

»Er ist ziemlich hellhäutig.«

»Er könnte also als Spanier durchgehen.«

Esteban sah Graciela, dann wieder Joe an. »Mit Sicherheit.«

»Wieso ist das wichtig?«, hakte Graciela nach.

»Sein Gesicht werden sie sich merken. Nach dem, was wir mit dem Kriegsschiff anstellen, steht er garantiert ganz oben auf allen Fahndungslisten.«

»Und was stellen wir mit dem Schiff an?«, fragte Graciela.

»Erst mal blasen wir ein ordentliches Loch hinein.«

Bei der Bombe handelte es sich keineswegs um die übliche, mit Nägeln und Unterlegscheiben gefüllte Holzkiste, die man für ein bisschen Kleingeld an der nächsten Straßenecke kaufen konnte, sondern um einen höchst raffinierten Präzisionssprengsatz – jedenfalls war ihnen das mehrmals versichert worden.

Gebaut hatte ihn ein Barkeeper, der in einem von Maso kontrollierten Speakeasy drüben in St. Petersburg hinter dem Tresen stand – ein gewisser Sheldon Boudre, der jahrelang als Bombenentschärfer bei den Marines tätig gewesen war. 1915 hatte er in Haiti während der Besetzung von Port-au-Prince wegen eines defekten Feldtelefons ein Bein verloren und war immer noch nicht darüber hinweg. Sein Sprengsatz war ein bombiges Schätzchen aus Stahl, rechteckig und etwa so groß wie ein Karton für Kinderschuhe. Er klärte Joe und Dion darüber auf, dass er es mit Kugellagern und Messingtürknäufen vollgepackt hätte – und genug Schießpulver, um einen Tunnel in das Washington Monument zu sprengen.

»Seht zu, dass ihr das Ding direkt unter der Maschine plaziert.« Sheldon schob die in braunes Papier eingeschlagene Bombe über den Tresen.

»Wir wollen nicht bloß eine Maschine in die Luft jagen«, sagte Joe. »Sondern ein Loch in den Schiffsrumpf sprengen.«

Den Blick auf die Bar gerichtet, ließ Sheldon die Zunge ein ums andere Mal über seine Schneidezähne gleiten, und Joe wurde klar, dass er den Mann beleidigt hatte. Er wartete, bis Sheldon den Blick wieder hob.

»Was glauben Sie denn, was passiert«, sagte Sheldon, »wenn eine Schiffsmaschine von der Größe eines verdammten Studebakers durch den Rumpf und in die Hillsborough Bay fliegt?«

»Wir wollen aber auch nicht gleich den ganzen Hafen in die Luft jagen«, erinnerte ihn Dion.

»Das ist ja das Schöne an meiner Kleinen.« Sheldon tätschelte das Päckchen. »Sie ist absolut zielgenau. Und sie streut auch nicht. Man sollte sich bloß nicht in ihrer direkten Nähe aufhalten, wenn sie hochgeht.«

»Wie explosiv ist, äh, sie?«, fragte Joe.

Sheldons Augen leuchteten. »Sie würde euch sogar verzeihen, wenn ihr sie mit 'nem Hammer bearbeitet.« Er strich über das braune Packpapier wie über den Rücken eines

Kätzchens. »Aber wenn ihr sie in die Luft werft, braucht ihr nicht mal zu warten, bis sie landet.«

Er nickte mehrmals, wie zur Bestätigung, und während sich seine Lippen weiter lautlos bewegten, tauschten Joe und Dion einen besorgten Blick. Gleich würden sie mit der Bombe dieses Burschen nach Tampa zurückfahren – was, wenn er nicht alle Latten am Zaun hatte?

Sheldon hielt einen Zeigefinger hoch. »Da wäre noch eine Kleinigkeit.«

»Eine Kleinigkeit?«

»Bloß ein Detail.«

»Was für eins?«

Er lächelte sie entschuldigend an. »Wer die Kleine zündet, gibt besser Fersengeld.«

Von St. Petersburg nach Ybor waren es fünfundzwanzig Meilen, und Joe zählte jeden einzelnen Meter. Jede Bodenwelle, jeden Ruck, der durch den Wagen ging. Jedes Knarren des Chassis klang plötzlich, als hätte ihr letztes Stündlein geschlagen. Er und Dion verloren kein Wort darüber, dass ihnen der Arsch auf Grundeis ging, schlicht, weil es nicht nötig war. Die Angst spiegelte sich in ihren Blicken, ließ ihren Schweiß metallisch glänzen. Die meiste Zeit sahen sie starr geradeaus, nur gelegentlich warfen sie einen Blick aus dem Fenster. Als sie über die Gandy Bridge fuhren, zeichnete sich das Weiß der Küstenlinie grell gegen das tote Blau des Wassers ab. Pelikane und Reiher hockten auf den Brückengeländern. Manchmal hielten die Pelikane hoch oben mitten im Flug inne, um dann hinabzustürzen, als wären sie von einer Kugel getroffen worden. Sie tauchten in das spiegelblanke Wasser und stiegen, zappelnde Fische im Schnabel, wieder auf. Mit einem einzigen Zuschnappen verschwanden sie, egal, welcher Größe, auch schon in ihren riesigen Kehlsäcken.

Dion fuhr durch ein Schlagloch, dann über eine Nietverbindung und durch ein weiteres Schlagloch. Joe schloss die Augen.

Die Sonne atmete ihre Glut durch die Windschutzscheibe.

Sie erreichten das Ende der Brücke, wo die asphaltierte Straße in eine einspurige Piste aus Muschelsplitt und Schotter überging, ein unebener Flickenteppich, der eine alles andere als entspannte Fahrt verhieß.

»Äh…« Mehr bekam Dion nicht heraus.

Sie holperten etwa einen Block die Straße entlang, bis sich der Verkehr vor ihnen staute. Am liebsten wäre Joe an Ort und Stelle aus dem Wagen gesprungen; mit aller Macht widersetzte er sich dem Drang, Dion einfach im Stich zu lassen und die Beine in die Hand zu nehmen. Wer, um Himmels willen, war so bekloppt, mit einer verdammten *Bombe* durch die Gegend zu kutschieren? Wer?

Ein Irrer. Ein Lebensmüder. Jemand, der Glück und Zufriedenheit für pure Propaganda hielt. Doch Joe war einst glücklich gewesen; er wusste, was Glück bedeutete. Seine Chancen, jemals wieder etwas in der Art zu erleben, verringerten sich jedoch beträchtlich mit einem Sprengsatz auf dem Schoß, der stark genug war, um eine dreißig Tonnen schwere Maschine durch einen stählernen Schiffsrumpf zu katapultieren.

Jedenfalls würde nichts von ihm übrigbleiben. Der Wagen, seine Klamotten – in Rauch aufgelöst. Seine dreißig Zähne würden in die Bucht fliegen wie Pennys in einen Brunnen. Mit viel Glück fand sich vielleicht irgendwo noch ein Fingerknöchel von ihm, den sie neben seinem Vater beerdigen konnten.

Die letzte Meile war am schlimmsten. Sie ließen Gandy hinter sich und fuhren einen Feldweg hinunter, der parallel zu einer Bahnstrecke verlief; der rechte Straßenrand bröckelte in der Hitze, und der Weg war nur so von Rissen übersät. Es roch nach Schimmel und Kleingetier, das im warmen Schlamm erstickt war und vor sich hin moderte. Dann führte der Weg durch einen Mangrovenwald. Dion wich Pfützen und tiefen Löchern aus, so gut es eben ging, und nachdem sie ein paar Minuten lang durch dieses Terrain geholpert waren, erreichten sie den Schuppen von Daniel Desouza – einem echten Meister in der Kunst des Attrappenbaus.

Er hatte einen Werkzeugkasten mit doppeltem Boden für sie präpariert. Wie er ihnen erklärte, hatte er den Kasten akribisch auf alt getrimmt, ihn so lange bearbeitet, dass er nun nicht mehr nur nach Öl, Schmierfett und Schmutz, sondern so richtig nach jahrelangem Gebrauch roch. Das Werkzeug in der Kiste war hingegen erste Klasse, alles bestens gepflegt, frisch geölt und zum Teil in Wachstuch eingeschlagen.

Desouzas Behausung bestand aus einem einzigen Raum. Während er den Werkzeugkasten auf den Küchentisch hievte und ihnen zeigte, wie man den doppelten Boden öffnete, watschelte seine schwangere Frau an ihnen vorbei zum draußen gelegenen Donnerbalken; seine beiden Kinder spielten mit zwei aus Lumpen zusammengeflickten Puppen. Auf dem Boden lagen nackte Matratzen – die eine für die Kinder, die andere für ihre Eltern – ohne Decken oder Kissen. Ein Mischlingsköter trottete durch das Zimmer, schnupperte hier und da, Fliegen und Moskitos summten ohne Unterlass, und schließlich kam Daniel Desouza auf die glorreiche Idee, Sheldons Wunderding genauer zu begutachten. Womöglich aus reiner Neugier, vielleicht auch, weil er komplett durchgeknallt war, was aber ohnehin keine Rolle mehr spielte, da Joe, davon überzeugt, jeden Augenblick die große Reise zu seinem Schöpfer anzutreten, ihm nur noch wie gelähmt dabei zusehen konnte, wie Desouza einen Schraubenzieher in die Bombe rammte. Seine Frau kam zurück und versuchte den Hund hinauszuscheuchen, die Kinder fingen an, sich um eine der beiden Puppen zu streiten, und kreischten immer lauter herum, bis Desouza seiner Frau einen genervten Blick zuwarf, worauf sie von dem Köter abließ und den Kindern ein paar saftige Ohrfeigen verpasste.

Sie heulten los wie die Schlosshunde.

»Da habt ihr euch aber was ganz Feines an Land gezogen, Jungs«, sagte Desouza. »Das gibt 'nen ganz großen Knall.«

Das Kleinere der beiden Kinder, ein etwa fünfjähriger Junge, hörte auf zu weinen. Sein durchdringendes Geheul stoppte so abrupt, als hätte jemand ein Streichholz ausgeblasen, und absolute Leere spiegelte sich in seiner Miene. Er nahm einen der Schraubenschlüssel vom Boden und schlug ihn dem Hund an den Kopf. Der Hund knurrte, und einen Moment lang sah es so aus, als wolle er auf den Jungen losgehen, doch dann besann er sich eines Besseren und verzog sich nach draußen.

»Den Köter schlag ich noch mal tot«, sagte Desouza, den Blick weiter auf die Bombe geheftet. »Entweder ihn oder den verdammten Bengel.«

Ihr Bomber, Manny Bustamente, wurde Joe in der Bibliothek des Circulo Cubano vorgestellt. Alle Anwesenden außer ihm rauchten Zigarren, sogar Graciela. Auf den Straßen liefen selbst Neun- und Zehnjährige mit dicken Stumpen zwischen den Lippen herum, und jedes Mal, wenn Joe sich eine seiner mickrigen Murads ansteckte, überkam ihn das dumpfe Gefühl, dass sich die ganze Stadt über ihn totlachte, aber von Zigarren bekam er Kopfschmerzen. Doch als er an jenem Abend in der Bibliothek versuchte, durch den braunen Rauchschleier etwas zu erkennen, schwante ihm, dass er sich wohl oder übel an Kopfschmerzen gewöhnen musste.

In seinem früheren Leben in Havanna war Manny Bustamente Bauingenieur gewesen. Fatalerweise war sein Sohn Mitglied einer Studentenvereinigung an der Universität gewesen, die immer wieder gegen das Machado-Regime protestierte. Machado hatte die Universität geschlossen und die Vereinigung kurzerhand verboten, und eines Tages waren kurz nach Sonnenaufgang mehrere Männer in Armeeuniformen in Mannys Haus eingedrungen. Sie hatten seinen Sohn in der Küche auf die Knie gezwungen und ihm eine Kugel in den Kopf gejagt; als Mannys Frau sie als Bestien bezeichnete, hatten die Kerle sie ebenfalls umgebracht. Manny war ins Gefängnis gekommen. Bei seiner Entlassung hatte man ihm nahegelegt, das Land so schnell wie möglich zu verlassen.

Es war gegen zehn, als ihm Manny diese Geschichte erzählte. Joe nahm an, dass er damit sein Engagement für die Sache unterstreichen wollte. Das zog Joe aber gar nicht in Zweifel; er zweifelte daran, dass Manny schnell genug für ihre Zwecke war. Manny Bustamente war knapp 1,60 Meter groß und gebaut wie ein Bohnentopf. Eine Treppenflucht reichte bereits aus, um ihn außer Atem zu bringen.

Sie sprachen über den Grundriss des Schiffs. Manny hatte sich um die Wartung der Maschinen gekümmert, kurz nachdem es im Hafen eingelaufen war.

Dion fragte, ob die Marine keine eigenen Maschinisten hatte.

»Schon«, sagte Manny. »Aber bei diesen alten Maschinen ziehen sie gern mal einen *especialista* zu Rate. Das Schiff hat fünfundzwanzig Jahre auf dem Buckel. Früher war es ein …« Er schnippte mit den Fingern und sagte etwas auf Spanisch zu Graciela.

»Ein Kreuzfahrtschiff«, übersetzte sie.

»Ja, genau«, sagte Manny. Abermals kam ein Strom spanischer Silben über seine Lippen. Als er fertig war, erklärte sie ihnen, dass der Luxusdampfer während des Weltkriegs an die Marine verkauft worden und zunächst zum Lazarettschiff umfunktioniert worden war. Erst kürzlich war es als Transportschiff wieder in Betrieb genommen worden, mit einer Besatzung von dreihundert Mann.

»Wo befindet sich der Maschinenraum?«, fragte Joe.

Wieder sprach Manny mit Graciela, und sie übersetzte. Und tatsächlich kamen sie nun um einiges schneller voran.

»Ganz unten, im Heckbereich.«

»Wenn Sie mitten in der Nacht zum Schiff gerufen werden, wer nimmt Sie dann in Empfang?«, fragte Joe.

Manny sah Joe an und öffnete den Mund, wandte sich dann aber doch wieder an Graciela.

»Die Polizei?«, fragte sie stirnrunzelnd.

Er schüttelte den Kopf und erklärte ihr irgendetwas.

»Ah«, sagte sie, »*veo, veo, sí.*« Sie sah Joe an. »Er meint die Marinepolizei.«

»Die Hafenpatrouille.« Joe warf Dion einen Blick zu. »Kannst du noch folgen?«

Dion grinste. »Folgen? Ich bin dir meilenweit voraus.«

»Sobald die Hafenpatrouille Sie also passieren lässt, machen Sie sich auf den Weg in den Maschinenraum«, sagte Joe zu Manny. »Wo befinden sich die nächstgelegenen Schlafquartiere?«

»Ein Deck weiter oben, am anderen Ende des Schiffs.«

»Also befinden sich nur zwei Maschinisten in Ihrer Nähe?«

»Ja.«

»Und wie werden Sie die beiden los?«

»Wir wissen aus sicherer Quelle, dass der Leitende Technische Offizier ein Saufbruder ist«, warf Esteban von seinem Fensterplatz ein. »Selbst wenn er im Maschinenraum auftauchen sollte, um nach dem Rechten zu sehen, wird er sich dort nicht lange aufhalten.«

»Und wenn doch?«, fragte Dion.

Esteban zuckte mit den Schultern. »Dann improvisieren wir.«

Joe schüttelte den Kopf. »Das lassen wir schön bleiben.«

Zur Überraschung aller griff Manny in seinen Stiefel und förderte einen einschüssigen Derringer mit Perlmuttgriff zutage. »Wenn er nicht wieder geht, kümmere ich mich um ihn.«

Joe sah Dion an und verdrehte die Augen.

»Her damit«, sagte Dion und schnappte Manny den Derringer aus der Hand.

»Haben Sie schon mal jemanden erschossen?«, fragte Joe.

»Nein.«

»Gut. Dann wollen wir heute Nacht auch nicht damit anfangen.«

Dion warf Joe die Waffe zu, und Joe fing sie auf. »Von mir aus können Sie umlegen, wen Sie wollen«, sagte er zu Manny und überlegte, ob ihm das tatsächlich so egal war. »Aber wenn die Jungs von der Hafenpatrouille Sie filzen und die Wumme bei Ihnen finden, werden sie den Werkzeugkasten besonders genau unter die Lupe nehmen. Heute Nacht besteht Ihr Job vor allem darin, die Sache nicht zu vermasseln. Glauben Sie, dass Sie das hinkriegen?«

»Ja«, sagte Manny. »Ganz bestimmt.«

»Falls Ihnen der Leitende Technische Offizier nicht von der Pelle rückt, reparieren Sie die Maschine und gehen postwendend wieder von Bord.«

»Mit Sicherheit nicht!«, ließ sich Esteban vernehmen.

»Und ob«, gab Joe zurück. »Was wir vorhaben, fällt unter Landesverrat. Ich ziehe die Nummer hier nicht durch, um am Ende geschnappt und in Leavenworth aufgeknüpft zu werden. Falls irgendwas schiefläuft, machen Sie sich im Eiltempo vom Acker, und wir denken uns einen anderen

Plan aus. Sehen Sie mich an, Manny – es wird unter keinerlei Umständen improvisiert. Sind wir uns da einig? *Comprende?*«

Schließlich nickte Manny.

Joe deutete auf die Bombe, die sich in einer Leinentasche zu seinen Füßen befand. »Sobald das Ding gezündet ist, bleiben Ihnen gerade noch ein paar Sekunden.«

»Habe ich verstanden.« Manny blinzelte, als ihm ein Schweißtropfen ins Auge fiel, und wischte sich mit dem Handrücken über die Stirn. »Ich tue alles für unsere Sache.«

Na toll, dachte Joe. Übergewicht *und* Übereifer – eine fabelhafte Kombination.

»Das freut mich, Manny«, sagte er, während er in Gracielas Blick dieselbe Besorgnis bemerkte, die ihn selbst umtrieb. »Aber all das ist nichts wert, wenn Sie das Schiff nicht wieder lebend verlassen. Und ich sage das nicht, weil ich ein so netter Kerl bin oder mir so wahnsinnig viel an Ihnen liegen würde. Tatsächlich sind Sie mir scheißegal. Aber wenn Sie umkommen und als kubanischer Staatsbürger identifiziert werden, ist unser Plan auf ganzer Linie gescheitert.«

Mannys Zigarre, dick wie ein Hammerstiel, ragte zwischen seinen Fingern hervor, als er sich zu Joe beugte. »Ich will, dass Kuba seine Freiheit wiedererlangt. Ich will, dass die amerikanischen Soldaten mein Land verlassen, und ich will Machado tot sehen. Ich habe wieder geheiratet, Mr. Coughlin. Ich habe drei kleine *niños*, und Gott möge mir vergeben, aber ich liebe ihre Mutter mehr als meine verstorbene Frau. Ich bin alt genug. Lieber führe ich ein Leben in Ohnmacht, als den Heldentod zu sterben.«

Joe lächelte zufrieden. »Dann sind Sie unser Mann.«

Die USS *Mercy* wog zehntausend Tonnen. Das Schiff war ein vierhundert Fuß langer, zweiundfünfzig Fuß breiter Verdränger mit Wulstbug, zwei Schornsteinen und zwei Masten. Der Großmast mit seinem Krähennest schien in jene Zeiten zu gehören, als noch Korsaren die Sieben Meere unsicher gemacht hatten. Die zwei verblichenen Kreuze auf den Schornsteinen wiesen die *Mercy* als ehemaliges Lazarettschiff aus. Sie war offenbar schon mehrmals überholt worden und wirkte etwas heruntergewirtschaftet, auch wenn sich das Weiß ihres Rumpfs schimmernd gegen das schwarze Wasser und den dunklen Himmel abhob.

Joe, Dion, Graciela und Esteban standen oben auf dem Metallsteg eines Getreidesilos am Ende der McKay Street und behielten Pier 7 im Auge. Hier reihte sich ein Silo ans andere, alle um die sechzig Fuß hoch; erst am Nachmittag war der letzte Getreidefrachter gelöscht worden. Den Nachtwächter hatten sie bestochen und ihm nochmals eingeschärft, den Cops zu erzählen, dass ihn ein paar Spanier überwältigt hätten, ehe Dion ihm zwei derbe Schwinger mit einem Totschläger verpasst hatte, damit es auch authentisch aussah.

Graciela rauchte eine lange dünne Zigarre. Sie blies Ringe in die Luft und sah ihnen hinterher, wie sie hoch über der Pier davontrieben.

»Wie schätzen Sie unsere Chancen ein?«

»Ganz ehrlich?«, sagte Joe. »Vielleicht nicht gleich null, aber auf jeden Fall ziemlich mau.«

»Aber Sie haben sich den Plan doch selbst ausgedacht.«

»Tja, leider ist mir nichts Besseres eingefallen.«

»Ich finde ihn gar nicht übel.«

»Darf ich das als Kompliment verstehen?«

Sie schüttelte den Kopf, auch wenn er meinte, den Anflug eines Lächelns erkannt zu haben. »Das war eine Feststellung. Wenn Sie gut Gitarre spielen könnten, würde ich es Ihnen auch sagen. Ich kann Sie aber trotzdem nicht leiden.«

»Weil ich Ihnen hinterhergeglotzt habe?«

»Weil Sie arrogant sind.«

»Oh.«

»Wie alle Amerikaner.«

»Ach ja? Und was sind Kubaner?«

»Stolz.«

Er grinste. »Ich habe gelesen, Kubaner wären außerdem faul, jähzornig und kindisch. Und ihr Geld können sie wohl auch nicht zusammenhalten.«

»Und das glauben Sie?«

»Nein«, sagte er. »Ich halte vorgefasste Meinungen über bestimmte Völker oder Nationen ganz allgemein für puren Schwachsinn.«

Sie zog an ihrer Zigarre und musterte ihn schweigend, ehe sie schließlich wieder zum Schiff hinübersah.

Die Lichter des Hafens färbten die tiefhängenden Wolken blassrot. Jenseits des Hafenbeckens lag die Stadt schlafend im Dunst. Am fernen Horizont zeichneten dünne Blitze ein Geflecht aus weißen Adern ans Firmament. Ihr grelles Zucken brachte regenschwangere, bläulich dunkle Wolken zum Vorschein, die sich über dem Wasser zusammenzogen wie eine feindliche Armee. Nach einer Weile flog ein einmotoriges Flugzeug über sie hinweg, vier Lichtpunkte am Himmel, hundert Meter über ihnen, womöglich sogar legal unterwegs, auch wenn Joe sich das nicht recht vorstellen konnte, insbesondere nicht um drei Uhr morgens. Abgesehen davon, dass in Tampa sowieso kaum legale Geschäfte gemacht wurden.

»Haben Sie das vorhin wirklich so gemeint? Als Sie zu Manny gesagt haben, er wäre Ihnen scheißegal?«

Nun konnten sie ihn auch sehen. Er marschierte die Pier entlang, den Werkzeugkasten in der Hand.

Joe stützte die Ellbogen auf die Brüstung. »Im Großen und Ganzen schon.«

»Wie kann man nur so gleichgültig sein?«

»Das braucht weniger Übung, als Sie glauben«, gab Joe zurück.

An der Landebrücke wurde Manny von zwei Offizieren der Hafenpatrouille in Empfang genommen. Er hob die Arme, während der eine Uniformierte ihn abtastete und der andere den Werkzeugkasten öffnete. Er durchsuchte den obersten Einsatz, nahm ihn heraus und stellte ihn neben sich auf den Boden.

»Wenn alles glattgeht«, sagte Graciela, »sind Sie die Nummer eins im Rumgeschäft. Der König von Tampa.«

»Von halb Florida, um genau zu sein«, sagte Joe.

»Sie werden ein mächtiger Mann sein.«

»Gut möglich.«

»Und bestimmt noch arroganter.«

»Tja«, sagte Joe. »Könnte man meinen.«

Der eine Offizier hörte auf, Manny zu filzen, trat dann aber zu seinem Kollegen. Gemeinsam blickten sie in den Werkzeugkasten, steckten die Köpfe zusammen und schienen irgendetwas zu beratschlagen. Der eine stützte die Hand auf den Griff seiner 45er.

Joe sah zu Dion und Esteban hinüber. Sie wirkten wie gelähmt, während sie mit gereckten Hälsen zur Pier hinunterstarrten.

Nun winkten sie Manny zu sich, und einer deutete in den Werkzeugkasten. Manny kniete sich hin und kramte zwei Flaschen Rum aus der Kiste.

»Verdammter Mist«, sagte Graciela. »War das so abgesprochen?«

»Mit mir nicht«, sagte Esteban.

»Das hat er sich aus dem Stegreif überlegt«, sagte Joe. »Na, wunderbar. Ich fasse es einfach nicht.«

Dion schlug frustriert gegen das Geländer.

»Ich habe ihm doch extra noch gesagt, dass er nicht improvisieren soll«, platzte Joe heraus. »Sie waren selbst dabei, als –«

»Es klappt«, sagte Graciela.

Joe verengte die Augen und beobachtete, wie die beiden Uniformierten die Flaschen einsteckten und beiseitetraten.

Manny nahm seinen Werkzeugkasten und stieg die Planke hinauf.

Einen Augenblick lang herrschte atemloses Schweigen.

Dann sagte Dion: »Ich glaube, ich habe mir grad in die Hose gemacht.«

»Er hat's geschafft«, sagte Graciela.

»Das war nur der erste Schritt«, sagte Joe. »Jetzt muss er noch den Job erledigen.« Er warf einen Blick auf die Uhr seines Vaters: Punkt drei.

Er sah zu Dion, der seine Gedanken erraten hatte. »Ich schätze, drüben müsste jetzt die Hölle los sein.«

Sie warteten. Das Metallgeländer des Stegs war immer

noch warm von der Augustsonne, die den ganzen Tag über auf Tampa niedergebrannt hatte.

Fünf Minuten später ging einer der beiden Uniformierten an Deck, wo ein Telefon klingelte. Kurz darauf kam er die Planke wieder heruntergeeilt und lief mit seinem Kollegen zu einem Patrouillenwagen. Am Ende der Pier bogen sie links ab, fuhren weiter nach Ybor, zu jenem Club in der Seventeenth Street, in dem zehn von Dions Jungs gerade die anwesenden Matrosen aufmischten.

»Gib's zu«, sagte Dion. »Bis jetzt...«

»Was?«

»...läuft alles wie am Schnürchen.«

»Bis jetzt«, sagte Joe.

Graciela nahm einen Zug von ihrer Zigarre.

Im selben Augenblick drang ein erstaunlich dumpfer Knall an ihre Ohren. Eigentlich klang er nach gar nichts, doch der Steg geriet kurz ins Wanken, und sie alle breiteten die Arme aus, als stünden sie zusammen auf der Lenkstange desselben Fahrrads. Die uss *Mercy* erbebte. Das Wasser kräuselte sich, und kleine Wellen schlugen gegen die Pier. Und dann quoll dichter grauer Rauch aus einem klaffenden Loch im Rumpf, durch das mühelos ein Konzertflügel gepasst hätte.

Der Rauch ballte sich zusammen, wurde immer dicker und dunkler, doch dann sah Joe im Zentrum des Qualms einen Feuerball, der pulsierte wie ein schlagendes Herz. Rote Flammen vermischten sich mit der gelben Glut; kurz darauf verschwand alles wieder hinter den Rauchwolken, die nun schwarz wie frischer Teer waren. Der Qualm trieb über das Wasser, verdunkelte den Himmel und die jenseits des Hafenbeckens liegende Stadt.

Dion lachte, und als Joe zu ihm hinüberblickte, lachte er noch lauter, schüttelte den Kopf und nickte schließlich Joe zu.

Joe wusste, was das Nicken bedeutete – genau deshalb waren sie Gesetzlose. Um Dinge zu erleben, die den Versicherungsvertretern, den Lastwagenfahrern und Anwälten und Kassierern und Schreinern und Immobilienmaklern dieser Welt nie vergönnt sein würden. Drahtseilakte ohne Netz und doppelten Boden. Genau in diesem Moment erinnerte sich Joe daran, was ihm damals als Dreizehnjährigem durch den Kopf geschossen war, als sie den Zeitungskiosk in der Bowdoin Street ausgeraubt hatten: *Wahrscheinlich werden wir jung sterben.*

Doch wie viele Männer konnten, wenn sie dereinst das nächtliche Land ihrer letzten Stunde betraten und über dunkle Felder auf die Nebelbänke der Ewigkeit zustrebten, einen letzten Blick über die Schulter werfen und sagen: *Ich habe mal einen Zehntausend-Tonnen-Marinefrachter in die Luft gejagt?*

Joe sah Dion abermals an und lachte ebenfalls.

»Er war wohl nicht schnell genug.« Plötzlich stand Graciela neben ihm, den Blick auf das Schiff gerichtet, das nun fast vollständig von Rauch eingehüllt war.

Joe schwieg.

»Manny«, fügte sie unnötigerweise hinzu.

Joe nickte.

»Glauben Sie, er ist tot?«

»Ich weiß es nicht«, sagte Joe, doch bei sich dachte er: *Ich will's hoffen.*

15

Die Augen seiner Tochter

Im Morgengrauen luden die Matrosen die Waffen aus und stapelten sie auf der Pier. Die Kisten glitzerten vom Tau, der in der aufgehenden Sonne langsam verdampfte. Verschiedene kleinere Schiffe legten an; weitere Matrosen und Offiziere gingen an Land und nahmen das Loch im Rumpf der USS *Mercy* in Augenschein. Joe, Esteban und Dion mischten sich unter die Schaulustigen hinter den Polizeiabsperrungen und hörten, dass das Schiff auf dem Boden des Hafenbeckens aufgesetzt hatte und es fraglich war, ob der Schaden behoben werden könne. Um diese Frage zu beantworten, war dem Hörensagen nach ein Lastkahn mit Kran aus Jacksonville unterwegs. Die Waffenladung sollte ein anderer Frachter übernehmen; bis er eingetroffen war, mussten die Waffen irgendwo zwischengelagert werden.

Joe verließ die Pier. Graciela wartete in einem Café in der Ninth Avenue auf ihn. Sie saßen draußen unter einem steinernen Säulengang und beobachteten eine Straßenbahn, die sich ratternd über die Schienen in der Straßenmitte näherte und gegenüber dem Café zum Halten kam. Ein paar Fahrgäste stiegen aus, ein paar stiegen ein, und schon rumpelte sie quietschend weiter.

»Gibt es irgendeine Spur von ihm?«, fragte Graciela.

Joe schüttelte den Kopf. »Aber Dion bleibt dran. Außerdem hat er ein paar von seinen Jungs abgestellt …« Er zuckte mit den Schultern und nippte an seinem kubanischen Kaffee. Er hatte seit achtundvierzig Stunden kaum ein Auge zugetan, doch solange ihm jemand kubanischen Kaffee nachschenkte, würde er vermutlich eine ganze Woche ohne Schlaf auskommen.

»Was tun die in das Zeug? Kokain?«

»Es ist bloß Kaffee«, sagte Graciela.

»Genauso gut könnte man sagen, Wodka wäre bloß Kartoffelsaft.« Er leerte seine Tasse und stellte sie zurück. »Fehlt Ihnen Ihr Land?«

»Kuba?«

»Ja.«

Sie nickte. »Sehr sogar.«

»Warum sind Sie dann hier?«

Sie blickte hinaus auf die Straße, als könne sie jenseits des Asphalts Havanna sehen. »Sie vertragen die Hitze nicht.«

»Was?«

»Na, schauen Sie sich doch mal an«, sagte sie. »Dauernd fächeln Sie sich Luft zu, und alle naselang sehen Sie gen Himmel, als wollten Sie der Sonne sagen, sie solle gefälligst schneller untergehen.«

»Ist das so offensichtlich?«

»Jetzt machen Sie es schon wieder.«

Sie hatte recht. Diesmal hatte er sich mit dem Hut Luft zugewedelt. »Manche Leute kommen sich hier wahrscheinlich vor, als würden sie auf der Sonne leben, aber *in* der Sonne trifft es meiner Meinung nach entschieden besser. Wie haltet ihr das bloß aus?«

Er starrte auf die dunkle Haut ihres entzückenden Halses,

als sie den Kopf zurückbog und gegen den Stuhl lehnte. »Für mich kann es gar nicht heiß genug sein.«

»Dann stimmt irgendwas nicht mit Ihnen.«

Sie lachte, und er konnte den Blick noch immer nicht von ihrer Kehle wenden. Sie schloss die Augen. »Aber trotz der Hitze bleiben Sie hier.«

»Ja.«

Sie öffnete die Augen wieder, legte den Kopf leicht schief und sah ihn an. »Warum?«

Er vermutete – ach was, er wusste es –, dass er Emma geliebt hatte. Ja, es war Liebe gewesen. Bei dem Gefühl, das Graciela Corrales in ihm hervorrief, musste es sich also um Lust handeln. Und doch war es eine Begierde, wie er sie noch nie verspürt hatte. Ihre dunklen Augen machten ihn schier verrückt. All ihren Bewegungen – ob sie nun einen Fuß vor den anderen setzte, ihre Zigarren rauchte oder lediglich einen Bleistift zur Hand nahm – wohnte eine derart träge Lässigkeit inne, dass er sich unschwer vorstellen konnte, wie sie mit derselben Lässigkeit über ihn glitt und ihn in sich aufnahm, während sie einen tiefen Seufzer in sein Ohr hauchte. Es war eine Trägheit, die nichts mit Müßiggang gemein hatte, sondern ganz und gar zielgerichtet wirkte – sie dehnte die Zeit, machte sie sich gleichsam untertan.

Kein Wunder, dass die Nonnen immer so heftig gegen die vermeintlichen Sünden der Fleischeslust gewettert hatten. Sie waren gefährlicher als Krebs und konnten einen zweimal so schnell unter die Erde bringen.

»Warum?«, wiederholte er, einen Moment lang selbst nicht sicher, ob er in der Zwischenzeit womöglich etwas nicht mitbekommen hatte.

Sie musterte ihn neugierig. »Ja, warum?«

»Ich habe hier einen Job zu erledigen.«

»Ich bin aus dem gleichen Grund hierher gekommen.«

»Um Zigarren zu rollen?«

Sie setzte sich auf und nickte. »Die Löhne sind hier viel besser als in Havanna. Das meiste Geld schicke ich nach Hause. Und sobald mein Mann entlassen wird, überlegen wir uns, wo wir leben wollen.«

»Oh«, sagte Joe. »Sie sind verheiratet.«

»Ja.«

Hatte er da gerade ein triumphierendes Glitzern in ihrem Blick wahrgenommen? Oder es sich nur eingebildet?

»Und Ihr Mann sitzt im Gefängnis?«

Noch ein Nicken. »Aber glauben Sie bloß nicht, er wäre so einer wie Sie.«

»Was bin ich denn für einer?«

»Ein mieser kleiner Krimineller.«

»Ah ja. Schön, dass wir das klären konnten.«

»Adan kämpft für unser großes Ziel.«

»Und wie viele Jahre kriegt man dafür aufgebrummt?«

Ihre Miene verdüsterte sich; urplötzlich war die lockere Atmosphäre wie verflogen. »Sie haben ihn gefoltert, um die Namen seiner Komplizen herauszukriegen – das waren Esteban und ich. Aber er hat dichtgehalten, egal, wie sehr sie ihn misshandelt haben.« Sie hatte das Kinn vorgeschoben, und das Flackern in ihrem Blick erinnerte Joe an die dünnen Blitze, die er in der Nacht am Horizont gesehen hatte. »Das Geld, das ich hier verdiene, schicke ich nicht an meine eigenen Verwandten. Ich habe keine Familie mehr. Ich unterstütze Adans Familie, damit sie ihn aus diesem Drecksloch von Gefängnis holen und wir endlich wieder zusammen sein können.«

War es tatsächlich nur Begierde, die ihn umtrieb, oder doch etwas, das er noch nicht in Worte fassen konnte? Vielleicht setzte ihm lediglich die Hitze zu, nicht zu vergessen, dass er zwei Jahre im Knast gewesen war. Möglich, wahrscheinlich sogar. Dennoch wurde er das Gefühl nicht los, dass ihn etwas in ihrem tiefsten Inneren anzog, ein Riss in ihr, ein Gemenge aus Angst, Zorn und Hoffnung, das wiederum etwas im tiefsten Kern seines Wesens zum Schwingen brachte.

»Er kann sich glücklich schätzen, dass er Sie hat«, sagte Joe.

Sie öffnete den Mund, doch dann merkte sie, dass diesmal kein Konter nötig war.

»Sehr glücklich sogar.« Joe stand auf und legte ein paar Münzen auf den Tisch. »Bringen wir den Anruf hinter uns.«

Sie riefen von einer pleitegegangenen Zigarrenfabrik im Ostteil von Ybor aus an. Auf dem staubigen Boden eines leeren Büros hockend, wählte Joe, während Graciela einen letzten Blick auf die mit Maschine geschriebene Botschaft warf, die er in der vergangenen Nacht zu Papier gebracht hatte.

»Lokalredaktion«, meldete sich jemand am anderen Ende, und Joe reichte Graciela den Hörer.

Graciela sagte: »Nieder mit dem amerikanischen Imperialismus! Wir übernehmen die Verantwortung für den Bombenanschlag von letzter Nacht. Sie haben mitbekommen, was mit der USS *Mercy* passiert ist?«

Joe konnte die Stimme des Mannes hören. »Ja, habe ich.«

»Wir, die Volksbefreier Andalusiens, übernehmen hiermit die volle Verantwortung für den Anschlag. Unsere nächste Aktion wird sich direkt gegen die Matrosen der amerikanischen Marine richten, und wir werden nicht eher ruhen, bis Kuba wieder seinen rechtmäßigen Besitzern gehört – dem spanischen Volk! *Viva España!* Auf Wiederhören!«

»Moment, warten Sie. Die Matrosen … Was haben Sie –«

»Wenn ich auflege, sind sie bereits tot.«

Sie unterbrach die Verbindung und sah Joe an.

»Das sollte reichen«, sagte er.

Zurück an der Pier, beobachtete Joe, wie die Matrosen eine Kolonne von Militärlastern bestiegen. In Gruppen zu fünfzig Mann verließen sie zügig das Schiff, während sie den Blick über die Häuserdächer schweifen ließen.

Die Lastwagen holperten von der Pier und verteilten sich anschließend – der erste Laster fuhr Richtung Osten, der zweite nach Südwesten, der dritte nach Norden, und so ging es im Eiltempo weiter.

»Irgendeine Spur von Manny?«, fragte Joe.

Dion nickte mit düsterer Miene, und Joes Blick folgte seinem ausgestreckten Zeigefinger, der auf einen Punkt jenseits der übereinandergestapelten Waffenkisten deutete. Dort, am Rand der Pier, lag ein Leichensack, der an Füßen, Brust und Hals mit Stricken zugeschnürt war. Eine Weile später wurde der Leichnam in einen weißen Transporter geladen, der kurz darauf, eskortiert von einem Wagen der Hafenpatrouille, die Pier wieder verließ.

Dann erwachte der Motor des letzten verbliebenen Militärlasters zum Leben. Das Quietschen der Bremsen vermischte sich mit dem Kreischen der Möwen, als der Fahrer wendete, kurz anhielt und dann zu den Kisten zurücksetzte. Ein Matrose sprang aus dem Führerhaus und öffnete die Ladeklappe. Die letzten verbliebenen Matrosen, allesamt bewaffnet mit leichten Browning-Maschinengewehren und Faustfeuerwaffen, verließen die USS *Mercy*. Ein Oberbootsmann sah ihnen entgegen, während sie die Planke hinuntermarschierten.

Sal Urso, der in Maso Pescatores Sportwettzentrale in South Tampa arbeitete, tauchte plötzlich neben Dion auf und drückte ihm ein paar Schlüssel in die Hand.

Dion stellte ihn Joe vor, und sie schüttelten sich die Hand.

»Der Laster steht ungefähr zwanzig Meter hinter uns. Die Karre ist vollgetankt, Uniformen liegen auf dem Sitz.« Er musterte Dion von oben bis unten. »Gar nicht so einfach, die passende Größe für dich zu finden.«

Dion tat so, als würde er sich selbst eine kleben. »Und wie sieht's auf den Straßen aus?«

»Das Gesetz ist überall. Aber die haben es bloß auf Spanier abgesehen.«

»Nicht auf Kubaner?«

Sal schüttelte den Kopf. »Ihr habt hier ganz schön Chaos angerichtet, Jungs.«

Der letzte Matrose hatte das Schiff verlassen. Der Oberbootsmann deutete auf die Kisten und erteilte Befehle.

»Wir müssen los«, sagte Joe. »Sehr erfreut, Sal.«

»Ebenfalls, Sir. Wir sehen uns.«

Sie ließen die Menge hinter sich und marschierten zu dem

Laster, den Sal für sie organisiert hatte. Es handelte sich um einen Zweitonner, dessen Ladefläche mit einer Leinenplane verhängt war. Joe legte den ersten Gang ein, und schon bogen sie in die Nineteenth Street.

Zwanzig Minuten später hielten sie an einem Waldstück am Rand der Route 41. Aus einem Dickicht von wuchernden Palmettopalmen, kleineren Nadelbäumen, Dornengestrüpp und Buschwerk ragten riesige Sumpfkiefern, wie Joe sie noch nie gesehen hatte. Dem Geruch nach zu urteilen, befand sich der Sumpf nur einen Steinwurf entfernt. Graciela erwartete sie neben einem Baum, der vor kurzem bei einem Unwetter in zwei Teile gespalten worden war. Sie hatte sich umgezogen und trug jetzt ein auffälliges schwarzes Tüllkleid mit Zickzacksaum, Pailletten und goldenen Rocailleperlen. Im tief ausgeschnittenen Dekolleté blitzte ihre Wäsche auf und vervollständigte den Eindruck eines Partygirls, das die Nacht durchgemacht hatte und nun, im hellen Licht des Tages, wieder von der brutalen Wirklichkeit eingeholt wurde.

Joe betrachtete sie durch die Windschutzscheibe, stieg jedoch nicht aus. Er hörte seinen eigenen Atem.

»Ich kann das übernehmen«, sagte Dion.

»Nein«, sagte Joe. »Mein Plan, meine Verantwortung.«

»Du hast doch sonst auch kein Problem damit, Aufgaben zu delegieren.«

Joe wandte den Kopf. »Willst du damit sagen, ich hätte Spaß an so was?«

»Na ja, so wie ihr euch immer anseht.« Dion zuckte mit den Schultern. »Vielleicht steht sie ja auf die harte Tour. Und du vielleicht auch.«

»Wie wir uns immer ansehen – wovon, zum Teufel, redest du? Kümmere dich lieber um deine Arbeit.«

»Mit Verlaub«, sagte Dion, »du auch.«

Verdammte Scheiße, dachte Joe. Kaum war sich jemand sicher, dass er nicht mehr auf der Abschussliste stand, riskierte er auch schon eine große Klappe.

Joe stieg aus, und Graciela sah ihm entgegen. Sie hatte bereits selbst Hand angelegt – ihr Kleid hatte einen Riss an der linken Schulter, ein paar Kratzer verunzierten ihre linke Brust, und sie hatte sich so fest auf die Unterlippe gebissen, dass sie blutete. Während er näher kam, tupfte sie sich die Lippe mit einem Taschentuch ab.

Dion stieg aus dem Lastwagen und hielt die Uniform in die Höhe, die Sal Urso für ihn organisiert hatte.

»Dann legt mal los.« Er kicherte und ging zur Rückseite des Lasters. »Ich ziehe mich derweil mal um.«

Graciela hielt Joe ihren rechten Arm hin. »Wir haben nicht viel Zeit.«

Einen Augenblick lang konnte sich Joe nicht dazu durchringen, sie überhaupt anzufassen. Es kam ihm irgendwie unnatürlich vor.

»Jetzt machen Sie schon.«

Er ergriff ihre Hand. Sie war kräftiger als jede Frauenhand, die er je berührt hatte. Das tägliche Zigarrenrollen hatte ihre Handballen steinhart gemacht, und ihre schlanken Finger waren wie aus Elfenbein.

»Jetzt?«, fragte er.

»Brauchen Sie noch eine Extraeinladung?«

Mit der Linken ergriff er ihr Handgelenk, grub die Finger seiner Rechten in ihre nackte Schulter und zog mit den

Nägeln vier parallele Linien in ihr Fleisch. Am Ellbogen hielt er inne und holte erst einmal tief Luft, da sich sein Kopf mit einem Mal anfühlte, als hätte jemand feuchte Zeitungen hineingestopft.

Sie entriss ihm die Hand und nahm die Kratzer auf ihrem Oberarm in Augenschein. »Das sieht doch nach gar nichts aus.«

»Finde ich schon.«

Sie deutete auf ihren Bizeps. »Ein paar rosa Striemen? Es muss richtig bluten, *bobo niño*, bis runter zu meiner Hand. Das war so abgemacht, schon vergessen?«

»Natürlich nicht«, sagte Joe. »Ich habe mir den Plan ja selbst ausgedacht.«

»Dann ziehen Sie ihn auch durch.« Sie hielt ihm den Arm hin. »Los jetzt!«

Joe war sich immer noch unschlüssig, doch dann meinte er ein Lachen aus dem Lastwagen vernommen zu haben. Er legte die eine Hand fest um ihren Bizeps und krallte die Fingernägel seiner Rechten mit aller Kraft in die oberflächlichen Furchen, die er bei seinem ersten Versuch in ihre Haut gekratzt hatte. Und so mutig Graciela auch sein mochte, hatte sie den Mund offenbar doch ein bisschen zu voll genommen. Ihre Augen traten aus den Höhlen, und er merkte, wie ihr Körper erbebte.

»Scheiße. Sorry, das wollte ich nicht.«

»Weiter!«

Sie sah ihm direkt in die Augen, und er grub seine Fingernägel tief in die Innenseite ihres Arms, zog sie schnurgerade nach unten und riss ihr die Haut der Länge nach auf. Als er an ihrem Ellbogen angekommen war, sog sie hörbar Luft zwischen die Zähne, während sie den Arm so drehte, dass er sein Werk bis zu ihrem Handgelenk fortsetzen konnte.

Und dann verpasste sie ihm eine schallende Ohrfeige.

»Heiliger Strohsack!«, platzte er heraus. »Ich mache das doch nicht zum Vergnügen!«

»Das behaupten Sie!« Abermals schlug sie nach ihm, erwischte ihn diesmal am Unterkiefer.

»Hey! Ich kann in dem verdammten Depot nicht mit ramponiertem Gesicht auftauchen!«

»Na, dann hindern Sie mich doch.« Erneut holte sie zu einem Schwinger aus.

Diesmal konnte er ihrem Schlag ausweichen, und dann kam er ihrer Vereinbarung nach – wobei sich Theorie und Praxis bis zu ihren wahrlich nicht zimperlichen Schlägen einmal mehr als zwei grundverschiedene Paar Stiefel erwiesen hatten. Er revanchierte sich, indem er ihr den Handrücken knallhart ins Gesicht schlug. Sie taumelte zur Seite; die Haare hingen ihr ins Gesicht, als sie einen Augenblick lang schwer atmend mit gesenktem Kopf auf der Stelle verharrte. Als sie den Blick wieder hob, war ihr Gesicht gerötet, und um ihr rechtes Auge zuckte es. Sie spie in ein Gebüsch am Straßenrand.

Seinem Blick wich sie aus. »Ich glaube, das reicht jetzt.«

Joe wollte irgendetwas sagen, doch fiel ihm beim besten Willen nichts ein, weshalb er zum Führerhaus des Lasters zurückging. Dion sah vom Beifahrersitz zu ihm hinaus. Ehe Joe einstieg, warf er einen Blick zu ihr zurück. »Ich hab's nicht gern getan.«

»Tja«, erwiderte sie und spuckte nochmals aus. »Aber trotzdem war's Ihre Idee.«

»Also, ich bin auch kein Frauenschläger«, sagte Dion, während sie ihren Weg fortsetzten. »Aber manchmal ist es eben die einzige Sprache, die die Weiber verstehen.«

»Das war was anderes«, sagte Joe. »Ich habe ihr ja keine gefeuert, weil sie's drauf angelegt hatte.«

»Nee, du hast ihr eine gefeuert, weil du ihr einen Schwung Automatikgewehre und Maschinenpistolen besorgen willst, damit ihre Freunde auf der Insel der tausend Freuden was zu spielen haben.« Dion zuckte mit den Schultern. »Es ist ein mieses Geschäft, und wir tun miese Dinge. Sie wollte die Waffen. Und du wirst sie ihr besorgen.«

»Noch haben wir sie nicht«, sagte Joe.

Sie hielten ein letztes Mal am Straßenrand, damit Joe seine Uniform anziehen konnte. Dion klopfte gegen die Rückwand des Führerhauses und rief: »Ab jetzt macht ihr's wie die Katzen, wenn der Kampfhund kommt. Kein Mucks mehr, *comprende?*«

Von hinten antwortete ein Chor mit einem donnernden »*Sí*«, und dann war nichts mehr zu hören außer dem allgegenwärtigen Summen der Insekten.

»Bist du bereit?«, fragte Joe.

Dion schlug gegen die Türverkleidung. »Na, deswegen stehe ich doch jeden Morgen auf, Mann.«

Das Munitionsdepot der Nationalgarde befand sich außerhalb von Tampa, am Nordrand von Hillsborough County, einem kargen Landstrich, der weit und breit nichts zu bieten hatte außer Zitronenhainen, Zypressensümpfen und verwilderten Feldern, die in der Sonne vor sich hin dorrten und nur auf den Funken warteten, der sie in Brand setzen würde.

Zwei Wachposten sicherten das Tor. Der eine trug einen 45er Colt, der andere ein Schnellfeuergewehr – genau die Waffen, die sie sich hier en gros unter den Nagel reißen wollten. Die Wache mit dem Revolver war ein hoch aufgeschossener, hagerer Typ mit Bürstenschnitt und den eingefallenen Wangen eines Mannes mit schlechten Zähnen. Der Junge mit dem Schnellfeuergewehr war gerade den Windeln entwachsen; er hatte strohiges Haar und einen völlig ausdruckslosen Blick. Sein Gesicht war von schwarzen Pickeln übersät.

Er stellte kein Problem dar, aber der Hagere machte Joe Sorgen. Man sah sofort, dass er ein scharfer Hund war. Er musterte sie mit nahezu aufreizender Ruhe, und es ging ihm sichtlich am Arsch vorbei, ob es ihnen gefiel oder nicht.

»Seid ihr die Jungs, deren Schiff in die Luft gejagt worden ist?« Wie Joe bereits vermutet hatte, waren seine Zähne grau und so schief wie Grabsteine auf einem überfluteten Friedhof.

Dion nickte. »Die Mistkerle haben uns den halben Rumpf weggesprengt.«

Der Hagere richtete den Blick auf Dion. »Wie bist du denn durch die letzte Tauglichkeitsprüfung gekommen, Dicker?«

Das Gewehr lässig in der Armbeuge, verließ der Jungspund sein Wachhäuschen und schritt die Seite des Lastwagens ab. Die Hitze schien ihm schwer zuzusetzen; sein Mund stand halb offen, als würde er jede Sekunde zu hecheln anfangen.

»Ich habe dir 'ne Frage gestellt, Dicker«, sagte der Hagere.

Dion lächelte. »Fünfzig Mäuse.«

»Das hast du bezahlt?«

»Ja«, sagte Dion.

»Ein echtes Schnäppchen. Und wer genau hat die Hand aufgehalten?«

»Ähm?«

»Name und Dienstgrad des Typen«, sagte der Hagere.

»Oberbootsmann Brogan«, erwiderte Dion. »Wieso, willst du zur Marine?«

Der Bursche blinzelte und taxierte sie mit kaltem Lächeln, ohne ein Wort zu sagen, ehe sich sein Lächeln urplötzlich in Luft auflöste. »Ich lasse mich jedenfalls nicht schmieren.«

»Gut so«, sagte Joe, dessen Nerven sich allmählich wieder beruhigten.

»Was soll das heißen, gut so?«

Joe nickte, während er mit aller Macht dem Drang widerstand, wie ein Honigkuchenpferd zu grinsen und einen auf netter Kerl zu machen.

»Ich weiß selbst, dass das gut so ist«, fuhr der Hagere fort. »Ist hier irgendwie der Eindruck entstanden, ich hätte dich um deine Meinung gebeten?«

Joe schwieg.

»Habe ich nämlich nicht.«

Ein Rumpeln drang aus dem hinteren Teil des Lastwagens, und der Hagere warf seinem Partner einen Blick zu.

Im selben Augenblick hielt ihm Joe auch schon seine 32er Savage unter die Nase.

Der Hagere stierte auf den Pistolenlauf; seine Atmung beschleunigte sich hörbar. Dion stieg aus dem Laster und nahm ihm den Colt ab.

»Kerle mit so schlechten Zähnen wie du«, sagte Dion, »sollten besser nicht mit dem Finger auf Dicke zeigen. Sondern lieber das Maul nicht so weit aufreißen.«

»Ja, Sir«, flüsterte der Hagere.

»Wie heißt du?«

»Perkin, Sir.«

»Also, Perkinsir«, sagte Dion, »im Lauf des Tages werden mein Partner und ich darüber entscheiden, ob wir dich am Leben lassen. Falls wir ein Auge zudrücken sollten, wirst du es daran merken, dass du nicht tot bist. Aber ehrlich gesagt sehe ich da schwarz, nachdem du uns so blöd gekommen bist. Und jetzt nimm deine verdammten Pfoten hinter den Rücken.«

Zuerst sprangen vier Pescatore-Gangster – sie trugen Sommeranzüge und buntgemusterte Krawatten – von der Ladefläche des Lastwagens. Sie stießen den Jungen mit dem strohigen Haar vor sich her; Sal Urso bohrte ihm sein eigenes Schnellfeuergewehr in den Rücken, während der Bursche unter Tränen um sein Leben bettelte. Dann folgten die Kubaner, etwa dreißig an der Zahl; in ihren weißen Kordelzughosen und den weiten weißen Hemden wirkten sie auf den ersten Blick, als würden sie Schlafanzüge tragen. Alle waren mit Gewehren oder Pistolen bewaffnet. Einer hatte eine Machete bei sich, ein anderer hielt zwei große Messer in Händen. An ihrer Spitze befand sich Esteban. Er trug eine dunkelgrüne Militärjacke und eine dunkelgrüne Armeehose, offenbar die Kampfmontur erster Wahl für Revolutionäre aus Bananenrepubliken, wie Joe dachte. Esteban nickte ihm zu, während seine Leute auf das Gelände vorrückten.

Joe sah Perkin an. »Wie viele von euch sind da drin?«

»Vierzehn Mann.«

»Warum so wenige?«

»Mitten in der Woche ist hier nichts los. Erst wieder am Wochenende.« Ein fieses Glimmen erschien in seinen Augen. »Da würden Sie es mit unserer ganzen Truppe zu tun bekommen.«

»Das glaube ich gern, Perkin.« Joe öffnete die Beifahrertür und stieg ebenfalls aus. »Aber im Moment muss ich mich mit Ihrer Wenigkeit begnügen.«

Der Einzige, der unmittelbar zur Gegenwehr überging, als dreißig bewaffnete Kubaner das Munitionsdepot stürmten, war ein wahrer Gigant von Mann, gut zwei Meter groß, wie Joe schätzte, ein Riese mit einem gewaltigen Kopf, einem geradezu monströsen Kiefer und Schultern wie Deckenbalken. Er ging geradewegs auf drei Kubaner los, die strikte Order hatten, keinen Gebrauch von ihren Waffen zu machen. Sie schossen trotzdem. Nur dass sie den Riesen nicht trafen – sie verfehlten ihn um Längen, obwohl er gerade mal sechs Meter von ihnen entfernt war. Stattdessen erwischten sie einen von ihren eigenen Leuten, der gerade hinter dem Riesen aufgetaucht war.

Joe und Dion ihrerseits befanden sich direkt hinter dem

unglückseligen Kubaner. Er drehte sich wie eine Bowlingkugel einmal um sich selbst und ging zu Boden, und Joe rief: »Aufhören! Nicht schießen!«

»*Dejar de disparar!*«, brüllte Dion. »*Dejar de disparar!*«

Die Kubaner hielten inne, doch Joe konnte nicht sicher sein, ob sie ihre altersschwachen Repetierbüchsen nicht bloß nachluden. Er griff sich das Gewehr des getroffenen Kubaners, packte es am Lauf und schlug zu, als der Riese sich wieder aus seiner geduckten Haltung aufrichtete. Er erwischte ihn seitlich am Kopf, doch der Hüne prallte nur wie ein Ball von der nächstgelegenen Wand ab. Seine Arme bewegten sich wie Dreschflegel, während er wieder auf Joe zuwalzte, und Joe zögerte keine Sekunde. Er rammte den Gewehrkolben geradewegs durch das Faustgewitter in das Gesicht des Ungeheuers – und einen Sekundenbruchteil später hörte er, wie Nase und Jochbein des Riesen brachen. Als der Hüne zu Boden ging, ließ er das Gewehr fallen, zog ein Paar Handschellen aus der Tasche, und dann war Dion auch schon an seiner Seite. Gemeinsam fesselten sie dem schnaufenden Riesen die Hände auf den Rücken, während sich eine Blutlache um seinen Kopf bildete.

»Halten Sie durch?«, stieß Joe hervor.

»Ich mach dich alle, du Arschloch!«

»Klingt vielversprechend.« Joe wandte sich an die drei schießwütigen Kubaner. »Holt noch jemanden, und dann schafft den Kerl in die nächste Zelle.«

Er trat zu dem Mann, der getroffen worden war. Zusammengekrümmt lag er auf dem Boden und röchelte. Es klang nicht gut, und es stand auch nicht gut um ihn – sein Gesicht war aschfahl, und er blutete heftig aus einer Wunde in der

Magengegend. Joe kniete neben ihm nieder, doch in derselben Sekunde starb er. Seine Augen verrutschten, und sein Blick wirkte, als versuche er, sich an den Geburtstag seiner Frau zu erinnern, vielleicht auch daran, wo er seine Brieftasche gelassen hatte. Er lag auf der Seite; der eine Arm war unter ihm eingeklemmt, der andere hing schlaff über seinem Kopf. Sein Hemd war bis zu den Rippen hochgerutscht und gab den Blick auf seinen Bauch frei.

Die drei Männer, die ihn getötet hatten, bekreuzigten sich, während sie den Riesen an Joe und der Leiche vorbeischleiften.

Joe schloss dem toten Kubaner die Augen; mit einem Mal sah er blutjung aus. Er war vielleicht zwanzig, vielleicht aber auch erst sechzehn gewesen. Joe drehte ihn auf den Rücken und kreuzte seine Arme über der Brust. Unterhalb seiner Hände, gleich unter der kleinen Wölbung, wo seine untersten Rippen zusammenstießen, quoll Blut aus einem Loch, das etwa so groß wie ein Zehncentstück war.

Dion und seine Männer befahlen den Nationalgardisten, sich an der Wand aufzureihen und bis auf die Unterwäsche auszuziehen.

Der tote Junge trug einen Ehering. Aus Blech, wenn Joe sich nicht täuschte. Wahrscheinlich trug er auch ein Foto seiner Frau bei sich, aber Joe hatte nicht vor, danach zu suchen.

Außerdem fehlte einer seiner Schuhe. Er musste ihn während der Schießerei verloren haben, doch Joe konnte ihn nirgendwo entdecken. Während die Nationalgardisten in ihrer Unterwäsche an ihm vorbeimarschierten, warf Joe einen Blick in den angrenzenden Korridor, doch auch dort fand er ihn nicht.

Fehlanzeige. Vielleicht lag er ja unter dem Jungen. Einen Moment lang überlegte Joe, ob er die Leiche noch einmal umdrehen sollte – irgendwie kam es ihm wichtig vor –, doch er musste zurück zum Tor und vorher noch die Uniform wechseln.

Es kam ihm vor, als würden die gelangweilten, gleichgültigen Blicke der Götter auf ihm lasten, als er das Hemd des Jungen über dessen Bauch zog und ihn dort liegen ließ, ohne seinen Schuh, in seinem eigenen Blut.

Nur fünf Minuten später traf der Lastwagen mit den Waffen vor dem Tor ein. Der Fahrer war nicht viel älter als der Junge, der soeben vor Joes Augen gestorben war, doch auf dem Beifahrersitz saß ein Obermaat mit sonnengegerbtem Gesicht. Er war etwa Mitte dreißig; an seinem Gürtel hing ein 45er Colt mit sichtlich abgenutztem Griff. Ein Blick in seine fahlen Augen, und Joe wusste, dass die drei schießwütigen Kubaner nicht mal den Hauch einer Chance gegen diesen Mann gehabt hätten.

Sie wiesen sich als Gefreiter Orwitt Pluff und Obermaat Walter Craddick aus. Joe gab ihnen die Ausweise zusammen mit dem Marschbefehl zurück.

Craddick reckte das Kinn und ließ Joes Hand in der Luft hängen. »Der Marschbefehl verbleibt bei Ihren Akten.«

»Ja, klar.« Joe ließ die Hand wieder sinken und grinste entschuldigend, ohne sich allzu viel Mühe zu geben. »Hab letzte Nacht in Ybor ein bisschen zu tief ins Glas geschaut. Sie wissen ja, wie das ist.«

»Weiß ich nicht.« Craddick schüttelte den Kopf. »Ich trinke keinen Alkohol. Das ist gegen das Gesetz.« Er warf einen Blick durch die Windschutzscheibe. »Ist das die Rampe, an der wir ausladen sollen?«

»Ja«, sagte Joe. »Wenn Sie wollen, übernehmen wir das für Sie.«

Craddick warf einen Blick auf die Rangabzeichen an Joes Schulter. »Unser Befehl lautet, die Waffen zu übergeben und für ihre sichere Verwahrung zu sorgen, Korporal. Wir sind dabei, bis die letzte Kiste verstaut ist.«

»Ausgezeichnet«, sagte Joe. »Fahren Sie einfach direkt an die Rampe.« Während er den Schlagbaum öffnete, wechselte er einen kurzen Blick mit Dion. Der wiederum richtete kurz das Wort an Lefty Downer, den Cleversten der vier Burschen, die er mit ins Boot geholt hatte, und ging zum Eingang des Munitionsdepots.

Joe, Lefty und die drei anderen Pescatore-Männer, alle in Korporalsuniformen, folgten dem Lastwagen zur Laderampe. Lefty war ausgewählt worden, weil er Köpfchen hatte und nie die Ruhe verlor. Die anderen drei – Cormarto, Fasani und Parone – waren dabei, weil sie akzentfrei Englisch sprachen. Im Großen und Ganzen sahen sie aus wie typische Wochenendsoldaten, auch wenn Joe zugeben musste, dass Parones Haare selbst für einen Nationalgardisten zu lang waren.

Der Schlafmangel machte sich immer heftiger bemerkbar; die Müdigkeit steckte ihm derart in den Knochen, dass ihm selbst das Denken schwerfiel.

Als der Laster an die Rampe zurücksetzte, sah er, dass Craddick ihn beobachtete, und er fragte sich, ob er bloß von Natur aus misstrauisch war oder es dafür einen triftigen

Grund gab. Und im selben Augenblick ging Joe siedend heiß auf, welchen Fehler er begangen hatte.

Er war nicht auf seinem Posten geblieben.

Er hatte das Tor unbewacht gelassen. Was kein Soldat jemals getan hätte, nicht mal ein Nationalgardist mit Restalkohol im Blut.

Er warf einen Blick zurück zum Wachhäuschen, erwartete, dass jeden Moment der Alarm losgehen, ihn jäh und unerwartet ein Schuss aus Craddicks 45er in den Rücken treffen würde, doch dann traute er seinen Augen nicht. In strammer Habachtstellung stand Esteban Suarez in Korporalsuniform neben dem Schlagbaum, Soldat vom Scheitel bis zur Sohle, und niemand hätte das auch nur einen Sekundenbruchteil bezweifelt.

Esteban, dachte Joe, *wir kennen uns zwar kaum, aber jetzt könnte ich dich glatt küssen.*

Als Joe sich wieder dem Laster zuwandte, stellte er fest, dass Craddick ihn nicht mehr auf dem Kieker hatte, sondern mit dem Gefreiten sprach, der die Handbremse anzog und den Motor abstellte.

Craddick sprang aus der Fahrerkabine und bellte ein paar Befehle. Als Joe den Laster erreichte, war die Heckklappe geöffnet, und die Matrosen standen auf der Rampe.

Craddick reichte Joe ein Klemmbrett. »Erste und dritte Seite abzeichnen, auf der zweiten Seite unterschreiben. Wir überlassen die Waffen Ihrer Obhut für mindestens drei, aber nicht mehr als sechsunddreißig Stunden.«

Joe unterzeichnete mit »Albert White, SSG USANG«, paraphierte die anderen zwei Seiten und gab Craddick das Klemmbrett zurück.

Craddick fasste Lefty, Comarto, Fasani und Parone ins Auge, ehe er den Blick wieder auf Joe richtete. »Fünf Mann? Mehr haben Sie nicht?«

Joe deutete auf die zwölf Matrosen auf der Rampe. »Uns wurde gesagt, Sie bringen genug Leute mit.«

»Immer das Gleiche«, sagte Craddick. »Kaum geht's ans Eingemachte, legen alle die Füße hoch.«

Joe sah gen Himmel und blinzelte. »Haben Sie sich deshalb verspätet? Weil das Verladen so lange gedauert hat?«

»Pardon?«

Joe musterte ihn herausfordernd, nicht nur, weil er gereizt war, sondern auch, weil er sich sonst verdächtig gemacht hätte. »Sie sollten doch bereits vor einer halben Stunde eintreffen.«

»Vor einer Viertelstunde«, gab Craddick zurück. »Es gab eine kleine Verzögerung.«

»Warum?«

»Ich wüsste nicht, was Sie das angeht, Korporal«, sagte Craddick. »Aber Sie werden es nicht glauben. Wir sind von einer Frau aufgehalten worden.«

Joe sah zu Lefty und den anderen Männern und lachte. »Immer dasselbe mit den Weibern.«

Lefty gackerte, und die anderen fielen mit ein.

»Wohl wahr.« Craddick hob eine Hand und grinste zustimmend. »Aber die Kleine war eine echte Schönheit. Stimmt's nicht, Gefreiter Pluff?«

»Ja, Sir. Eine scharfe Braut, wie sie im Buche steht.«

»Ein bisschen zu dunkel für meinen Geschmack«, sagte Craddick. »Jedenfalls tauchte sie plötzlich vor uns auf der Straße auf, ziemlich übel zugerichtet von ihrem Latino-Macker. Wahrscheinlich hat sie noch Glück gehabt, dass er sie nicht aufgeschlitzt hat. Das sind doch alles Messerstecher.«

»Haben Sie das Mädchen dort zurückgelassen?«

»Einer unserer Jungs ist bei ihr. Wir nehmen ihn auf dem Rückweg wieder mit, vorausgesetzt, dass Sie uns irgendwann mal an die Arbeit lassen.«

»Bitte sehr«, sagte Joe.

Craddick mochte sich ein wenig entspannt haben, doch blieb er nach wie vor in Alarmbereitschaft, sein Blick hellwach. Joe wich ihm nicht von der Seite. Zusammen hievten sie eine der Munitionskisten an ihren Hanfseilgriffen hoch und schleppten sie hinein. Auf dem Weg von der Laderampe zum Lager sah man durch eine Reihe von Fenstern in den nächsten Korridor und die angrenzenden Büros. Dion hatte die Amtsstuben mit den hellhäutigeren Kubanern besetzt, die allesamt mit dem Rücken zu den Fenstern saßen, irgendwelchen Unfug auf den vor ihnen stehenden Underwood-Schreibmaschinen tippten oder sich, den Finger auf der Gabel, Telefonhörer ans Ohr hielten. Bei ihrem zweiten Marsch durch den Korridor fiel Joe trotzdem auf, dass ausschließlich dunkle Schöpfe zu sehen waren – weit und breit niemand, der blond oder rothaarig gewesen wäre.

Craddick ließ den Blick die Fenster entlangschweifen; bis jetzt hatte er Gott sei Dank nichts davon spitzgekriegt, dass ebenjener Korridor unlängst Schauplatz eines bewaffneten Überfalls gewesen war, bei dem ein Mensch sein Leben verloren hatte.

»Wo haben Sie in Übersee gedient?«, fragte Joe.

Craddick behielt die Fenster im Auge. »Woher wollen Sie wissen, dass ich im Ausland gekämpft habe?«

Du liebe Güte, dachte Joe. Über kurz oder lang würde er die Einschüsse entdecken, die die Kugeln der verdammten Kubaner in den Wänden hinterlassen hatten. »Sie sehen aus wie ein Mann, der einiges erlebt hat.«

Craddick sah kurz zu Joe herüber. »Sie haben einen Blick dafür, ob jemand im Krieg war?«

»Zumindest heute«, erwiderte Joe. »Und Ihnen sehe ich's jedenfalls an.«

»Das Latino-Mädchen, das uns vorhin über den Weg gelaufen ist«, sagte Craddick, »hätte ich um ein Haar abgeknallt.«

»Im Ernst?«

Er nickte. »Das waren Latinos, die versucht haben, uns letzte Nacht in die Luft zu sprengen. Meine Jungs wissen es noch nicht, aber irgendeine spanische Organisation hat einen Anschlag auf unsere gesamte Truppe angekündigt.«

»Bis zu uns ist das noch nicht durchgedrungen.«

»Weil wir es nicht an die große Glocke gehängt haben«, erwiderte Craddick. »Wie auch immer, jedenfalls steht da plötzlich diese Latino-Braut vor uns, mitten auf dem Highway 41. Tja, und wissen Sie, was ich in dem Moment gedacht habe? Ich habe gedacht: Walter, verpass ihr 'ne Kugel, direkt zwischen die Titten.«

Abermals betraten sie das Lager und hievten die Kiste auf den Stapel zu ihrer Linken. Craddick kramte ein Taschentuch hervor und wischte sich die Stirn, während die Matrosen die restlichen Kisten hereinschleppten.

»Und ich hätte es auch getan, wenn sie nicht die Augen meiner Tochter gehabt hätte.«

»Wer?«

»Das Latino-Mädchen. Ich habe eine Tochter in der Dominikanischen Republik. Gesehen habe ich sie noch nie, aber ihre Mama schickt mir manchmal Fotos von ihr. Sie hat ganz große dunkle Augen, wie so viele Mädchen aus der Karibik. Nun ja, diese Latina hatte genau dieselben Augen, und deshalb habe ich meine Waffe wieder weggesteckt.«

»Sie hatten den Colt bereits gezogen?«

»So gut wie.« Er nickte. »Im Prinzip war die Sache schon gegessen. Warum ein unnötiges Risiko eingehen? Mehr als eine Gardinenpredigt hätte ich mir wohl kaum eingefangen, wenn ich die Schlampe erschossen hätte. Aber…« Er zuckte mit den Schultern. »Tja, die Augen meiner Tochter.«

Joe schwieg. Das Blut rauschte in seinen Ohren.

»Also habe ich es einem meiner Jungs überlassen.«

»Was?«

Craddick nickte. »Cyrus heißt er. Der Bursche ist heiß auf Krieg, aber es besteht gerade kein Bedarf für harte Kerle. Wie auch immer, als die Kleine den Blick in seinen Augen gesehen hat, ist sie abgehauen. Aber Cyrus ist nahe der Grenze zu Alabama aufgewachsen, hat dort alles Mögliche in den Sümpfen gejagt. Der findet sie in null Komma nichts.«

»Und wo wollen Sie das Mädchen hinbringen?«

»Nirgendwohin. Die verdammten Latinos haben es auf uns abgesehen. Cyrus wird sich die Kleine vorknöpfen, und den Rest besorgen die Reptilien.« Er steckte sich einen Zigarrenstumpen in den Mundwinkel, riss ein Streichholz an seinem Stiefelabsatz an und warf Joe einen Blick über die Flamme zu. »Aber Sie hatten recht – ich habe eine ganze Reihe von Einsätzen hinter mir. Ich habe einen Dominikaner im Kampf getötet, und Haitianer gleich dutzendweise, Tatsache. Und vor ein paar Jahren habe ich in Panama mal drei Kerle gleichzeitig mit einer Salve aus meiner Thompson erledigt – ging natürlich nur, weil wir die Burschen vorher aneinandergefesselt hatten.« Er paffte an seiner Zigarre und warf das Streichholz über die Schulter. »Und wollen Sie die Wahrheit hören? Es war ein Heidenspaß.«

16

Gangster

Sobald die Matrosen das Gelände verlassen hatten, lief Esteban zum Fuhrpark, um ein Fahrzeug für sich und Joe zu besorgen. Joe wechselte seine Klamotten, während Dion ihren Lastwagen an die Rampe fuhr und die Kubaner die Kisten postwendend wieder einluden.

Joe sah Dion an. »Kriegst du das hin?«

Dion strahlte. »Mit links, Mann! Kümmert ihr euch um Graciela. Bis später!«

Esteban hielt mit einem Spähwagen neben ihm; Joe stieg ein, und dann waren sie auch schon auf dem Highway 41. Knapp fünf Minuten später sahen sie den Militärlaster in etwa einer halben Meile Entfernung vor sich; die Straße war so eben, dass man praktisch bis hinüber nach Alabama sehen konnte.

»Wenn wir die sehen können, können die uns auch sehen«, sagte Joe.

»Nicht mehr lange«, gab Esteban zurück.

Kurz darauf bog er nach links auf eine kleinere, von Zwergpalmettos und wild wucherndem Gestrüpp gesäumte Straße ab, die sie ins Dickicht führte. Sie holperten über Kies und nackte Erde voller Schlammpfützen. Esteban fuhr, wie Joe sich gerade fühlte – so, als würde er von tausend Teufeln gehetzt.

»Wie hieß er?«, fragte Joe. »Der Junge, den die anderen versehentlich erschossen haben.«

»Guillermo.«

Joe sah die blicklosen Augen des Toten vor sich – der Gedanke, Gracielas Lider ebenso schließen zu müssen, war ihm schlicht unerträglich.

»Wir hätten sie nicht allein lassen dürfen«, sagte Esteban.

»Ich weiß.«

»Wir hätten damit rechnen müssen, dass sie einen Aufpasser für sie abstellen.«

»Ich *weiß*.«

»Wir hätten uns um ihre Sicherheit kümmern müssen.«

»Ich *weiß*, verdammt noch mal«, sagte Joe. »Das bringt uns jetzt bloß keinen Schritt weiter.«

Esteban trat das Gaspedal voll durch, übersah dabei aber eine Senke. Sie hoben vom Boden ab und setzten so hart mit den Vorderreifen auf, dass Joe befürchtete, der Wagen würde sich jeden Augenblick überschlagen.

Trotzdem bat er Esteban nicht, langsamer zu fahren.

»Ich kenne sie seit meiner Kindheit«, sagte Esteban. »Damals waren wir gerade mal so groß wie die Hunde auf der Farm meiner Eltern.«

Joe schwieg. Jenseits der Kiefern links von ihnen lag ein Sumpf. Zu beiden Seiten der Straße huschten Zypressen, Seesternbäume und Aberdutzende von anderen Pflanzen vorbei, in einem derartigen Tempo, dass sich Grün und Gelb wie auf einem Gemälde miteinander vermischten.

»Gracielas Eltern waren Wanderarbeiter. Ihr ›Heimatdorf‹ hätten Sie mal sehen sollen – solche Armut könntet ihr Amerikaner euch nicht mal im Traum vorstellen. Meinem Vater fiel auf, wie geschickt sie war, und deshalb hat er ihre Eltern gefragt, ob sie als Hausmädchen bei uns anfangen dürfe. Aber tatsächlich hat er mir eine Freundin gekauft. Ich hatte nämlich keine Freunde, nur die Pferde und das Vieh im Stall.«

Sie bretterten über die nächste Bodenwelle.

»Wieso erzählen Sie mir das gerade jetzt?«

»Ich habe sie geliebt.« Esteban sprach mit lauter Stimme, um sich über das Röhren des Motors verständlich zu machen. »Jetzt liebe ich eine andere, aber viele Jahre lang war ich über beide Ohren in Graciela verliebt.«

Er sah zu Joe hinüber, und Joe deutete durch die Windschutzscheibe. »Schau nach vorn, Esteban.«

Die nächste Bodenwelle hob sie einen Moment lang aus den Sitzen.

»Stimmt es eigentlich, dass sie all das für ihren Mann auf sich nimmt?« Wenn er redete, gelang es Joe, die Angst im Zaum zu halten; so fühlte er sich weniger hilflos.

»Ach«, sagte Esteban. »Adan ist kein Mann. Er ist eine Memme.«

»Ich dachte, er wäre ein Revolutionär.«

Esteban spie aus dem Fenster. »Von wegen. Er ist ein … ein … *estafador*. Ein Hochstapler, so heißt das auf Englisch, richtig? Er macht einen auf Revolutionär, singt unsere Freiheitslieder, und sie hat sich Hals über Kopf in ihn verknallt. Alles hat sie für ihn drangegeben – ihre Familie, ihr bisschen Geld und so gut wie all ihre Freunde außer mir.« Er schüttelte den Kopf. »Sie weiß nicht mal, wo er überhaupt steckt.«

»Ich dachte, er wäre im Gefängnis.«

»Er ist schon seit zwei Jahren wieder draußen.«

Der Wagen geriet ins Schlingern, als sie über die nächste Bodenwelle rumpelten, und das Heck streifte eine Kiefer, ehe Esteban das Steuer wieder unter Kontrolle bekam.

»Aber sie unterstützt seine Familie doch nach wie vor.«

»Die belügen sie nach Strich und Faden. Sie haben ihr erzählt, er würde sich in den Bergen verstecken, weil er sowohl von einer Bande von *chacales* aus dem Nieves-Morejón-Gefängnis als auch von Machados Schergen gejagt wird – und dass sie nicht nach Kuba kommen dürfe, weil sie ihn damit in tödliche Gefahr bringen würde. Wie auch immer, tatsächlich ist niemand hinter ihm her außer den Leuten, denen er Geld schuldet. Aber Graciela will davon nichts hören. Wenn es um Adan geht, schaltet sie komplett auf Durchzug.«

»Warum? Sie ist doch eine intelligente Frau.«

Esteban warf Joe einen kurzen Blick zu und zuckte mit den Schultern. »Wir alle klammern uns an Lügen, die uns lieber als die Wahrheit sind. Graciela macht da keine Ausnahme. Ihre Lebenslüge ist eben nur ein bisschen größer.«

Um ein Haar hätten sie die Abzweigung verpasst, doch Joe nahm sie gerade noch aus dem Augenwinkel wahr. Als Esteban bremste, schlitterten sie erst noch zwanzig Meter weiter. Er setzte zurück und bog ab.

»Wie viele Menschen haben Sie getötet?«, fragte Esteban.

»Keinen«, erwiderte Joe.

»Aber Sie sind ein Gangster.«

Joe sah keinen Sinn darin, ihm den Unterschied zwischen Gangster und Gesetzlosem zu erläutern, einfach weil er sich nicht mehr sicher war, ob tatsächlich noch ein Unterschied bestand. »Nicht alle Gangster bringen Leute um.«

»Aber Sie müssen dazu bereit sein.«

Joe nickte. »Genau wie Sie.«

»Ich bin Geschäftsmann. Ich richte mich nach Angebot und Nachfrage. Ich würde niemanden umbringen.«

»Sie bewaffnen kubanische Revolutionäre.«

»Dabei geht es um ein höheres Ziel.«

»Für das Menschen sterben werden.«

»Trotzdem besteht ein Unterschied«, sagte Esteban. »Ich töte *für* etwas.«

»Für was denn?«, erwiderte Joe. »Doch nicht etwa für ein beschissenes Ideal?«

»Sie haben's erfasst.«

»Und was ist das für ein Ideal, Esteban?«

»Dass niemand das Recht hat, über das Leben eines anderen zu bestimmen.«

»Komisch«, sagte Joe. »Gesetzlose töten aus demselben Grund.«

Weit und breit war nichts von ihr zu sehen.

Sie fuhren aus dem Kiefernwald heraus und näherten sich dem Highway 41, doch von Graciela fand sich keine Spur, ebenso wenig wie von dem Matrosen, den Craddick ihr auf den Hals gehetzt hatte. Die Sonne brannte auf den verlassenen, weiß schimmernden Highway.

Sie folgten der Straße für eine halbe Meile und wechselten dann wieder auf den Schotterweg, ehe sie nach einer weiteren halben Meile wieder umkehrten – und Joe plötzlich etwas hörte, das wie eine Krähe oder ein Falke klang.

»Stell den Motor ab!«

Gemeinsam reckten sie den Hals, ließen den Blick über die Straße, die Kiefern, den Zypressensumpf und den grellweißen Himmel schweifen.

Nichts. Nichts als das Summen der Libellen, das hier wohl nie aufhörte, wie Joe dachte – ob morgens, mittags, abends oder nachts, stets kam man sich vor, als würde man das Ohr an die Schienen pressen, nachdem gerade ein Zug vorbeigerattert war.

Esteban ließ sich wieder in seinen Sitz zurücksinken, doch Joe hielt inne. Er meinte, östlich von ihnen eine Bewegung gesehen zu haben, in der Richtung, aus der sie gekommen waren …

»Da drüben.« Er streckte die Hand aus, und im selben Augenblick rannte Graciela zwischen ein paar Kiefern hervor. Sie lief nicht in ihre Richtung – schlauerweise, da sie sonst über fünfzig Meter ohne Deckung hätte zurücklegen müssen.

Esteban zündete den Motor, donnerte die Böschung hinunter, durch einen Graben und wieder aufwärts. Joe hielt sich am Rahmen der Windschutzscheibe fest, und im selben Augenblick drangen Schüsse an seine Ohren – ein trockener Knall, gefolgt von zwei weiteren, selbst hier draußen seltsam gedämpft klingenden Schüssen. Den Schützen konnte er aus seiner Perspektive nicht sehen, wohl aber den Sumpf – und genau dahin war sie unterwegs. Er stupste Esteban mit dem Knie an und bedeutete ihm, sich etwas weiter links zu halten.

Als Esteban das Lenkrad herumzog, erhaschte Joe einen Blick auf eine dunkelblaue Uniform und den Kopf des Mannes, ehe es abermals dumpf krachte. Im selben Moment sah er, wie Graciela stürzte – ob sie gestolpert oder getroffen worden war, ließ sich nicht sagen. Allmählich wurde der Boden immer schlammiger; der Schütze befand sich rechts von ihnen. Esteban ging vom Gas, und Joe sprang aus dem Wagen.

Es war, als würde er den Mond betreten – nun ja, vorausgesetzt, dass der Mond grün gewesen wäre. Die Zypressen erhoben sich wie überdimensionale Eier aus dem milchig grünen Wasser, und prähistorische Banyanbäume mit einem Dutzend oder noch mehr Stämmen wirkten wie stumme Palastwächter. Esteban hielt sich zu seiner Rechten, als Joe sah, wie Graciela zwischen zwei Bäumen hindurchrannte. Irgendetwas unangenehm Schweres kroch über seine Füße, als abermals ein Schuss knallte, diesmal aus unmittelbarer Nähe. Die Kugel riss ein Stück Borke von der Zypresse, hinter der sich Graciela versteckte.

Der junge Matrose trat hinter einem knapp fünf Meter entfernten Baum hervor. Er war etwa so groß wie Joe und ähnlich gebaut, hatte rotes Haar und ein hartes, hageres Gesicht. Der Kolben seiner Springfield lag an seiner Schulter; den Lauf auf die Zypresse gerichtet, spähte er über das Korn. Joe zog seine 32er Automatik, atmete tief aus und schoss. Im ersten Moment glaubte Joe, nur das Gewehr getroffen zu haben, da es in hohem Bogen durch die Luft segelte. Doch dann fiel es in das teefarbene Wasser, und der junge Bursche fiel hinterdrein; Blut spritzte unter seiner linken Achselhöhle hervor und verdunkelte das Wasser, als er mit einem Platschen darin landete.

»Graciela!«, rief Joe. »Alles in Ordnung mit dir?«

Sie lugte hinter dem Baum hervor, und Joe nickte ihr aufmunternd zu. Esteban fuhr hinter ihr heran, und sie stieg in den Wagen.

Joe nahm das Gewehr an sich und sah zu dem Matrosen hinab. Mit hängendem Kopf hockte er im Wasser, die Arme um die Knie geschlungen wie jemand, der wieder zu Atem zu kommen versuchte.

Esteban hielt neben ihm, und Graciela fiel halb in Joes Arme. Er fing sie auf; ihr Körper bebte, als hätte sie eine Hochspannungsleitung angefasst.

Unweit entfernt bewegte sich etwas in den Mangroven. Ein langer, massiger Leib, so dunkelgrün, dass er fast schwarz war.

Der Matrose rang nach Luft. Mit offenem Mund sah er zu Joe auf. »Sie sind ja weiß.«

»So ist es«, sagte Joe.

»Wieso haben Sie dann auf mich geschossen?«

Joe sah Esteban, dann Graciela an. »Wenn wir ihn hier zurücklassen, wird er im Nu von den Biestern gefressen. Also …«

Er hörte, wie noch mehr von ihnen ins Wasser glitten, während das Blut des Matrosen unablässig weiter in den Sumpf strömte.

»Also«, sagte Joe. »Entweder nehmen wir ihn mit …«

»Er würde sie wiedererkennen«, sagte Esteban.

»Ich weiß«, sagte Joe.

»Er hat Katz und Maus mit mir gespielt«, platzte Graciela heraus.

»Was?«

»Mich gehetzt wie ein Tier. Und die ganze Zeit über hat er gelacht wie ein kleines Mädchen.«

Joe sah den Matrosen an, der seinen Blick erwiderte. Leise Furcht spiegelte sich in seinen Augen, doch sonst sprach nichts als purer Trotz aus ihm, die typische Sturheit eines Hinterwäldlers.

»Wenn Sie glauben, ich würde um mein Leben betteln, sind Sie bei mir an der falschen –«

Joe schoss ihm mitten ins Gesicht. Blut und Gehirnmasse spritzten über die Farne, während Alligatorenschwänze voller Vorfreude über das Wasser peitschten.

Graciela stieß unwillkürlich einen Schrei aus, und um ein Haar hätte Joe es ihr gleichgetan. Esteban warf ihm einen Blick zu und nickte, dankbar, dass Joe die Drecksarbeit übernommen hatte, der es selbst noch nicht richtig glauben konnte, während das Echo des Schusses in seinen Ohren widerhallte, ihm Korditgestank in die Nase stieg und ein Rauchfaden vom Lauf der 32er aufstieg, der an die feinen Schwaden einer Zigarette erinnerte.

Ein Mensch lag tot zu seinen Füßen. Ein Mensch, dessen Tod sich, recht besehen, letzten Endes Joes Geburt verdankte.

Sie stiegen in den Spähwagen, ohne ein weiteres Wort zu verlieren. Als hätten sie nur darauf gewartet, pirschten sich sofort zwei Alligatoren an die Leiche heran; der eine bewegte sich mit dem schwerfälligen Gang eines übergewichtigen Hundes durch das Unterholz, während der andere durch das von Seerosen bedeckte Wasser glitt.

Esteban trat aufs Gas, während beide Reptile gleichzeitig über die Leiche herfielen, der eine Alligator sich in einem Arm, der andere in einem Bein verbiss.

Wieder auf festem Boden, fuhr Esteban am Rand des Sumpfs parallel zur Straße in südöstlicher Richtung weiter.

Joe und Graciela saßen auf dem Rücksitz. Alligatoren und Menschen waren nicht die einzigen Raubtiere, die den Sumpf an jenem Tag bevölkerten: Ein Panther stand an einem Tümpel und trank. Sein Fell hatte die gleiche bräunliche Farbe wie manche der Bäume, und Joe hätte ihn womöglich gar nicht bemerkt, wenn das Tier nicht aufgesehen hätte, gerade mal zwanzig Meter von ihnen entfernt. Der Panther war mindestens 1,50 Meter lang, ganz Kraft und Geschmeidigkeit. Das Brustfell war cremeweiß, und von seinem feuchten Pelz stieg Dampf auf, während er den Wagen ins Auge fasste. Tatsächlich aber war sein Blick nicht auf den Wagen, sondern auf Joe gerichtet, und Joe sah ihm direkt in die kalt glänzenden Augen, so archaisch, gelb und gnadenlos wie die Sonne. Er war derart erschöpft, dass er einen Moment lang die Stimme des Panthers zu hören glaubte.

Du kannst nicht entkommen.

Was ist denn *jetzt* los?, wäre er um ein Haar herausgeplatzt, doch im selben Augenblick holperten sie über die Wurzeln eines umgestürzten Baums, und als Joe wieder aufsah, war der Panther verschwunden. Er ließ den Blick über den Sumpf schweifen, doch konnte er das Tier nirgendwo mehr entdecken.

»Hast du die Raubkatze gesehen?«

Graciela musterte ihn irritiert.

»Den Panther«, sagte er und breitete die Arme aus.

Sie runzelte die Stirn, als hätte er sich einen Sonnenstich geholt, und schüttelte den Kopf. Sie sah schlimm aus – ihr Körper war von oben bis unten voller Kratzer und Schrammen, ihr Gesicht geschwollen von seinen Schlägen. Moskitos und Bremsen hatten ihr Übriges getan und die Feuerameisen den Rest besorgt; ihre Füße und Waden waren von weißen Quaddeln mit roten Höfen übersät, der Saum ihres an mehreren Stellen gerissenen Kleids hing in Fetzen. Die Schuhe hatte sie bei ihrer Flucht durch den Sumpf verloren.

»Du kannst das Ding wieder wegstecken«, sagte sie.

Joe folgte ihrem Blick und sah, dass er die Waffe noch immer in der Hand hielt. Er ließ den Sicherheitsbügel einrasten und steckte die Pistole ins Holster.

Esteban bog auf die Route 41 und trat so hart aufs Gas, dass die Reifen einen Moment lang durchdrehten, ehe der Wagen mit einem Ruck vorwärtsschoss. Joe blickte auf das schimmernde Band der Straße, blinzelte in die erbarmungslose Sonne, die von einem erbarmungslosen Himmel auf sie herabschien.

»Er hätte mich getötet, ohne mit der Wimper zu zucken.« Der Fahrtwind wehte ihr das feuchte Haar ins Gesicht.

»Ich weiß.«

»Er hat mich gehetzt, als wäre ich ein Eichhörnchen. Und er hat in einem fort gerufen: ›Schätzchen, erst verpasse ich dir eine ins Bein, und dann bist du reif, Schätzchen.‹ Hat er damit gemeint, dass er mich …«

Joe nickte.

»Wenn du ihn am Leben gelassen hättest«, fuhr sie fort, »hätten mich hinterher garantiert die Cops einkassiert. Und du wärst sicher auch verhaftet worden.«

Joe nickte abermals. Er nahm die Insektenstiche an ihren Knöcheln in Augenschein und ließ den Blick über ihre Beine und ihren Rock bis hinauf zu ihren Augen wandern. Sie musterte ihn so unverwandt, dass er den Blick wieder abwandte, ehe sie auf einen Orangenhain hinaussah, der an ihnen vorbeizufliegen schien. Nach einer Weile drehte sie sich wieder zu ihm.

»Glaubst du, ich hätte ein schlechtes Gewissen?«, fragte er.

»Ich weiß es nicht.«

»Ich habe keine Gewissensbisse«, sagte er.

»Dafür gibt es auch keinen Grund.«

»Aber ich fühle mich auch nicht besonders toll.«

»Dafür gibt es noch weniger Grund.«

Und damit war so ziemlich alles gesagt.

Ich bin kein Gesetzloser mehr, dachte er. *Ich bin ein Gangster.*

Der durchdringende Geruch von Zitrusfrüchten wich erneut dem Gestank von Sumpfgasen. Eine ganze Meile lang sah sie ihn an, ohne zwischendurch den Blick abzuwenden, und keiner von ihnen sprach ein Wort, ehe sie in West Tampa angekommen waren.

17

Tage wie dieser

Zurück in Ybor, hielt Esteban vor dem Haus, in dem Graciela ein Zimmer über einem Café bewohnte. Joe brachte sie nach oben, während Esteban und Sal Urso nach South Tampa weiterfuhren, um sich des Wagens zu entledigen.

Gracielas Zimmer war klein und adrett. Gegenüber dem schmiedeeisernen, weißgestrichenen Bett befand sich ein Porzellanwaschbecken unter einem ovalen Spiegel mit ebenfalls weißem Rahmen. Ihre Kleider hingen in einem ramponierten Schrank aus Kiefernholz, der aussah, als könne er das Gebäude zum Einsturz bringen; nirgendwo war das kleinste bisschen Staub oder Schimmel zu sehen, was Joe bei dem Klima für unmöglich gehalten hätte. Das einzige Fenster ging auf die Eleventh Avenue hinaus; die Jalousien hatte sie unten gelassen, um die Hitze draußen zu halten. In der Ecke stand eine Spanische Wand, die aus demselben stark gemaserten Holz wie der Schrank gezimmert war. Sie bedeutete Joe, sich zum Fenster zu drehen, und verschwand hinter dem Paravent.

»Jetzt hast du's geschafft«, sagte sie, während er die Jalousie ein wenig anhob und auf die Straße hinausblickte.

»Pardon?«

»Du hast dir die Vormachtstellung auf dem Rummarkt gesichert. Du wirst ein König sein.«

»Ein Prinz vielleicht«, sagte er. »Aber da ist immer noch Albert White.«

»Und warum glaube ich, dass du schon einen Plan in der Hinterhand hast?«

Er steckte sich eine Zigarette an und lehnte sich an die Fensterbank. »Pläne sind bloß Träume, solange man sie nicht in die Tat umgesetzt hat.«

»Und? Hast du erreicht, was du wolltest?«

»Ja«, sagte er.

»Na, dann herzlichen Glückwunsch.«

Er sah zu ihr hinüber. Das völlig verdreckte Abendkleid hing über dem Paravent, und er konnte ihre nackten Schultern sehen. »Das klingt aber nicht so, als würdest du es auch so meinen.«

Sie bedeutete ihm, sich wieder umzudrehen. »Doch, ich meine es so. Du hast es durchgezogen, um dein Ziel zu erreichen. In gewisser Weise ist das schon bewundernswert.«

Er lachte trocken. »In gewisser Weise.«

»Aber wie willst du deine Macht erhalten, jetzt, wo du ganz oben bist? Ist doch eine interessante Frage, oder?«

»Meinst du, ich wäre nicht hart genug?« Abermals sah er zu ihr hinüber, und diesmal ließ sie ihn gewähren, weil sie sich mittlerweile eine weiße Bluse angezogen hatte.

»Ich weiß nicht, ob du rücksichtslos genug bist.« Ihre dunklen Augen schimmerten. »Und falls doch, wäre das ziemlich schade.«

»Wer Macht besitzt, muss nicht zwangsläufig ein brutales Schwein sein.«

»Die meisten sind es aber.« Ihr Kopf verschwand hinter dem Paravent, als sie in einen Rock stieg. »Nachdem ich heute gesehen habe, wie du einen Menschen erschossen hast, und du mir gerade beim Anziehen zugeschaut hast – darf ich dir eine persönliche Frage stellen?«

»Klar.«

»Wer ist sie?«

»Wer?«

Ihr Kopf tauchte wieder auf. »Das Mädchen, das du liebst.«

»Wer sagt denn, dass ich jemanden liebe?«

»Ich sage das.« Sie zuckte mit den Schultern. »Frauen kennen sich mit so etwas aus. Ist sie hier?«

Lächelnd schüttelte er den Kopf. »Sie ist nicht mehr da.«

»Sie hat dich verlassen?«

»Sie ist tot.«

Graciela starrte ihn an, als wolle er sie auf den Arm nehmen. Als sie begriff, dass er es ernst meinte, sagte sie: »Das tut mir leid.«

Er wechselte das Thema. »Und? Zufrieden mit den Waffen?«

Sie stützte die Arme auf den oberen Rand des Paravents. »Sehr sogar. Wenn Machado eines Tages gestürzt wird – und der Tag kommt so sicher wie das Amen in der Kirche –, haben wir ein ganzes …« Sie schnippte mit den Fingern und sah ihn an. »Wie heißt das noch mal?«

»Ein Arsenal«, sagte er.

»Ja, genau.«

»Das sind also nicht eure einzigen Waffen.«

Sie schüttelte den Kopf. »Nicht die ersten und auch nicht die letzten. Wenn der Tag kommt, sind wir bereit.« Sie trat hinter dem Paravent hervor, trug nun eine weiße Bluse und einen braunen Rock, die typische Kleidung einer Zigarrenrollerin. »Du hältst mich für töricht, nicht wahr?«

»Ganz im Gegenteil. Eher für idealistisch. Ich habe einfach andere Dinge im Blick.«

»Und was?«

»Rum.«

»Wärst du nicht gern selbst ein Idealist?« Sie hielt Daumen und Zeigefinger ganz nah zusammen. »Wenigstens ein kleines bisschen?«

Er schüttelte den Kopf. »Ich habe nichts gegen Idealisten. Mir ist bloß aufgefallen, dass die meisten keine vierzig werden.«

»Gangster ebenso wenig.«

»Stimmt«, sagte er. »Aber wir essen in besseren Restaurants.«

Sie ging an den Schrank, nahm ein paar flache weiße Schuhe heraus und setzte sich auf das Bett, um sie anzuziehen.

Er verharrte am Fenster. »Okay, sagen wir, eines Tages findet eure Revolution statt.«

»Und?«

»Wird sich dadurch etwas ändern?«

Sie zog den einen Schuh an. »Menschen können sich ändern.«

Wiederum schüttelte er den Kopf. »Die Welt kann sich verändern, aber der Mensch bleibt immer gleich. Selbst wenn es euch gelingt, Machado zu stürzen, ist es immer noch ziemlich wahrscheinlich, dass ihr vom Regen in die Traufe kommt. Außerdem könnte dir selbst alles Mögliche zustoßen, bevor ihr euer Ziel überhaupt…«

»Ich könnte sterben.« Sie beugte sich vor, um den anderen Schuh überzustreifen. »Ich könnte sterben, weil mich ein Kamerad für Geld ans Messer liefert. Ich könnte in die Fänge von kaputten Typen geraten, Männern, die womöglich noch schlimmer sind als der Kerl, der heute hinter mir her war, und auf brutalste Weise gefoltert werden. Und nichts an meinem Tod wird irgendwie edel oder großartig sein, weil der Tod eben nie edel oder großartig ist. Man heult und schreit, und die Scheiße läuft einem aus dem Arsch, wenn man stirbt. Und diejenigen, die dich töten, lachen dich aus und spucken auf deine Leiche. Am Ende wird man mich schnell vergessen. Als ob es« – sie schnippte mit den Fingern – »mich nie gegeben hätte. Mir ist das durchaus bewusst.«

»Und warum nimmst du all das dann auf dich?«

Sie stand auf und strich ihre Bluse glatt. »Weil ich mein Land liebe.«

»Ich liebe mein Land auch, aber –«

»Es gibt kein Aber«, sagte sie. »Und genau das unterscheidet uns beide. Dein Land liegt da draußen vor dem Fenster – richtig?«

Er nickte. »Ja.«

»Mein Land lebt *in* mir.« Sie legte die Hand auf die Brust, tippte sich dann an die Schläfe. »Und ich weiß, dass es mir nicht danken, meine Liebe nicht erwidern wird. Das wäre auch unmöglich, da ich nicht nur mein Volk, unsere Architektur und den Geruch meines Landes liebe. Ich liebe meine Idee, meine Vorstellung von Kuba. Und das sind Dinge, die ich mir ausgedacht habe, was wiederum bedeutet, dass ich etwas liebe, das es gar nicht gibt. So wie du diese tote Frau.«

Er wusste nicht, was er darauf erwidern sollte, sah einfach nur wortlos zu, wie sie das Zimmer durchquerte und das zerfetzte Abendkleid vom Paravent nahm. Als sie den Raum verließen, drückte sie ihm das Kleid in die Hand.

»Verbrenn das«, sagte sie.

Die Waffen gingen in die westlich von Havanna gelegene Provinz Pinar del Río. Sie befanden sich an Bord von fünf Kuttern, die um drei Uhr nachmittags von der Boca Ciega Bay in St. Petersburg in See stachen. Dion, Joe, Esteban und Graciela standen am Kai und sahen den Booten hinterher. Joe hatte seine Sachen gewechselt und trug den leichtesten Anzug, den er besaß. Graciela war dabei gewesen, als er seine komplett ruinierten Klamotten und ihr Kleid verbrannt hatte, doch nun schien der Eindruck der Hetzjagd im Sumpf allmählich zu verblassen. Immer wieder nickte sie auf der Bank ein, auf der sie Platz genommen hatte, lehnte aber jedes Mal ab, wenn ihr jemand anbot, sich doch in einem der Autos auszuruhen.

Als der letzte der Kutterkapitäne ihnen die Hand geschüttelt und schließlich abgelegt hatte, standen sie am Kai und blickten sich an, und Joe erkannte, dass keiner von ihnen wusste, was sie als Nächstes tun sollten. Was sie in den letzten achtundvierzig Stunden erlebt hatten, war schwer zu übertreffen. Der Himmel hatte sich rot verfärbt. Am anderen Ende der gezackten Küstenlinie, jenseits eines Mangrovendickichts, flatterte ein Segel in der heißen Brise. Joe sah zu Esteban. Er sah zu Graciela, die mit geschlossenen

Augen wieder auf ihrer Bank saß, den Kopf an die dahinterstehende Laterne gelehnt. Er sah Dion an; hoch über ihm stieß ein Pelikan hinab aufs Wasser, der Schnabel länger als der gesamte Körper. Joes Blick wanderte hinaus zu den Kuttern, die nun schon ziemlich weit entfernt und von ihm aus gesehen kaum größer als spitze Hütchen waren, und plötzlich musste er lachen, platzte einfach damit heraus, und dann röhrten auch Dion und Esteban los. Graciela bedeckte ihr Gesicht einen Moment lang mit den Händen, und dann begann sie ebenfalls zu lachen, lachte und weinte gleichzeitig und spähte zwischen ihren Fingern hervor wie ein kleines Mädchen, ehe sie die Hände wieder herunternahm. Sie lachte und weinte, fuhr sich ein ums andere Mal durch die Haare und wischte sich schließlich das Gesicht mit ihrem Blusenkragen. Zusammen traten sie an den Rand des Kais, blickten hinaus auf das Wasser, das sich purpurrot zu verfärben begann, und lachten, lachten, lachten, bis sie nur noch leise in sich hineinkichern konnten und die Boote hinter dem Horizont verschwunden waren.

An den Rest des Tages konnte sich Joe hinterher nur mehr oder weniger verschwommen erinnern. Sie machten sich auf in eins von Masos Speakeasys, das sich hinter der Praxis eines Tierarztes Ecke Fifteenth und Nebraska befand. Esteban ließ eine Kiste dunklen Rum herbeischaffen, und die Kunde davon verbreitete sich wie ein Lauffeuer unter all jenen, die an dem Raubzug beteiligt gewesen waren. Bald darauf drängten sich Pescatores Handlanger Seite an Seite mit Estebans Revolutionären. Dann trudelten die Frauen ein, herausgeputzt mit Seidenkleidern und paillettenbesetzten Hüten. Eine Band stürmte auf die Bühne. Im

Nu wurde getanzt, dass die Dielen erbebten und die Wände wackelten.

Dion tanzte mit drei Frauen gleichzeitig, wirbelte sie um sich herum und schwang sie erstaunlich gewandt zwischen seinen stämmigen Beinen hindurch. Doch der wahre Künstler unter den Tänzern war Esteban. Er bewegte sich so leichtfüßig wie eine Katze auf einem schmalen Ast, mit so stupender Meisterschaft, dass sich die Band seinem Tempo anpasste, nicht umgekehrt. Er erinnerte Joe an Rudolph Valentino in diesem Streifen, in dem er einen Stierkämpfer gespielt hatte, an genau diese Art maskuliner Grazie. Im Nu versuchte die Hälfte der anwesenden Frauen, ihn mit ihren Tanzkünsten zu beeindrucken oder ihn nach Hause abzuschleppen.

»Ich habe noch nie jemanden mit so einem Rhythmusgefühl gesehen«, sagte Joe zu Graciela.

Sie saßen zusammen in einer Nische. Sie beugte sich zu ihm. »Damit hat er sich früher ja auch sein Geld verdient.«

»Was meinst du?«

»Das war sein Beruf«, sagte sie. »Er hat in Havanna als Eintänzer gearbeitet.«

»Das soll ein Witz sein, oder?« Er sah sie an. »Gibt's irgendwas, das er nicht draufhat?«

»Er war Profitänzer«, sagte sie. »Und ein richtig guter obendrein. Er hat es zwar nie zu einer Hauptrolle gebracht, war aber immer ziemlich gefragt. So hat er sich sein Jurastudium finanziert.«

Um ein Haar hätte sich Joe an seinem Drink verschluckt. »Er hat Jura studiert?«

»Ja. Eigentlich ist er Rechtsanwalt.«

»Mir hat er erzählt, er wäre auf einer Farm aufgewachsen.«

»Das stimmt ja auch. Meine Familie hat für seine Familie gearbeitet. Wir waren, äh …« Sie sah ihn fragend an.

»Tagelöhner?«

»Heißt das so?« Sie zog die Stirn in Falten, inzwischen mindestens so betrunken wie er selbst. »Nein, nein. Wir waren *Pächter*.«

»Dein Vater hat Ackerland gemietet und dafür mit einem Teil der Ernte bezahlt?«

»Nein.«

»Das nennt man Pacht. Mein Großvater war Pachtbauer in Irland.« Er versuchte möglichst nüchtern zu erscheinen, was ihm unter den gegebenen Umständen nicht eben leicht fiel. »Tagelöhner ziehen mit den Jahreszeiten von einer Farm zur anderen, um die jeweilige Ernte einzubringen.«

»Ah«, sagte sie, offenbar ein wenig eingeschnappt wegen der Belehrung. »Was du alles weißt, Joseph. *So* ein kluger Junge.«

»Du hast mich gefragt, *chica*.«

»Hast du mich gerade ›*chica*‹ genannt?«

»Ich glaube schon.«

»Dein Akzent ist furchtbar.«

»Genau wie dein Gälisch.«

»Was?«

Er winkte ab. »Ich lerne noch.«

»Sein Vater war ein großartiger Mann.« Ihre Augen schimmerten. »Er hat mich bei ihnen zu Hause aufgenommen. Ich hatte mein eigenes Zimmer, immer sauberes Bettzeug. Und einen Privatlehrer, bei dem ich Englisch gelernt habe. Ich, ein armes Mädchen vom Land.«

»Und was hat sein Vater als Gegenleistung verlangt?«

Sie las in seinen Augen. »Du bist widerlich.«

»Die Frage liegt auf der Hand.«

»Er hat gar nichts verlangt. Vielleicht hat er sich ein klein wenig etwas darauf eingebildet, was er alles für das kleine mittellose Mädchen getan hat, aber das war auch schon alles.«

Er hob eine Hand. »Okay, tut mir leid.«

»Es gibt durchaus gute Menschen«, sagte sie. »Auch wenn du es anscheinend vorziehst, dir schlechte Menschen schönzureden.«

Er wusste nicht, was er darauf antworten sollte, weshalb er nur mit den Schultern zuckte und wortlos an seinem Glas nippte, bis sich die Stimmung zwischen ihnen wieder ein wenig entspannt hatte.

»Komm.« Sie glitt aus der Nische und ergriff seine Hand. »Lass uns tanzen.«

»Ich tanze nicht.«

»Heute Abend«, sagte sie, »tanzen alle.«

Er ließ sich von ihr auf die Tanzfläche ziehen, auch wenn es einfach nur peinlich war, ein und dasselbe Parkett mit Esteban oder auch nur Dion zu teilen und sein jämmerliches Gehopse als Tanzen auszugeben.

Und selbstredend lachte Dion ihn offen aus, doch Joe war schlicht zu betrunken, um sich darüber zu ärgern. Er überließ Graciela die Führung, und bald fand er in einen Rhythmus, bei dem er wenigstens halbwegs mit ihr Schritt halten konnte. Sie blieben eine ganze Weile auf der Tanzfläche, reichten sich eine Flasche dunklen Suarez-Rum hin und her. Doch obwohl sie ihm direkt gegenüberstand, die

Hüften schwang, die Schultern kreisen ließ und dabei die Flasche an die Lippen setzte, sah er immer wieder vor sich, wie sie in dem Zypressensumpf um ihr Leben gelaufen war.

Er hatte für diese Frau getötet. Zugegeben, er hatte den Dreckskerl gern erledigt. Doch eine Frage war ihm den ganzen Tag über nicht aus dem Kopf gegangen – warum er dem Matrosen ins Gesicht geschossen hatte. So etwas tat man nur, wenn man seinen Zorn nicht zügeln konnte. Normalerweise schoss man einem Gegner in die Brust. Doch Joe hatte ihm das Gesicht weggeblasen. Und zwar deshalb, wie ihm nun aufging, während er sich in ihren rhythmischen Bewegungen verlor, weil sich im Blick des Matrosen nichts als blanke Verachtung für Graciela gespiegelt hatte. Weil sie eine dunkle Hautfarbe hatte, war es keine Sünde, sie zu vergewaltigen, sondern nichts weiter als ein kriegerischer Akt. Ob sie dabei lebendig oder tot gewesen wäre, hätte für Cyrus kaum eine Rolle gespielt.

Die Flasche in der einen Hand, hob Graciela die Arme über den Kopf und kreuzte die Handgelenke. Ihre Lider waren halb geschlossen, und ein schiefes Lächeln spielte um ihre zerschundenen Lippen.

»Worüber denkst du nach?«, fragte sie.

»Über diesen Tag.«

»Was meinst du?«, doch dann sah sie es in seinen Augen. Sie senkte die Arme und reichte ihm die Flasche, ehe sie zusammen die Tanzfläche verließen.

»Der Kerl ist mir egal«, sagte er. »Ich wünschte nur, es hätte eine andere Möglichkeit gegeben.«

»Es gab aber keine.«

Er nickte. »Deshalb tut es mir auch nicht leid. Es tut mir bloß leid, dass es passiert ist.«

Sie nahm ihm die Flasche aus der Hand. »Wie dankt man dem Mann, der einem das Leben gerettet hat?«

Er reckte das Kinn.

Sie lachte. »Überleg dir was anderes, *chico*.«

»Sag doch ganz einfach danke.« Er griff nach der Flasche und nahm einen Schluck.

»Danke.«

Er verbeugte sich mit weit ausholender Geste und taumelte ihr in die Arme. Sie gab einen kleinen Schrei von sich, wehrte ihn sogar mit einem Klaps ab, half ihm dann aber, sich wieder aufzurichten. Lachend und außer Atem stolperten sie zum nächsten Tisch.

»Wir werden nie ein Paar sein«, sagte sie.

»Warum nicht?«

»Weil wir gebunden sind.«

»Also, mein Mädchen ist tot.«

»Mein Mann womöglich auch.«

»Was du nicht sagst.«

Sie schüttelte ein paarmal hintereinander den Kopf, um den Alkoholnebel zu vertreiben. »Dann lieben wir Geister.«

»Sieht so aus.«

»Und die Geister, die wir riefen, werden wir nun nicht mehr los.«

»Du bist betrunken«, sagte er.

Sie lachte und zeigte mit ausgestrecktem Finger auf ihn. »*Du* bist betrunken.«

»Wohl wahr«, sagte er.

»Jedenfalls wird aus uns bestimmt kein Paar.«
»Das sagst du.«

Es war, als würden zwei Autos in voller Fahrt zusammenstoßen, als sie zum ersten Mal in ihrem Zimmer über dem Café miteinander schliefen. Sie prallten regelrecht aufeinander, fielen vom Bett, warfen einen Stuhl um, und als er in sie eindrang, grub sie ihre Zähne so fest in seine Schulter, dass Blut kam. Es war schneller vorbei, als man eine Suppenschüssel hätte abtrocknen können.

Beim zweiten Mal eine halbe Stunde später träufelte sie Rum auf seine Brust und leckte ihn ab; er tat es ihr gleich, und diesmal nahmen sie sich Zeit, ließen sich auf den Rhythmus des anderen ein. Sie hatte sich erst nicht küssen lassen wollen, doch auch dieser Vorsatz war wenige Minuten später vergessen. Sie probierten alles aus, küssten sich mal sanft, mal heftig, bissen sich in die Lippen oder spielten nur mit ihren Zungen.

Es überraschte ihn, wie viel Spaß sie dabei hatten. Joe hatte in seinem Leben mit sieben Frauen geschlafen, doch Liebe gemacht – und das war es doch, worum es ging – hatte er nur mit Emma. Aber auch wenn der Sex zwischen ihnen zügellos und gelegentlich sogar beseelt gewesen war, hatte Emma doch stets einen Teil von sich zurückgehalten. Manchmal hatte er das Gefühl gehabt, sie sähe ihnen beim Sex zu, während sie miteinander schliefen. Und hinterher hatte sie sich wie immer tief in ihr Schneckenhaus zurückgezogen.

Graciela hingegen hielt nichts zurück, schon gar nicht sich selbst. Was ihn einem ziemlich hohen Verletzungsrisiko aussetzte – impulsiv krallte sie die Finger in seine Haare, packte ihn mit ihren Zigarrenrollerhänden so ungestüm am Hals, dass er halb befürchtete, sie würde ihm jede Sekunde das Genick brechen, grub ihre Zähne in seine Haut, seine Muskeln, seine Knochen. Doch war es mehr als nur das: Sie umschlang ihn förmlich mit ihrem Körper, trieb den Akt an eine Grenze, jenseits derer sie buchstäblich zu verschmelzen schienen, sich gleichsam ineinander aufzulösen drohten.

Als er am nächsten Morgen erwachte, musste er über diesen törichten Gedanken unwillkürlich lächeln. Sie schlief mit dem Rücken zu ihm; ihr Haar ergoss sich ungezähmt über das Kissen. Kurz überlegte er, ob er nicht lieber aus dem Bett schlüpfen, sich anziehen und einfach gehen sollte, bevor Trübsinn und Katzenjammer unweigerlich die schöne Stimmung verdarben. Bevor die große Reue aufkam. Stattdessen hauchte er ihr einen Kuss über die Schulter, und im selben Moment drehte sie sich zu ihm um. Dann lag sie auch schon wieder auf ihm. Und das mit der Reue, dachte er, würde noch einen Tag warten müssen.

»Wir sollten das Ganze rein geschäftlich betrachten«, erklärte sie ihm, als sie unten im Café zusammen frühstückten.

»Inwiefern?« Er konnte einfach nicht aufhören, wie ein Idiot zu grinsen, während er seinen Toast aß.

»Wir werden unsere körperliche Beziehung so lange…« – sie lächelte ebenfalls, während sie nach dem richtigen Wort suchte – »…aufrechterhalten, bis…«

»›Aufrechterhalten‹?«, sagte er. »Dein Privatlehrer hat dir ja einiges beigebracht.«

Sie wurde gleich zwei Zentimeter größer. »Danke.«

Er grinste weiter wie ein Idiot. »Nichts zu danken. Und wie lange halten wir unsere Beziehung aufrecht?«

»Bis ich wieder nach Kuba zurückgehe. Und zu meinem Mann.«

»Und ich?«

»Du?« Sie spießte ein Stück Spiegelei auf ihre Gabel.

»Ja, ich. Du kriegst deine Heimat und deinen Mann. Und was kriege ich?«

»Du wirst König von Tampa.«

»Prinz«, berichtigte er sie.

»Prinz Joseph«, sagte sie. »Das klingt zwar nicht schlecht, passt aber irgendwie auch nicht richtig. Schließlich ist ein Prinz ja dem Wohl seiner Untertanen verpflichtet, nicht wahr?«

»Im Gegensatz zu?«

»Einem Gangster, dem es nur um sich selbst geht.«

»Und um seine Leute.«

»Genau.«

»Was ja auch eine Art Nächstenliebe ist.«

Sie musterte ihn halb frustriert, halb angewidert. »Bist du ein Prinz oder ein Gangster?«

»Ich weiß es nicht. Ich sehe mich selbst als Gesetzlosen, aber inzwischen frage ich mich manchmal, ob das nicht bloß ein Hirngespinst ist.«

»Dann bist du mein gesetzloser Prinz, bis ich nach Hause zurückkehre. Würde dir das gefallen?«

»Sehr sogar. Was sind meine Pflichten?«

»Du musst etwas zurückgeben.«

»Okay.« Er hätte auch eingewilligt, wenn sie seinen rechten Arm gefordert hätte. »Wo fangen wir an?«

Eindringlich blickte sie ihn aus ihren dunklen Augen an. »Bei Manny.«

»Er hatte eine Familie«, sagte Joe. »Eine Frau und drei Töchter.«

»Das weißt du noch?«

»Na klar.«

»Du hast gesagt, er wäre dir scheißegal.«

»Da habe ich vielleicht ein bisschen übertrieben.«

»Wirst du dich um seine Familie kümmern?«

»Für wie lange?«

»Ihr Leben lang«, sagte sie, als wäre das die einzig logische Antwort. »Er ist für dich in den Tod gegangen.«

Er schüttelte den Kopf. »Mit Verlaub, das hat er für euch getan. Für euch und eure Sache.«

Sie hielt ihren Toast in der Hand. »Und das heißt?«

»Das heißt«, sagte er, »dass ich den Bustamentes mit Freuden einen Sack voller Geld schicke, sobald ich genug in der Kasse habe. Wäre das in deinem Sinne?«

Sie lächelte ihn an und biss in ihren Toast. »Und wie.«

»Dann betrachte es als erledigt. Übrigens, wie wirst du sonst genannt? Außer Graciela, meine ich.«

»Wie sollte ich denn sonst genannt werden?«

»Keine Ahnung. Gracie?«

Sie zog ein Gesicht, als hätte sie in eine Zitrone gebissen.

»Grazi?«

Noch so eine Miene.

»Ella?«, versuchte er es erneut.

»Warum sollte mich jemand so nennen? Graciela ist der Name, den mir meine Eltern gegeben haben.«

»Mein Name stammt auch von meinen Eltern.«

»Aber du hast ihn halbiert.«

»Was hast du gegen ›Joe‹?«, sagte er. »Das ist doch nichts anderes als ›José‹.«

»Von wegen«, sagte sie, während sie den letzten Bissen aß. »José bedeutet Joseph, nicht Joe. Und Joseph ist dein richtiger Name.«

»Du klingst wie mein Vater«, sagte er. »Er hat mich auch immer nur Joseph genannt.«

»Weil du so heißt.« Sie schüttelte den Kopf. »Du isst wie ein Spatz.«

»Das höre ich auch nicht zum ersten Mal.«

Ihr Blick richtete sich auf etwas hinter ihm, und als er sich umwandte, sah er Albert White, der gerade durch die Hintertür trat. Er schien um keinen Tag gealtert zu sein, auch wenn er ein wenig zugelegt hatte und sich der Ansatz eines Wohlstandsbauchs über seinem Gürtel wölbte. Er trug einen hellen Anzug, einen hellen Hut und helle Gamaschen, seit jeher seine bevorzugte Kleidung, und hatte immer noch diesen schlendernden Gang, als wäre die ganze Welt ein extra für ihn errichteter Vergnügungspark. Im Vorbeigehen griff er sich einen Stuhl, so wie auch Bones und Brenny Loomis, die ihm auf dem Fuß folgten. An Joes Tisch angekommen, stellten sie die Stühle ab und setzten sich – Albert neben Joe, während Loomis und Bones links und rechts von Graciela Platz nahmen und Joe mit ausdruckslosen Mienen fixierten.

»Wie lang ist es her?«, sagte Albert. »Etwas mehr als zwei Jahre?«

»Zweieinhalb«, sagte Joe und nippte an seinem Kaffee.

»Glaube ich dir gern«, sagte Albert. »Im Knast lernt man

ja, die Tage zu zählen.« Er griff über Joes Arm, nahm sich ein Würstchen von seinem Teller und biss hinein wie in ein Hühnerbein. »Wieso hast du deine Wumme stecken lassen?«

»Vielleicht habe ich ja keine dabei.«

»Was du nicht sagst.«

»Als Geschäftsmann hast du sicher kein gesteigertes Interesse an einer Schießerei in einem öffentlichen Lokal, Albert.«

»Im Gegenteil.« Albert ließ den Blick durch den Raum schweifen. »Das Ambiente ist doch perfekt. Schön hell, beste Sicht, nicht zu viel Kram, der im Weg steht.«

Die Cafébesitzerin, eine nervöse Kubanerin Mitte fünfzig, wirkte plötzlich noch nervöser. Sie spürte die negative Energie zwischen den Männern und wünschte nichts sehnlicher, als dass sich diese Energie schleunigst wieder verflüchtigte. Bei ihr am Tresen saß ein älteres Paar, das bislang nichts mitbekommen hatte und sich nicht einigen konnte, ob es sich abends einen Film im Tampa Theatre oder Tito Broca und seine Band im Tropicale ansehen sollte.

Ansonsten war das Café leer.

Joe sah zu Graciela. Ihre Augen waren etwas größer als sonst, doch davon abgesehen wirkte sie ganz ruhig; weder zitterten ihr die Hände, noch atmete sie schneller.

Albert biss abermals in das Würstchen und beugte sich zu ihr. »Wie heißt du, Schätzchen?«

»Graciela.«

»Bist du 'ne hellhäutige Schwarze oder 'ne dunkle Latina? Ich kann das nicht unterscheiden.«

Sie lächelte ihn an. »Ich komme aus Österreich. Sieht man das nicht?«

Albert gab ein dröhnendes Lachen von sich. Er schlug sich auf die Schenkel, ließ die flachen Hände auf die Tischplatte niedergehen, und selbst das ältere Paar war jetzt auf sie aufmerksam geworden.

»Köstlich, einfach köstlich.« Er sah zu Loomis und Bones. »Österreich.«

Die beiden verstanden nur Bahnhof.

»Österreich!«, wiederholte er und winkte seufzend ab, das Würstchen immer noch in der einen Hand. »Vergesst es.« Er wandte den Kopf. »Und wie heißt unsere österreichische Freundin mit vollem Namen?«

»Graciela Dominga Maela Corrales.«

Albert pfiff durch die Zähne. »Das ist ja ein ziemlicher Zungenbrecher, aber ich wette, du hast auch sonst eine recht flinke Zunge, nicht wahr, Schätzchen?«

»Lass es, Albert«, sagte Joe. »Halt sie da raus, okay?«

Albert wandte sich wieder zu Joe, während er den Rest des Würstchens verspeiste. »Denk mal zurück. Ist leider nicht meine Stärke, Frauen außen vor zu lassen.«

Joe nickte. »Was willst du von mir?«

»Ich würde gern erfahren, warum du im Knast nichts dazugelernt hast. Oder warst du zu sehr damit beschäftigt, deinen Arsch hinzuhalten? Und kaum bist du draußen, versuchst du auch schon, es mit mir aufzunehmen. Mal ehrlich, haben sie dir da drin ins Hirn geschissen?«

»Vielleicht wollte ich dich einfach nur ein bisschen aufscheuchen«, sagte Joe.

»Das hast du jedenfalls fein hinbekommen«, erwiderte Albert. »Meine Bars, meine Restaurants, meine Billardsalons, alle meine Speakeasys von hier bis Sarasota – egal, mit wem ich spreche, alle erzählen mir, dass ich keinen Cent mehr von ihnen sehe. Die Kohle geht jetzt an dich. Und als ich mit Esteban Suarez reden will, stehen da mehr bewaffnete Wachposten als vor dem Kriegsministerium, und der Kerl denkt gar nicht daran, sich auch nur zu zeigen. Und du mit deinen paar Spaghettifressern und Niggern ...«

»Kubanern.«

Albert nahm sich einen Toast von Joes Teller. »Glaubst du ernstlich, du könntest mich aus dem Geschäft drängen?«

Joe nickte. »Und ob. Die Sache ist gelaufen.«

Albert schüttelte den Kopf. »Sobald du unter der Erde bist, werden die Suarez ganz schnell klein beigeben, und dann ist alles wieder beim Alten.«

»Wenn du mich umlegen wolltest, hättest du's längst getan. Du bist hier, um zu verhandeln.«

Abermals schüttelte Albert den Kopf. »Da irrst du dich gewaltig, mein Freund. Ich wollte dich nur wissen lassen, dass ich mich verändert habe. Ich bin ruhiger geworden. Wir verlassen jetzt die Bude durch die Hintertür, und deine Kleine bleibt hier. Ihr wird kein Haar gekrümmt – obwohl das bei der Mähne bestimmt kein Problem wäre.« Albert stand auf, zog den Bauch ein und knöpfte seine Anzugjacke zu. Dann richtete er seine Hutkrempe. »Wenn du Theater machst, nehmen wir sie ebenfalls mit und legen euch beide um.«

»Ach ja?«

»Verlass dich drauf.«

Joe zog ein Blatt Papier aus seiner Jackentasche, legte es auf den Tisch und strich es glatt. Er sah kurz zu Albert auf und las dann die dort aufgelisteten Namen vor. »Pete Mc-

Cafferty, Dave Kerrigan, Gerard Mueler, Dick Kipper, Fergus Dempsey, Archibald ...«

Albert riss ihm die Liste aus den Fingern und las selbst weiter.

»Und keiner von ihnen meldet sich, stimmt's, Albert? Deine besten Männer, und keiner von ihnen geht an die Tür oder ans Telefon. Du versuchst dir einzureden, das wäre alles nur Zufall, aber du weißt genau, was Sache ist. Wir haben sie uns vorgeknöpft, jeden Einzelnen von ihnen. Und so ungern ich es sage, Albert: Mit ihnen brauchst du nicht mehr zu rechnen.«

Albert lachte trocken, doch sein normalerweise leicht rötliches Gesicht war weiß wie Elfenbein. Er sah Bones und Loomis an und lachte weiter. Bones stimmte mit ein, aber Loomis blickte drein, als sei ihm plötzlich schlecht geworden.

»Und da wir gerade über deine Handlanger reden«, sagte Joe. »Woher wusstest du, wo du mich finden kannst?«

Alberts Teint nahm wieder ein wenig Farbe an, als er zu Graciela hinübersah. »Immer der Muschi nach – ich weiß schließlich, wie du tickst, Joe.«

Graciela presste die Lippen aufeinander.

»Gut gegeben«, sagte Joe. »Aber du hättest mich nur bis hierher verfolgen können, wenn du gewusst hättest, wo ich gestern Abend war – und das kannst du unmöglich gewusst haben.«

»Wo du recht hast, hast du recht.« Albert hob die Hände. »Dann habe ich wohl andere Methoden.«

»Wie zum Beispiel einen Spitzel unter meinen Leuten?«

Ein Lächeln blitzte in Alberts Augen auf, war aber einen Lidschlag später schon wieder verschwunden.

»Derselbe Bursche, der dir geraten hat, mich hier drin statt auf der Straße abzupassen?«

Alberts Pupillen waren so flach wie Ein-Cent-Stücke.

»Hat er dir gesagt, ich würde keinen Aufstand machen, wenn das Mädchen dabei ist? Dass ich dir sogar die Kohle überlassen würde, die ich drüben in Hyde Park gebunkert habe?«

»Mach ihn alle, Boss«, sagte Brendan Loomis. »Leg ihn um.«

»Das hättet ihr gleich beim Hereinkommen erledigen sollen«, sagte Joe.

»Wer sagt, dass ich's nicht jetzt tue?«

»Ich«, ertönte die Stimme Dions, der hinter Loomis und Bones eintrat, zwei langläufige 38er in Händen. Im selben Moment kam Sal Urso durch die Eingangstür, gefolgt von Lefty Downer; beide trugen Trenchcoats, obwohl kein Wölkchen am Himmel zu sehen war.

Die Caféinhaberin und das Paar am Tresen schienen Todesängste auszustehen. Der alte Mann klopfte sich auf die Brust. Die Caféinhaberin griff zu ihrem Rosenkranz und bewegte verzweifelt die Lippen.

Joe warf Graciela einen Blick zu. »Sag ihnen, dass sie nichts zu befürchten haben.«

Sie nickte und erhob sich.

Albert sah Dion an. »Du warst ja schon immer ganz groß darin, andere zu verpfeifen – stimmt's, du fettes Schwein?«

»Einmal ist keinmal, du Lackaffe«, gab Dion zurück. »Statt mir postwendend auf den Leim zu gehen, hättest du dich lieber daran erinnern sollen, wie ich's letztes Jahr deinem Botenjungen besorgt habe – Brucie Blum, schon vergessen?«

»Wie viele von uns sind noch draußen?«, fragte Joe.

»Wir sind mit vier Wagen gekommen«, sagte Dion.

Joe stand auf. »Albert, ich habe nicht vor, hier ein Blutbad anzurichten. Aber gib mir nur den geringsten Grund, und ihr seid allesamt Geschichte, verstanden?«

Obwohl auf völlig verlorenem Posten, lächelte Albert, aalglatt wie immer. »Nicht mal den Hauch eines Grundes. Na, ist das ein Angebot?«

Joe spuckte ihm mitten ins Gesicht.

Urplötzlich waren Alberts Pupillen nicht mehr größer als Pfefferkörner.

Einen schier endlosen Augenblick lang schienen alle den Atem anzuhalten.

»Ich hole nur mein Taschentuch heraus«, sagte Albert dann.

»Sobald du in die Tasche greifst, fängst du dir eine Kugel«, sagte Joe. »Benutz gefälligst deinen Ärmel.«

Noch während er sich das Gesicht abwischte, kehrte Alberts Lächeln wieder zurück, auch wenn in seinem Blick nichts als blanke Mordlust stand. »Du hast die Wahl, Joe. Mich entweder zu töten oder aus der Stadt zu jagen.«

»Genau.«

»Und?«

Joe sah zu der Caféinhaberin hinüber, die immer noch ihren Rosenkranz zwischen den Fingern hielt, und zu Graciela, die ihr die Hand auf die Schulter gelegt hatte.

»Ich glaube, mir steht heute nicht der Sinn danach, dich zu töten, Albert. Du hast weder die Waffen noch das nötige Kleingeld, um einen Krieg anzuzetteln, und es werden Jahre vergehen, bis du nennenswerte neue Allianzen schmieden kannst.«

Albert setzte sich wieder. So selbstverständlich und seelenruhig, als würde er alte Freunde besuchen. Joe blieb stehen.

»Du hast das alles geplant«, sagte Albert. »Seit wir dich in der Gasse hinter dem Statler abservieren wollten.«

»Worauf du einen lassen kannst.«

»Ein bisschen ging's dir aber auch ums Geschäft.«

Joe schüttelte den Kopf. »Das war rein persönlich.«

Albert brauchte zwei Sekunden, um das zu verarbeiten. »Willst du über sie reden?«

Joe spürte Gracielas Blick. Und Dions.

»Vergiss es«, sagte er. »Du hast sie gebumst, ich habe sie geliebt, und dann hast du sie umgebracht. Was gäbe es da noch zu sagen?«

Albert zuckte mit den Schultern. »Ich habe sie auch geliebt. Mehr, als du dir vorstellen kannst.«

»Ich kann mir so einiges vorstellen.«

»Das nicht«, gab Albert zurück.

Während Joe versuchte, hinter Alberts Maske zu schauen, beschlich ihn das gleiche Gefühl wie damals im Kellergeschoss des Hotel Statler – dass Albert für Emma dasselbe empfand wie er.

»Und warum hast du sie dann umgebracht?«

»Ich?«, erwiderte Albert. »Das geht auf dein Konto. Du musstest sie ja unbedingt haben. Tausende von anderen Mädchen, die mit einem attraktiven Burschen wie dir ins Bett gegangen wären, aber nein, ausgerechnet meine Kleine musste es sein. Und wenn einem Mann Hörner aufgesetzt werden, bleiben ihm nur zwei Möglichkeiten: Entweder greift er selbst zum Strick, oder er bringt seinen Rivalen um.«

»Aber du hast nicht mich umgebracht. Sondern sie.«

Albert zuckte mit den Schultern, doch Joe sah genau, wie sehr ihm Emmas Tod immer noch nachging. *Du lieber Himmel*, dachte er. *Wir können sie beide nicht vergessen.*

Albert ließ den Blick durch das Café schweifen. »Dein Boss hat mich aus Boston vertrieben. Und jetzt vertreibst du mich aus Tampa – ist das die Nummer, die hier gespielt wird?«

»Im Großen und Ganzen.«

Albert richtete den Finger auf Dion. »Dir ist hoffentlich klar, dass du ihm die zwei Jahre Knast zu verdanken hast. Er hat euch in Pittsfield ans Messer geliefert.«

»Ach nee. Das ist ja mal was ganz Neues. Hey, D.«

Dion ließ Bones und Loomis nicht aus den Augen. »Ja?«

»Schluss jetzt. Knall ihn ab.«

Alberts Augen weiteten sich, und die Caféinhaberin stieß einen spitzen Schrei aus, während Dion mit ausgestrecktem Arm auf Albert zuging. Sal und Lefty schlugen ihre Trenchcoats zurück und ließen die darunter verborgenen Thompson-Maschinenpistolen sehen, um Bones und Loomis in Schach zu halten. Dion setzte Albert die Waffe an die Schläfe. Albert schloss die Augen und hob die Arme.

»Moment«, sagte Joe.

Dion hielt inne.

Joe zupfte an seinen Hosenbeinen und ging vor Albert in die Hocke. »Sieh meinem Freund in die Augen.«

Albert hob den Blick.

»Und? Kannst du irgendeine Form von Mitgefühl erkennen, Albert?«

Albert blinzelte. »Nein.«

Joe nickte Dion zu, und Dion senkte die Waffe.

»Wie seid ihr hierhergekommen?«

»Was?«

»Seid ihr mit dem Auto gekommen?«

»Ja.«

»Gut. Dann geht ihr jetzt raus zu eurem Wagen und verlasst den Staat in nördlicher Richtung. Da ich Alabama, die Mississippi-Küste und sämtliche Städte zwischen hier und New Orleans kontrolliere, setzt ihr euch am besten nach Georgia ab.« Joe grinste Albert ins Gesicht. »Tja, und über New Orleans verhandeln wir nächste Woche.«

»Woher weiß ich, dass deine Leute uns nicht verfolgen?«

»Und ob sie euch folgen werden, Albert. Und zwar bis zur Staatsgrenze – richtig, Sal?«

»Der Wagen ist vollgetankt, Mr. Coughlin.«

Albert warf einen Blick auf Sals Maschinenpistole. »Und wer garantiert mir, dass sie uns unterwegs nicht umlegen?«

»Niemand«, gab Joe zurück. »Aber wenn ihr euch nicht jetzt sofort und ein für alle Mal vom Acker macht, gebe ich dir Brief und Siegel, dass du den morgigen Tag nicht erleben wirst. Und das kann wohl kaum in deinem Interesse liegen. Schließlich willst du irgendwann Rache nehmen, nicht wahr?«

»Warum solltest du mich dann am Leben lassen?«

»Damit jeder weiß, dass ich dir alles genommen habe und du nicht Manns genug warst, mir Einhalt zu gebieten.« Joe richtete sich wieder auf. »Ich schenke dir das Leben, Albert. Wer auf dieser Welt sollte so ein Leben auch sonst haben wollen?«

18

Ein Tier namens Angst

Während der fetten Jahre sagte Dion des Öfteren: »Jede Glückssträhne hat mal ein Ende.«

Worauf Joe stets erwiderte. »Genau wie Pechsträhnen auch.«

»Deine Glückssträhne hält bloß schon so lange an«, sagte Dion, »dass sich niemand mehr an die Pechsträhnen erinnert.«

Joe hatte an der Ecke Ninth und Nineteenth ein Haus für sich und Graciela gebaut. Spanische und kubanische Arbeitskräfte waren damit beauftragt worden, und Italiener hatten sich um die Marmorarbeiten gekümmert; er hatte Architekten aus New Orleans zu Rate gezogen, um sicherzustellen, dass sich die verschiedenen Stile perfekt ergänzten. Er und Graciela fuhren selbst mehrmals nach New Orleans, um sich im French Quarter inspirieren zu lassen, und sahen sich nicht zuletzt auch auf langen Spaziergängen in Ybor um. Das Anwesen, in das sie schließlich einzogen, verband Neoklassizismus mit spanischem Kolonialstil. Das Haus hatte eine Klinkerfassade und Balkone aus hellem Beton mit schmiedeeisernen Geländern. Die grünen Fensterläden blieben stets geschlossen, so dass es von außen einen fast schlichten Eindruck erweckte und sich schwer sagen ließ, wann jemand anwesend war.

Drinnen jedoch gingen geräumige Zimmer mit hohen Decken und großzügigen Bogengängen auf den Innenhof, ein Wasserbecken und den Garten hinaus, in dem Bergamotte, Veilchen und Zweizähne neben europäischen Fächerpalmen wuchsen. An den Mauern rankte sich Algerischer Efeu. Im Winter erstrahlten Bougainvilleen neben üppigem gelben Carolina-Jasmin; wenn sie im Frühling verblühten, leuchteten überall Trompetenwinden, so dunkel wie Blutorangen. Ein Weg aus Steinplatten schlängelte sich um den Springbrunnen in der Hofmitte bis zu einem Laubengang, der zu einer geschwungenen Treppe führte, die sich hinter cremefarbenem Klinker ins Haus hinaufwand.

Alle Türen im Haus waren mindestens fünfzehn Zentimeter dick und mit massiven Scharnieren und Eisenriegeln versehen. Die Kuppeldecke des Salons im dritten Stock war Joes Idee gewesen, ebenso wie die Dachterrasse – ein nahezu unverschämt luxuriöses Extra, da der erste Stock bereits mit einem umlaufenden Balkon ausgestattet war und sich an die Galerie in der zweiten Etage eine ausladende Veranda anschloss. Manchmal vergaß er, dass es die Dachterrasse überhaupt gab.

Doch nachdem Joe einmal losgelegt hatte, war er nicht mehr zu bremsen. Gäste, die das Glück hatten, eine Einladung zu Gracielas Wohltätigkeitsgalas zu erhalten, bestaunten den imposanten Salon, die prachtvolle Eingangshalle mit dem mächtigen Treppenaufgang, die importierten Seidenstores, die italienischen Bischofsstühle, die Napoleon-III.-Kippspiegel mit Kandelabern, die marmornen Kaminsimse und die goldgerahmten Gemälde aus einer Pariser Galerie, die Esteban ihnen empfohlen hatte. Manche Wände bestanden aus nackten Augusta-Block-Ziegeln, andere zierten Satintapeten mit Prägemustern oder modischer Stuccolustro. Der vordere Teil des Hauses war mit Parkett ausgelegt, im hinteren befanden sich Steinböden, um die Zimmer kühl zu halten. Im Sommer wurde das Mobiliar mit weißen Tüchern verhüllt, und Gazeschleier schützten die Kronleuchter vor Insekten. Joes und Gracielas Bett war mit Moskitonetzen verhängt, ebenso wie die Badewanne mit den Löwenfüßen, in der sie sich oft nach Sonnenuntergang entspannten und den Geräuschen lauschten, die von der Straße zu ihnen heraufdrangen.

Das Leben im Überfluss kostete Graciela einige Freunde – die meisten davon ehemalige Kolleginnen aus der Zigarrenfabrik und Frauen, mit denen sie im Circulo Cubano ehrenamtlich tätig gewesen war. Und zwar nicht, weil ihre Freundinnen ihr den neuen Wohlstand missgönnt hätten (auch wenn im einen oder anderen Fall durchaus Neid im Spiel war), sondern weil sie fürchteten, versehentlich irgendetwas Wertvolles umzustoßen. Das hochherrschaftliche Ambiente machte sie nervös, und da sie immer weniger mit Graciela gemein hatten, gingen sowohl ihr als auch ihren Freundinnen bald die Gesprächsthemen aus.

In Ybor wurde das Haus *La Mansión del Alcalde* – das Haus des Bürgermeisters – genannt, doch Joe erfuhr erst gut ein Jahr später davon, weil die Stimmen von der Straße sich nie laut genug erhoben, als dass sie ihn erreichten.

Unterdessen brachte die Coughlin-Suarez-Partnerschaft eine wahrhaft beneidenswerte Stabilität in ein Geschäft, das bislang nur für seine Unwägbarkeiten bekannt gewesen war. Zuerst richteten Joe und Esteban eine Destillerie im Landmark Theatre in der Seventh Avenue ein, dann eine weitere hinter der Küche des Romero Hotels, hielten beide blitzsauber und ließen dort rund um die Uhr produzieren. Sie kauften sich bei allen Kleindestillen und Klitschen ein, auch bei denen, die Albert White gehörten, beteiligten die Inhaber anständig und sorgten dafür, dass sie bessere Rohstoffe bekamen. Sie schafften schnellere Boote an und rüsteten ihre Lastwagen und Transporter mit stärkeren Motoren auf. Sie kauften ein zweisitziges Wasserflugzeug, um ihre Schiffstransporte über den Golf aus der Luft zu sichern. Ihr Pilot war Farruco Diaz, ein ehemaliger mexikanischer Revolutionär, dessen fliegerische Brillanz nur von seinem veritablen Dachschaden übertroffen wurde. Farruco, ein abgewrackter Bursche mit fingerspitzentiefen Pockennarben, dem die langen, strähnigen Haare vom Kopf hingen wie warme Pasta, machte sich dafür stark, den zweiten Sitz mit einem Maschinengewehr auszurüsten – »nur für den Fall«. Als Joe ihn daran erinnerte, dass er solo flog und kein Schütze an Bord war, stimmte Farruco einem Kompromiss zu, der darin bestand, dass er eine Halterung für die Waffe, nicht aber das Maschinengewehr selbst im Flieger montierte.

Was den Landweg anging, investierten sie in sichere Lieferrouten. Wenn sie die verschiedenen Schmugglerbanden bezahlten, um unbehelligt deren Wege im Süden und die Küste hinauf benutzen zu können, so Joes Gedanke, würden diese wiederum die örtlichen Gesetzeshüter schmieren – und sie ihre Verluste auf dem Transportweg um dreißig bis fünfunddreißig Prozent senken können.

Es wurden siebzig Prozent.

In null Komma nichts schraubten Joe und Esteban die Gewinne von einer Million auf satte sechs Millionen.

Und das während einer weltweiten Finanzkrise, die sich Tag für Tag, Monat für Monat weiter verschlimmerte, während eine Katastrophenmeldung die nächste jagte. Die Leute brauchten Arbeit. Sie brauchten ein Dach über dem Kopf, sie brauchten Hoffnung. Und wenn nichts davon zu haben war, betäubten sie sich mit Alkohol.

Das Laster, wurde Joe klar, kannte keine Krise.

Sonst gab es allerdings so gut wie nichts, was von der Depression verschont geblieben wäre. Und auch wenn Joe nicht davon betroffen war, entsetzte es ihn genauso wie alle anderen, wie rapide es in den letzten Jahren mit dem Land bergab gegangen war. Seit dem Börsencrash anno '29 waren zehntausend Banken pleitegegangen, hatten dreizehn Millionen Menschen ihren Job verloren. Angesichts der bevorstehenden Wahlen beschwor Hoover zwar ein ums andere Mal das berühmte Licht am Ende des Tunnels, doch waren die meisten Leute mittlerweile zu dem Schluss gekommen, dass es sich dabei um die Scheinwerfer des herandonnernden Zuges handelte, der sie alle ins Verderben reißen würde. Weshalb Hoover in einem Anfall von Verzweiflung die Steuer für die Reichsten der Reichen von fünfundzwanzig auf dreiundsechzig Prozent heraufsetzte und damit auch noch die Letzten verlor, die ihn unterstützten.

Im Großraum Tampa florierte die Wirtschaft seltsamerweise – Werften und Konservenfabriken erlebten einen ungeahnten Aufschwung. Nur in Ybor tat sich nichts. Die Zigarrenfabriken steuerten schneller in den Ruin als die Banken. Rollmaschinen ersetzten die Arbeiter, Radios die

Vorleser. Die so viel billigeren Zigaretten wurden zum neuen legalen Laster der Nation, und die Zigarrenverkäufe gingen um fünfzig Prozent zurück. In etwa einem Dutzend Fabriken streikten die Arbeiter, doch ihre Bemühungen wurden von bestellten Schlägern, der Polizei und dem Ku-Klux-Klan im Keim erstickt. Die Italiener verließen Ybor in Scharen. Die Spanier begannen, dem Viertel ebenfalls den Rücken zu kehren.

Auch Graciela verlor ihren Job an eine Maschine. Was Joe ganz recht war – er hatte sich ohnehin seit Monaten gewünscht, dass sie bei La Trocha aufhörte. Sie war schlicht zu wertvoll für seine Organisation. Sie kümmerte sich um die Kubaner, wenn sie mit den Booten eintrafen, zeigte ihnen das Gemeindehaus, brachte sie ins nächste kubanische Hotel oder auch ins Krankenhaus, je nachdem, was die Neuankömmlinge gerade benötigten. Und wenn ihr jemand auffiel, der sich in ihren Augen für Joes Metier eignete, ging die Begegnung mit ihr gleich mit einem Jobangebot einher.

Ihren philanthropischen Neigungen – sowie dem Umstand, dass Joe und Esteban gezwungen waren, ihr illegal erworbenes Geld zu waschen – verdankte es sich auch, dass Joe etwa fünf Prozent von Ybor City aufkaufte. Er kaufte zwei bankrott gegangene Zigarrenfabriken und stellte die entlassenen Arbeiter wieder ein; ein ehemaliges Kaufhaus war nun eine Schule, und ein Gebäude, in dem sich einst ein Sanitär-Großhandel befunden hatte, beherbergte jetzt ein Armenkrankenhaus. Acht leerstehende Häuser wurden von ihm zu Speakeasys umfunktioniert, auch wenn sie von außen weiterhin wie ganz normale Läden aussahen: ein Kurzwarengeschäft, ein Tabakladen, zwei Blumenhändler, drei

Metzger und ein griechischer Imbiss, der sich zur Überraschung aller – Joe selbst konnte es am allerwenigsten glauben – eines derartigen Zulaufs erfreute, dass sie die Familie des Kochs aus Athen herüberholten und sieben Straßenblocks weiter einen zweiten Imbiss eröffneten.

Dennoch fehlte Graciela die Fabrik. Ihr fehlten die Witze und Geschichten ihrer Kolleginnen. Ihr fehlten die Vorleser, die ihre liebsten Romane auf Spanisch vortrugen, und ihr fehlten die Unterhaltungen in ihrer Muttersprache.

Und obwohl sie die Abende und Nächte stets in ihrem gemeinsamen Haus verbrachte, behielt sie ihr Zimmer über dem Café, auch wenn sie sich dort, soweit Joe wusste, lediglich ab und an umzog. Ganz davon abgesehen, dass ihr Kleiderschrank zu Hause aus allen Nähten platzte.

»Aber das sind alles Sachen, die du mir gekauft hast«, pflegte sie zu sagen, wenn er sie fragte, warum sie diese Kleider so selten anzog. »Ich will mir meine eigenen Sachen kaufen.«

Wozu es aber nie kam, da sie ihr ganzes Geld nach Kuba schickte, entweder der Familie ihres nichtsnutzigen Ehemanns oder ihren Freunden in der Anti-Machado-Bewegung. Gelegentlich sammelte Esteban sogar in Kuba Geld für ihre Zwecke, für gewöhnlich, wenn er dort einen neuen Nachtclub eröffnete; manchmal kam er mit Nachrichten zurück, die neue Zuversicht verhießen, auch wenn sich diese Hoffnungen, wie Joe mittlerweile aus Erfahrung wusste, bei seiner nächsten Reise unweigerlich wieder zerschlugen. Doch er brachte auch jedes Mal neue Fotos mit – sein Blick wurde schärfer und schärfer, und er handhabe die Kamera inzwischen wie ein Geigenvirtuose seinen Bogen. In den revolutionären Kreisen Lateinamerikas galt er mittlerweile als große Nummer, was er nicht zuletzt dem Anschlag auf die USS *Mercy* verdankte.

»Ist dir eigentlich klar, in welcher Zwickmühle deine Frau steckt?«, fragte er Joe einmal, kurz nachdem er aus Kuba zurückgekehrt war.

Joe schenkte ihnen zwei Gläser Suarez Reserve Rum ein. »Was für eine Zwickmühle?«, gab er zurück. »Wir können uns leisten, was immer wir wollen. Sie kann sich die schönsten Kleider kaufen, zum teuersten Friseur gehen, die besten Restaurants besuchen –«

»Vorausgesetzt, dass Latinos hineindürfen.«

»Das versteht sich von selbst.«

Esteban beugte sich vor. »Findest du?«

»Ich wollte damit lediglich sagen«, fuhr Joe fort, »dass wir gewonnen haben. Wir können uns völlig entspannt zurücklehnen. Zusammen alt werden.«

»Und du glaubst, das ist es, was sie will? Die Frau eines reichen Mannes sein?«

»Wünschen sich das nicht die meisten Frauen?«

Esteban quittierte das mit einem seltsamen Lächeln. »Die meisten Gangster stammen aus ärmlichen Verhältnissen – du aber nicht.«

Joe nickte. »Wir waren nicht reich, aber –«

»Du hattest ein schönes Zuhause, genug zu essen und konntest eine Schule besuchen.«

»Ja.«

»Und? War deine Mutter glücklich?«

Joe schwieg.

»Ich nehme an, das heißt nein«, sagte Esteban.

»Meine Eltern gingen eher wie entfernte Verwandte miteinander um. Mit Graciela und mir ist das völlig anders. Wir können über alles reden, jederzeit. Wir ...« – er senkte die Stimme – »vögeln uns die Seele aus dem Leib. Wir können einander blind vertrauen.«

»Und?«

»Warum kann sie mich dann nicht lieben?«

Esteban lachte. »Natürlich liebt sie dich.«

»Sie sagt es aber nie.«

»Wen juckt's?«

»Mich«, sagte Joe. »Außerdem will sie sich nicht von dieser Arschgeige scheiden lassen.«

»Was soll ich dazu sagen?«, gab Esteban zurück. »Ich werde in tausend Jahren nicht verstehen, warum dieser *pendejo* solche Macht über sie hat.«

»Ist er dir in Havanna mal über den Weg gelaufen?«

»Eigentlich jedes Mal. Er hängt in den übelsten Bars herum und versäuft ihr Geld.«

Mein Geld, dachte Joe.

»Wird drüben immer noch nach ihr gesucht?«

»Ihr Name steht auf einer Liste«, sagte Esteban.

Joe überlegte. »Wir könnten ihr doch falsche Papiere besorgen, oder? Wie lange würde das dauern?«

Esteban nickte. »Weniger als zwei Wochen.«

»Und wenn sie mit eigenen Augen sehen würde, wie der Mistkerl am Tresen versumpft? Würde sie ihn dann verlassen, Esteban?«

Esteban hob die Schultern. »Hör mir zu, Joseph. Graciela liebt dich. Ich kenne sie von klein auf und habe durchaus das eine oder andere Mal miterlebt, wenn sie verliebt war. Aber bei keinem war es so wie bei dir – Wahnsinn.« Er riss die Augen auf, fächelte sich mit dem Hut Luft zu. »Du bist die Liebe ihres Lebens. Aber du darfst nicht vergessen, dass sie sich die letzten zehn Jahre lang als Revolutionärin begriffen hat. Und nun merkt sie plötzlich, dass sie all das als Ballast empfindet – ihre Überzeugungen, ihre Heimat, ihre Bestimmung und, ja, auch ihren verdammten Ehemann. Weil sie ihr Leben einfach nur noch mit einem amerikanischen Gangster teilen will. Und du glaubst ernstlich, das würde sie sich eingestehen?«

»Warum nicht?«

»Weil sie sich dann eingestehen müsste, dass sie nichts weiter als eine Salonrebellin ist. Und das wird sie nicht tun. Sie wird sich doppelt so stark für ihre Sache engagieren und dich auf Abstand halten.« Er schüttelte den Kopf und blickte nachdenklich an die Zimmerdecke. »Tja, schon verrückt, wenn man sich das recht überlegt.«

Joe fuhr sich mit der Hand über das Gesicht. »Das kannst du laut sagen.«

Ein paar Jahre war alles wie am Schnürchen gelaufen. Ihre Geschäfte blühten und gediehen – bis Robert Drew Pruitt in der Stadt auftauchte.

Am Montag nach Joes Gespräch mit Esteban kam Dion vorbei, um ihn davon zu unterrichten, dass RD einen weiteren ihrer Clubs überfallen hatte. Robert Drew Pruitt wurde schlicht RD genannt und stellte für ganz Ybor eine Bedrohung dar, seit er acht Wochen zuvor aus dem Gefängnis entlassen worden war und nun in der Stadt Fuß zu fassen versuchte.

»Warum stöbern wir das Arschloch nicht einfach auf und legen ihn um?«

»Das würde dem Klan gar nicht gefallen.«

Der Ku-Klux-Klan hatte in letzter Zeit mehr und mehr Einfluss in Tampa gewonnen. Die Klansmänner gerierten sich seit jeher als fanatische Alkoholgegner, und zwar nicht etwa, weil sie selbst Abstinenzler gewesen wären – tatsächlich soffen sie wie die Löcher –, sondern weil sie der felsenfesten Überzeugung waren, dass Alkohol Nigger größenwahnsinnig machte, der Unzucht zwischen den Rassen Vorschub leistete und nicht zuletzt Teil einer papistischen Verschwörung war, die es darauf abgesehen hatte, die wahrhaft Gläubigen zu schwächen, damit die Katholiken am Ende die Weltherrschaft übernehmen konnten.

Vor dem Börsencrash hatte der Klan in Ybor keine Rolle gespielt. Doch nachdem die Wirtschaft immer weiter den Bach herunterging, klammerten sich mehr und mehr Verzweifelte an die Mär von der Überlegenheit der weißen Rasse, so wie sich auch die Zelte der Feuer-und-Schwefel-Prediger regen Zulaufs erfreuten. Die Leute wussten nicht mehr weiter. Sie hatten Angst um ihre Existenz, und da sie keine Bankiers und Börsenmakler lynchen konnten, hielten sie Ausschau nach Opfern in ihrer direkten Nachbarschaft.

Und fanden sie in den Zigarrenarbeitern, die auf eine lange Geschichte im Arbeitskampf zurückblicken konnten und bekannt für ihr radikales Gedankengut waren. Der Klan hatte auch den letzten Streik gestoppt. Jede Versammlung der Streikenden war von Klan-Mitgliedern zerschlagen worden, die zuerst wild um sich geschossen und dann mit ihren Waffen auf die Flüchtenden eingedroschen hatten. Im Vorgarten eines Arbeiters fackelten sie ein mannshohes Kreuz ab, verübten einen Brandbombenanschlag auf das Haus eines anderen und vergewaltigten zwei Frauen aus der Celestino-Vega-Fabrik auf dem Nachhauseweg.

Der Streik wurde abgeblasen.

RD Pruitt war bereits Mitglied des Klans gewesen, bevor er zwei Jahre in Raiford abgesessen hatte. Das erste Speakeasy, das er überfiel – eine Kaschemme im Hinterraum einer Bodega in der Twentyseventh Street –, befand sich direkt gegenüber einem alten Bretterschuppen jenseits der Bahngleise, der dem Hörensagen nach das Hauptquartier der örtlichen Klan-Sektion war. Während RD sich die Einnahmen des Abends unter den Nagel riss, deutete er auf die Wand, die den Schienen am nächsten lag, und sagte: »Wehe, die Bullen kreuzen hier auf! Wir kriegen das alles mit!«

Als Joe davon hörte, wusste er, dass er es mit einem Schwachkopf zu tun hatte – selbstredend hätte niemand, der ein Speakeasy betrieb, die Polizei gerufen. Dennoch gab ihm das Wörtchen »wir« zu denken. Der Klan wartete nur darauf, dass sich jemand wie Joe zu weit aus dem Fenster lehnte. Ein katholischer Yankee, der mit Latinos, Italienern und Negern zusammenarbeitete, mit einer Kubanerin in wilder Ehe lebte und seine Brötchen damit verdiente, dass er den Dämon Alkohol unter die Leute brachte – so jemanden konnte man einfach nur aus tiefster Seele hassen.

Tatsächlich hatten sie es genau darauf abgesehen. Dass er sich eine Blöße gab. Die Fußsoldaten des Klans mochten nichts weiter als eine Horde degenerierter, ungebildeter

Idioten sein, doch ihre Anführer konnte man nicht einfach als Dumpfbacken abtun. Kopf der örtlichen Gruppe war Kelvin Beauregard, Besitzer einer Konservenfabrik und Mitglied des Stadtrats; darüber hinaus wurde gemunkelt, dass ihr auch Richter Franklin vom Amtsgericht, ein Dutzend Cops und sogar Hopper Hewitt, der Herausgeber des *Tampa Examiner*, angehörten.

Doch so richtig kompliziert wurde das Ganze erst durch RDS Schwager Eagle Eye Irv – bekannt auch unter dem Namen Irving Figgis, seines Zeichens Polizeichef von Tampa.

Seit ihrer ersten Begegnung anno '29 war Joe diverse Male von Chief Figgis einbestellt worden, der sich offenbar gezwungen fühlte, ihn gelegentlich daran zu erinnern, dass sie auf verschiedenen Seiten des Gesetzes standen. Für gewöhnlich saß Joe dann in seinem Büro – manchmal brachte ihnen Irvs Sekretärin sogar Limonade herein – und betrachtete die Fotos auf dem Schreibtisch des Chiefs: seine schöne Frau und die beiden rothaarigen Kinder, Caleb, der seinem Vater wie aus dem Gesicht geschnitten war, und Loretta, immer noch von so unbeschreiblichem Liebreiz, dass es Joe jedes Mal wieder den Atem verschlug. Sie war Ballkönigin beim Abschlussfest an der Hillsborough High School gewesen und hatte alle möglichen Preise bei lokalen Theateraufführungen eingeheimst. Und so hatte sich auch niemand gewundert, als sie schließlich nach Hollywood gegangen war. Wie so viele andere erwartete auch Joe, sie bald auf der großen Leinwand zu sehen. In ihr strahlte ein Licht, das alle um sie herum magisch anzog.

Umgeben von den Bildern seines perfekten Lebens, hatte der Chief Joe bereits des Öfteren gewarnt, dass er den Rest seines Lebens hinter Gittern verbringen würde, sollten sie ihm je eine Beteiligung an dem Anschlag auf die USS *Mercy* nachweisen können. Und wenn erst das FBI ins Spiel kam, war es sogar möglich, dass er ruck, zuck an einem Galgen baumelte. Doch davon abgesehen ließ er Joe und seine Leute in Ruhe, solange sie sich von den weißen Vierteln Tampas fernhielten.

Doch mittlerweile hatte RD Pruitt das vierte Pescatore-Speakeasy innerhalb eines Monats überfallen. Er schien regelrecht darum zu betteln, dass Joe zurückschlug.

»Alle vier Barkeeper haben das Gleiche über den Burschen gesagt«, berichtete Dion. »Der Kerl ist hundsgemein und brandgefährlich. Man sieht es ihm einfach an. Spätestens beim übernächsten Mal bringt er jemanden um.«

Im Knast hatte Joe reichlich Typen kennengelernt, auf die diese Beschreibung passte, und für gewöhnlich hatte man in einem solchen Fall drei Möglichkeiten – entweder ließ man sie für sich arbeiten, ging ihnen tunlichst aus dem Weg oder legte sie um. Und Joe wollte RD unter keinen Umständen für sich arbeiten lassen, ganz abgesehen davon, dass der sich von einem Katholiken oder Kubaner mit Sicherheit nichts sagen ließ. Blieben also die Möglichkeiten zwei und drei.

An einem Februarmorgen traf er sich mit Chief Figgis im Tropicale; die Luft war warm und trocken, und inzwischen wusste Joe das Klima von Ende Oktober bis Ende April zu schätzen. Sie tranken ihren Kaffee mit einem Schuss Suarez Reserve. Der Chief blickte nervös auf die Seventh Avenue hinaus; die innere Unruhe war ihm deutlich anzumerken.

In letzter Zeit wirkte er immer öfter, als würde sich ein Teil von ihm mit aller Macht gegen den drohenden Untergang wehren – ein zweites Herz, das in seinen Ohren hämmerte, ihm bis zum Hals schlug, so heftig, dass seine Augen manchmal hervortraten.

Joe hatte keine Ahnung, was im Leben des Mannes schiefgelaufen war – vielleicht hatte ihn seine Frau verlassen, vielleicht war jemand gestorben, der ihm nahestand –, doch etwas nagte an ihm, das ihm die Tatkraft, ja, die Selbstgewissheit raubte.

»Haben Sie's schon gehört?«, fragte er. »Die Perez-Fabrik muss schließen.«

»Verdammt«, sagte Joe. »Wie viele Leute arbeiten dort? Um die vierhundert?«

»Fünfhundert. Fünfhundert Menschen, die jetzt auf der Straße stehen und selbst als Heizer in der Hölle anheuern würden. Nur, dass heutzutage selbst der Teufel niemanden einstellt. Will heißen, dass es noch mehr Säufer, noch mehr Schlägereien und Überfälle geben wird. Tolle Aussichten, was meinen Job angeht. Aber wenigstens habe ich einen.«

»Und Jeb Paul macht seinen Kurzwarenladen dicht«, sagte Joe.

»Ja. Das Geschäft gehörte seiner Familie schon, als unsere Stadt noch gar keinen Namen hatte.«

»Jammerschade.«

»Eine Schande ist das.«

Sie nippten an ihren Kaffees, und im selben Augenblick kam RD Pruitt hereingeschlendert. Er trug einen braunen Knickerbocker-Anzug mit breiten Jackenaufschlägen, eine weiße Golfmütze und zweifarbige Oxfords, als wäre er gerade unterwegs zum nächsten Loch, und ließ einen Zahnstocher über seine Unterlippe wandern.

Kaum hatte er sich gesetzt, erkannte Joe etwas klar und deutlich – die nackte Angst, die sich in seinem Gesicht spiegelte. Sie flackerte in seinem Blick, quoll ihm förmlich aus jeder Pore. Die meisten Menschen konnten diese Angst nicht erkennen, weil sie ihre Fassade – Hass und Geifer – mit Wut verwechselten. Doch Joe war in Charlestown nur allzu oft damit in Berührung gekommen und hatte dabei entdeckt, dass die größten Bestien gleichzeitig auch am meisten Angst hatten. Davor, als Feiglinge entlarvt, oder, schlimmer noch, zum Opfer anderer, von derselben Angst getriebener Scheusale zu werden. Sie fürchteten ununterbrochen, dass ihre Brutalität immer maßloser ausufern würde, dass irgendein anderes Ungeheuer ihre Macht brechen würde. Und diese Furcht huschte wie Quecksilber durch ihre Augen; wenn man sie nicht sofort wahrnahm, bekam man keine zweite Chance. In jenem ersten Moment jedoch, wenn sie noch nicht genau wussten, woran sie waren, konnte man das Tier namens Angst genau erkennen, auch wenn es sich in derselben Sekunde bereits wieder in seine Höhle zurückzog. Und es traf Joe bis ins Mark, als er sah, dass es bei RD Pruitt die Ausmaße eines monströsen Keilers hatte – was bedeutete, dass der Dreckskerl doppelt so skrupellos und unberechenbar war, weil ihm der Arsch doppelt so sehr auf Grundeis ging.

Joe streckte ihm die Hand entgegen.

RD schüttelte den Kopf. »Sie glauben doch wohl nicht ernstlich, dass ich einem Papisten die Hand schütteln würde.« Er grinste. »Nichts für ungut.«

»Keine Ursache.« Joe hielt ihm weiter die Hand hin. »Würde es etwas bringen, wenn ich Ihnen sage, dass ich so gut wie nie zur Kirche gehe?«

RD kicherte in sich hinein und schüttelte abermals den Kopf.

Joe ließ die Hand sinken und lehnte sich zurück.

Chief Figgis sagte: »Tja, RD, wie man hört, kannst du nicht von deinen alten Gewohnheiten lassen.«

RD sah seinen Schwager mit großen Augen an. »Wer behauptet denn so was?«

»Es heißt, du hättest ein paar Läden überfallen«, sagte der Chief.

»Was denn für Läden?«

»Speakeasys.«

»Was?« Urplötzlich verengten sich RDs Augen. »Diese Etablissements, um die jeder gesetzestreue Bürger einen großen Bogen machen würde?«

»Genau.«

»Diese *illegalen* Saufbuden? Die allesamt geschlossen gehören?«

»Du hast's erfasst«, sagte Chief Figgis.

RD setzte wieder seine Unschuldsmiene auf. »Also, davon weiß ich nichts, Ehrenwort.«

Joe und Figgis wechselten einen kurzen Blick, und Joe hatte das Gefühl, dass der Chief am liebsten genauso tief geseufzt hätte wie er selbst.

»Ha-ha«, sagte RD. »Ha-ha.« Er richtete den Zeigefinger auf sie. »Bloß ein kleiner Scherz am Rande. Habt ihr schon mitgekriegt, was?«

Chief Figgis deutete mit dem Kinn zu Joe hinüber. »RD,

Mr. Coughlin möchte dir ein Geschäft vorschlagen. Ich würde dir raten, sein Angebot anzunehmen.«

RD sah Joe an. »Sie haben's auch mitbekommen, oder?«

»Ja.«

»Ich meine, kapiert?«

»Klar«, sagte Joe.

»Gut, gut.« Er griente den Chief an. »Er hat's kapiert.«

»Schön«, sagte Figgis. »Dann können wir jetzt ja in aller Freundschaft miteinander reden.«

RD verdrehte spielerisch die Augen. »*Das* habe ich nicht gesagt.«

Figgis blinzelte ein paarmal. »Wie auch immer, wir verstehen uns.«

»Dieser sogenannte Geschäftsmann« – RD richtete abermals den ausgestreckten Finger auf Joe – »ist ein Schwarzbrenner und treibt es mit Niggerweibern. Solches Pack gehört geteert und gefedert.«

Joe machte gute Miene zum bösen Spiel, während er kurz überlegte, ob er sich den Finger nicht einfach schnappen und kurzerhand brechen sollte.

Doch dann zog RD die Hand zurück. »War doch bloß ein Ulk!«, dröhnte er. »Dachte, wir verstehen uns.«

Joe schwieg.

RD langte über den Tisch und knuffte Joes Schulter. »Bleiben Sie locker! Man muss ja nicht alles bierernst nehmen!«

Joe blickte in das womöglich liebenswürdigste Gesicht, das er je gesehen hatte. Das Gesicht eines Menschen mit den allerbesten Absichten. Doch dann sah er es wieder – das Tier namens Angst, das für den Bruchteil einer Sekunde durch RDs gemeingefährlich freundliche Augen huschte.

»Kein Problem, wenn's bloß ein Witz war.«

»Solange er nicht auf Ihre Kosten geht, was?«

Joe wechselte das Thema. »Ich habe gehört, dass man Sie öfter im Parisian sieht?«

RD verengte die Augen, als versuche er, sich an den Laden zu erinnern.

»Der Gin-Champagner-Cocktail soll es Ihnen ziemlich angetan haben.«

RD zupfte ein Hosenbein zurecht.

»Und wenn's so wäre?«

»Dann sollten Sie nicht länger bloß Stammgast sein.«

»Sondern?«

»Als Partner einsteigen.«

»Und was springt dabei für mich raus?«

»Zehn Prozent der Einnahmen.«

»Sie wollen mich wirklich beteiligen?«

»So ist es.«

»Warum?«

»Sagen wir mal so: Ehrgeiz muss belohnt werden.«

»Das ist alles?«

»Und Köpfchen haben Sie ja offensichtlich auch.«

»Tja, aber das ist doch wohl mehr wert als zehn Prozent.«

»Was stellen Sie sich denn vor?«

RD sah ihn an, als könne er kein Wässerchen trüben. »Sechzig Prozent.«

»Sie wollen sechzig Prozent der Einnahmen von einem unserer einträglichsten Clubs?«

RD nickte, heiter und unschuldig.

»Ach ja? Und für welche Leistung?«

»Sie geben mir sechzig Prozent, und Sie können mit dem Wohlwollen meiner Kumpels rechnen.«

»Wer sind denn Ihre Kumpels?«, fragte Joe.

»Sechzig Prozent«, wiederholte RD.

»Hör zu, mein Freund«, sagte Joe. »Die sechzig Prozent kannst du dir abschminken.«

»Ich bin nicht Ihr Freund«, sagte RD. »Ich bin niemandes Freund.«

»Freunde wie dich braucht auch keine Sau.«

»Was?«

»Fünfzehn Prozent«, sagte Joe.

»Ich schlag dich tot«, flüsterte RD.

Zumindest glaubte Joe, das verstanden zu haben. »Wie bitte?«

RD rieb sich das Kinn so fest, dass Joe die Bartstoppeln knistern hörte. Mit ebenso ausdruckslosem wie seltsam heiterem Blick fasste er Joe ins Auge. »Na, klingt doch nach einem fairen Angebot.«

»Was?«

»Fünfzehn Prozent. Sie wollen nicht doch auf zwanzig hochgehen?«

Joe sah Chief Figgis an, ehe er sich wieder RD zuwandte. »Ich denke, fünfzehn Prozent sind überaus großzügig für einen Job, zu dem Sie noch nicht mal erscheinen müssen.«

RD stierte auf die Tischplatte und rieb sich erneut die Bartstoppeln. Als er dann aufblickte, stand ein geradezu jungenhaftes Lächeln in seinen Zügen.

»Ganz recht, Mr. Coughlin. Das ist ein wirklich faires Angebot, Sir. Da werde ich ganz bestimmt nicht nein sagen.«

Chief Figgis lehnte sich zurück und faltete die Hände

über dem flachen Bauch. »Das freut mich zu hören, Robert Drew. Wusste ich's doch, dass wir zu einer Einigung kommen.«

»Überhaupt kein Problem«, sagte RD. »Wie komme ich denn an meine Prozente?«

»Die warten jeden zweiten Dienstag auf Sie. Sehen Sie so gegen 19:00 Uhr an der Bar vorbei. Fragen Sie nach Sian McAlpin.«

»Schwan?«

»So ähnlich.«

»Ist das auch ein Papist?«

»Es handelt sich um eine Sie, und ich habe sie nie gefragt.«

»Sian McAlpin. Das Parisian. Dienstagabends.« RD klatschte mit den Handflächen auf die Tischplatte und erhob sich. »Also, so muss es laufen, ganz ehrlich. Hat mich sehr gefreut, Mr. Coughlin. Irv.« Er tippte sich an den Hut, salutierte halb und ging.

Eine ganze Minute lang saßen sie schweigend da.

Schließlich reckte Joe das Kinn. »Hat der Bursche den Arsch offen?«

»So weit wie ein Scheunentor.«

»Genau das macht mir Sorgen. Glauben Sie, er hält sich an unsere Abmachung?«

Figgis zuckte mit den Schultern. »Das wird sich zeigen.«

Als RD sich zum ersten Mal seinen Anteil im Parisian abholte, bedankte er sich bei Sian McAlpin. Er bat sie, ihm ihren Namen zu buchstabieren, und sagte, er fände ihn wunderschön. Er fügte hinzu, er hoffe auf eine langfristige Zusammenarbeit, und nahm noch einen Drink an der Bar. Allen gegenüber verhielt er sich ausgesprochen zuvorkommend. Dann verließ er den Club, stieg in seinen Wagen und fuhr, vorbei an der Vayo-Zigarrenfabrik, zu Phyllis' Kneipe, der ersten Bar, in der Joe in Ybor etwas getrunken hatte.

Die Bombe, die RD Pruitt in Phyllis' Laden warf, war nicht besonders groß, doch verfehlte sie ihre Wirkung nicht, da die Schankstube ein so enger Schlauch war, dass breitschultrige Kerle nicht applaudieren konnten, ohne mit den Ellbogen an die Wände zu stoßen.

Niemand kam ums Leben, doch ein Schlagzeuger namens Cooey Cole verlor seinen rechten Daumen und spielte nie wieder, und einem siebzehnjährigen Mädchen, das seinen Vater abholen wollte, wurde ein Fuß abgerissen.

Joe setzte drei Zwei-Mann-Teams auf den geisteskranken Dreckskerl an, doch RD Pruitt war auf Tauchstation gegangen. Sie durchkämmten jeden Winkel Ybors, weiteten dann die Suche auf West Tampa und schließlich auf ganz Tampa aus. Niemand konnte ihn aufspüren.

Eine Woche später marschierte RD in eins von Joes Speakeasys im Ostteil von Ybor, eine Bar, die fast ausschließlich von schwarzen Kubanern besucht wurde. Die Band swingte, was das Zeug hielt, und auf der Tanzfläche ging die Post ab. RD schlenderte seelenruhig zur Bühne, schoss dem Bassposaunisten ins Knie und dem Sänger in den Bauch. Dann warf er einen Briefumschlag auf den Boden, ehe er die Bar durch den Hinterausgang verließ.

Der Umschlag war adressiert an »Sir Joseph Coughlin,

Niggerficker«. Darin befand sich ein Blatt Papier, auf dem zwei Worte standen:

Sechzig Prozent.

Joe suchte Kelvin Beauregard in dessen Konservenfabrik auf; begleitet wurde er dabei von Dion und Sal Urso. Beauregard empfing sie in seinem Büro im hinteren Teil des Gebäudes. Ein großes, deckenhohes Fenster ging auf die unten liegende Produktionshalle hinaus. Mehrere Dutzend Frauen in Arbeitskitteln und Schürzen, identische Häubchen auf dem Kopf, standen dort in der brütenden Hitze an einer Reihe von Fließbändern, die sich durch die Halle wanden. Beauregard erhob sich nicht, als Joe und seine Männer eintraten. Eine volle Minute lang schenkte er ihnen nicht die geringste Beachtung, blickte einfach nur weiter durch die Glasscheibe. Dann drehte er sich zu ihnen, grinste und reckte den Daumen in Richtung des Fensters.

»Hab ein Auge auf eine der Neuen geworfen«, sagte er. »Was halten Sie davon?«

»Neu wird zu Alt, sobald man damit vom Hof fährt«, sagte Dion.

Kelvin Beauregard zog eine Augenbraue hoch. »Da ist was dran. Was kann ich für Sie tun, Gentlemen?«

Er nahm eine Zigarre aus einem Humidor, ohne seinen Gästen ebenfalls eine anzubieten.

Joe schlug das rechte Bein über das linke und strich den Aufschlag seiner Hose glatt. »Wir fragen uns, ob Sie vielleicht eine Möglichkeit sehen, RD Pruitt zur Vernunft zu bringen.«

»Ich fürchte, das ist noch keinem gelungen«, erwiderte Beauregard.

»Möglich«, sagte Joe. »Aber Sie könnten ja trotzdem mal ein Wörtchen mit ihm reden.«

Beauregard biss das Ende der Zigarre ab und spie es in seinen Papierkorb. »RD ist alt genug, um zu wissen, was er tut. Er hat mich nicht um Rat gebeten, und deshalb werde ich ihm auch keine Ratschläge erteilen. Selbst wenn mir die Gründe Ihrer Bitte einleuchten würden. Worum geht es überhaupt, wenn ich fragen darf?«

Joe wartete, bis Beauregard seine Zigarre angezündet hatte, blickte ihn erst durch die Flamme und dann durch den Rauch an.

»In seinem eigenen Interesse«, sagte Joe. »sollte RD damit aufhören, meine Clubs zusammenzuschießen. Jedenfalls würde ich gern mit ihm reden, damit wir zu irgendeiner Form von Übereinkunft kommen.«

»Clubs? Was für Clubs?«

Joe warf Dion und Sal einen Blick zu, ohne auf Beauregards Frage einzugehen.

»Bridge-Clubs?«, fuhr Beauregard fort. »Rotary-Clubs? Ich bin selbst im Rotary-Club von Tampa und kann mich nicht erinnern, Sie dort je gesehen –«

»Ich bin hierhergekommen, um ein vernünftiges Gespräch unter erwachsenen Menschen zu führen«, sagte Joe. »Während Sie es offenbar vorziehen, billige Spielchen zu treiben.«

Kelvin Beauregard legte die Füße auf seinen Schreibtisch. »Wie kommen Sie denn darauf?«

»Sie haben uns den Jungen auf den Hals gehetzt. Sie wussten, dass er irre genug ist, um gegen uns Krieg zu führen. Aber damit erreichen Sie bloß, dass er dabei draufgeht.«

»Wen soll ich Ihnen auf den Hals gehetzt haben?«

Joe holte tief Luft. »Sie sind der Große Hexenmeister der hiesigen Klan-Truppe. Schön für Sie, kein Problem. Aber glauben Sie ernstlich, wir wären da, wo wir sind, wenn wir einer Bande halbdebiler Arschlöcher erlauben würden, uns zu terrorisieren?«

»Mal halblang, Freundchen.« Beauregard gab ein müdes Lachen von sich. »Wenn Sie glauben, wir wären bloß ein Haufen Hinterwäldler, täuschen Sie sich gewaltig. Zu uns gehören Verwaltungsangestellte, Gerichtsvollzieher, Gefängniswärter und Bankiers. Polizeibeamte, Ärzte, sogar ein Richter. Und wir haben gerade einen Beschluss gefasst, Mr. Coughlin.« Er nahm seine Füße wieder vom Tisch. »Wir haben beschlossen, Ihnen und Ihren Spaghettifressern und Niggerfreunden so lange die Hölle heiß zu machen, bis ihr ein für alle Mal Leine zieht. Wenn Sie blöd genug sind, sich mit uns anzulegen, werden Pech und Schwefel auf Sie herniederkommen!«

»Sie wollen mir also verklickern, dass hinter Ihnen Leute stehen, die mehr Macht haben als Sie?«

»Genau.«

»Warum rede ich dann eigentlich mit Ihnen?«, sagte Joe und nickte Dion zu.

Kelvin Beauregard blieb gerade noch Zeit, ein »Was?« hervorzustoßen, ehe sein Gehirn auch schon über das Fenster spritzte.

Dion klaubte die Zigarre von Beauregards Brust und steckte sie sich zwischen die Lippen. Er schraubte den Schalldämpfer von seiner Pistole und sog hörbar Luft zwischen die Zähne, als er ihn in die Tasche seines Regenmantels steckte.

»Teufel, ist das Ding heiß.«

»Allmählich wirst du 'ne richtige Zimperliese«, sagte Sal Urso.

Sie verließen das Büro und stiegen die Eisentreppe zur Produktionshalle hinab. Sie hatten sich bewusst für ihre Garderobe entschieden – helle Regenmäntel, Angeber-Anzüge und tief in die Stirn gezogene Fedoras, damit von vornherein kein Zweifel daran bestand, dass sie Gangster waren, und niemand einen allzu genauen Blick riskierte. So hatten sie die Fabrik betreten, und so verließen sie das Gebäude auch wieder. Falls sie doch jemand aus Ybor kannte, wusste er auch um ihren Ruf, und das würde ausreichen, um unten in der Halle für einen akuten Ausbruch kollektiver Sehschwäche zu sorgen.

Joe saß auf den Verandastufen von Chief Figgis' Haus in Hyde Park und klappte geistesabwesend den Deckel seiner Uhr auf und zu. Das Haus war ein klassischer Bungalow im Arts-and-Crafts-Stil, braun mit eierschalenfarbenen Faschen. Die Veranda war aus breiten Hickory-Dielen gezimmert, und der Chief hatte sie mit Rattanmöbeln und einer Schaukel ausgestattet, die in derselben Farbe wie die Fensterleibungen gestrichen war.

Figgis fuhr in seinem Wagen vor, stieg aus und kam zwischen perfekt manikürten Rasenflächen den Backsteinweg hinauf.

»Was verschafft mir die Ehre?«, fragte er Joe.

»Wollte Ihnen die Mühe ersparen, mich vorzuladen.«

»Warum sollte ich Sie vorladen?«

»Meine Leute haben mir gesagt, Sie wären auf der Suche nach mir.«

»Ah, stimmt ja.« Figgis stellte einen Fuß auf die Veranda-stufen. »Haben Sie Kelvin Beauregard einen Kopfschuss verpasst?«

Joe blinzelte zu ihm auf. »Wer ist Kelvin Beauregard?«

»Das war's auch schon«, sagte Figgis. »Mögen Sie ein Bier? Ist kein richtiges, aber gar nicht schlecht.«

»Gerne«, sagte Joe.

Der Chief ging ins Haus und kehrte mit zwei Flaschen Bier und einem Hund zurück. Das Bier war kalt, und der Hund alt, ein ergrauter Bluthund mit schlaffen, bananen-blattgroßen Ohren. Er ließ sich zwischen Joe und der Tür nieder und schnarchte mit offenen Augen.

»Ich muss unbedingt noch mal mit RD reden«, sagte Joe, nachdem er sich für das Bier bedankt hatte.

»Glaub ich gern.«

»Sie wissen genau, wie das alles endet, wenn Sie mir nicht helfen«, sagte Joe.

»Ach ja?«, erwiderte der Chief. »Wie denn?«

»Es wird noch mehr Tote, noch mehr Blutvergießen, noch mehr Schlagzeilen à la ›Mord in Cigar City‹ geben. Und am Ende wird man Sie vor die Tür setzen.«

»Dann sind Sie genauso erledigt.«

Joe zuckte mit den Schultern. »Vielleicht.«

»Mit dem kleinen Unterschied, dass man Ihnen zum Ab-schied eine Kugel hinters Ohr jagen wird.«

»Wir müssen ihn aus dem Verkehr ziehen«, sagte Joe. »Erst dann kehrt hier wieder Frieden ein.«

Figgis schüttelte den Kopf. »Ich werde den Bruder meiner Frau nicht ans Messer liefern.«

Joe sah auf die Straße hinaus. Es war eine hübsche Gegend mit schmucken hellen Bungalows, ein paar alten Südstaatenvillen mit prächtigen Veranden und sogar zwei imposanten Stadthäusern aus rötlich braunem Sandstein. Stattliche Eichen säumten die Gehsteige, und die Luft roch nach Gardenien.

»Ich tue das wirklich nicht gern«, sagte Joe.

»Was?«

»Das, wozu Sie mich gerade zwingen.«

»Ich zwinge Sie zu überhaupt nichts, Coughlin.«

»Doch«, sagte Joe leise. »Leider doch.«

Er förderte das erste der Fotos zutage, die in der Innentasche seiner Jacke steckten, und legte es neben den Chief auf die Veranda. Figgis schien instinktiv zu spüren, dass er es sich besser nicht ansehen sollte. Er wandte den Kopf zur Seite und verharrte so für einen langen Augenblick, doch dann überwand er sich. Sein Gesicht wurde schlagartig kalkweiß.

Er sah auf zu Joe, dann erneut auf das Foto, wandte den Blick aber in derselben Sekunde wieder ab.

Und dann versetzte Joe ihm den Todesstoß.

Er legte ein zweites Foto neben das erste. »Sie hat es nicht nach Hollywood geschafft, Irv. Nur bis L.A.«

Irving Figgis warf nur einen kurzen Blick darauf, doch das reichte bereits aus, um ihm Tränen in die Augen zu treiben. »Das kann nicht sein«, flüsterte er. »Das ist einfach nicht möglich.«

Nun rannen ihm die Tränen über die Wangen. Sein Nacken bebte, während er mit gesenktem Kopf zu schluchzen begann.

Als er sich wieder einigermaßen gefasst hatte, verharrte er in dieser Position, die Hände vor dem Gesicht. Der Hund trottete zu ihm; seine Lefzen zitterten, als er sich neben Figgis legte und den Kopf gegen seinen Oberschenkel drückte.

»Wir haben sie zu einem Arzt gebracht«, sagte Joe.

Figgis nahm die Hände herunter und sah Joe aus rotgeränderten hasserfüllten Augen an. »Zu was für einem Arzt?«

»Einem, der sich mit Heroinsucht auskennt, Irv.«

Der Chief hob den Zeigefinger. »Reden Sie mich nie wieder mit meinem Vornamen an! Für Sie bin ich ab jetzt ausschließlich Chief Figgis, und das bis ans Ende Ihrer Tage! Haben Sie mich verstanden?«

»Wir haben ihr das nicht angetan«, sagte Joe. »Wir haben sie nur aufgespürt. Und glauben Sie mir, es war kein schöner Ort, an dem wir sie gefunden haben.«

»Und jetzt profitiert ihr davon.« Figgis deutete auf das Bild, auf dem seine Tochter, mit Ketten und einem Halseisen gefesselt, mit drei Männern zu sehen war. »Ihr Schweinehunde schreckt vor nichts zurück. Egal, ob es sich um meine Tochter oder irgendein anderes Mädchen handelt.«

»Da irren Sie sich«, sagte Joe, obwohl ihm bewusst war, wie lahm er klang. »Ich verkaufe bloß Rum.«

Figgis wischte sich die Augen erst mit den Handballen, dann mit den Handrücken. »Und mit den Gewinnen finanziert ihr eure anderen Geschäfte. Hören Sie schon auf, mir etwas vorzumachen. Nennen Sie Ihren Preis.«

»Was?«

»Ihren Preis. Was auch immer Sie von mir fordern.« Er hob den Blick. »Sagen Sie mir, wo sie ist.«

»Bei einem guten Arzt.«

Figgis schlug mit der Faust gegen das Verandageländer.

»In einer anständigen Klinik.«

Figgis ließ die Faust auf die Dielen niedersausen.

»Mehr kann ich Ihnen nicht sagen.«

»Es sei denn?«

Joe blickte ihn nur wortlos an.

Schließlich erhob sich Figgis. Der Hund folgte ihm, als er durch die Fliegentür trat, und kurz darauf hörte Joe, wie er eine Nummer wählte. Als er in den Hörer sprach, klang seine Stimme höher und rauher als sonst. »RD, du triffst dich noch mal mit dem Typen. Keine Diskussion, ich will jetzt nichts mehr hören.«

Joe steckte sich eine Zigarette an. Von der Howard Avenue ein paar Straßen weiter drang lautes Hupen herüber.

»Ja«, sagte Figgis. »Ich werde auch dabei sein.«

Joe klaubte einen Tabakkrümel von seiner Zunge und schnippte ihn in die leichte Brise.

»Dir wird kein Haar gekrümmt. Mein Wort darauf.«

Figgis legte auf. Eine ganze Weile verharrte er hinter dem Fliegengitter, ehe er schließlich die Tür aufstieß und wieder auf die Veranda trat.

»Heute Abend um zehn auf Longboat Key. Dort, wo das Ritz steht. Sie sollen allein kommen.«

»Okay.«

»Wo ist meine Tochter?«

»Das sage ich Ihnen, wenn ich das Treffen mit RD überlebe.«

Joe ging zu seinem Wagen.

»Tun Sie's selbst.«

Er warf einen Blick zurück. »Was?«

»Seien Sie Manns genug, selbst abzudrücken. Andere erledigen zu lassen, was man selbst nicht fertigbringt, ist wahrhaft kein Ruhmesblatt.«

»Was ist das schon?«, sagte Joe.

»Wenn ich morgens aufstehe«, sagte Figgis, »kann ich getrost in den Spiegel sehen, weil ich weiß, dass ich auf dem rechten Weg bin. Und Sie?«

Joe öffnete die Wagentür.

»Warten Sie!«

Joe sah den Mann an, der da auf der Veranda stand, einen Mann, der nicht mehr derselbe war – weil Joe das Fundament seines Wesens erschüttert, ihm etwas geraubt hatte, das er niemals zurückerlangen würde.

Figgis' fahriger Blick richtete sich auf Joes Jacke. Seine Stimme bebte. »Haben Sie noch mehr von diesen Fotos?«

Joe spürte sie in seiner Innentasche, so abstoßend wie eine schwärende Wunde.

»Nein.« Er stieg ein und fuhr los.

19

Die guten alten Zeiten

John Ringling, der Zirkusimpresario und große Gönner
Saratogas, hatte das Ritz-Carlton auf Longboat Key
anno '26 erbaut, war aber anschließend in Geldnöte geraten. Und so stand das verlassene Gebäude direkt am Wasser,
mit der Rückseite zum Golf; ein nie fertiggestelltes Hotel
mit leeren Zimmern und Decken, denen die Stuckleisten
fehlten.

Bald nach seiner Ankunft in Tampa hatte Joe ein gutes
Dutzend Ausflüge der Küste entlang gemacht und sich nach
Plätzen umgesehen, wo sich unbemerkt Schmuggelware ausladen ließ. Melasselieferungen gingen direkt in den Hafen
von Tampa; er und Esteban hatten die Stadt so gut unter
Kontrolle, dass sie nur eine von zehn Ladungen verloren.
Sie schmuggelten aber auch bereits abgefüllten Rum, spanischen *anís* und *orujo* direkt von Havanna nach West Central
Florida. Dadurch sparten sie sich zwar einerseits den zeit-
raubenden Destillierungsprozess; andererseits bestand jedoch das verschärfte Risiko, dass die Schmugglerboote dem
langen Arm der Prohibitionsaufsicht – Zollbehörden, FBI
und Küstenwache – in die Hände fielen. Und egal, wie bril-
lant und draufgängerisch Farruco Diaz als Pilot auch sein
mochte: Er konnte die Gesetzeshüter zwar aus der Luft sich-
ten, ihnen aber eben nicht Einhalt gebieten. (Weshalb er sich

auch weiterhin für ein Maschinengewehr und einen MG-Schützen starkmachte.)

Doch solange Joe und Esteban nicht beschlossen, der Küstenwache und J. Edgars Beamten offen den Krieg zu erklären, waren die kleinen, der Küste vorgelagerten Barriereinseln – Longboat Key, Casey Key, Siesta Key und andere – perfekte Orte, um unterzutauchen oder eine Lieferung zwischenzulagern.

Außerdem waren es perfekte Orte, um dem Gesetz in die Falle zu gehen. Und zwar deswegen, weil die Inseln nur auf zwei Wegen zu erreichen waren – entweder per Boot oder über eine Brücke. *Eine* Brücke. Wenn man also umzingelt war, Megaphone plärrten und Suchscheinwerfer umherhuschten und man keinen Flieger parat hatte, landete man im Expresstempo im Kittchen.

Im Lauf der Jahre hatten sie etwa ein Dutzend Ladungen im Ritz untergebracht. Nicht Joe persönlich, doch hatte er eine Menge Geschichten über das Hotel gehört. Ringling hatte den Rohbau noch fertiggestellt; die Erdarbeiten waren abgeschlossen gewesen, auch die Rohrleitungen bereits verlegt, doch dann hatte er das Projekt von einem Tag auf den anderen aufgegeben. Hatte das riesige Gebäude im spanisch-mediterranen Stil einfach so stehenlassen, einen Dreihundert-Zimmer-Palast, der hell erleuchtet wahrscheinlich noch in Havanna zu sehen gewesen wäre.

Joe traf eine Stunde früher ein. Die Taschenlampe, die ihm Dion besorgt hatte, war nicht schlecht, benötigte aber immer wieder kleine Pausen. Ihr Strahl wurde nach und nach immer schwächer, ehe das Licht zu flackern begann und schließlich ganz erstarb. Jedes Mal musste Joe sie ein paar Minuten ausschalten, bevor sie wieder funktionierte und dann abermals den Geist aufgab. Während er in einem dunklen Raum in der zweiten Etage verharrte, der wohl für ein Restaurant bestimmt gewesen war, kam ihm der Gedanke, dass Menschen wie Taschenlampen waren – sie leuchteten, bis sich ihr Licht unweigerlich trübte, zu flackern begann und verlosch. Es war eine ebenso düstere wie kindische Vorstellung, doch tatsächlich hatte sich seine Stimmung auf der Fahrt entlang der Küste mehr und mehr verdüstert. Sein Groll auf RD Pruitt hatte auch etwas durchaus Kindisches, weil er genau wusste, dass er nur einer von vielen war. Er war nicht die Ausnahme, er war die Regel. Und selbst wenn es Joe gelang, ihn ein für alle Mal abzuservieren, würde über kurz oder lang ein neuer RD Pruitt auftauchen.

Es war ein illegales und daher zwangsläufig schmutziges Geschäft. Und schmutzige Geschäfte zogen immer Dreckskerle an. Dumpfe Hirne, tumb und brutal.

Joe trat auf die weiße Kalksteinveranda, lauschte der Brandung und Ringlings importierten Königspalmen, deren Wedel in der warmen nächtlichen Brise raschelten.

Die Abstinenzler standen auf verlorenem Posten; im ganzen Land formierte sich eine immer breitere Front gegen den 18. Zusatzartikel. Die Prohibition würde enden. Vielleicht erst in zehn, möglicherweise aber auch schon in zwei Jahren. Ihre Todesanzeige war bereits geschrieben, nur noch nicht veröffentlicht. Und Joe und Esteban hatten sich in alle möglichen Importfirmen am Golf und an der Ostküste eingekauft. Augenblicklich waren sie relativ knapp bei Kasse, doch an dem Morgen, an dem Alkohol wieder legal war, brauchten sie nur noch den Schalter umzulegen, und für ihr Unternehmen würde eine neue Zeitrechnung anbrechen. Die Destillerien waren allesamt betriebsbereit. Noch waren ihre Speditionen auf den Transport von Glaswaren spezialisiert, und noch standen ihre Abfüllbetriebe in Diensten diverser Limonadenhersteller, doch am Nachmittag besagten Tages würde ihnen eine bestens geölte Maschinerie zur Verfügung stehen, um schätzungsweise sechzehn bis achtzehn Prozent des amerikanischen Rummarkts zu übernehmen.

Joe schloss die Augen, sog die Seeluft tief in die Lungen und fragte sich, wie viele RD Pruitts seinen Weg noch kreuzen würden, bevor er sein Ziel erreicht hatte. Tatsächlich war ihm die Denkweise eines RD völlig fremd, eines Menschen, der mit der ganzen Welt auf Kriegsfuß stand, einen Feldzug führte, der nur in seinem Kopf stattfand und unweigerlich mit dem Tod enden musste, weil er nur im Tod Heil und Frieden auf dieser Erde finden konnte. Und vielleicht waren es nicht nur RD und seinesgleichen, die Joe so schwer auf dem Magen lagen, sondern die Mittel, zu denen man greifen musste, um solchen Existenzen das Handwerk zu legen. Man musste dasselbe schmutzige Spiel treiben wie sie. Man war gezwungen, einem anständigen Mann wie Irving Figgis Bilder von der Vergewaltigung seiner Erstgeborenen zu zeigen, Bilder eines Mädchens, über dessen Arme sich Einstichspuren zogen, die wie die Zeichnung einer Strumpfbandnatter aussahen.

Das zweite Foto hätte er Irving Figgis nicht zeigen müssen; er hatte es dennoch getan, um die Sache zu beschleunigen. Und genau das war es, was ihm mehr und mehr über dieses Geschäft zu denken gab, in dem er es so weit gebracht hatte – je öfter man seine Prinzipien im Namen der Notwendigkeit in den Wind schlug, desto leichter fiel es einem.

Am Abend zuvor waren Graciela und er erst auf ein paar Drinks im Riviera gewesen, hatten dann im Columbia gespeist und sich anschließend eine Band im Satin Sky angesehen. Sal Urso, der mittlerweile Joes Chauffeur war, fuhr den Wagen, gefolgt von Lefty Downer, der stets die Nachhut bildete, wenn Dion anderweitig beschäftigt war. Der Barkeeper im Riviera war gestolpert und hatte sich das Knie gestoßen, als er eilfertig Gracielas Stuhl hatte hervorziehen wollen, bevor sie an ihrem Tisch angelangt war. Als die Bedienung im Columbia einen Drink an Joes Platz verschüttet hatte, waren sowohl der Oberkellner und der Restaurantleiter und schließlich auch der Besitzer des Lokals an ihrem Tisch aufgekreuzt, um sich in aller Form zu entschuldigen. Joe hatte mit Engelszungen auf sie einreden müssen, um die sofortige Entlassung der Kellnerin zu verhindern, ihnen erklärt, es habe sich lediglich um ein Versehen gehandelt, ansonsten seien sie von ihr wie immer erstklassig bedient worden. (*Bedienen.* Joe hasste das Wort.) Natürlich hatten die Männer eingelenkt, doch welche Wahl hätten sie auch gehabt, wie Graciela ihn auf dem Weg zum Satin Sky erinnerte. Warten wir mal ab, ob sie ihren Job nächste Woche noch hat, sagte sie. Im Satin Sky waren alle Tische besetzt, doch bevor Joe und Graciela zum Wagen zurückgehen konnten, wieselte auch schon Pepe, der Geschäftsführer, herbei und versicherte ihnen, dass vier Stammkunden soeben ihre Rechnung bezahlt hatten, während Joe und Graciela beobachteten, wie zwei Männer an einen Vierertisch traten und die beiden dort sitzenden Paare freundlich, aber bestimmt nötigten, den Club im Eiltempo zu verlassen.

Als sie Platz genommen hatten, saßen sie sich erst einmal eine Weile wortlos gegenüber. Sie nippten an ihren Drinks, verfolgten das Treiben auf der Bühne. Graciela sah hinaus zu Sal, der neben dem Wagen stand und sie im Auge behielt, ließ den Blick durch den Raum, über die Gäste und Kellner schweifen, die allesamt so taten, als würden sie sie nicht beobachten.

»Jetzt gehöre ich selbst zu den Leuten, für die meine Eltern arbeiten mussten«, sagte sie.

Joe schwieg. Jede Antwort, die ihm einfiel, wäre eine Lüge gewesen.

Etwas war ihnen abhandengekommen. Ein Teil ihres Lebens hatte sich vom Dunkel ans Tageslicht verlagert, dahin, wo die feinen Leute, die Versicherungsmakler und Bankiers lebten, wo die Gemeindeversammlungen stattfanden, die Flaggen bei den Paraden auf der Hauptstraße geschwenkt wurden, wo man die Wahrheit über sich selbst gegen die Legende eintauschte.

Doch draußen, auf trüb beleuchteten Bürgersteigen, in dunklen Gassen und auf verlassenen Grundstücken, bettelten Menschen um Essen und warme Decken. Und wenn man an ihnen vorbei war, warteten ihre Kinder an der nächsten Straßenecke.

Tatsache war, dass ihm die Legende von sich gefiel. Und zwar um Längen besser als die Wahrheit über ihn. Er selbst empfand sich immer noch als zweitklassig, halbseiden und fehl am Platz. Er sprach immer noch mit Bostoner Akzent, trug immer noch die falschen Klamotten, und vieles von dem, was ihm durch den Kopf ging, hätten die meisten Leute wohl als »seltsam« empfunden. Der Wahrheit entsprach, dass er ein verängstigter kleiner Junge war, den seine Eltern vergessen hatten wie eine Lesebrille an einem Sonntagnachmittag, der dann und wann von zwei älteren Brüdern in den Arm genommen wurde, die ohne Vorwarnung auftauchten und ebenso schnell wieder verschwanden. Sein wahres Ich war ein einsames Kind in einem leeren Haus, das darauf wartete, dass jemand an seiner Zimmertür klopfte und fragte, ob alles in Ordnung war.

Seine Geschichte hingegen war die eines Gangsterprinzen. Die eines Mannes, der Chauffeur und Leibwächter, Geld und Einfluss hatte. Eines Mannes, für den andere Gäste sofort ihre Plätze räumten, weil er ihren Tisch haben wollte.

Graciela hatte recht – sie waren zu den Leuten geworden, für die ihre Eltern geschuftet hatten. Doch gleichzeitig hatten sie deren kühnste Träume noch übertroffen, und genau das hätten die armen Schlucker auch von ihnen erwartet. Die Reichen konnte man nicht bezwingen. Man konnte sich ihnen lediglich so weit annähern, dass sie sich das bei einem holten, was ihnen fehlte.

Er verließ die Veranda und betrat wieder das Hotel. Erneut knipste er die Taschenlampe an, ließ den Strahl durch den Saal wandern und sah sie buchstäblich vor sich – die High Society, wie sie trank, aß, das Tanzbein schwang und all das tat, was die High Society den lieben langen Tag so trieb.

Aber was trieb die High Society eigentlich sonst so?

Ihm fiel keine spontane Antwort ein.

Und was machten die kleinen Leute?

Sie arbeiteten. Wenn sie denn Arbeit finden konnten. Und selbst wenn nicht, zogen sie Kinder groß, fuhren ihre Autos, vorausgesetzt, dass sie sich Benzin und Wartung leisten konnten. Sie gingen ins Kino oder zum Tanzen, lauschten dem Radio. Sie rauchten.

Und die Reichen …?

Sie spielten.

Im Strahl der Taschenlampe sah Joe alles glasklar vor sich. Während der Rest des Landes vor den Suppenküchen anstand oder um Kleingeld bettelte, blieben die Reichen reich. Sie rührten keinen Finger und langweilten sich zu Tode.

Und das Restaurant, durch das er gerade ging, dieses Restaurant, das es nie gegeben hatte, war gar kein Restaurant. Es war ein Kasino. Er sah den Roulettetisch in der Mitte, die Tische für Würfel- und Kartenspiele, Perserteppiche und Kronleuchter mit rubinroten Gehängen.

Er verließ den Raum. Während er den Korridor hinunterging, verwandelten sich die Konferenzräume, an denen er vorbeikam, vor seinem inneren Auge in Konzertsäle – für Big Bands, Vaudeville, kubanischen Jazz, ja, sogar ein Kino war denkbar.

Die Zimmer. Er lief hinauf in den dritten Stock und nahm die Räumlichkeiten mit Blick auf den Golf in Augenschein. Heiliger Strohsack, es war einfach überwältigend. Jede Etage würde ihren eigenen Butler bekommen, der die Gäste direkt am Fahrstuhl in Empfang nehmen und ihnen rund um die Uhr zur Verfügung stehen würde. Alle Zimmer würden selbstredend mit Radio und Deckenventilator ausgestattet sein, vielleicht sogar mit diesen neumodischen französischen Toiletten, mit denen man sich den Hintern waschen konnte. Masseurinnen, die auf Abruf bereitstanden, 24-Stunden-Zimmerservice, zwei, nein, drei Concierges für die besonders prominenten Gäste. Er ging wieder hinunter in den ersten Stock. Die Taschenlampe, die abermals eine Erholungspause brauchte, schaltete er aus, da er mit der Treppe inzwischen hinreichend vertraut war. Dann hatte er den Ballsaal gefunden. Er befand sich in der Mitte der ersten Etage, gekrönt von einer Rotunde mit Aussichtsgalerie – wie gemacht dafür, in warmen Frühlingsnächten dort oben entlangzuschlendern und anderen stinkreichen Leuten beim Tanzen unter der mit Sternen bemalten Kuppel zuzusehen.

Es war, als könne er in die Zukunft blicken. Angelockt von Prunk und Eleganz, würden die Reichen in Scharen hierherströmen, um ihr Glück zu riskieren, den Kitzel eines Spiels zu genießen, das ebenso abgefeimt war wie jenes, das sie seit Jahrhunderten mit den Armen trieben.

Und er würde ihnen den roten Teppich ausrollen. Ihnen nach allen Regeln der Kunst den Aufenthalt versüßen. Und ihnen das Geld aus der Tasche ziehen.

Niemand – kein Rockefeller und kein du Pont, weder ein Carnegie noch ein J.P. Morgan – konnte gegen die Bank gewinnen. Es sei denn, ihm hätte die Bank gehört. Und in diesem Kasino war er die Bank.

Er schüttelte die Taschenlampe ein paarmal und knipste sie wieder an.

Ein wenig überraschte es ihn schon, dass sie bereits auf ihn warteten – RD Pruitt und zwei andere Männer. RD trug einen steifen braunen Anzug und eine schwarze Fliege. Die Hosenaufschläge endeten knapp oberhalb seiner schwarzen

Schuhe, so dass man die weißen Socken sehen konnte. Er befand sich in Begleitung zweier anderer Kerle – allem Anschein nach Fuselbrenner, die unverkennbar nach Mais, Maische und Methanol stanken und keine Anzüge, sondern Hemden mit schmalem Kragen, kurze Krawatten und Wollhosen trugen.

Joe gab sich alle Mühe, nicht zu blinzeln, als sie ihre Taschenlampen auf ihn richteten.

»Da sind Sie ja«, sagte RD.

»So ist es«, sagte Joe.

»Wo ist mein Schwager?«

»Nicht mitgekommen.«

»Auch gut.« RD deutete auf den Burschen zu seiner Rechten. »Das ist Carver Pruitt, mein Cousin.« Er zeigte nach links. »Und das ist *sein* Cousin mütterlicherseits, Harold LaBute.« Er wandte sich zu den beiden. »Jungs, das ist der Kerl, der Kelvin auf dem Gewissen hat. Also seid bloß vorsichtig, sonst legt er euch womöglich auch um.«

Carver Pruitt hob seine Flinte an die Schulter. »Wohl kaum.«

»Lass dich bloß nicht täuschen.« RD zeigte auf Joe. »Die Ratte ist mit allen Wassern gewaschen. Sobald du ihn auch nur eine Sekunde aus den Augen lässt, bist du deine Knarre los, das garantiere ich dir.«

»Quatsch mit Soße«, sagte Joe.

»Stehen Sie zu Ihrem Wort?«, fragte RD.

»Kommt drauf an, wem ich's gegeben habe.«

»Also sind Sie nicht allein gekommen?«

»Nein«, sagte Joe.

»Ach ja? Und wo stecken Ihre Leute?«

»Nicht so neugierig, RD. Dann geht doch die ganze Spannung flöten.«

»Wir haben Sie beobachtet«, sagte RD. »Wir sind nämlich schon seit drei Stunden hier. Und deshalb wissen wir, dass Sie allein sind.« Er lachte leise. »Na, wie finden Sie das?«

»Glauben Sie mir«, sagte Joe. »Ich bin nicht allein.«

RD ging in die Mitte des Saals voraus, und Joe folgte ihm, die beiden Kerle mit den Gewehren im Rücken.

Das Springmesser, das Joe dabeihatte, war einsatzbereit. Der Griff steckte lose unter dem Lederband der Armbanduhr, die Joe extra zu diesem Zweck trug. Eine kurze Bewegung, und das Messer würde buchstäblich im Handumdrehen in seinen Fingern landen.

»Ich will keine sechzig Prozent.«

»Das hatte ich mir schon gedacht«, sagte Joe.

»So? Was will ich denn sonst?«

»Ich weiß es nicht genau«, sagte Joe. »Aber ich vermute, Sie hätten gern, dass wieder alles *so wie früher* ist? Na, wird's schon warm?«

»Wie auf dem Grill.«

»Aber die guten alten Zeiten hat es nie gegeben«, sagte Joe. »Und genau darin besteht Ihr Problem, RD. Im Knast habe ich zwei Jahre lang nichts weiter getan, als zu lesen. Und wissen Sie, was ich dabei herausgefunden habe?«

»Keine Ahnung. Aber Sie sagen's mir bestimmt gleich, nicht wahr?«

»Tja, ich habe dabei herausgefunden, dass immer schon die gleiche Scheiße gelaufen ist – nichts als Gemetzel, Vergewaltigung, Zerstörung, Vernichtung. So ist der Mensch,

RD. Früher war gar nichts besser. Die guten alten Zeiten existieren bloß in Ihrem Kopf.«

»Hmm-mm.«

»Haben Sie eine Vorstellung, was wir aus diesem Laden hier machen könnten?«, fragte Joe. »Was hier entstehen könnte?«

»Keine Ahnung.«

»Das größte Kasino Amerikas.«

»Bloß dass Glücksspiele illegal sind, und daran wird sich auch nichts ändern.«

»Da muss ich Ihnen leider widersprechen, RD. Das ganze Land geht den Bach herunter, eine Bank nach der anderen macht pleite, die Gemeinden sind bankrott, die Leute finden keine Arbeit mehr.«

»Weil wir jetzt einen Kommunisten als Präsident haben.«

»Mumpitz«, sagte Joe. »Aber ich bin nicht hier, um Stammtischgespräche mit Ihnen zu führen, RD. Tatsache ist, dass die Prohibition über kurz oder lang vorbei sein wird, weil –«

»Niemals! Nicht in einem gottesfürchtigen Land wie diesem!«

»Und ob. Allein deswegen, weil dem Staat in den letzten zehn Jahren Millionen und Abermillionen an Einfuhrzöllen, Mautgebühren und Steuern durch die Lappen gegangen sind – möglich, dass er sogar Milliarden verschenkt hat. Und deshalb wird die Regierung Leute wie mich auf den Plan rufen, damit wir das Land für sie retten – und zwar, indem wir mit legal verkauftem Alkohol Millionen scheffeln. Und aus demselben Grund werden sie auch das Glücksspiel legalisieren. Wir müssen nur die richtigen Stadtverordneten, Landräte und Senatoren schmieren, um den Stein ins Rollen zu bringen. Und Sie könnten mit im Boot sein, RD.«

»Sie glauben, ich würde mit einem wie Ihnen gemeinsame Sache machen? Da haben Sie sich aber verdammt noch mal geschnitten!«

»Warum sind Sie dann hier?«

»Um Ihnen ins Gesicht zu sagen, dass Sie ein Krebsgeschwür sind. Sie sind die Pestilenz, an der dieses Land zu Grunde geht – Sie und Ihre Niggerhure, Ihre dreckigen Latino- und Itaker-Freunde. Ich werde mir das Parisian unter den Nagel reißen. Und zwar nicht sechzig Prozent, sondern den ganzen Laden. Aber das ist erst der Anfang. Ich werde Ihnen alles nehmen – alles, was Sie haben. Vielleicht sehe ich sogar mal bei Ihnen zu Hause vorbei und nehme mir Ihre Hure zur Brust, bevor ich ihr die Kehle durchschneide.« Er sah zu seinen Jungs und lachte, ehe er sich wieder Joe zuwandte. »Du hast es noch nicht geschnallt, Freundchen, aber du wirst aus unserer Stadt verschwinden. Du hast bloß vergessen, deine Koffer zu packen.«

Joe sah in RDs glänzende hasserfüllte Augen, so lange, bis alles Menschliche daraus verschwunden war und nur noch der blanke Hass in ihnen stand. Es war der Blick eines halbverhungerten Hundes, der so oft geprügelt worden war, dass er der Welt nur noch mit gefletschten Zähnen gegenübertrat.

In jenem Moment empfand er nichts als Mitleid für ihn.

Als RD Pruitt erkannte, was sich in Joes Miene spiegelte, trat ein irres Flackern in seine Augen. Und im selben Moment hatte er auch schon ein Messer gezückt. Joe sah das

Messer kommen, da es gleichsam in RDs Pupillen aufblitzte, doch eine Sekunde später steckte es bereits bis zum Heft in seinem Bauch.

Joes eigene Klinge fiel klappernd zu Boden, als er RD am Handgelenk packte, so fest, dass er nicht noch weiteren Schaden anrichten konnte. Mit gebleckten Zähnen standen sie sich gegenüber.

»Hab ich dich«, zischte er. »Hab ich dich.«

Joe ließ RDs Handgelenk los und stieß ihn mit aller Macht gegen die Brust. Das blutige Messer in der Hand, taumelte RD zurück, während Joe zu Boden ging. RD lachte, und seine beiden Kumpels stimmten dröhnend mit ein.

»Voll erwischt!«, sagte RD und trat wieder auf Joe zu.

Joe sah sein eigenes Blut von der Klinge tropfen. Er hob die Hand. »Moment noch!«

RD hielt inne. »Das hättest du wohl gern.«

»Ich habe nicht mit dir geredet.« Joe blickte hinauf ins Dunkel, sah die Sterne, die die Kuppel über der Rotunde zierten. »Okay. Jetzt.«

»Mit wem denn sonst?«, fragte RD, wie immer schwer von Begriff – wohl auch der Grund, warum ein so hundsgemeines Schwein aus ihm geworden war.

Im selben Moment knipsten Dion und Sal Urso die Scheinwerfer an, die sie am Nachmittag in die Rotunde hinaufgeschleppt hatten. Es war, als würde urplötzlich der Vollmond hinter dunklen Wolken hervorbrechen. Gleißendes Licht erfüllte den Ballsaal.

Als dann der Kugelhagel auf sie niederging, tanzten RD Pruitt, sein Cousin Carver und Carvers Cousin Harold den Friedhofsfoxtrott; es sah aus, als würden sie sich auf glühenden Kohlen die Seelen aus dem Leib husten. Mittlerweile handhabte Dion seine Thompson wie ein wahrer Künstler, stanzte fein säuberlich ein X in RD Pruitts zuckenden Körper. Als Dion und Sal das Feuer einstellten, war der Saal voller Blut.

Joe hörte ihre Schritte, als sie die Treppe zu ihm heruntereilten.

»Den Doc«, rief Dion Sal zu. »Hol den Doc.«

Sals Schritte entfernten sich in die andere Richtung, während Dion neben Joe niederkniete und sein Hemd aufriss.

»Meine Fresse!«

»Was? Ist es so schlimm?«

Dion streifte seine Jacke ab und zog sein eigenes Hemd aus. Er knüllte es zusammen und presste es auf die Wunde. »Halt das fest.«

»So schlimm?«, wiederholte Joe.

»Toll sieht's nicht aus«, sagte Dion. »Wie fühlst du dich?«

»Meine Füße sind eiskalt. Meine Eingeweide brennen wie die Hölle. Am liebsten würde ich laut losschreien.«

»Dann mach's doch«, sagte Dion. »Es hört ja niemand.«

Und genau das tat Joe auch. Es schockierte ihn selbst, mit welcher Urgewalt der Schrei aus seiner Kehle hervorbrach und von den Wänden widerhallte.

»Besser?«

»Willst du die Wahrheit hören?«, sagte Joe. »Nein.«

»Dann lass es lieber bleiben. Der Doc ist garantiert schon unterwegs.«

»Seid ihr mit ihm hierhergekommen?«

Dion nickte. »Er ist auf dem Boot. Sal hat ein Signal mit

ihm vereinbart. Kann sich nur um ein paar Minuten handeln.«

»Gut.«

»Warum hast du nicht irgendwie Laut gegeben, als er dir das Messer in den Bauch gerammt hat? Von da oben konnten wir doch nichts sehen. Wir haben bloß auf grünes Licht gewartet.«

»Keine Ahnung«, erwiderte Joe. »Ich wollte ihm einfach nicht die Genugtuung geben. Oh, Mann, tut das weh.«

Dion ergriff seine Hand.

»Wieso hast du ihn überhaupt so nah an dich herangelassen?«

»Was?«

»Warum hast du das riskiert? Du solltest *ihn* abstechen, und nicht umgekehrt.«

»Ich hätte ihm die Bilder nicht zeigen sollen, D.«

»Wie? Was hast du RD gezeigt?«

»Nein, nein. Ich meinte Figgis. Das mit den Fotos war ein Fehler.«

»Teufel auch. Es gab keine andere Möglichkeit, den Dreckskerl loszuwerden.«

»Trotzdem. Der Preis war zu hoch.«

»Vergiss es. Billiger ist so was eben nicht zu haben.«

»Okay.«

»Hey! Keine Müdigkeit vorschützen!«

»Hör auf, mir Ohrfeigen zu verpassen.«

»Dann lass die Augen offen.«

»Das wird ein Spitzenkasino, Mann.«

»Was?«

»Vertrau mir«, sagte Joe.

Mi Gran Amor

Fünf Wochen.

So lange lag Joe im Krankenhaus. Erst in der Gonzalez-Klinik in der Fourteenth Street, nur einen Häuserblock
vom Circulo Cubano entfernt, und dann unter dem Deck-
namen Rodriguo Martinez im Centro Asturiano Hospital
im Osten Ybors. Und obwohl die Kubaner gegen die Spanier gekämpft, die Südspanier den Nordspaniern die Hölle
heiß gemacht und sie allesamt etwas gegen Italiener und
schwarze Amerikaner hatten, zogen sie am selben Strang,
wenn es um ärztliche Hilfe und medizinische Versorgung
ging. Jedem hier war klar, dass drüben im weißen Tampa
niemand auch nur einen Finger für sie krumm gemacht
hätte; selbst mit einer schweren Schusswunde wären sie
nicht behandelt worden, wenn in der Notaufnahme gerade
ein Weißer mit verstauchtem großen Zeh gesessen hätte.

Das Ärzteteam, das Graciela und Esteban zusammen-
getrommelt hatten, bestand aus einem kubanischen Chir-
urgen, der die erste Baucheröffnung durchführte, einem
spanischen Thorax-Spezialisten, der während des zweiten,
dritten und vierten Eingriffs ein Auge auf die Bauchwand-
rekonstruktion hatte, und einem führenden amerikanischen
Pharmakologen, der Zugang zu Tetanus-Impfstoff hatte und
für Joes Versorgung mit Morphin verantwortlich war.

Alle vorbereitenden Maßnahmen – Abführen, Reinigung und Voruntersuchung – sowie die erste Operation wurden in der Gonzalez-Klinik vorgenommen. Doch dann sprach sich herum, dass Joe dort untergebracht worden war. In der zweiten Nacht tauchten Mitternachtsreiter des Ku-Klux-Klans auf; der ölige Gestank ihrer Fackeln stieg durch die Fenstergitter, während sie mit ihren Pferden die Ninth Avenue auf und ab galoppierten. Joe bekam nichts davon mit – an die ersten zwei Wochen im Krankenhaus konnte er sich später nur mehr schemenhaft erinnern –, doch Graciela erzählte ihm später, was in jener Zeit geschehen war.

Als sich die Reiter davonmachten und mit donnernden Hufen die Straßen entlangpreschten, schickte ihnen Dion seine Leute hinterher – zwei Mann pro Pferd. Kurz vor Morgengrauen drangen Unbekannte in die Häuser von acht Bürgern im Großraum Tampa/St. Petersburg ein und schlugen die Männer halb tot, einige vor den Augen ihrer entsetzten Familien. Als eine Frau in Temple Terrace ihrem Mann zu Hilfe kommen wollte, wurden ihr beide Arme mit einem Baseballschläger gebrochen. Als der Sohn eines Mannes in Egypt Lake einzuschreiten versuchte, fesselten sie ihn an einen Baum und überließen ihn den Ameisen und Moskitos. Das prominenteste Opfer war der Zahnarzt Victor Toll, der, wie gemunkelt wurde, Kelvin Beauregard als Kopf der lokalen Klan-Sektion nachgefolgt war. Dr. Toll wurde auf die Motorhaube seines Wagens gefesselt; dort lag er in seinem eigenen Blut und musste mitansehen, wie sein Haus bis auf die Grundmauern niederbrannte.

Damit war die Macht des Klans für die nächsten drei Jahre gebrochen – wovon das Pescatore-Syndikat und die

Coughlin-Suarez-Partner zu diesem Zeitpunkt natürlich nichts ahnen konnten, weshalb sie kein weiteres Risiko eingingen und Joe umgehend ins Centro Asturiano Hospital brachten. Dort wurde ihm eine Drainage gelegt, um die inneren Blutungen abzuleiten, deren Ursprung sich der kubanische Chirurg, der die erste Operation durchgeführt hatte, beim besten Willen nicht erklären konnte. Daher zogen sie den zweiten Arzt zu Rate, einen sanftmütigen Spanier mit den schönsten Händen, die Graciela je gesehen hatte.

Mittlerweile bestand nicht mehr die Gefahr eines Kreislaufschocks durch Blutverlust, woran die meisten Patienten mit Messerstichverletzungen im Bauchraum verstarben. Eine weitere gute Nachricht war, dass Joes Leber nichts abbekommen hatte – dank der Taschenuhr seines Vaters, an der die Messerklinge abgerutscht war, wie man deutlich am Deckel der Uhr sehen konnte, den nun ein dicker Kratzer zierte.

Der kubanische Arzt hatte sein Bestes getan, um Verletzungen des Zwölffingerdarms, des Enddarms, des Dickdarms, der Gallenblase und der Milz auszuschließen, doch die Bedingungen waren alles andere als ideal gewesen. Joe war auf dem schmutzigen Boden eines verlassenen Gebäudes erstversorgt worden und dann mit einem Boot quer über die Bucht nach Tampa gebracht worden. Als man ihn in den Operationssaal rollte, war bereits mehr als eine Stunde verstrichen.

Der spanische Arzt vermutete aufgrund des Winkels, in dem das Messer durch Joes Bauchfell gedrungen war, dass wahrscheinlich eine Milzverletzung vorlag, und schnitt Joe ein zweites Mal auf. Und er war sein Geld weiß Gott wert. Er versorgte den Riss in der Milz und spülte die Gallenflüssigkeit aus dem Bauchraum, die bereits Joes Magenwand angegriffen hatte. Dennoch war schon so viel Schaden entstanden, dass noch vor Monatsende zwei weitere Operationen nötig waren.

Als Joe danach erwachte, saß jemand an seinem Bett. Seine Umgebung nahm er nur verschwommen wahr, wie durch einen dichten Gazeschleier. Dennoch erkannte er einen mächtigen Kopf und einen ausgeprägten Kiefer. Und einen langen Schwanz. Der Schwanz schlug gegen seine Bettdecke, und dann sah Joe den Panther ganz deutlich, dessen hungrige gelbe Augen direkt auf ihn gerichtet waren. Urplötzlich zog sich seine Kehle zusammen, und er spürte, wie ihm kalter Schweiß ausbrach.

Der Panther leckte sich über Maul und Nase.

Er gähnte, und Joe gelang es nicht, die Lider zu schließen, starrte wie gelähmt auf die majestätischen Zähne, so weiß wie die Knochen, von denen sie das Fleisch rissen.

Das Maul schloss sich wieder. Erneut richtete der Panther die gelben Augen auf ihn, und dann setzte er die Vorderpfoten auf seinen Bauch.

»Was für eine Raubkatze?«, fragte Graciela.

Der Schweiß lief ihm in die Augen, als er zu ihr aufsah. Es war ein wunderschöner Morgen; eine kühle Brise, die den Duft von Kamelien mit sich trug, wehte durch die Fenster herein.

Geschlechtsverkehr war nach den Operationen erst mal für ein Vierteljahr passé. Alkohol, kubanisches Essen, Schellfisch, Nüsse und Mais waren ebenso ärztlich untersagt. Doch obwohl er fürchtete – so wie Graciela auch –, dass sie sich ohne Sex voneinander entfremden würden, trat genau das

Gegenteil ein. Etwa vier Wochen nach seiner Entlassung aus dem Krankenhaus lernte er, es ihr mit dem Mund zu machen; im Lauf der Jahre hatte er das Terrain zwischen ihren Schenkeln durchaus das eine oder andere Mal spontan mit der Zunge erkundet, doch nun blieb es seine einzige Möglichkeit, ihr Befriedigung zu verschaffen. Wenn er vor ihr kniete, seine Hände ihren Hintern hielten und seine Lippen die Pforte zu ihrem Innersten bedeckten, eine Pforte, die er seit jeher als heilig, sündhaft und kostbar schlüpfrig empfand, wurde ihm endlich klar, was wahrlich einen Kniefall wert war. Während er den Kopf zwischen Gracielas Beinen vergrub, wünschte er, er hätte sich schon Jahre zuvor von seinen althergebrachten Vorstellungen vom Geben und Empfangen zwischen Mann und Frau verabschiedet. Erst hatte sie protestiert – *nein, lass das; ein Mann macht so was nicht; ich muss erst baden; ich schmecke dir bestimmt nicht* –, doch dann schien sie regelrecht süchtig nach seinen Liebkosungen zu werden. Als sich die drei Monate allmählich dem Ende zuneigten, wurde er gewahr, dass er sie mittlerweile durchschnittlich fünfmal am Tag mit dem Mund erlöste.

Dann, als die Ärzte ihn schließlich für wiederhergestellt erklärten, schlossen er und Graciela die Fensterläden ihrer Villa in der Ninth Avenue und bestückten die Eiskiste im ersten Stock mit Champagner und allerlei Leckereien, ehe sie sich für achtundvierzig Stunden ganz und gar zurückzogen, zwei Tage ausschließlich zwischen Himmelbett und Löwenfußwanne verbrachten. Während sich der zweite Tag allmählich seinem Ende zuneigte – der rötliche Glanz der Dämmerung schien durch die Fenster, während der Hauch des Ventilators den Schweiß auf ihren Körpern trocknete –, sagte Graciela: »Es wird nie einen anderen geben.«

»Einen anderen?«

»Mann.« Behutsam strich sie über die Narben auf seinem Bauch. »Du bist mein Mann. Für immer.«

»Im Ernst?«

Sie presste den offenen Mund an seinen Hals. »Ja, ja, ja.«

»Was ist mit Adan?«

Zum ersten Mal löste der Name ihres Ehemanns nichts als Verachtung in ihrem Blick aus.

»Adan ist kein Mann. Du, *mi gran amor*, bist ein Mann.«

»Und du meine Frau«, sagte er. »Du lieber Himmel, ich bin völlig besoffen von dir.«

»Und ich erst von dir.«

»Tja…« Er ließ seinen Blick durch das Zimmer schweifen. Eine kleine Ewigkeit hatte er auf diesen Tag gewartet, und nun wusste er nicht, wie er damit umgehen sollte. »Aber in Kuba kriegst du doch niemals die Scheidung durch.«

Sie schüttelte den Kopf. »Selbst wenn ich unter meinem richtigen Namen zurückkehren könnte – die Kirche erlaubt das nicht.«

»Also wirst du für immer mit ihm verheiratet sein.«

»Auf dem Papier«, sagte sie.

»Und das ist ja bekanntlich geduldig«, erwiderte er.

Sie lachte. »Wohl wahr.«

Er zog sie auf sich und ließ den Blick über ihren dunklen Körper bis hinauf zu ihren braunen Augen wandern. *»Tú eres mi esposa.«*

Sie wischte sich die Augen mit beiden Händen, während

ein kleines, von Tränen durchsetztes Lachen aus ihrer Kehle drang. »Und du bist mein Mann.«

»*Para siempre.*«

Sie legte ihre warmen Handflächen auf seine Brust. »Für immer.«

21

Ganz in Weiß

D ie Geschäfte brummten weiter.

Das Ritz stand nun ganz oben auf Joes Liste. John Ringling war bereit, das Gebäude zu verkaufen, nicht aber das Grundstück. Weshalb Joes und Ringlings Anwälte nun versuchten, zu einer Lösung zu kommen, die beide Seiten zufriedenstellte. Zuletzt hatten sie einen Pachtvertrag über neunundneunzig Jahre ins Auge gefasst, doch nun standen die bundesstaatlichen Luftbaurechte einem Abschluss im Weg. Mittels einiger Hintermänner hatte Joe diverse Bauinspektoren in Sarasota County bestochen; eine zweite Gruppe hatte er auf verschiedene Landespolitiker angesetzt, und eine dritte nahm Steuerfahnder und Senatoren ins Visier, die regelmäßig Bordelle, Spielhöllen und Opiumhöhlen des Pescatore-Syndikats frequentierten.

Einen ersten Teilerfolg verzeichnete er, als das Bingo-Spiel in Pinellas County entkriminalisiert wurde. Gleich anschließend hatten seine Leute einen Gesetzesentwurf zur landesweiten Abschaffung des Bingo-Verbots erarbeitet, der während der herbstlichen Sitzungsphase des Rechtsausschusses zur Vorlage kommen und womöglich bereits 1932 verabschiedet werden würde. Seine Kontakte in Miami – einer Stadt, in der seit jeher eine Hand die andere wusch – weichten die bestehende Gesetzeslage noch weiter auf, indem sie dafür sorgten, dass Totalisatorwetten in Dade und Broward County legalisiert wurden. Joe und Esteban hatten für ihre Freunde in Miami reichlich Land aufgekauft, wo nun Pferderennbahnen entstanden.

Maso war aus Boston gekommen, um das Ritz persönlich in Augenschein zu nehmen. Er hatte sich erst kürzlich einer Krebsoperation unterziehen müssen, auch wenn außer ihm und seinen Ärzten niemand wusste, was für ein Krebs es gewesen war. Er behauptete, er hätte die Behandlung locker weggesteckt, doch er war vollständig kahl geworden, sah alt und gebrechlich aus. Es wurde sogar gemunkelt, er sei mittlerweile weich in der Birne, auch wenn Joe keinerlei Anzeichen dafür erkennen konnte. Das Anwesen war ganz Masos Kragenweite, und auch Joes Logik hatte ihm sofort eingeleuchtet – wenn es je einen richtigen Zeitpunkt gegeben hatte, das Glücksspielverbot zu hintertreiben, dann jetzt, da die Prohibition ihrem unausweichlichen Ende entgegensah. Das Geld, das sie aufgrund der Legalisierung des Alkohols verlieren würden, wanderte schnurstracks in die Tasche des Staats, doch die Verluste, die ihnen durch die Besteuerung von Kasinos und Pferderennbahnen entstehen würden, ließen sich doppelt und dreifach wettmachen durch all die Idioten, die es unbedingt mit der Bank aufnehmen wollten.

Und Joes Hintermänner wussten zu berichten, dass ihn sein Instinkt ganz und gar nicht zu trügen schien. Amerika war reif. Die Gemeinden in Florida waren ebenso knapp bei Kasse wie der Rest des Landes. Joes Leute stellten Einnahmen ohne Ende in Aussicht: Ausschankgebühren, Kasinosteuer, Hotelsteuer, Speisen- und Getränkesteuer, Bettensteuer, Vergnügungssteuer sowie – und damit machten sie den Politikern den Mund erst so richtig wässrig – eine Finanzüberschusssteuer: An Tagen, an denen das Kasino über 800 000 Dollar einnahm, gingen zwei Prozent der Gesamtsumme automatisch an den Staat. Tatsächlich würden sie es natürlich schön für sich behalten, sollten sie diesen Betrag annähernd erreichen. Aber das mussten sie den Politikern, die den Hals nicht voll kriegen konnten, ja nun wirklich nicht auf die Nase binden.

Gegen Ende des Jahres 1931 hatte Joe sechs Senatoren, neun Mitglieder des Repräsentantenhauses, dreizehn Landräte, elf Stadträte und zwei Richter in der Tasche. Auch seinen alten KKK-Rivalen Hopper Hewitt, den Herausgeber des *Tampa Examiner*, hatte er auf seine Seite gezogen. Neuerdings beschäftigte sich sein Blatt in Artikeln und Kommentaren häufiger mit der Frage, warum so viele Leute Hunger leiden mussten, wenn ein Spitzenkasino an der Golfküste von Florida sie allesamt wieder in Lohn und Brot bringen und ihnen somit nicht zuletzt ermöglichen würde, ihre von der Bank einkassierten Häuser zurückzukaufen – jede Menge Formalitäten, die wiederum einer Menge darbender Anwälte Arbeit verschaffen würden.

Als Joe seinen sichtlich gealterten Boss zum Bahnhof fuhr, wo der Zug nach Boston wartete, sagte Maso: »Was auch immer nötig ist, um die Sache voranzutreiben – du hast grünes Licht.«

»Danke«, sagte Joe. »Ich bleibe dran.«

»Du hast hier unten richtig gute Arbeit geleistet.« Maso tätschelte sein Knie. »Und glaub mir, wir berücksichtigen das durchaus.«

Joe war nicht ganz klar, was es da »zu berücksichtigen« gab. Er hatte hier etwas aufgebaut, ja, aus dem Boden gestampft, das sich wahrhaft sehen lassen konnte, und Maso redete mit ihm, als ginge es darum, den Lebensmittelhändler an der Ecke zu überfallen. Vielleicht war ja etwas dran an dem Gerücht, dass der Alte nicht mehr alle Latten am Zaun hatte.

»Ach ja«, sagte Maso, als sie sich der Union Station näherten. »Ich habe gehört, da draußen gäb's immer noch einen Quertreiber, der nicht mitspielen will.«

Es dauerte ein paar Sekunden, bis Joe geschaltet hatte. »Du meinst den Schwarzbrenner, der nicht zahlen will?«

»Genau den.«

Der Schwarzbrenner hieß Turner John Belkin. Er und seine drei Söhne betrieben eine Destille am Ortsrand von Palmetto. Turner John Belkin war ein harmloser Bursche, der ein paar Mädels für sich laufen ließ, im Hinterzimmer ein bisschen Kohle an den üblichen Zockereien verdiente und sonst lediglich seinen Sprit an die Leute verkaufen wollte, die sich schon seit einer kleinen Ewigkeit bei ihm einzudecken pflegten. Und nichts auf der Welt schien ihn dazu bewegen zu können, sich unter das Dach der Organisation zu begeben. Er weigerte sich, dem Syndikat auch nur einen Dollar zu zahlen, weigerte sich, Pescatore-Rum zu verkaufen, und ließ sein Geschäft einfach laufen wie vor ihm schon sein Vater und seine Großväter, damals, als Tampa noch Fort Brooke geheißen hatte und dreimal so viele Menschen am Gelbfieber wie an Altersschwäche gestorben waren.

»Ich arbeite dran«, sagte Joe.

»Seit sechs Monaten, oder bin ich da falsch informiert?«

»Seit einem Vierteljahr«, räumte Joe ein.

»Zeig der Kanaille, was Sache ist.«

Sie hielten vor dem Bahnhof. Seppe Carbone, Masos persönlicher Leibwächter, öffnete den Wagenschlag und wartete in der prallen Sonne.

»Meine Jungs kümmern sich drum«, sagte Joe.

»Nein, nicht deine Jungs. Ich will, dass *du* es in die Hand nimmst.«

Maso stieg aus, und Joe begleitete ihn zum Zug, obwohl Maso sagte, dass das nicht nötig sei. Tatsächlich aber wollte Joe mit eigenen Augen sehen, wie Maso die Stadt verließ, schlicht und einfach, um wieder aufatmen und sich entspannen zu können. Wenn Maso vorbeisah, war es jedes Mal so, als käme für ein paar Tage ein Onkel zu Besuch, der ums Verrecken nicht wieder abreisen wollte. Und am schlimmsten war, dass der Onkel glaubte, einem damit einen Gefallen zu tun.

Ein paar Tage nach Masos Abreise schickte Joe zwei seiner Jungs los, die Turner John ein bisschen einschüchtern sollten. Stattdessen schüchterte er sie ein und schlug einen von ihnen krankenhausreif – wozu er weder eine Waffe noch die Hilfe seiner Söhne benötigte.

Eine Woche später sah Joe persönlich bei ihm vorbei.

Er wies Sal an, im Wagen auf ihn zu warten. Dann stand er auf der Schotterstraße vor Belkins Behausung, einer Bretterbude mit Kupferdach. Das eine Ende der Veranda war herabgesackt; am anderen stand eine rote Coca-Cola-Kühltruhe, die aussah, als würde sie jeden Tag auf Hochglanz poliert.

Turner Johns Söhne, drei bullige Burschen, die außer langen Baumwollunterhosen nicht viel am Leib hatten, nicht mal Schuhe (obwohl einer aus unerfindlichen Gründen einen roten Wollpullover mit Schneeflockenmuster trug), filzten Joe, nahmen ihm seine 32er Savage ab und filzten ihn noch einmal. Anschließend ließen sie Joe in den Schuppen, wo er gegenüber von Turner John an einem Tisch mit verschieden langen Beinen Platz nahm. Er versuchte vergeblich, den Tisch geradezurücken, und fragte Turner John dann frei heraus, warum er seine Leute zusammengeschlagen hatte. Turner John, ein hagerer Mann mit ernster Miene, dessen Augen und Haare denselben Braunton wie sein Anzug hatten, erwiderte, ihr Blick hätte ihm bereits mehr gesagt als tausend Worte – weshalb er darauf verzichtet hatte, sich genauer nach ihrem Begehr zu erkundigen.

Joe fragte Turner John, ob ihm bewusst sei, dass er nun gezwungen sei, ihn zu beseitigen, da er sonst sein Gesicht verlieren würde. Turner John gab zurück, das hätte er sich schon gedacht.

»Also«, sagte Joe. »Warum stellen Sie sich quer? Die paar Dollar Beteiligung, die wir wollen, sind wohl kaum Ihr Leben wert.«

»Mister«, sagte Turner John. »Lebt Ihr Vater noch?«

»Nein, er ist tot.«

»Aber Sie sind immer noch sein Sohn, stimmt's?«

»Natürlich.«

»Und selbst wenn Sie irgendwann zwanzig Urenkel haben sollten, sind Sie immer noch Ihres Vaters Sohn.«

Die tiefe Trauer, die urplötzlich Besitz von ihm ergriff, traf Joe völlig unvorbereitet. Kurz wandte er den Blick ab, da ihm um ein Haar Tränen in die Augen gestiegen wären. »Ja.«

»Und Sie wünschen sich, dass er stolz auf Sie wäre, richtig? Sie wünschten, er könnte sehen, dass aus Ihnen ein Mann geworden ist.«

»Ja, natürlich«, sagte Joe.

»Sehen Sie, bei mir verhält es sich genauso. Mein alter Herr war ein feiner Kerl. Hat mich nur verprügelt, wenn ich's auch verdient hatte, und nie, wenn er besoffen war. Und wenn ich geschnarcht habe, hat er mir höchstens mal 'ne Kopfnuss verpasst. Ich schnarche nämlich wie ein Weltmeister, Sir, und das ging meinem Daddy schwer auf den Senkel, wenn er todmüde war. Aber davon abgesehen war er ein prima Vater. Und jetzt, in diesem Moment sieht mein Daddy gerade zu mir herunter und sagt: ›Turner John, ich habe dich nicht großgezogen, damit du deine sauer verdienten Dollars irgendeinem dahergelaufenen Burschen in den Rachen wirfst, der nicht mit dir im Dreck gewühlt hat.‹« Er hielt Joe die schwieligen Hände hin. »Wenn Sie mein Geld wollen, Mr. Coughlin, packen Sie hier mit an und helfen uns, die Äcker zu bestellen, die Ernten einzubringen und die Kühe zu melken. Können Sie mir folgen?«

»Durchaus.«

»Tja, dann wäre wohl alles gesagt.«

Joe sah an die Zimmerdecke, ehe er den Blick wieder auf Turner John richtete. »Glauben Sie wirklich, dass Ihr Vater Ihnen von oben zusieht?«

Turner John entblößte zwei Reihen silberner Zähne. »Glauben? Ich weiß es.«

Joe öffnete seinen Hosenlatz, förderte den Derringer zutage, den er seinerzeit Manny Bustamente abgenommen hatte, und richtete den Lauf auf Turner John.

Turner John atmete langsam aus.

Joe sagte: »Einen angefangenen Job bringt man auch zu Ende, nicht wahr?«

Turner John leckte sich über die Unterlippe, ohne den Blick auch nur eine Sekunde von der Waffe zu wenden.

»Wissen Sie, was das ist?«, fragte Joe.

»Ein Damenrevolver.«

»Nein«, sagte Joe. »Das ist ein Trumpf, den ich nicht einsetze.« Er stand auf. »Hier draußen in Palmetto können Sie künftig schalten und walten, wie Sie wollen. Ist das ein Angebot?«

Turner John blinzelte zustimmend.

»Aber Hillsborough und Pinellas County sind künftig für Sie tabu. Und dasselbe gilt auch für Sarasota. Sind wir uns da einig, Turner John?«

Turner John blinzelte abermals.

»Ich will es hören«, sagte Joe.

»Einverstanden«, sagte Turner John. »Mein Wort darauf.«

Joe nickte. »Und was denkt Ihr Vater jetzt?«

Turner John ließ den Blick über den Lauf des Derringers wandern und sah Joe in die Augen. »Dass er verdammt Glück gehabt hat, sich nicht so bald wieder mein Schnarchen anhören zu müssen.«

Während Joe weiter alles daransetzte, um die Legalisierung des Glücksspiels voranzutreiben und das Hotel zu erwerben, kümmerte sich Graciela um Obdach für vaterlose Kinder und verlassene Frauen. Die Wirtschaftslage war so schlecht, dass ganze Armeen von Männern ihre Familien im Stich ließen – eine nationale Schande ohnegleichen. In Scharen kehrten sie den Elendsvierteln, ihren schäbigen Häusern oder im Falle Tampas den Bretterbuden und Baracken, die von den Einheimischen *casitas* genannt wurden, den Rücken, verabschiedeten sich unter dem Vorwand, Milch holen, eine Zigarette schnorren oder irgendwo für einen Job anstehen zu wollen, und kamen nie wieder. Ohne den Schutz ihrer Männer liefen viele Frauen Gefahr, vergewaltigt oder zur Prostitution gezwungen zu werden. Und die Kinder, plötzlich vater- und manchmal auch mutterlos, fristeten ihr Dasein auf der Straße, einem ungewissen Schicksal ausgeliefert.

Als Joe sich eines Abends gerade in der Wanne entspannte, gesellte sich Graciela mit zwei Tassen Kaffee zu ihm. Sie zog sich aus, glitt ihm gegenüber ins Wasser und fragte ihn, ob sie seinen Namen annehmen könne.

»Du willst mich heiraten?«

»Nicht kirchlich. Du weißt, dass das nicht geht.«

»Okay.«

»Aber wir sind Mann und Frau, nicht wahr?«

»Ja.«

»Und deshalb möchte ich deinen Namen tragen.«

»Graciela Dominga Maela Rosario Maria Concetta Corrales Coughlin?«

Sie verpasste ihm einen Klaps auf den Arm. »So viele Namen habe ich gar nicht.«

Er beugte sich zu ihr, küsste sie und lehnte sich wieder zurück. »Graciela Coughlin?«

»*Sí.*«

»Es wäre mir eine Ehre«, sagte er.

»Gut«, sagte sie. »Übrigens, ich habe ein paar Häuser gekauft.«

»*Ein paar?*«

Ihr Blick war so unschuldig wie der eines Rehs. »Drei, um genau zu sein. Die kleine Häuserzeile neben der alten Perez-Fabrik.«

»In der Palm Avenue?«

Sie nickte. »Ich möchte dort ein Asyl für Mütter und Kinder einrichten.«

Joe war alles andere als überrascht. In letzter Zeit gab es für Graciela kaum ein anderes Thema mehr.

»Und was ist mit Kuba? Eurer Revolution?«

»Ich habe mich in dich verliebt.«

»Und?«

»Du schränkst meine Bewegungsfreiheit ein.«

Er lachte. »So schlimm?«

»Schlimmer.« Sie lächelte. »Was wir vorhaben, könnte funktionieren. Vielleicht profitieren wir sogar irgendwann davon, und dann dient es auch dem Rest der Welt als Vorbild.«

Graciela träumte von einer Bodenreform, von Rechten für die Bauern und einer fairen Umverteilung des Reichtums. Im Wesentlichen ging es ihr um Gerechtigkeit, doch wie Joe es sah, waren die Gerechten bereits ausgestorben, bevor die Menschheit das Feuer entdeckt hatte.

»Nichts kann Vorbild für den Rest der Welt sein.«

»Stell es dir doch einfach mal vor«, gab sie zurück. »Eine

gerechte Welt.« Sie schnippte ein bisschen Schaum in seine Richtung, als würde sie es gar nicht so ernst meinen, doch er wusste genau, dass sie in dieser Hinsicht keine halben Sachen machte.

»Du meinst eine Welt, in der sich alle darauf beschränken, was sie zum Leben brauchen, und fröhlich Lieder von Friede, Freude, Eierkuchen singen?«

»Du weißt genau, was ich meine. Eine bessere Welt – warum soll das nicht möglich sein?«

»Habgier.« Er deutete quer durch das Bad. »Du siehst doch, wie wir selbst leben.«

»Aber du gibst eben auch. Letztes Jahr hast du der Gonzalez-Klinik ein Viertel unseres Vermögens gespendet.«

»Die Ärzte haben mir das Leben gerettet.«

»Und vorletztes Jahr hast du eine Bibliothek aufgebaut.«

»Damit ich was zu lesen habe.«

»Aber dort gibt's doch nur spanische Bücher.«

»Was glaubst du denn, wie ich eure Sprache gelernt habe?«

Sie legte einen Fuß an seine Schulter, und er hauchte einen Kuss über ihren Spann, während ihn, wie so oft in letzter Zeit, ein Gefühl des vollkommenen inneren Friedens durchströmte. In einer Million Jahren hätte er sich keinen paradiesischeren Zustand vorstellen können – ihre wunderbare Vertrautheit, ihre Stimme in seinen Ohren, ihren Fuß an seiner Schulter.

»Wir könnten so viel Gutes tun«, sagte sie.

»Tun wir doch auch«, sagte er.

»Es passiert schon genug Schlechtes auf der Welt.«

Sie blickte in den Seifenschaum, schien sich einen Moment in ihren Gedanken zu verlieren.

»Hey«, sagte er.

Sie hob die Lider.

»Wir sind keine schlechten Menschen. Na schön, vielleicht sind wir auch nicht gut. Ich weiß es nicht genau. Sicher weiß ich nur, dass uns allen die Muffe geht.«

»Wer?«, fragte sie.

»Na, alle. Die ganze Welt. Wir klammern uns an unsere Vorstellung von diesem oder jenem Gott, von diesem oder jenem Leben nach dem Tod, aber gleichzeitig fragen wir uns die ganze Zeit: ›Was, wenn wir uns bloß in die Tasche lügen? Was, wenn das hier *alles* ist? Tja, Teufel auch, vielleicht ist es doch besser, eine Riesenvilla zu besitzen, eine Luxuskarosse, jede Menge Krawattennadeln, einen Spazierstock mit Perlmuttgriff und…«

Sie lachte.

»…eine Toilette, mit der man sich gleichzeitig Hintern und Achselhöhlen waschen kann.‹ Also mal ganz ehrlich, so was braucht man doch einfach.« Jetzt begann er ebenfalls zu kichern, doch seine leisen Lacher verebbten schnell. »›Aber natürlich glaube ich auch an Gott. Nur um sicherzugehen. Und an die Gier. Nur um ganz sicherzugehen.‹«

»Und das erklärt alles? Dass wir von Angst getrieben werden?«

»Keine Ahnung, was es erklärt«, sagte er. »Ich weiß nur, dass uns allen die Muffe geht.«

Der Badeschaum legte sich wie ein Schal um ihren Hals, als sie sich ein wenig tiefer in die Wanne sinken ließ. »Ich möchte etwas für andere tun. Ich will nicht umsonst gelebt haben.«

»Okay, du willst also diesen Frauen und ihren Kindern

helfen. Prima Idee, und ich liebe dich dafür. Aber dir ist hoffentlich klar, dass das einigen miesen Typen nicht in den Kram passen wird.«

»Sonnenklar«, sagte sie mit einer Singsangstimme, mit der sie ihm zu verstehen gab, dass sie bereits alles bedacht hatte. »Und deshalb brauche ich ein paar von deinen Leuten.«

»Wie viele?«

»Vier für den Anfang, *mi amado*.« Sie lächelte. »Und zwar die härtesten Jungs, die du zu bieten hast.«

Im selben Jahr kehrte Chief Irving Figgis' Tochter Loretta nach Tampa zurück.

Begleitet von ihrem Vater, stieg sie aus dem Zug. Von Kopf bis Fuß in Schwarz gekleidet, wirkte Loretta, als befände sie sich in tiefer Trauer.

Irv schloss sie in seinem Haus in Hyde Park ein, und für den Rest des Sommers bekam beide niemand mehr zu Gesicht. Bevor er nach L.A. gereist war, hatte Irv sich beurlauben lassen, und nach seiner Rückkehr verlängerte er seine Freistellung vom Polizeidienst bis in den Herbst. Seine Frau zog aus und nahm Lorettas jüngeren Bruder mit sich, und die Nachbarn berichteten, dass aus dem Haus nichts als Gebete zu vernehmen waren. Oder fromme Gesänge. Genaueres wussten sie aber nicht.

Als sie an einem Tag Ende Oktober dann doch an die Öffentlichkeit traten, trug Loretta Weiß. Während einer Versammlung der Pfingstgemeinde, die am Abend in einem großen Zelt in Fiddlers Cove stattfand, gab sie bekannt, dass nicht sie die Wahl ihrer Kleidung getroffen hatte, sondern der Herr Jesus Christus höchstselbst, dessen Lehren sie fortan unter den Gläubigen verbreiten würde. Von der Bühne herab sprach sie von den Dämonen Alkohol, Heroin und Marihuana, die sie in den Pfuhl des Lasters gestürzt hatten, von Wollust, Unzucht und dem unausweichlichen Abstieg in die Prostitution, von noch mehr Heroin und Nächten von so unaussprechlicher Verkommenheit, dass Jesus ihre Erinnerung daran ausgelöscht hatte, um zu verhindern, dass sie sich das Leben nahm. Und warum hatte er es verhindert? Damit sie den Sündern in Tampa, St. Petersburg, Sarasota und Bradenton seine – Gottes – Wahrheit offenbarte. Und wenn es sein Wille war, würde sie seine Botschaft überall in Florida, ja, in ganz Amerika verkünden.

Was Loretta von so vielen anderen religiösen Eiferern in den Erweckungskirchen unterschied, war der Umstand, dass sie nicht mit donnernder Stimme Hölle und ewige Verdammnis heraufbeschwor. Tatsächlich sprach sie so leise, dass viele Zuhörer sich vorbeugen und die Ohren spitzen mussten. Während sie gelegentlich zu ihrem Vater hinübersah, der ihrer Rede mit strenger, unnahbarer Miene folgte, legte sie Zeugnis ab von einer Welt, die der Sünde anheimgefallen war. Zwar kenne sie den Willen Gottes nicht, doch wisse sie um Christi bittere Enttäuschung angesichts dessen, was aus seinen Kindern geworden war. Man könne so viel Gutes ernten auf dieser Welt, wenn man denn Gutes säen würde.

»Überall hört man, dass unser Land bald wieder dem zügellosen Alkoholkonsum verfallen wird. Stellt es euch nur vor: betrunkene Ehemänner, die ihre Frauen schlagen, Geschlechtskrankheiten nach Hause schleppen, sich dem Müßiggang ergeben und ihre Arbeit verlieren, was wiederum dazu führen wird, dass noch mehr kleine Leute von den Banken auf die Straße gesetzt werden. Aber schuld sind nicht die Banken, nein, ganz und gar nicht«, flüsterte sie. »Die Schuld liegt bei denen, die aus der Sünde Profit schlagen, die Trunksucht fördern und so der Hurerei Vorschub leisten. Die Schuld liegt bei den Schwarzbrennern und Bordellbetreibern und all jenen, die es ihnen gestatten, unsere schöne Stadt mit Schmutz und Unflat zu überziehen. Betet für sie. Und dann fragt Gott um Rat, was ihr unternehmen sollt.«

Und offenbar hatte Gott einigen aufrechten Bürgern Tampas geraten, ein paar von Joe und Esteban betriebene Bars zu überfallen und mit Äxten auf die Rum- und Bierfässer loszugehen. Als Joe davon erfuhr, ließ er Dion bei einem Händler in Valrico ein paar Dutzend Stahlfässer besorgen: Diese schafften sie in ihre Clubs, verstauten sie in den Holzfässern und warteten in aller Ruhe ab, wer sich als Erster seinen gottesfürchtigen Unterarm brechen würde.

Joe saß gerade im Büro seiner Zigarrenexportfirma – einem ganz und gar legalen Unternehmen, das ihnen jedes Jahr reichlich Miese einbrachte, da sich exquisite Zigarren auf dem indischen, schwedischen oder französischen Markt einfach nicht durchsetzen ließen –, als Irv und seine Tochter zur Tür hereinkamen.

Irv nickte Joe kurz zu, ohne ihm dabei in die Augen zu sehen. Seit Joe ihm damals jene Bilder von seiner Tochter gezeigt hatte, war er seinem Blick stets ausgewichen, obwohl sie sich dutzende Male auf der Straße begegnet waren.

»Meine Loretta würde gern kurz mit Ihnen sprechen.«

Joe richtete den Blick auf die junge, ganz in Weiß gekleidete Frau, sah ihr in die feucht schimmernden Augen. »Gern, Ma'am. Setzen Sie sich doch.«

»Ich bleibe lieber stehen, Sir.«

»Wie Sie wollen.«

»Mr. Coughlin.« Sie verschränkte die Hände vor ihrem Unterleib. »Mein Vater sagt, einst habe ein guter Kerl in Ihnen gesteckt.«

»Ich wüsste nicht, dass er sich mittlerweile verabschiedet hat.«

Loretta räusperte sich. »Uns ist bekannt, dass Sie Gutes tun. So wie auch die Frau, mit der Sie in wilder Ehe leben.«

»Die Frau, mit der ich in wilder Ehe lebe«, wiederholte Joe, nur um sich das mal in Ruhe auf der Zunge zergehen zu lassen.

»Ja, genau. Wir sind uns darüber im Klaren, wie sehr sie sich für Notleidende und Bedürftige engagiert.«

»Sie hat einen Namen.«

»Aber die guten Taten dieser Frau beschränken sich rein auf das Diesseits. Sie verweigert jede Zusammenarbeit mit religiösen Glaubensgemeinschaften und ist nicht bereit, sich zu unserem Herrn zu bekennen.«

»Sie heißt Graciela«, erwiderte Joe. »Übrigens ist sie katholisch.«

»Solange sie nicht öffentlich bekennt, dass ihr der Herr die Hand führt, steht sie im Dienste Satans, egal, wie ehrenwert ihre Absichten auch sein mögen.«

»Da kann ich Ihnen leider nicht ganz folgen«, sagte Joe.

»Aber ich bin ganz bei Ihnen«, gab sie zurück. »Und Ihnen ist ebenso klar wie mir, Mr. Coughlin, dass Ihre guten Taten nichts als Schall und Rauch sind, wenn Sie weiter diesem gottlosen Treiben nachgehen.«

»Wie soll ich das verstehen?«

»Sie profitieren von der Sucht anderer Menschen. Sie profitieren von ihren Schwächen, von ihrem unstillbaren Verlangen nach Müßiggang, Völlerei und den Sünden des Fleisches.« Sie bedachte ihn mit einem mitleidigen Lächeln. »Es liegt an Ihnen, sich davon zu befreien.«

»Das will ich aber gar nicht.«

»Oh doch.«

»Miss Loretta«, sagte Joe, »Sie scheinen mir eine überaus reizende Person zu sein. Und wie ich gehört habe, hat sich die Gemeinde von Reverend Ingalls verdreifacht, seit Sie vor seinen Schäfchen predigen.«

Irv hielt fünf Finger in die Höhe, ohne vom Boden aufzusehen.

»Oh«, sagte Joe. »Sogar verfünffacht. Mein lieber Schwan.«

Die ganze Zeit über lag ein Lächeln auf Lorettas Lippen. Es war sanft und traurig, schien bereits zu wissen, was man sagen wollte, und winkte gleichsam ab, noch bevor man ein Wort über die Lippen gebracht hatte.

»Loretta«, sagte Joe. »Ich verkaufe etwas, das sich so großer Beliebtheit erfreut, dass der 18. Zusatzartikel innerhalb der nächsten zwölf Monate außer Kraft treten wird.«

»Niemals«, presste Irv hervor.

»Das werden wir ja sehen«, sagte Joe. »So oder so, die Prohibition ist Geschichte. Sie wurde ins Leben gerufen, um die Armen an der Kandare zu halten und die Mittelklasse zur Arbeit anzuhalten, aber stattdessen hat sie die Mittelklasse nur auf den Geschmack gebracht. In den letzten zehn Jahren ist mehr Alkohol durch amerikanische Kehlen geflossen als je zuvor, und zwar deshalb, weil die Leute es wollten und keine Lust hatten, es sich verbieten zu lassen.«

»Genauso wenig, Mr. Coughlin«, wandte Loretta nüchtern ein, »wollen sich die Leute verbieten lassen, Unzucht zu treiben.«

»Wozu auch?«

»Pardon?«

»Wozu auch?«, wiederholte Joe. »Ich sehe jedenfalls keinen triftigen Grund, sie davon abzuhalten, Miss Figgis.«

»Und wenn sie mit Tieren verkehren wollen?«

»Wollen sie das denn?«

»Manche schon. Und Sie sorgen mit Ihren Geschäften dafür, dass sich diese Seuche weiter ausbreitet.«

»Tut mir leid, aber ich kann keinerlei Zusammenhang zwischen Alkoholgenuss und Unzucht mit Tieren erkennen.«

»Was nicht bedeutet, dass es keinen Zusammenhang gibt.«

Nun setzte sie sich doch, die Hände im Schoß gefaltet.

»Doch«, erwiderte Joe. »Genau das habe ich ja gerade gesagt.«

»Aber das ist nichts weiter als Ihre Meinung.«

»Mit demselben Recht könnte man Ihren Glauben an Gott in Frage stellen.«

»Sie glauben also nicht an Gott, Mr. Coughlin?«

»Nein, Loretta, ich glaube nicht an Ihren Gott.«

Joe sah zu Irv, weil er spürte, dass der Mann vor Wut kochte, doch wie stets weigerte sich Irv, seinem Blick zu begegnen, stierte ohne Unterlass zu Boden, während er seine Hände zu Fäusten ballte.

»Wie auch immer, Gott glaubt an Sie«, sagte Loretta. »Mr. Coughlin, Sie werden vom Pfad des Bösen abkehren. Ich weiß es einfach. Ich kann es Ihnen ansehen. Sie werden Buße tun, in Jesus Christus wiedergeboren werden und selbst sein Wort verkünden. Ich sehe es so deutlich vor mir wie eine Stadt ohne Sünde, die sich hoch oben auf dem Hügel erhebt. Und Sie können sich Ihre Witze sparen, Mr. Coughlin – mir ist durchaus bewusst, dass es in Tampa keine Hügel gibt.«

»Wo Sie's grad sagen.«

Diesmal war ihr Lächeln echt, und einen Moment lang sah er wieder das Mädchen vor sich, das ihm Jahre zuvor gelegentlich in der Eisdiele oder in der Zeitschriftenabteilung von Morins Drugstore begegnet war.

Doch dann verwandelte es sich wieder in jene traurige, gleichsam eingefrorene Maske. Ihre Augen glänzten, und sie streckte die Hand über den Schreibtisch. Während er sie schüttelte, musste er unwillkürlich an die Einstichspuren denken, die sich unter ihrem langen Handschuh verbargen. »Der Tag wird kommen, an dem ich Sie auf den Pfad der Tugend führe, Mr. Coughlin. Da habe ich nicht den geringsten Zweifel. Ich fühle es in meinem tiefsten Innern.«

»Aber deswegen muss es noch lange nicht so kommen«, sagte Joe.

»Dennoch besteht die Möglichkeit.«

»Möglich ist alles.« Joe sah sie an. »Warum können Sie meinen Ansichten nicht mit derselben Toleranz begegnen?«

Lorettas Miene hellte sich auf. »Weil sie falsch sind.«

Zu Joes und Estebans Leidwesen wurde Loretta mit wachsender Popularität immer mehr auch zu einer moralischen Instanz, und ein paar Monate später begannen ihre Missionierungstätigkeiten, den Kasino-Deal zu gefährden. Anfangs hatten sich viele Leute noch über sie lustig gemacht oder sich über ihre seltsame Wandlung gewundert – die Bilderbuch-Tochter eines Polizeichefs geht nach Hollywood und kehrt als übergeschnappte Betschwester zurück, noch dazu mit Narben an den Armen, die ein paar Einfaltspinsel mit Wundmalen verwechselten. Doch nach und nach verstummten die Spötter, zum einen, weil immer mehr Leute auf die Straßen strömten, ja, sie regelrecht verstopften, sobald sich in der Stadt verbreitete, dass Loretta bei einem Erweckungsgottesdienst sprechen würde, und zum anderen, weil sie ihr immer häufiger in der Öffentlichkeit begegneten. Nicht nur in Hyde Park, sondern auch in West Tampa, am Hafen und in Ybor, wo sie zuweilen Kaffee kaufte – das einzige Laster, von dem sie nicht lassen konnte.

Religiöse Dinge ließ sie tagsüber außen vor. Sie war stets höflich, erkundigte sich umgehend nach dem werten Befinden und der Familie ihres Gegenübers. Nie vergaß sie einen Namen. Und obwohl ihre »Prüfungen«, wie sie jene leidvollen Erfahrungen nannte, sie vorzeitig hatten altern lassen, war sie nach wie vor eine bemerkenswert schöne Frau, schön auf eine spezifisch amerikanische Art und Weise – volle Lippen, so rot wie ihr burgunderfarbenes Haar, strahlend blaue Augen und eine Haut, so weich und weiß wie der Rahm auf frischer Milch.

Die Ohnmachtsanfälle setzten Ende des Jahres 1931 ein, nachdem die europäische Bankenkrise den Rest der Welt in ihren Strudel gerissen und alle verbliebenen Hoffnungen auf wirtschaftliche Erholung zunichte gemacht hatte. Die Anfälle waren nicht gespielt und kamen ohne Vorwarnung. Dann etwa, wenn sie gerade wieder einmal – stets mit leiser, leicht bebender Stimme – vor den Gefahren des Alkohols, der Lust oder (wie immer öfter in letzter Zeit) des Glücksspiels warnte, von den Visionen sprach, die Gott ihr gesandt hatte, Visionen eines Tampas, das an seinen eigenen Sünden zugrunde gegangen war, einer schwarzen Einöde, wo über verbrannter Erde und schwelenden Grundmauern Rauchfetzen trieben, ehe sie ihre Zuhörer an Lots Weib erinnerte, sie beschwor, sich nicht umzudrehen, nie zurückzuschauen, sondern den Blick in die Zukunft zu richten, wo eine strahlende Stadt mit weißen Häusern entstehen würde, bevölkert von weißen Menschen in weißen Kleidern, vereint im Gebet und ihrer Liebe zu Jesus Christus, beseelt von dem Wunsch, ihren Kindern eine Welt zu hinterlassen, auf die sie stolz sein konnten. Und irgendwann im Verlauf ihres Sermons verdrehte sie die Augen erst nach links, dann nach rechts, geriet ins Schwanken und stürzte zu Boden. Manchmal zuckten ihre Glieder, manchmal rann ein wenig Speichel über ihre wunderschönen Lippen, doch meist wirkte sie schlicht, als würde sie schlafen. Ein paar böse Zungen behaupteten, dass sich ihre Beliebtheit dem Umstand verdankte, wie entzückend sie aussah, wenn sie lang hingestreckt auf der Bühne lag, stets in eins ihrer dünnen weißen Kreppkleider gewandet, so dünn, dass man den einen oder anderen Blick auf ihre perfekt geformten Brüste und ihre schlanken, makellosen Beine erhaschen konnte. Sie war der Beweis für die Existenz Gottes, da nur Gott etwas so

Schönes, Zerbrechliches und Überwältigendes erschaffen konnte.

Und so kam es, dass die stetig wachsende Anhängerschaft sich ihrer Worte annahm und sich auf einen lokalen Gangster einschwor, der es darauf abgesehen hatte, sie der Geißel des Glücksspiels auszusetzen. Und bald darauf wurden Joes Hintermänner von Kongressabgeordneten und Stadträten entweder mit Phrasen à la »Wir müssen die Optionen noch mal genauer prüfen« abgewimmelt oder gleich abschlägig beschieden, ganz abgesehen davon, dass Joe keinen Cent von dem Geld wiedersah, das in ihre Taschen gewandert war.

Allmählich wurde es eng.

Wenn Loretta Figgis plötzlich und unerwartet ums Leben kam – unter Umständen, die sich plausibel als Unfall ausweisen ließen –, würden sie das Ruder nach einer angemessenen Trauerperiode noch einmal herumreißen und die Kasino-Idee doch noch verwirklichen können. Und da sie Jesus ja so liebte, dachte Joe, würde er ihr nur einen Gefallen tun, wenn er die beiden schnellstmöglich zusammenführte.

Er wusste also, was zu tun war. Er musste nur noch den Auftrag erteilen.

Vorher jedoch wollte er das Wunder mit eigenen Augen sehen. Er rasierte sich einen Tag lang nicht und kleidete sich wie jemand, der landwirtschaftliche Geräte verkaufte oder auch eine Futtermittelhandlung betrieb – saubere Latzhose, weißes Hemd, Krawatte, dunkle Leinenjacke und dazu einen Strohhut, den er sich tief in die Stirn zog. Sal setzte ihn unweit des Platzes ab, den Reverend Ingalls für diesen Abend ausgesucht hatte; dann ging Joe einen schmalen, von

Kiefern gesäumten Pfad hinunter, und kurz darauf hatte er den Rand der Menge erreicht.

Am Ufer eines Teichs hatte man eine kleine Bühne aus Holzkisten errichtet, und dort stand Loretta, flankiert von ihrem Vater und dem Reverend, die ihr mit gesenktem Kopf lauschten. Loretta sprach gerade von einer Vision oder einem Traum (was es nun genau war, hatte Joe nicht mitbekommen). Den dunklen Teich im Rücken, hob sie sich mit ihrem weißen Kleid und dem weißen Schutenhut gegen das schwarze Firmament ab, so unübersehbar wie ein mitternächtlicher Mond an einem Himmel ohne Sterne. Sie erzählte von einer dreiköpfigen Familie – Vater, Mutter und ein noch ganz kleines Baby –, die in einem fernen Land angekommen war. Der Vater war von seiner Firma, die ihn dorthin geschickt hatte, angewiesen worden, den Bahnhof auf keinen Fall zu verlassen, ehe der Chauffeur eingetroffen war, der sie abholen würde. Doch in der Bahnhofshalle war es brütend heiß, sie hatten eine lange Fahrt hinter sich und waren neugierig auf das neue Land. Und so begaben sie sich doch nach draußen, wo sie sofort von einem Tier angefallen wurden, einem Panther, so schwarz wie das Innere eines Kohleneimers. Und ehe die Leute wussten, wie ihnen geschah, hatte ihnen die Bestie die Kehlen aufgerissen. Sterbend musste der Vater mitansehen, wie das Tier sich am Blut seiner Ehefrau gütlich tat, als plötzlich ein anderer Mann auftauchte und den schwarzen Panther erschoss. Es war der Chauffeur, den die Firma für die Familie abgestellt hatte. Sie hätten einfach nur auf ihn warten müssen.

Aber sie hatten nicht gewartet. Warum nur hatten sie nicht gewartet?

»Und genauso ist es mit Jesus«, sagte Loretta. »Könnt ihr warten? Könnt ihr den irdischen Versuchungen widerstehen, die das Wohl eurer Familien bedrohen? Seid ihr in der Lage, eure Lieben vor den Raubtieren um euch herum zu schützen, bis unser Herr und Erlöser zurückkehrt?

Oder seid ihr zu schwach?«, fragte sie.

»Nein!«

»Weil ich selbst weiß, wie schwach *ich* in schweren Stunden bin.«

»Nein!«

»Ja, ich bin schwach«, rief Loretta. »Aber er gibt mir Kraft!« Sie deutete gen Himmel. »Er lebt in meinem Herzen. Aber ich brauche euch, um seinen Willen erfüllen zu können. Ich brauche eure Kraft, um weiter sein Wort verkünden zu können, sein Werk zu vollbringen und die schwarzen Panther daran zu hindern, unsere Kinder zu fressen und unsere Seelen mit ewiger Sünde zu beflecken. Wollt ihr mir helfen?«

Die Menge antwortete mit *Ja*, *Amen* und *O ja*. Als Loretta die Lider schloss, drängten die Umstehenden mit aufgerissenen Augen zur Bühne. Als Loretta seufzte, drang kollektives Stöhnen aus ihren Kehlen, als sie auf die Knie fiel, begannen sie zu keuchen, und als sie auf der Bühne lag, atmeten alle wie aus einem Mund aus. Sie reckten die Hände nach ihr, ohne noch weiter zur Bühne vorzurücken, als befände sich dort eine unsichtbare Barriere. Sie streckten die Hände aus nach etwas, das jenseits von Loretta existierte. Riefen es an. Gelobten ihm Gehorsam und ewige Gefolgschaft.

Loretta war das Tor zu jener Macht, die Pforte, durch

die ihre Anhänger eine Welt ohne Sünde, Dunkelheit und Furcht betraten. Eine Welt, in der man nie allein war. Sondern bei Gott. Und Loretta.

»Die Kleine muss weg.« Dion stand Joe auf der Galerie in der zweiten Etage seines Hauses gegenüber. »Und zwar am besten noch heute Abend.«

»Meinst du, ich hätte mir darüber noch keine Gedanken gemacht?«, sagte Joe.

»Nachdenken nützt nichts, Boss«, sagte Dion. »Wir müssen handeln.«

Einen Moment lang stellte sich Joe das Ritz vor, das Licht, das durch die Fenster fiel und den dunklen Ozean erhellte, die Musik, die durch die Säulengänge perlte und auf den Golf hinauswehte, das Geräusch der Würfel auf den Tischen, die Gäste, die gerade einen Gewinner bejubelten, während er selbst in Frack und Zylinder über das Geschehen wachte.

Wie so oft in den vergangenen Wochen fragte er sich: Was ist schon *ein* Leben?

Im Baugewerbe starben schließlich auch dauernd Menschen, beim Errichten von Wolkenkratzern ebenso wie beim Bau einer neuen Schienenstrecke. Sie kamen durch Stromschläge ums Leben, fielen allen möglichen Arbeitsunfällen zum Opfer, jeden beliebigen Tag auf der ganzen Welt. Und wofür? Für das Wohl der Allgemeinheit, für Arbeitsplätze und warme Mahlzeiten auf den Tellern.

Inwiefern würde Lorettas Tod da eine Ausnahme machen?

»Darum«, sagte er leise.

Dion runzelte die Stirn. »Was?«

Entschuldigend hob Joe eine Hand. »Ich bringe das nicht fertig.«

»Ich schon«, erwiderte Dion.

»Wenn man sich auf so etwas einlässt wie wir«, sagte Joe, »sollte man sich der Konsequenzen bewusst sein. Aber die Leute da draußen, die ihrer Arbeit nachgehen, ihren Rasen mähen und längst schlafen, wenn wir unsere Geschäfte abwickeln, haben nicht die Fahrkarte für den Nachtzug gekauft. Und deshalb können für ihre Fehler nicht die gleichen Maßstäbe gelten.«

Dion gab einen tiefen Seufzer von sich. »Sie macht uns den ganzen verdammten Deal kaputt.«

»Ich weiß.« Joe war froh, dass die Sonne unterging und die Galerie jetzt ganz im Schatten lag, da Dion sonst an seinem Blick erkannt hätte, wie unsicher er sich seiner Entscheidung war, wie kurz er davor stand, seine Bedenken in den Wind zu schießen und die Sache endgültig zu besiegeln. Herrgott noch mal, ein einziger Mensch, *eine* verdammte blöde Kuh. »Schlag es dir aus dem Kopf. Ihr wird kein Haar gekrümmt.«

»Das wirst du bereuen«, sagte Dion.

»Keine weitere Diskussion«, sagte Joe.

Als John Ringlings Bevollmächtigte eine Woche später einen weiteren Termin anberaumen wollten, wusste Joe, dass die Sache gelaufen war; wenn auch vielleicht nicht ein für alle Mal, war das Projekt erst einmal vom Tisch. Und während sich das ganze Land auf die neue, feuchtfröhliche Zeit einstimmte, mit Wonne die Korken knallen ließ, lief in

Tampa, den Umtrieben einer Loretta Figgis wegen, alles in die entgegengesetzte Richtung. Und wenn sie sich schon nicht einmal in Sachen Alkohol gegen sie behaupten konnten, jetzt, da das Ende der Prohibition nur noch eine Unterschrift weit entfernt lag, sah es beim Thema »Glücksspiel« noch viel ärger aus. John Ringlings Berater teilten Joe und Esteban mit, dass ihr Boss beschlossen hatte, mit dem Verkauf des Ritz nun doch abzuwarten, bis die Konjunkturschwäche überwunden war, und seine Optionen zu gegebener Zeit zu überdenken.

Das Meeting fand in Saratoga statt. Anschließend fuhren Joe und Esteban nach Longboat Key und ließen den Blick über den in der Sonne schimmernden Palast am Golf von Mexiko schweifen, der um ein Haar ihnen gehört hätte.

»Tja, das wär's gewesen«, sagte Joe. »Ein Kasino, wie es die Welt noch nicht gesehen hat.«

»Komm, das werden wir schon noch schaukeln. Es gibt immer eine zweite Chance.«

Joe schüttelte den Kopf. »Diesmal nicht«, sagte er.

22

Gespenster

Im Frühjahr 1933 sahen sich Loretta Figgis und Joe zum letzten Mal. Seit einer Woche hatte es in Strömen geregnet. An jenem Morgen – dem ersten wolkenlosen Tag seit langem – stieg so dichter Nebel von den Straßen in Ybor auf, dass die Welt kopfzustehen schien. In Gedanken versunken, ging Joe die Palm Avenue entlang; Sal Urso folgte ihm auf der anderen Straßenseite, und Lefty Downer hielt sich auf der Fahrbahn im Schritttempo hinter ihnen. Joe hatte soeben erfahren, dass Maso ihnen zum zweiten Mal innerhalb eines Jahres einen Besuch abstatten wollte, und der Umstand, dass er ihn nicht persönlich davon unterrichtet hatte, machte ihn stutzig. Obendrein berichteten die Morgenzeitungen, dass der designierte Präsident Roosevelt den Cullen-Harrison Act unterzeichnen würde, sobald ihm jemand einen Federhalter in die Hand drückte, womit die Prohibition faktisch beendet war. Joe hatte gewusst, dass sie nicht von Dauer sein würde, doch trotzdem hatte ihn die Neuigkeit irgendwie unvorbereitet getroffen. Und da sie selbst für ihn aus heiterem Himmel kam, konnte er sich lebhaft vorstellen, wie den Jungs in Schwarzbrenner-Hochburgen wie Kansas City, Cincinnati, Chicago, New York und Detroit für ein paar längere Momente die Spucke wegbleiben würde. Beim Lesen des Artikels morgens im Bett hatte er herauszufinden versucht, ob feststand, wann genau Roosevelt seine heißersehnte Signatur unter das Dokument zu setzen gedachte, war aber von Graciela abgelenkt worden, die sich unüberhörbar die Paella vom Vorabend aus dem Leib kotzte. Eigentlich hatte sie einen robusten Magen, doch neuerdings machte der geballte Stress – inzwischen kümmerte sie sich um drei Frauenhäuser und acht Vereine, die für die Beschaffung von Spenden zuständig waren – ihrem Verdauungssystem immer öfter zu schaffen.

»Joseph.« Sie stand in der Tür und wischte sich mit dem Handrücken über den Mund. »Ich muss dir was sagen.«

»Was gibt's denn, Schatz?«

»Ich glaube, ich kriege ein Kind.«

Einen Moment lang war Joe so verwirrt, dass er dachte, sie hätte ein Straßenkind zu ihnen ins Haus geschmuggelt. Tatsächlich warf er sogar einen Blick hinter sie, ehe es ihm wie Schuppen von den Augen fiel.

»Du bist…«

Sie lächelte. »Schwanger.«

Er sprang aus dem Bett, doch als er vor ihr stand, kam sie ihm plötzlich so zerbrechlich vor, dass er sie nicht zu berühren wagte.

Sie schlang die Arme um seinen Nacken. »Alles okay. Du wirst Vater.« Sie küsste ihn, strich ihm über den kribbelnden Hinterkopf. Und plötzlich kribbelte es ihn am ganzen Körper, als sei er in einer neuen Haut erwacht.

Sie musterte ihn neugierig. »Sag etwas.«

»Danke«, sagte er, weil ihm beim besten Willen nichts anderes einfiel.

»Danke?« Sie lachte und presste ihre Lippen abermals stürmisch auf die seinen. »Danke?«

»Du wirst eine hinreißende Mutter.«

Sie legte den Kopf an seine Stirn. »Und du ein wunderbarer Vater.«

Wenn ich dann noch lebe, dachte er.

Und eins war ihm klar. Dass sie dasselbe dachte.

Und so stand er ein wenig neben sich, als er an jenem Morgen Ninos Café betrat. Weshalb er auch vergaß, zuvor einen Blick durch die Fensterscheibe zu werfen.

Es gab nur drei Tische – eine Schande für einen Laden, in dem so exzellenter Kaffee serviert wurde –, und zwei waren von Mitgliedern des Klans besetzt. Ein Außenstehender hätte sie wohl kaum als solche erkannt, doch Joe war mit ihren Gesichtern vertraut, auch wenn sie es normalerweise vorzogen, Kapuzen zu tragen. An dem einen Tisch saßen Clement Dover, Drew Altman und Brewster Engals, gerissene Burschen, die zur älteren Garde gehörten, an dem anderen Julius Stanton, Haley Lewis, Carl Joe Crewson und Charlie Bailey, allesamt Dumpfbacken reinsten Wassers, die sich bei dem Versuch, ein Kreuz in Brand zu stecken, allenfalls selbst abgefackelt hätten. Davon abgesehen waren sie roh, niederträchtig und brutal, wie so viele Kretins, denen auch das allerletzte Fünkchen Geist abging.

Doch als er über die Schwelle getreten war, wusste Joe, dass es sich nicht um einen Hinterhalt handelte. Er sah an ihren Blicken, dass sie ihn nicht erwartet hatten. Sie waren nur hier, um Kaffee zu trinken, vielleicht auch, um die Inhaber des Cafés einzuschüchtern und ihnen Schutzgeld abzupressen. Sal stand direkt vor der Tür, aber draußen war eben nicht dasselbe wie drinnen. Joe schlug seine Jacke zurück und ließ die Hand an seiner Hüfte ruhen, drei Zentimeter von seiner Waffe entfernt, während er den Blick auf Engals richtete, den Anführer des Packs, der sonst als Brandmeister bei der Feuerwehrbrigade 9 in Lutz Junction tätig war.

Engals nickte. Ein schmales Lächeln verzog seine Lippen, während er etwas hinter Joe ins Auge fasste. Als Joe den Kopf wandte, erblickte er Loretta Figgis, die an dem dritten Tisch am Fenster saß und sie beobachtete. Joe nahm die Hand von der Hüfte. Niemand würde es auf eine Schießerei ankommen lassen, wenn die Madonna von Tampa anderthalb Meter entfernt war.

Joe nickte ebenfalls, und Engals sagte: »Dann auf ein andermal.«

Joe tippte sich an den Hut und wollte gerade gehen, als Loretta sagte: »Mr. Coughlin, setzen Sie sich doch.«

»Danke, Miss Loretta«, sagte Joe. »Aber genießen Sie lieber den friedlichen Morgen. Ich will Sie wirklich nicht behelligen.«

»Ich bestehe darauf«, sagte sie, während Carmen Arenas, die Frau des Inhabers, an den Tisch trat.

Joe zuckte mit den Schultern und nahm den Hut ab. »Das Übliche, Carmen.«

»Gern, Mr. Coughlin. Miss Figgis?«

»Noch einen Kaffee, bitte.«

Joe setzte sich und plazierte den Hut auf seinen Knien.

»Mögen diese Gentlemen Sie nicht, Mr. Coughlin?«, fragte Loretta.

Joe fiel auf, dass sie heute nicht Weiß trug. Ihr Kleid hatte einen zarten Pfirsichton. Bei den meisten anderen Frauen hätte er das wahrscheinlich gar nicht bemerkt, doch ihre blütenweißen Gewänder waren so sehr zum Inbegriff Lorettas geworden, dass es ihm ein bisschen so vorkam, als würde er sie plötzlich nackt vor sich sehen.

»Zum Sonntagsbraten werden sie mich jedenfalls so schnell nicht einladen«, sagte Joe.

»Warum?« Sie beugte sich vor, während Carmen den Kaffee brachte.

»Ich verkehre mit Farbigen, arbeite mit Farbigen, verbünde mich mit Farbigen.« Er warf einen Blick über die Schulter. »Habe ich was vergessen, Engals?«

»Davon abgesehen, dass Sie vier von unseren Männern auf dem Gewissen haben?«

Joe nickte dankend und wandte sich wieder zu Loretta. »Oh, und anscheinend glauben sie, dass ich vier von ihren Kumpels umgelegt habe.«

»Stimmt das denn?«

»Sie haben ja heute gar kein weißes Kleid an«, sagte er.

»Es ist fast weiß«, sagte sie.

»Und was werden Ihre ...« – ihm fiel kein besseres Wort ein – »... Jünger dazu sagen?«

»Ich weiß es nicht, Mr. Coughlin.« Nicht der kleinste Unterton von falscher Bescheidenheit schwang in ihrer Stimme mit, und nicht ein Hauch überlegener Gleichmut stand in ihren Augen.

Die Klan-Burschen standen auf und verließen das Café,

wobei jeder Einzelne von ihnen Joe im Vorübergehen anrempelte oder ihm gegen den Fuß trat.

»Wir sehen uns«, sagte Dover zu ihm und nickte Loretta zu. »Ma'am.«

Dann waren Joe und Loretta allein. Einen Moment lang war nur der Regen der letzten Nacht zu hören, der von der Balkontraufe auf die Straße tropfte. Joe betrachtete Loretta, während er an seinem Kaffee nippte. Nichts war mehr zu sehen vom strahlenden Leuchten, das ihren Augen stets innegewohnt hatte, seit sie zwei Jahre zuvor im weißen Gewand ihrer Wiedergeburt aus dem Haus ihres Vaters getreten war.

»Warum hasst mein Vater Sie so sehr?«

»Weil ich ein Krimineller bin. Schließlich war er ja früher Polizeichef.«

»Aber damals mochte er Sie. Ich weiß noch, wie er Sie mir einmal auf der Straße gezeigt und gesagt hat: ›Das ist der Bürgermeister von Ybor. Ohne ihn ginge hier alles drunter und drüber.‹«

»Das hat er wirklich gesagt?«

»Ehrenwort.«

Joe trank noch einen Schluck Kaffee. »Tja, damals waren die Fronten eben noch nicht so verhärtet.«

Sie nahm ebenfalls einen Schluck. »Und womit haben Sie sich seinen Groll zugezogen? Was haben Sie sich zuschulden kommen lassen?«

Joe schüttelte den Kopf.

Nun fasste sie ihn genau ins Auge, musterte ihn eine volle unangenehme Minute lang. Er hielt ihrem Blick stand, während sie in seinen Augen forschte – so lange, bis es ihr urplötzlich zu dämmern schien.

»Sie haben es ihm gesagt. Wo er mich finden kann.«

Joe schwieg und presste unwillkürlich die Kiefer zusammen.

»Sie waren das.« Sie nickte und schlug die Augen nieder. »Was wussten Sie? Was haben Sie ihm verraten? Was hatten Sie in der Hand?«

Sie hob den Blick und starrte ihn an, bis er endlich antwortete.

»Fotografien.«

»Und die haben Sie meinem Vater gezeigt.«

»Nur zwei.«

»Von wie vielen?«

»Es waren Dutzende.«

Wieder blickte sie auf den Tisch, spielte gedankenverloren mit ihrer Tasse. »Wir werden alle zur Hölle fahren.«

»Wohl kaum.«

»Nein?« Abermals wanderten ihre Finger zu ihrer Tasse. »Wissen Sie, was mir in den letzten zwei Jahren klargeworden ist, während ich predige und meine Seele ganz dem Herrn überantworte, damit er aus mir sprechen kann?«

Er schüttelte den Kopf.

»Dass das hier« – sie deutete hinaus auf die Straße, beschrieb einen Bogen mit dem ausgestreckten Arm – »der Himmel ist.«

»Und warum kommt er uns dann wie die Hölle vor?«

»Weil wir es kaputtgemacht haben.« Ihr beseeltes Lächeln kehrte zurück. »Das hier ist das Paradies. Und wir haben es verloren.«

Joe war überrascht, wie traurig es ihn stimmte, dass sie vom Glauben abgefallen war. Aus unerfindlichen Gründen hatte er insgeheim gehofft, dass Loretta tatsächlich einen direkten Draht zum Allmächtigen hatte.

»Aber anfangs *haben* Sie doch geglaubt, nicht wahr?«, fragte er.

Mit klarem Blick sah sie ihn an. »Mit einer solchen Gewissheit, dass nur noch ein Funke göttlicher Inspiration nötig war. Es hat sich angefühlt, als würde plötzlich Feuer statt Blut durch meine Adern fließen. Aber kein brennendes Feuer, sondern eine beständige Wärme, die nie nachließ. So habe ich mich auch als Kind gefühlt, glaube ich. Beschützt, geliebt und hundertprozentig sicher, dass sich das nie ändern würde – ich war felsenfest davon überzeugt, dass die ganze weite Welt wie Tampa aussah, dass Daddy und Mommy nie von meiner Seite weichen und alle Menschen immer nett zu mir sein würden. Tja, und dann, als ich mein Glück in l.a. versucht habe, als sich herausstellte, dass all meine Glaubenssätze nichts als Lügen waren? Als mir klarwurde, dass ich mich auf niemanden verlassen konnte?« Sie hielt ihm ihre vernarbten Unterarme hin. »Ich bin einfach nicht damit fertig geworden.«

»Aber als Sie nach Tampa zurückgekehrt sind, nach Ihren …«

»Prüfungen?«, sagte sie.

»Ja.«

»Mein Vater hat mich halb totgeprügelt, und nachdem meine Mutter mehr oder weniger aus unserem Haus geflohen war, hat er mich gelehrt, wieder auf meinen Knien zu beten, als Bittstellerin, als Sünderin, ohne mir einen persönlichen Vorteil davon zu erhoffen. Und plötzlich war die Flamme da, während ich vor meinem Bett kniete, dem Bett, in dem ich als Kind geschlafen hatte. Ich hatte den ganzen Tag auf den Knien verbracht, die ganze Woche kaum geschlafen, und mit einem Mal spürte ich wieder das Feuer in meinem Blut, in meinem Herzen, und endlich fühlte ich mich wieder *sicher*. Können Sie sich vorstellen, wie sehr mir das gefehlt hatte? Mehr als jede Droge, jede Liebe, vielleicht sogar mehr als der Gott, der mir endlich meine Gewissheit wiedergegeben hatte. Gewissheit, Mr. Coughlin. Gewissheit. Das ist die großartigste Lüge von allen.«

Carmen schenkte ihnen Kaffee nach, und sie saßen sich eine Weile schweigend gegenüber.

»Meine Mutter ist letzte Woche von uns gegangen. Wussten Sie das schon?«

»Nein, Loretta. Das tut mir leid.«

Sie winkte ab und nippte an ihrem Kaffee. »Der Glaube meines Vaters hat sie aus dem Haus getrieben. Sie hat immer wieder zu ihm gesagt: ›Du liebst Gott gar nicht. Du bist bloß verliebt in die Vorstellung, sein Auserwählter zu sein. Du gefällst dir in dem Glauben, dass er die Hand über dich hält.‹ Als ich von ihrem Tod erfahren habe, ist mir plötzlich klargeworden, was sie damit meinte. Ich konnte nämlich keinen Trost in Gott finden. Ich *kenne* Gott überhaupt nicht. Ich wollte einfach nur meine Mom zurück.«

Die Glocke über der Tür ertönte, und Carmen trat hinter dem Tresen hervor, während ein Paar von der Straße hereinkam.

»Ich weiß nicht, ob es einen Gott gibt.« Loretta befingerte den Henkel ihrer Kaffeetasse. »Aber ich gebe die Hoffnung nicht auf. Und ich hoffe, er ist ein gütiger Gott. Wäre das nicht schön, Mr. Coughlin?«

»Aber ja«, sagte Joe.

»Ich glaube nicht, dass er jemanden in ewige Verdammnis stürzt, nur weil er Unzucht getrieben hat. Oder weil jemand sich ein falsches Bild von ihm macht. Ich glaube – oder will vielmehr glauben –, dass für ihn die schlimmsten Sünden diejenigen sind, die wir in seinem Namen begehen.«

Er musterte sie eingehend. »Oder diejenigen, die wir aus Verzweiflung gegen uns selbst begehen.«

»Aber ich bin nicht verzweifelt«, sagte sie. »Sie etwa?«

Er schüttelte den Kopf. »Nicht im Geringsten.«

»Was ist Ihr Geheimnis?«

Er lachte trocken. »Das ist aber eine ziemlich persönliche Frage.«

»Ich muss es wissen. Sie wirken so …« Sie ließ den Blick durch das Café schweifen, und einen Moment lang blitzte ein ungestümes Flackern in ihren Augen auf. »So … eins mit sich selbst.«

Lächelnd schüttelte er den Kopf.

»Doch, doch«, sagte sie.

»Ach was.«

»Doch, wirklich. Was ist Ihr Geheimnis?«

Wortlos ließ er den Finger über den Rand seiner Untertasse gleiten.

»Kommen Sie, Mr. Cough–«

»Sie.«

»Pardon?«

»Sie«, sagte Joe. »Graciela. Meine Frau.« Er sah sie an. »Auch ich hoffe, dass es einen Gott gibt. Sehr sogar. Aber wenn nicht, ist mir Graciela genug.«

»Und wenn Sie sie verlieren?«

»Ich habe nicht die Absicht, sie zu verlieren.«

Sie beugte sich über den Tisch. »Und wenn doch?«

»Dann wäre es um meine Seele geschehen.«

Erneut schwiegen sie. Carmen kam an ihren Tisch und schenkte ihnen ein weiteres Mal nach. Joe gab noch ein wenig Zucker in seine Tasse. Während er Loretta ansah, überkam ihn plötzlich ein starkes unerklärliches Bedürfnis, sie ihn die Arme zu nehmen und ihr zu sagen, dass alles wieder gut werden würde.

»Und was haben Sie jetzt vor?«, fragte er.

»Was meinen Sie?«

»Sie haben großen Einfluss in dieser Stadt. Verdammt, Sie haben mir auf dem Höhepunkt meiner Macht die Stirn geboten und gewonnen. Nicht mal der Klan hat das geschafft. Ebenso wenig wie die Polizei. Aber Ihnen ist es gelungen.«

»Das Alkoholproblem habe ich trotzdem nicht gelöst.«

»Aber in Sachen Glücksspiel haben Sie mich ausgebootet. Dabei lief alles wie am Schnürchen.«

Sie lächelte, legte dann aber die Hände vor den Mund. »Da habe ich Ihnen das Leben wohl ganz schön schwergemacht, was?«

Joe lächelte ebenfalls. »Und wie. Sie haben Tausende von Anhängern, die Ihnen überallhin folgen würden, Loretta.«

Sie gab ein ersticktes Lachen von sich und warf einen Blick an die Decke. »Darum geht es mir nicht. Ich brauche niemanden, der mir folgt.«

»Warum sagen Sie das Ihren Anhängern dann nicht?«

»Weil er nichts davon hören will.«

»Irv?«

Sie nickte.

»Geben Sie ihm Zeit.«

»Er hat meine Mutter über alles geliebt. Ich kann mich erinnern, dass er manchmal buchstäblich gebebt hat, wenn er sich in ihrer Nähe befand. Weil er sie so sehr begehrte, sich derart danach sehnte, sie zu berühren. Aber es ging eben nicht, weil wir Kinder dabei waren und es unschicklich gewesen wäre. Nun ist sie tot, und er war nicht mal bei ihrer Beerdigung. Weil der Gott, den er sich vorstellt, sein Begehren missbilligt hätte. Sein Gott kennt keine Freuden. Jeden Abend sitzt er in seinem Sessel, liest in der Bibel, beseelt von nichts als grenzenlosem Hass – weil er den Gedanken nicht ertragen kann, dass fremde Männer bei seiner Tochter gelegen haben wie er einst bei seiner Frau.« Sie beugte sich vor und rollte ein verstreutes Zuckerkörnchen mit ihrem Zeigefinger hin und her. »Und dann schleicht er im Dunkeln durchs Haus und spricht unablässig die gleichen zwei Worte vor sich hin.«

»Was denn?«

»Tut Buße.« Sie sah ihn an. »Tut Buße, tut Buße, tut Buße.«

»Geben Sie ihm Zeit«, sagte Joe noch einmal, da ihm einfach nichts anderes einfallen wollte.

Ein paar Wochen später kleidete sich Loretta wieder ganz in Weiß. Noch immer strömten die Leute in Scharen zu ihren Predigten, während derer sie nun mit neuen Finessen – billigen Tricks, wie manche spotteten – aufwartete, wenn sie etwa in Zungen sprach oder sich derart in Ekstase redete, dass Schaum vor ihrem Mund stand. Und nie hatte ihre Stimme eindringlicher geklungen.

Eines Morgens stieß Joe in der Zeitung auf ein Bild von ihr. Es zeigte Loretta bei einer Großversammlung der Pfingstbewegung in Lee County, und im ersten Augenblick kam sie ihm vor wie eine völlig Fremde, obwohl sie sich kein bisschen verändert hatte.

Am 23. März 1933 unterzeichnete Franklin D. Roosevelt den Cullen-Harrison Act, durch den Herstellung und Verkauf von Bier und Wein mit maximal 3,2 % Alkoholgehalt legalisiert wurden. Außerdem versprach der Präsident, dass der 18. Zusatzartikel zur Verfassung am Ende des Jahres nur noch Schnee von gestern sein würde.

Joe traf sich mit Esteban im Tropicale. Er kam zu spät, was ihm in letzter Zeit immer häufiger passierte, weil die Uhr seines Vaters nachging. In der letzten Woche waren es noch fünf Minuten am Tag gewesen; jetzt waren es schon zehn, manchmal fünfzehn. Eigentlich wollte Joe sie reparieren lassen, doch dazu hätte er sie auf unbestimmte Zeit aus der Hand geben müssen, und diesen Gedanken konnte er nicht ertragen.

Als er das Büro betrat, war Esteban gerade damit beschäftigt, ein weiteres Foto zu rahmen, das er auf seiner letzten Reise nach Havanna geschossen hatte, diesmal von der Eröffnung des Zoot, seines neuen Clubs in der Altstadt. Er zeigte Joe das Bild, das sich nur unwesentlich von den anderen unterschied: angetrunkene, übermäßig herausgeputzte Gecken mit ihren ebenso aufgetakelten Frauen, Freundinnen oder Begleitungen, ein paar Tänzerinnen vor der Bühne, allesamt in bester Partystimmung. Joe warf einen flüchtigen Blick darauf und stieß wie üblich einen anerkennenden Pfiff aus. Esteban legte das Foto mit dem Gesicht nach unten auf den Schreibtisch. Er schenkte ihnen etwas zu trinken ein und machte sich daran, die Einzelteile des Rahmens zusammenzusetzen; der Gestank des Klebstoffs war so durchdringend, dass er sogar den Tabakgeruch in Estebans Arbeitszimmer überlagerte, was Joe für vollkommen unmöglich gehalten hätte.

»Jetzt ring dir doch mal ein Lächeln ab«, sagte Esteban und prostete Joe zu. »Bald sind wir steinreich.«

»Vorausgesetzt, dass Pescatore mich machen lässt«, sagte Joe.

»Wenn er zögert«, sagte Esteban, »ködern wir ihn mit einer Beteiligung an einem legalen Unternehmen.«

»Dann werden wir ihn nie los.«

»Er ist alt.«

»Er hat Partner. Und drei Söhne.«

»Über die weiß ich so gut wie alles – der eine ist ein Päderast, der andere opiumabhängig, und der dritte schlägt sowohl seine Frau als auch seine Freundinnen, weil er eigentlich auf Männer steht.«

»Mit Erpressung kommen wir bei Maso nicht weit, fürchte ich. Außerdem steht er übermorgen mal wieder auf der Matte.«

»Was? Er war doch neulich erst da.«

»So habe ich's jedenfalls gehört.«

»Hmm. Ich mache schon mein ganzes Leben Geschäfte mit solchen Leuten. Das kriegen wir hin.« Abermals hob Esteban sein Glas. »Du bist es wert.«

»Danke«, sagte Joe, und diesmal trank er mit.

Esteban richtete seine Aufmerksamkeit wieder auf den Rahmen. »Also, Kopf hoch.«

»Ich tu ja mein Bestes.«

»Dann geht's also um Graciela.«

»Ja.«

»Was ist denn los?«

Sie hatten beschlossen, niemandem davon zu erzählen, solange man es ihr nicht ansah. Bevor sie an jenem Morgen aus dem Haus gegangen war, hatte sie auf die kleine Kanonenkugel gedeutet, die sich unter ihrem Kleid wölbte – ihr süßes Geheimnis würde sich wohl kaum länger verbergen lassen.

Zutiefst erleichtert, die Neuigkeit nicht länger für sich behalten zu müssen, sagte Joe: »Sie ist schwanger.«

Esteban machte große Augen, klatschte in die Hände, kam um den Schreibtisch herum und drückte Joe an sich, ehe er ihm mehrmals hintereinander auf die Schulter klopfte, und zwar um einiges fester, als Joe ihm zugetraut hätte.

»Jetzt«, sagte er, »bist du ein Mann.«

»Wie?«, sagte Joe. »Darauf kommt es an?«

»Nicht immer, aber in deinem Fall …« Mit lässiger Handbewegung deutete Esteban zwischen ihnen hin und her, und Joe holte zu einem vorgetäuschten Schwinger aus, ehe Esteban ihn erneut an seine Brust drückte. »Ich freue mich für dich, mein Lieber.«

»Danke.«

»Hat sie sich verändert?«

»Und wie, auch wenn ich es nicht richtig beschreiben kann. Sie scheint geradezu von innen zu leuchten.«

Sie tranken auf seine Vaterschaft, während jenseits der Fensterläden, auf der anderen Seite von Estebans üppigem grünen Garten und den mit Lampions geschmückten Bäumen, der Freitagabend anbrach, leise Musik und gedämpfte Stimmen an ihre Ohren drangen.

»Gefällt es dir hier?«

»Was meinst du?«, fragte Joe.

»Als du damals hier angekommen bist, warst du totenbleich. Dein Haarschnitt stammte noch vom Knastfriseur, und du hast geredet wie ein Maschinengewehr.«

Joe lachte, und Esteban lachte mit.

»Fehlt dir Boston?«

»Ja«, sagte Joe. Manchmal hatte er regelrecht Heimweh.

»Aber jetzt ist Ybor dein Zuhause.«

Joe nickte, auch wenn ihn die Erkenntnis selbst ein bisschen überraschte. »Ich denke schon.«

»Ich weiß, wie du dich fühlst. Selbst nach all den Jahren kenne ich das restliche Tampa immer noch nicht. Aber in Ybor kenne ich mich ebenso gut aus wie in Havanna, und ich weiß nicht, wie ich mich entscheiden würde, wenn ich eine Wahl treffen müsste.«

»Glaubst du, dass Machado …«

»Machado ist erledigt. Es mag vielleicht noch etwas dauern, aber über kurz oder lang ist er weg vom Fenster. Die Kommunisten glauben, dass sie dann die Macht übernehmen können, aber das werden die Amerikaner niemals zulassen. Meine Freunde und ich haben eine exzellente Lösung in der Hinterhand, einen sehr gemäßigten Mann, aber ich bin mir nicht sicher, ob die Zeit reif für einen gemäßigten Kurs ist.« Er zog eine Grimasse. »Das bereitet den Leuten bloß Kopfzerbrechen. Das Volk will Parolen, keine Politik der kleinen Schritte.«

Er legte das Glas mit dem Bild in den Rahmen, setzte die Rückwand ein und nahm wieder den Kleber zur Hand. Mit einem Tuch entfernte er anschließend ein paar Reste und trat einen Schritt zurück, um sein Werk zu begutachten. Dann nickte er, nahm ihre leeren Gläser mit an die Bar und schenkte ihnen noch zwei Drinks ein.

Er reichte Joe sein Glas. »Hast du schon gehört, was mit Loretta Figgis passiert ist?«

Joe nahm das Glas entgegen. »Wieso? Ist sie über den Hillsborough River gewandelt?«

Esteban sah ihn mit steinerner Miene an. »Sie hat sich umgebracht.«

Joe hielt in der Bewegung inne. »Wann?«

»Gestern Nacht.«

»Wie?«

Esteban schüttelte den Kopf und ging wieder hinter seinen Schreibtisch.

»Was hat sie sich angetan, Esteban?«

Esteban sah in den Garten hinaus. »Anscheinend hat sie wieder Heroin genommen.«

»Aha …«

»Sonst hätte sie das niemals fertiggebracht.«

»Esteban«, sagte Joe.

»Sie hat ihre Genitalien verstümmelt, Joe. Und dann –«

»Nein«, stieß Joe hervor. »Verdammt noch mal, nein.«

»Und dann hat sie sich die Kehle durchgeschnitten.«

Joe schlug die Hände vors Gesicht. Vor seinem inneren Auge sah er Loretta, wie sie ihm vor vier Wochen in Ninos Café gegenübergesessen hatte, sah sie vor sich, wie sie als junges Mädchen in kariertem Kleid, weißen Söckchen und Sattelschuhen, Bücher unter dem Arm, die Treppe im Polizeipräsidium hinaufgeeilt war, ehe dieses Bild von einem anderen ersetzt wurde, das zwar nur seiner Vorstellung entsprang, aber doppelt so plastisch war – wie sie sich in einer Badewanne voller Blut auf furchtbare Weise Gewalt antat, den Mund in einem nicht enden wollenden Schrei geöffnet.

»War es eine Badewanne?«

Verwundert runzelte Esteban die Stirn. »Was für eine Badewanne?«

»Hat sie sich in einer Badewanne umgebracht?«

»Nein.« Er schüttelte den Kopf. »Im Bett. Im Bett ihres Vaters, um genau zu sein.«

Abermals schlug Joe die Hände vors Gesicht, und diesmal nahm er sie nicht wieder herunter.

»Jetzt sag mir bitte, dass du dir nicht die Schuld daran gibst«, verlangte Esteban nach einer Weile.

Joe schwieg.

»Joseph, sieh mich an.«

Joe senkte die Hände und atmete tief aus.

»Sie ist nach Los Angeles gegangen und ausgenutzt worden wie Tausende von Mädchen vor ihr«, sagte Esteban. »*Du* hast sie nicht ausgenutzt.«

»Aber Männer unseres Schlags.« Joe stellte seinen Drink auf dem Schreibtisch ab und schritt auf dem Teppich hin und her, während er versuchte, die richtigen Worte zu finden. »Jeder einzelne Bereich in unserem Geschäft finanziert einen anderen. Mit dem Alkohol finanzieren wir die Mädchen, und mit den Mädchen finanzieren wir die Drogen, die wiederum andere Mädchen dazu bringen, es für unseren Profit mit wildfremden Dreckskerlen zu treiben. Und wenn ebendiese Mädchen aufmüpfig werden oder aussteigen wollen, kassieren sie Prügel, und nicht zu knapp, das weißt du genauso gut wie ich, Esteban. Sie versuchen ein neues Leben anzufangen, vertrauen sich irgendeinem smarten Arschloch von Cop an, der sie für seine Zwecke missbraucht, und am Ende landen sie als Leiche im nächstgelegenen Fluss. Die letzten zehn Jahre haben wir damit verbracht, unsere Konkurrenten plattzumachen, einen nach dem anderen. Und wofür? Für nichts als verdammtes Geld.«

»Ein Leben abseits des Gesetzes hat eben auch seine hässlichen Seiten.«

»Vergiss es«, gab Joe zurück. »Wir sind keine Gesetzlosen. Wir sind Gangster und sonst gar nichts.«

Esteban hielt seinem Blick ein paar lange Augenblicke stand, ehe er schließlich antwortete. »Wenn du den Moralischen kriegst, kann kein Mensch mehr vernünftig mit dir reden.« Er zog das gerahmte Foto zu sich heran und warf einen Blick darauf. »Wir sind nicht unseres Bruders Hüter, Joseph. Es wäre eine Beleidigung für unsere Mitmenschen, wenn wir ihnen nicht mal zutrauen würden, einigermaßen auf sich selbst aufpassen zu können.«

Loretta, dachte Joe. *Loretta, Loretta. Wir haben von dir genommen, was wir nur kriegen konnten, und dann erwartet, dass du weitermachst, als wäre nichts geschehen.*

Esteban deutete auf das Foto. »Sieh dir doch bloß mal

diese Leute an. Sie tanzen, trinken und genießen ihr Leben. Weil sie wissen, dass sie schon morgen tot sein könnten. Und genauso könnten wir beide morgen tot sein, du und ich. Tja, und wenn einer von ihnen, sagen wir mal, dieser Typ hier ...«

Esteban zeigte auf einen bulldoggengesichtigen Kerl im weißen Abendanzug, hinter dem sich eine Gruppe von Frauen in glitzernden Lamé- und Paillettenkleidern versammelt hatte, als wollten sie den feisten Burschen jede Sekunde auf ihre Schultern hieven.

»... auf der Fahrt nach Hause gegen den nächsten Baum knallt, weil er so viel Suarez Reserve intus hat, dass er nicht mehr geradeaus gucken kann – mal Hand aufs Herz, ist das unsere Schuld?«

Joe ließ den Blick über all die hübschen Frauen auf dem Bild schweifen, zum größten Teil Kubanerinnen, die ebenso dunkles Haar und dunkle Augen wie Graciela hatten.

»Ist das unsere Schuld?«, wiederholte Esteban.

Bis auf eine. Sie war etwas kleiner und schaute nicht in die Kamera, sondern richtete den Blick auf etwas außerhalb des Bildes, als hätte jemand ihren Namen gerufen, kurz bevor Esteban den Auslöser betätigt hatte. Eine Frau mit sandfarbenem Haar und dezembergrauen Augen.

»Was?«, sagte Joe.

»Ist das unsere Schuld?«, sagte Esteban. »Wenn irgendein *mamón* beschließt, sich so richtig –«

»Wann ist die Aufnahme gemacht worden?«, fragte Joe.

»Wann?«

»Ja, genau. Wann?«

»Bei der Eröffnung des Zoot.«

»Und wann war das?«

»Letzten Monat.«

Joe sah ihn über den Schreibtisch hinweg an. »Sicher?«

Esteban lachte. »Hundertprozentig. Ist schließlich mein Restaurant.«

Joe leerte sein Glas auf einen Zug. »Es ist nicht zufällig zu einem anderen Zeitpunkt geknipst worden? Und irgendwie unter die Bilder von der Eröffnung geraten?«

»Quatsch. Zu was für einem anderen Zeitpunkt?«

»Vor etwa sechs Jahren?«

Esteban musterte Joe irritiert und schüttelte den Kopf. »Nein, Joseph. Nein, nein, und nochmals nein. Das Foto ist einen Monat alt. Warum?«

»Weil ich diese Frau hier kenne.« Joe tippte mit dem Finger auf Emma Gould. »Sie ist schon lange tot. Genauer gesagt, seit 1927.«

Dritter Teil

Die Brut der Gewalt
1933–1935

23

Der Schnitt

Bist du sicher, dass sie es ist?«, fragte Dion am nächsten Morgen in Joes Büro.

Joe zog das Foto aus der Innentasche seiner Jacke und legte es auf den Schreibtisch. »Was meinst du?«

Dion runzelte die Stirn, stutzte, und dann weiteten sich seine Augen. »Ja. So sicher wie das Amen in der Kirche.« Er sah Joe von der Seite an. »Hast du Graciela davon erzählt?«

»Nein.«

»Wieso nicht?«

»Erzählst du deinen Weibern alles?«

»Denen erzähle ich gar nichts, aber ich stehe auch nicht so unter der Fuchtel wie du. Außerdem kriegt sie ja ein Kind von dir.«

»Das stimmt.« Joe warf einen Blick an die kupferfarben gestrichene Zimmerdecke. »Aber ich weiß nicht, wie ich ihr das beibringen soll.«

»Kinderleicht«, sagte Dion. »Du sagst einfach: ›Meine Süße, ich habe dir doch mal von dem Mädchen erzählt, in das ich vor dir verschossen war, erinnerst du dich? Die Kleine, die den Löffel abgegeben hat. Na ja, wie sich herausgestellt hat, lebt sie noch, und obendrein in deiner Heimatstadt und sieht noch immer ziemlich gut aus. Ach ja, und da wir gerade von Löffeln sprechen – was gibt's denn heute zum Abendessen, Schatz?‹«

Sal, der neben der Tür stand, sah zu Boden, um sein Grinsen zu verbergen.

»Findest du das lustig?«, fragte Joe.

»Zum Schießen.« Dion lachte, dass sein Stuhl wackelte.

»D.«, sagte Joe. »Ihr ›Tod‹ hat mich fast um den Verstand gebracht. Jahre über Jahre, in denen ich nichts als Rache im Kopf hatte, nichts als …« Joe hob die Hände, unfähig, seine Gefühle in Worte zu fassen. »Deshalb habe ich Charlestown überlebt. Ihretwegen hätte ich Maso um ein Haar vom Dach des Knasts geworfen, ihretwegen habe ich Albert White aus Tampa gejagt, habe ich …«

»Hast du dir ein Imperium aufgebaut.«

»Ja.«

»Tja«, sagte Dion. »Dann richte ihr gelegentlich meinen Dank aus, falls sie dir über den Weg laufen sollte.«

Joe stand mit offenem Mund da, ohne zu wissen, was er sagen sollte.

»Hör zu«, begann Dion erneut. »Ich habe die Puppe nie besonders leiden können, und das weißt du auch. Wie auch immer, ich habe schon mitbekommen, was sie dir bedeutet hat. Und deshalb habe ich auch gefragt, ob du Graciela von ihr erzählt hast. Graciela mag ich nämlich. Sehr sogar.«

»Ich finde sie auch sehr nett«, ließ sich Sal vernehmen und hob im selben Moment auch schon abwehrend die rechte Hand, als sie beide zur Tür hinübersahen. »'tschuldigung.«

»Nur weil es hier gerade privat wird, brauchst du dich noch lange nicht einzumischen«, sagte Dion. »Wir kennen uns nämlich schon, seit wir uns als Kids auf der Straße geprügelt haben. Für dich ist er immer noch der Boss, verstanden?«

»Kommt nicht noch mal vor.«

Dion wandte sich wieder zu Joe.

»Wir haben uns doch überhaupt nicht geprügelt«, sagte Joe.

»Aber hallo.«

»Von wegen«, sagte Joe. »Du hast *mich* vermöbelt.«

»Nachdem du mir einen Ziegelstein über den Schädel gezogen hast.«

»Damit du endlich aufhörst.«

»Moment!« Dion schwieg einen Augenblick. »Jetzt fällt's mir wieder ein.«

»Was?«

»Na, weshalb ich eigentlich hier bin. Wir müssen über Masos Besuch reden. Und hast du schon von Irv Figgis gehört?«

»Ja. Schlimme Sache, das mit Loretta.«

Dion schüttelte den Kopf. »Das weiß inzwischen die ganze Stadt. Tja, aber gestern Abend ist Irv im Arturo's aufgekreuzt. Dort soll sich Loretta am Tag zuvor nämlich ihren letzten Schuss besorgt haben.«

»Und?«

»Um ein Haar hätte er Arturo totgeschlagen.«

»Das meinst du nicht ernst.«

Dion nickte. »Er hat wie ein Berserker auf ihn eingedroschen und dabei immer wieder ›Tu Buße, tu Buße!‹ gerufen. Möglich, dass Arturo ein Auge verliert.«

»Scheiße. Und Irv?«

Dion ließ den Zeigefinger neben seiner Schläfe kreisen. »Sie haben ihn für zwei Monate zur Beobachtung in die Klapse verfrachtet. Nach Temple Terrace.«

»Du lieber Himmel«, sagte Joe. »Was haben wir diesen Menschen nur angetan?«

Dions Gesicht lief dunkelrot an. Er wandte sich um und richtete den Finger auf Sal. »Du hast nichts gesehen, kapiert?«

»Was denn?«, fragte Sal, und einen Sekundenbruchteil später schlug Dion Joe mit dem Handrücken ins Gesicht.

So heftig, dass Joe gegen den Schreibtisch prallte. Im selben Moment hielt er auch schon seine 32er in der Hand, stürzte sich auf Dion und bohrte ihm den Pistolenlauf in die Falten unter seinem Kinn.

»Hier geht es vielleicht bald um Leben oder Tod. Und ich lass dich nicht ins offene Messer laufen, nur weil du dich für irgendetwas bestrafen willst, an dem du gar keine Schuld trägst«, presste Dion hervor. »Du willst mich abknallen?« Er breitete die Arme aus. »Na, los doch!«

»Du glaubst, ich würde es nicht tun?«

»Es ist mir scheißegal«, sagte Dion. »Denn ich werde kein weiteres Mal tatenlos dabei zusehen, wie du dich wieder auf so eine Selbstmordaktion einlässt. Du bist mein Bruder, geht das in deinen verdammten irischen Hohlkopf? Mein Bruder. Mehr, als Giuseppe oder Paolo es je waren, Gott habe sie selig. Und ich will nicht noch einen Bruder verlieren, hast du mich verstanden?«

Dion packte Joes Handgelenk, drückte den Pistolenlauf noch tiefer in seinen Hals und schloss die Augen.

»Übrigens«, sagte er. »Wann fährst du rüber?«

»Wohin?«

»Nach Kuba.«

»Wer sagt denn, dass ich das vorhabe?«

Dion runzelte die Stirn. »Du hast gerade erfahren, dass die angeblich tote Kleine, nach der du früher so verrückt warst, dreihundert Meilen von hier lebt und sich offenbar bester Gesundheit erfreut – und du willst mir verklickern, dass dich das völlig kaltlässt?«

Joe nahm die Waffe von Dions Hals und steckte sie ins Holster zurück. Er sah, dass Sals schweißnasses Gesicht aschfahl war. »Ich fahre, sobald Maso wieder den Heimweg antritt. Du kennst ja seinen Hang zum Schwafeln.«

»Genau darüber wollte ich mit dir sprechen.« Dion schlug das kleine, in Leder gebundene Notizbuch auf, das er stets bei sich hatte, und blätterte darin herum. »An diesem Besuch kommt mir einiges nicht koscher vor.«

»Zum Beispiel?«

»Er und seine Jungs haben einen halben Zug in Beschlag genommen. Warum rückt er hier mit einer derartigen Eskorte an?«

»Er ist alt. Er hat seine persönliche Krankenschwester dabei, wahrscheinlich auch einen Arzt. Und ohne seine vier Gorillas geht er ohnehin nicht mehr aus dem Haus.«

Dion nickte. »Tja, bloß dass er mit mindestens zwanzig Leuten kommt. Und ich spreche nicht von zwanzig Krankenschwestern. Er hat das Romero Hotel in der Eighth Avenue gemietet. Den kompletten Laden. Warum?«

»Aus Sicherheitsgründen.«

»Ach ja? Sonst mietet er doch auch einfach nur eine Etage im Tampa Bay Hotel. Damit ist genauso für seine Sicherheit gesorgt. Wieso ein ganzes Hotel, mitten in Ybor?«

»Wahrscheinlich Paranoia«, sagte Joe. »Wird auch nicht besser mit dem Alter.«

Er überlegte, was er zu ihr sagen würde, wenn er sie wiedertraf. *Na, kennst du mich noch?*

Oder war das zu abgedroschen?

»Boss«, sagte Dion, »jetzt hör mir mal eine Sekunde zu. Er hat nicht die Küstenroute genommen, sondern erst mal den Illinois Central und Zwischenstopps in Detroit, Kansas City, Cincinnati und Chicago eingelegt.«

»Verstehe. Dort, wo seine Whiskey-Lieferanten sitzen.«

»Aber auch die ganzen Bosse. Diejenigen, die außerhalb von New York und Providence das Sagen haben – tja, und jetzt rate mal, wo er zwei Wochen vorher war.«

Joe warf seinem Freund einen Blick zu. »New York und Providence.«

»Genau.«

»Und was machst du dir für einen Reim darauf?«

»Ich weiß es nicht.«

»Du glaubst, er will uns abservieren? Und vorher hat er das Einverständnis der anderen Bosse eingeholt?«

»Möglich wär's.«

Joe schüttelte den Kopf. »Das ergibt keinen Sinn, D. Innerhalb von fünf Jahren haben wir die Profite vervierfacht. Als wir hier angekommen sind, war Ybor nichts weiter als ein verdammtes Kuhkaff. Letztes Jahr haben wir allein im Rumgeschäft ungefähr elf Millionen Dollar Gewinn gemacht.«

»Elfeinhalb«, sagte Dion. »Außerdem haben wir die Profite fast verfünffacht.«

»Warum also etwas aufs Spiel setzen, was bestens funktioniert? Ich kaufe Maso seine ›Joseph-du-bist-wie-ein-Sohn-für-mich‹-Sprüche ebenso wenig ab wie du. Aber er schätzt Zahlen. Und unsere sind erstklassig.«

Dion nickte. »Du hast recht. Es wäre absurd, uns ausbooten zu wollen. Trotzdem macht mir die Sache Bauchschmerzen.«

»Das ist bloß die Paella von gestern Abend.«

Dion lächelte matt. »Mag sein.«

Joe stand auf und spähte durch die Jalousie hinüber in die Fabrikhalle. Dion hörte das Gras wachsen, aber Dion wurde auch dafür bezahlt, das Gras wachsen zu hören. Letzten Endes, wusste Joe, ging es allen in diesem Geschäft nur um eins – nämlich, so viel Geld wie möglich zu machen. Und Joe machte jede Menge Geld, das säckeweise die Küste hinaufgebracht wurde und im Tresor von Masos Villa in Nahant landete. Jedes Jahr übertraf Joe den Profit des Vorjahres. Keine Frage, Maso war ein skrupelloser Hund und um einiges unberechenbarer, seit sich sein Gesundheitszustand mehr und mehr verschlechtert hatte. Vor allem aber konnte er den Hals nicht voll kriegen. Und Joe stillte seine Gier, sorgte dafür, dass er sich zufrieden über den Bauch streichen konnte. Es gab keinen logischen Grund, weshalb Maso das Risiko eingehen sollte, Joe abzulösen und künftig weniger abzukassieren. Davon abgesehen hatte sich Joe nichts zuschulden kommen lassen, was eine Ablösung gerechtfertigt hätte. Er hatte nichts unter der Hand in die eigene Tasche wandern lassen, und es bestand keinerlei Gefahr, dass er Maso seine Macht streitig machen würde.

Joe drehte sich zu Dion um. »Okay. Dann sieh zu, dass während des Treffens für meine Sicherheit gesorgt ist.«

»Schön wär's«, sagte Dion. »Genau da liegt das Problem. Du kommst in ein Gebäude, in dem er alle Zimmer gebucht hat. Wahrscheinlich durchkämmen seine Leute gerade den gesamten Laden, was heißt, dass ich niemanden hinein-schmuggeln kann. Ich kann auch nirgendwo Waffen hinter-legen. Du gehst blind da rein, und wir draußen sind genau-so blind wie du. Wenn Maso die Order ausgibt, dass du da nicht lebend rauskommst« – Dion tippte mit dem Finger auf den Schreibtisch –, »kommst du da auch nicht lebend raus.«

Joe musterte seinen Freund eine ganze Weile. »Was ist denn mit dir los?«, fragte er dann.

»Das Ganze schmeckt mir nicht. Bloß so ein Gefühl.«

»Gefühle sind keine Tatsachen«, gab Joe zurück. »Und Tatsache ist, dass niemand etwas von meinem Tod hätte. Niemand würde davon profitieren.«

»Jedenfalls, soweit du weißt.«

Das Romero Hotel war ein neunstöckiges Backsteinge-bäude an der Ecke Eighth Avenue und Seventeenth Street. Es beherbergte normalerweise vor allem Handlungsreisende und Angestellte, die für ihre Firmen nicht wichtig genug waren, um sie im Tampa Bay Hotel unterzubringen. Es war ein gutes, ausgesprochen komfortables Hotel – alle Zimmer hatten Toilette und Waschbecken, die Bettwäsche wurde je-den zweiten Tag gewechselt, und sowohl morgens als auch freitag- und samstagabends stand ein Zimmerservice zur Verfügung –, doch einen Palast konnte man es beim besten Willen nicht nennen.

Am Eingang wurden Joe, Sal und Lefty von Adamo und Gino Valocco empfangen, zwei aus Kalabrien stammenden Brüdern. Gino hatte zur selben Zeit wie Joe in Charlestown gesessen, und sie hielten ein Schwätzchen, während sie durch das Foyer schlenderten.

»Und wohin hat's dich verschlagen?«, fragte Joe.

»Nach Salem«, sagte Gino. »Gar nicht so schlecht.«

»Du hast dich häuslich niedergelassen?«

Gino nickte. »Ich habe eine Italienerin geheiratet. Zwei Kinder inzwischen.«

»Schon zwei?«, sagte Joe. »Na, du hältst dich ja ganz schön ran.«

»Ich habe mir immer eine große Familie gewünscht. Und wie steht's bei dir?«

So nett es auch war, einen kleinen Plausch zu halten, hätte Joe einem verdammten Gorilla in tausend Jahren nichts von seiner bevorstehenden Vaterschaft erzählt. »Ich überlege noch.«

»Warte nicht zu lange«, sagte Gino. »Kleine Kinder können verdammt anstrengend sein.«

Es war eine dieser Szenen, wie man sie wohl nur in ihrer Branche erleben konnte, ebenso amüsant wie grotesk – während fünf Männer, von denen vier mit Maschinenpistolen bewaffnet waren, zu einem Fahrstuhl marschierten, unterhielten sich zwei von ihnen über Frau und Kinder.

Dort angekommen, erkundigte sich Joe noch ein bisschen genauer nach Ginos Familie, während er zu erspüren versuchte, ob es sich tatsächlich um einen Hinterhalt handelt. Sobald sie einstiegen, gab es kein Zurück mehr – da brauchten sie sich keine Illusionen zu machen.

Aber es waren ohnehin nur Illusionen. In dem Moment, als sie durch die Drehtür des Hotels getreten waren, hatten sie ihre Freiheit aufgegeben, und wenn es Maso auf ihr Leben abgesehen hatte, waren sie ihm hilflos ausgeliefert. Im Ernstfall kamen sie hier nicht mehr raus, da biss die Maus keinen Faden ab.

Vielleicht lag Dion richtig.

Vielleicht lag er auch falsch.

Es gab nur eine Möglichkeit, es herauszufinden.

Die Valocco-Brüder blieben im Foyer. Im Fahrstuhl erwartete sie Ilario Nobile, dessen eingefallene Wangen und gelb verfärbter Teint sich einer chronischen Hepatitis verdankten. Im Umgang mit Schusswaffen galt Ilario als unvergleichlicher Virtuose. Es ging die Fama, er könne selbst bei Sonnenfinsternis einer Fliege beide Flügel abschießen und mit einer Thompson seinen Namen in die nächste Fensterbank gravieren, ohne dabei die Fensterscheiben zu Bruch gehen zu lassen.

Während sie in die oberste Etage hinauffuhren, unterhielt sich Joe mit Ilario ebenso zwanglos wie eben noch mit Gino Valocco. Ilario musste man nur auf seine Hunde ansprechen. Die Beagles, die er in seiner Freizeit züchtete, waren echte Prachtkerle, die sich durch ihr sanftes Gemüt und ihre samtweichen Ohren auszeichneten.

Trotzdem fragte sich Joe erneut, ob Dion womöglich doch den richtigen Riecher gehabt hatte. Sowohl die Valocco-Brüder als auch Ilario Nobile galten als exzellente Scharfschützen. Sie waren keine Schläger, gehörten aber auch nicht zu den Planern des Syndikats. Sie waren Killer.

In der zehnten Etage wurden sie lediglich von Fausto Scarpone in Empfang genommen, einem weiteren Kunstschützen ersten Ranges. Aber da außer ihm niemand auf dem Flur zu sehen war, blieben die Kräfteverhältnisse vorerst ausgeglichen, standen zwei von Masos Männern zwei von Joes Leuten gegenüber.

Maso selbst öffnete die Türen der Gasparilla Suite, der schönsten Zimmerflucht, die das Romero Hotel zu bieten hatte. Er umarmte Joe, nahm sein Gesicht in beide Hände und küsste ihn auf die Stirn, ehe er ihn abermals in die Arme schloss und ihm herzlich die Schulter klopfte.

»Na, wie geht's dir, mein Sohn?«

»Alles bestens, Mr. Pescatore. Danke der Nachfrage.«

»Fausto, kümmere du dich so lange um seine Jungs.«

»Soll ich ihnen die Schießeisen abnehmen, Mr. Pescatore?«

»Selbstverständlich nicht. Machen Sie es sich bequem, Gentlemen, wir brauchen sicher nicht lange.« Maso deutete auf Fausto. »Falls jemand ein Sandwich oder sonst etwas möchte, gib dem Zimmerservice Bescheid. Was immer ihr Herz begehrt.«

Er führte Joe in die Suite und schloss die Türen hinter ihnen. Die Fenster auf der einen Seite des Raums gingen auf eine Gasse und das Ziegelgebäude nebenan hinaus, einen ehemaligen Klavierbaubetrieb, der 1929 pleitegegangen war. Nichts war geblieben außer dem Namen des früheren Besitzers, Horace Porter, der in riesigen, langsam verblassenden Lettern an der Wand stand. Die Aussicht auf der anderen Seite hingegen ließ nichts von einer Depression ahnen; unter ihnen breiteten sich Ybor und die Kanäle aus, die in die Hillsborough Bay mündeten.

In der Mitte des Wohnbereichs befanden sich ein Couchtisch und vier Sessel. Auf dem Tisch standen eine Kaffeekanne und -tassen, ein Milchkännchen und eine Zuckerdose, allesamt aus Sterlingsilber, sowie eine Flasche Anisette und drei bereits gefüllte Likörgläser. Masos mittlerer Sohn Santo saß bereits dort und sah zu Joe auf; neben seiner Tasse lag eine Orange.

Santo Pescatore war einunddreißig und wurde von allen ›Digger‹ genannt, auch wenn sich niemand erinnern konnte, wie er zu diesem Spitznamen gekommen war, nicht einmal Santo selbst.

»Du erinnerst dich an Joe, Santo.«

»Ich weiß nicht. Vielleicht.« Er erhob sich halb aus seinem Sessel und reichte Joe die schlaffe, feuchte Rechte. »Du kannst mich Digger nennen.«

»Schön, euch zu sehen.« Joe setzte sich Digger gegenüber, während Maso neben seinem Sohn Platz nahm.

Digger schälte die Orange und warf die Schalenstücke achtlos auf den Tisch. In seinem langen Gesicht lag ein ständiger Ausdruck von Verwirrung und Missmut, als hätte er gerade einen Witz gehört, den er nicht verstanden hatte. Sein dunkles, lockiges Haar wurde bereits schütter; er hatte ein feistes Kinn, einen feisten Hals und die Augen seines Vaters, klein und dunkel wie frisch angespitzte Bleistifte. Dennoch war sein Blick dumpf. Er besaß weder den Charme noch die Gerissenheit seines Vaters, schlicht deshalb, weil er nie darauf angewiesen gewesen war.

Maso schenkte Joe eine Tasse Kaffee ein und reichte sie ihm über den Tisch. »Und wie läuft's so?«

»Ausgezeichnet. Und bei Ihnen, Mr. Pescatore?«

Maso bewegte eine Hand hin und her. »Mal so, mal so.« Er hob sein Likörglas. »*Salute.*«

Joe prostete ihm zu. »*Salute.*«

Sie tranken, während Digger sich ein Stück Orange zwischen die Zähne schob und es mit offenem Mund kaute.

Nicht zum ersten Mal kam Joe in den Sinn, dass er es in seinem Geschäft, so gewalttätig es auch sein mochte, häufig mit überraschend normalen und bodenständigen Typen zu tun hatte – Männern, die ihre Frauen liebten und mit ihren Kindern samstagnachmittags Ausflüge machten, Männern, die an ihren Autos herumschraubten, im Diner um die Ecke Witze erzählten, sich sorgten, was ihre Mütter von ihnen dachten, und zur Kirche gingen, um Gott um Vergebung zu bitten wegen all der furchtbaren Dinge, die sie für ihre Bosse tun mussten, um sich ihr täglich Brot leisten zu können.

Doch es war auch ein Geschäft, in dem sich ebenso viele durch und durch miese Schweine tummelten. Rohe, rücksichtslose Kretins, die für ihre Mitmenschen dasselbe empfanden wie für eine Fliege, die am Ende des Sommers müde über ein Fensterbrett kroch.

Digger Pescatore gehörte zu den Letzteren, und wie so viele seines Schlags war er der Sohn eines jener Männer, welche die gewaltige Maschinerie, der sie nun alle angehörten, in Gang gesetzt hatten.

Joe kannte auch Masos andere beiden Söhne. Er hatte seinerzeit Tim Hickeys einzigen Sohn Buddy kennengelernt. Er kannte die Söhne von Cianci, dem Boss von Miami, von Barrone, dem Boss von Chicago, und die von DiGiacomo in New Orleans. Ihre Väter waren durch die Bank Achtung gebietende, ja furchteinflößende Macher, die es aus eigener Kraft ganz nach oben geschafft hatten. Männer mit eisernem Willen und kaltem Weitblick, die schulterzuckend über Leichen gingen – aber Männer, ganz fraglos Männer, wie sie im Buche standen.

Und jeder Einzelne ihrer Söhne, dachte Joe, während Diggers Schmatzen den Raum erfüllte, war eine Schande für die Menschheit.

Während Digger seine Orange und gleich noch eine zweite verspeiste, unterhielten sich Maso und Joe über Masos Fahrt nach Tampa, die Hitze, Graciela und das Baby, das unterwegs war.

Nach diesem Vorgeplänkel nahm der alte Pescatore eine Zeitung zur Hand, die neben ihm in der Sesselritze steckte. Er griff nach der Flasche, kam um den Tisch herum und setzte sich neben Joe. Er schenkte ihnen nach und schlug die *Tampa Tribune* auf. Das Gesicht von Loretta Figgis blickte ihnen entgegen. Darüber stand die Schlagzeile:

TOD EINER MADONNA

»Das ist doch die Kleine, die uns den ganzen Ärger mit dem Kasino eingebrockt hat«, sagte Maso. »Oder?«

»Ja.«

»Wieso hast du sie nicht schon damals umgelegt?«

»Weil es einen Riesenaufstand gegeben hätte. Wir hätten ganz Florida auf dem Hals gehabt.«

Maso zupfte etwas Haut von einem Stück Orange. »Wohl wahr. Trotzdem beantwortet das meine Frage nicht.«

»Nein?«

Er schüttelte den Kopf. »Außerdem hatte ich dir die Order erteilt, diesen Schwarzbrenner zu beseitigen. Warum hast du's nicht getan?«

»Turner John?«

Maso nickte.

»Weil wir zu einer Einigung gelangt sind.«

Wieder schüttelte Maso den Kopf. »Niemand hat dir aufgetragen, irgendwelche Kompromisse einzugehen. Ich hatte dir aufgetragen, den Hurensohn zu töten. Aber du hast es nicht getan, und zwar aus demselben Grund, weshalb du diese *puttana pazzo* nicht erledigt hast. Weil du kein Killer bist, Joseph. Und das wird allmählich zum Problem.«

»Tatsächlich? Seit wann?«

»Seit jetzt. Du bist kein Gangster.«

»Versuchen Sie gerade, meine Gefühle zu verletzen, Maso?«

»Du bist ein Gesetzloser, ein Bandit im schicken Anzug. Außerdem ist mir zu Ohren gekommen, du hättest vor, dein Geld künftig in legale Unternehmungen zu stecken.«

»Ich denke drüber nach.«

»Dann macht es dir doch sicher nichts aus, wenn wir dich hier unten ablösen lassen.«

Aus irgendeinem unerfindlichen Grund musste Joe plötzlich lächeln. Er unterdrückte gerade noch ein Kichern und steckte sich eine Zigarette an.

»Erinnern Sie sich noch, Maso? Als ich hierhergekommen bin, habt ihr eine Million im Jahr gemacht.«

»Ich weiß.«

»Und jetzt? Inzwischen liegen wir bei mehr als elf Millionen.«

»Ja, aber das Gros stammt aus dem Rumgeschäft. Doch damit ist bald Schluss. Und um das Geschäft mit Mädchen und Rauschgift hast du dich so gut wie gar nicht gekümmert.«

»Schwachsinn«, sagte Joe.

»Wie bitte?«

»Zugegeben, ich habe mich auf den Rum konzentriert, weil damit am meisten Profit zu machen war. Aber in Sachen Rauschgift haben wir unsere Gewinne um fünfundsechzig Prozent gesteigert. Und wir haben vier neue Bordelle eröffnet, seit ich hier bin.«

»Es hätten durchaus mehr sein können. Außerdem hört man von den Huren, dass sie nur selten Prügel kassieren.«

Joe ertappte sich dabei, wie er auf Lorettas Gesicht starrte. Er stieß einen tiefen Seufzer aus. »Maso, ich –«

»Mr. Pescatore«, sagte Maso.

Joe schwieg.

»Joseph«, sagte Maso, »unser Freund Charlie plant ein paar kleine Veränderungen.«

»Unser Freund Charlie« war Lucky Luciano, der von New York aus regierende Boss der Bosse. König auf Lebenszeit.

»Was denn?«

»Tja, wenn man sich vor Augen führt, dass Luckys rechte Hand ein Shylock ist, entbehren seine Pläne nicht einer gewissen Ironie. Offen gesagt sind sie sogar ziemlich unfair.«

Joe lächelte und wartete, dass der alte Mann endlich auf den Punkt kam.

»Charlie will, dass die Führungsposten mit Italienern besetzt werden. Ausnahmslos mit Italienern.«

Maso hatte recht – das war tatsächlich der Gipfel der Ironie. Alle Welt wusste, dass Lucky, egal, wie smart er auch sein mochte – und er war verdammt smart, gar keine Frage –, ohne Meyer Lansky bloß ein Nichts gewesen wäre. Lansky, ein Jude von der Lower East Side, hatte entscheidenden Anteil daran gehabt, einen Haufen unabhängig voneinander operierender Kleinbetriebe zu einem Großunternehmen zu fusionieren.

Doch Joe hatte gar kein Interesse daran, nach ganz oben aufzurücken. Er war völlig zufrieden mit seinem kleinen Imperium.

Und genau das sagte er Maso auch.

»Du bist viel zu bescheiden«, gab Maso zurück.

»Ganz und gar nicht. Ich kontrolliere Ybor. Und das gesamte Rumgeschäft hier in der Gegend, auch wenn damit bald Schluss ist, wie du ja schon sagtest.«

»Du kontrollierst weit mehr als Ybor oder Tampa, Joseph, und inzwischen haben das auch alle mitgekriegt. Du kontrollierst die gesamte Golfküste von hier bis Biloxi. Du kontrollierst die Transportrouten von hier bis Jacksonville und die Hälfte aller Strecken in den Norden. Ich habe mir unsere Geschäftsbücher genau angesehen. Unglaublich, was du zustande gebracht hast. Mittlerweile beherrschen wir so ziemlich alles.«

Und das ist jetzt der Dank?, hätte Joe am liebsten gefragt. Stattdessen sagte er: »Ich darf also meinen Hut nehmen, weil Charlie keine Iren an der Spitze wünscht. Und welchen Job soll ich dann übernehmen?«

»In Zukunft sag ich dir an, was du machst«, ließ sich Digger vernehmen, während er die klebrigen Orangenfinger an den Armlehnen abwischte.

»Du wirst *Consigliere*«, sagte Maso. »Du weist Digger in seine neuen Aufgaben ein, machst ihn mit deinen Kontakten bekannt, und vielleicht kannst du ihn ja mal zum Golfen oder Angeln mitnehmen.«

Digger fixierte Joe mit seinen stecknadelkopfgroßen Pupillen. »Meine Schuhe kann ich mir schon selber binden.«

Aber du musst erst mal drüber nachdenken, wie's geht, dachte Joe.

Maso klopfte Joe aufs Knie. »Allerdings würde es einen kleinen Schnitt bedeuten, finanziell, meine ich. Aber keine Sorge, wenn der Sommer vorbei ist, kontrollieren wir auch den Hafen, und da gibt's jede Menge zu tun, garantiert.«

Joe nickte. »Von was für einem Schnitt sprechen wir?«

»Digger übernimmt deinen Anteil«, sagte Maso. »Du stellst dir eine eigene Mannschaft zusammen und arbeitest wieder eigenständig, abzüglich unserer Prozente natürlich.«

Joe sah zu den Fenstern hinüber. Zuerst zu denen in Richtung Gasse, dann auf die Bucht. Langsam zählte er bis zehn. »Sie wollen mich zum *Capodecina* degradieren?«

Abermals tätschelte Maso sein Knie. »Die Posten werden neu verteilt, Joseph. Auf Charlie Lucianos Geheiß.«

»Charlie hat also gesagt: ›Joe Coughlin in Tampa wird seiner Aufgaben entbunden.‹«

»Er hat gesagt, dass er nur noch Italiener an der Spitze will.« Maso klang immer noch milde, wohlwollend sogar, doch Joe hörte genau, dass sich leiser Unmut in seinen Tonfall schlich.

Er hielt einen Augenblick inne, um selbst keinen falschen Ton anzuschlagen, da er genau wusste, wie schnell sich Maso vom gütigen alten Herrn in einen rasenden Kannibalen verwandeln konnte.

»Digger ist genau der richtige Mann, um hier das Zepter zu übernehmen«, sagte er dann. »Wenn wir beide das hier in die Hand nehmen, gehört uns bald der ganze Staat Florida, und Kuba reißen wir uns nebenbei noch mit unter den Nagel – da habe ich durchaus die nötigen Verbindungen. Aber mein Anteil muss in etwa derselbe bleiben. Als *Capodecina* mache ich nicht mal ein Zehntel dessen, was ich jetzt habe, mal ganz abgesehen davon, dass ich mich künftig damit herumärgern soll, irgendwelche Gewerkschaftler und Fabrikbesitzer auf Linie zu bringen?«

»Tja, vielleicht geht's ja genau darum.« Digger grinste so breit, dass Joe ein Stück Orange erkennen konnte, das zwischen seinen Schneidezähnen steckte. »Schon mal daran gedacht, du Blitzmerker?«

Joe sah Maso an.

Maso starrte unverwandt zurück.

»Ich habe all das aufgebaut.«

Maso nickte.

»Ich habe aus diesem Kaff elfmal soviel Kohle herausgeholt wie Lou Ormino vor mir – schon vergessen?«

»Weil ich dich auf seinen Sessel gesetzt habe«, sagte Maso.

»Weil Sie mich brauchten.«

»He, Blitzmerker«, sagte Digger. »*Niemand* braucht dich.«

Der Alte machte eine beschwichtigende Geste, als wolle er einen kläffenden Köter beruhigen. Während Digger sich wieder zurücksinken ließ, richtete Maso den Blick erneut auf Joe. »Wir könnten dich durchaus gebrauchen, Joseph. *Könnten*. Aber irgendwie werde ich das Gefühl nicht los, dass es dir ein wenig an Dankbarkeit mangelt.«

»Ach ja? Und Ihnen?«

Diesmal ließ Maso seine Hand auf Joes Knie ruhen und drückte es sanft. »Du arbeitest für mich. Nicht für dich selbst und auch nicht für die Latinos und Nigger, mit denen du dich umgibst. Wenn ich will, dass du meine verschissene Toilette putzt – na, rate mal, was du dann tust?« Er lächelte, während seine Stimme kein bisschen weniger gütig klang als zuvor. »Das Leben deiner kleinen Schlampe liegt in meiner Hand, und wenn es mir gefällt, brenne ich dein Haus morgen bis auf die Grundmauern nieder, und das weißt du auch, Joseph. Deine Augen sind mittlerweile größer als dein Mund, das ist alles. Du bist auch nicht der Erste, dem das passiert.« Maso hob die Hand und tätschelte Joes Wange. »Also, steigst du als *Capodecina* ein? Oder willst du lieber meine Toilette am großen Dünnschisstag schrubben? Ich nehme deine Bewerbung jederzeit gern entgegen.«

Wenn Joe schnell reagierte, blieben ihm ein paar Tage Vorsprung, um seine Truppen zusammenzuziehen, mit seinen Kontakten zu reden und seine Schachfiguren entsprechend aufzustellen. Während Maso und seine Gorillas zurück auf dem Weg nach Boston waren, würde er nach New York fliegen, mit Lucky Luciano persönlich sprechen, ihm seine Bilanzen vorlegen und ihm auseinandersetzen, was für Verluste er mit einem Volltrottel wie Digger Pescatore einfahren würde. Und die Chancen standen ziemlich gut, dass sich Lucky einsichtig zeigen würde und sie die Sache ohne großes Blutvergießen beenden konnten.

»*Capodecina*«, sagte Joe.

»Ah«, sagte Maso mit breitem Lächeln. »Bist ein guter Junge.« Er kniff Joe in beide Wangen. »Guter, guter Junge.«

Er erhob sich aus seinem Sessel, und Joe tat es ihm gleich. Sie schüttelten sich die Hände, und dann küsste Maso ihn auf beide Wangen, an genau den Stellen, in die er eben noch hineingekniffen hatte.

Joe reichte Digger die Hand – er freue sich schon auf ihre Zusammenarbeit.

»Zusammen?«, erwiderte Digger. »Du arbeitest *für* mich.«

»Schon klar«, sagte Joe. »Sowieso.«

Dann war er auch schon auf dem Weg zur Tür.

»Wollen wir zusammen zu Abend essen?«, ertönte Masos Stimme hinter ihm.

Joe hielt inne. »Gern. Um neun im Tropicale?«

»Klingt gut.«

»Okay. Ich reserviere uns den besten Tisch.«

»Hervorragend«, sagte Maso. »Und sieh zu, dass er bis dahin tot ist.«

»Was?« Joe nahm die Hand vom Türknauf. »Wer?«

»Dein Freund.« Maso schenkte sich noch ein Tässchen Kaffee ein. »Der Dicke.«

»Dion?«

Maso nickte.

»Wieso?«, fragte Joe. »Er hat doch überhaupt nichts getan.«

Maso sah zu ihm auf.

»Habe ich irgendwas nicht mitbekommen?«, fragte Joe. »Er ist einer unserer besten Männer, hundert Prozent zuverlässig.«

»Er ist eine Ratte«, gab Maso zurück. »Vor sechs Jahren hat er dich an die Bullen verpfiffen. Was heißt, dass er es wieder tun wird, ob nun in sechs Minuten oder in sechs Monaten. Und eine Ratte kann nicht für meinen Sohn arbeiten.«

»Nein«, sagte Joe.

»Nein?«

»Er hat mich nicht verpfiffen. Es war sein Bruder, und das habe ich Ihnen auch erzählt.«

»Tja, was so alles erzählt wird, Joseph. Du hast mich damals belogen. Aber eine Lüge ist keine, nicht wahr?« Er hielt einen Zeigefinger in die Höhe, während er ein wenig Milch in seinen Kaffee gab. »Wie auch immer, du erledigst den Dreckskerl. Und zwar, bevor ich mich zum Abendessen umziehe.«

»Hören Sie mir zu, Maso«, sagte Joe. »Es war sein Bruder, das weiß ich genau.«

»Wirklich?«

»Definitiv.«

»Du lügst mich nicht an?«

»Wie käme ich dazu?«

»Du weißt, was dir sonst blüht?«

Teufel auch, dachte Joe. *Du kommst hier runter, um deinen nichtsnutzigen Sohn an meine Stelle zu setzen, und das reicht dir immer noch nicht?*

»Ja, das weiß ich«, sagte Joe.

»Du bleibst also bei deiner Geschichte.« Maso ließ einen Zuckerwürfel in seine Tasse fallen.

»Ich bleibe dabei, weil es keine Geschichte ist. Sondern die Wahrheit.«

»Und nichts als die Wahrheit, hmm?«

Joe nickte.

»Nichts als die Wahrheit.«

Traurig schüttelte Maso den Kopf, während Joe hörte, wie die Tür hinter ihm geöffnet wurde. Und dann trat Albert White ein.

24

Das Ende vom Lied

Zuerst fiel Joe auf, wie stark Albert White in den vergangenen drei Jahren gealtert war. Auch trug er weder einen seiner cremefarbenen Anzüge noch Fünfzig-Dollar-Gamaschen. Seine Schuhe waren nur wenig besser als die Papptreter, in denen all die Menschen herumliefen, die mittlerweile auf der Straße oder in Zelten lebten. Die Aufschläge seines braunen Anzugs waren ausgefranst, der Stoff an den Ellbogen fadenscheinig. Sein Haarschnitt sah aus, als hätte sich seine Frau mit der Gartenschere an ihm vergangen.

Dann fiel Joe auf, dass er Sal Ursos Maschinenpistole in der Rechten hielt. Joe erkannte die Waffe sofort, weil Sal die Angewohnheit hatte, mit der linken Hand gedankenverloren über den Verschluss zu streichen, wenn er irgendwo saß und die Thompson im Schoß hielt. Obwohl seine Frau 1923 an Typhus gestorben war, trug er immer noch seinen Ehering, der mittlerweile Tausende von Malen über das Metall des MP-Verschlusses geschrappt sein musste – von der Bläuung des Stahls war kaum noch etwas übrig.

Albert legte den Lauf der Thompson an die Schulter, während er zu Joe trat und dessen teuren Dreiteiler in Augenschein nahm.

»Anderson & Sheppard?«, fragte er.

»H. Huntsman«, sagte Joe.

Albert nickte. Er schlug die Innenseite seines Jacketts auf, so dass Joe das Etikett sehen konnte. Kresge's. Stangenware. »Seit meinem letzten Besuch hier war mir das Glück nicht sehr gewogen.«

Joe schwieg. Es gab nichts zu sagen.

»In Boston stand mir das Wasser bis zum Hals. Es hätte nicht mehr viel gefehlt, und ich hätte mit einer Blechbüchse an der Straßenecke gestanden. Ich musste mit Bleistiften hausieren gehen, Joe. Aber dann ist mir in einer Kellerkneipe im North End zufällig Beppe Nunnaro über den Weg gelaufen, ein alter Freund von früher, noch aus der Zeit vor all den bedauerlichen Unstimmigkeiten zwischen mir und Mr. Pescatore. Nun ja, jedenfalls haben wir uns ein bisschen unterhalten, und irgendwie kamen wir auf Dion. Beppe hat nämlich früher als Zeitungsjunge mit Dion und Paolo zusammengearbeitet. Hast du das gewusst?«

Joe nickte.

»Dann ist dir wahrscheinlich bereits klar, worauf ich hinauswill. Wie auch immer, Beppe meinte, Paolo und er wären dicke Freunde gewesen, und er könne sich beim besten Willen nicht vorstellen, dass Paolo jemanden verpfiffen hätte, schon gar nicht seinen eigenen Bruder und den Sohn eines Polizeicaptains.« Albert legte Joe den Arm um die Schultern. »Worauf ich sagte: ›Paolo hat niemanden aufs Kreuz gelegt. Sondern Dion. Und das weiß ich, weil die Ratte *mir* die Sache mit dem Banküberfall gesteckt hat.‹« Mit Joe im Arm trat Albert an das Fenster, das auf die Gasse und Horace Porters ehemaligen Klavierbaubetrieb hinausging. »Jedenfalls hat mir Beppe geraten, darüber doch mal mit Mr. Pescatore zu reden.« Albert blieb vor dem Fenster stehen. »Aber kommen wir zur Sache. Los, Pfoten hoch.«

Albert filzte ihn, während Maso und Digger zu ihnen traten. Er nahm Joe die 32er Savage ab, die hinten in seinem Gürtel steckte, zog den Derringer aus Joes rechtem Sockenhalter und förderte das Springmesser aus seinem linken Schuh zutage.

»Sonst noch was?«, fragte Albert.

»Kriegst du den Hals mal wieder nicht voll?«, sagte Joe.

»Immer einen lockeren Spruch auf den Lippen.« Albert klopfte Joe auf die Schulter. »Bis zum bitteren Ende.«

»Übrigens, Joe«, sagte Maso. »Da gibt es etwas, was du nicht vergessen solltest …«

»Was?«

Maso zog eine Augenbraue hoch. »Mr. White ist mit den Gegebenheiten in Tampa bestens vertraut.«

»Womit du hier überflüssig bist«, sagte Digger. »Klugscheißer.«

»Ich muss doch sehr bitten«, sagte Maso.

Sie wandten sich alle wieder zum Fenster, wirkten einen Moment lang wie Kinder, die darauf warteten, dass der Vorhang des Puppentheaters endlich aufgang.

Albert hielt Joe die Thompson vors Gesicht. »Liegt gut in der Hand. Ich habe gehört, du kennst den Besitzer?«

»Ja.« Joe hatte einen Kloß im Hals. »Ich kenne ihn.«

Im nächsten Moment drang ein lauter Schrei an Joes Ohren, und er sah einen Schatten über die gegenüberliegende Hauswand huschen. Nur einen Sekundenbruchteil später erblickte er Sal, der wild mit den Armen ruderte, während er an ihrem Fenster vorbeisegelte. Doch dann endete sein Sturz mitten in der Luft, und seine Knie wurden bis an sein Kinn hochgerissen, als sich die Schlinge jählings um seinen Hals zuzog. Sein Körper prallte zweimal gegen die Wand, pendelte zurück und drehte sich am Seil um die eigene Achse. Vermutlich hatte er direkt vor ihren Augen baumeln sollen, dachte Joe, doch anscheinend hatte jemand die Länge des Stricks falsch berechnet. Und so starrten sie nun auf Sals Scheitel, während seine Leiche zwischen neunter und achter Etage hing.

Bei Leftys Strick hatten sie keinen Fehler gemacht. Aus seinem Mund drang kein Schrei, als er urplötzlich im freien Fall gestoppt wurde und direkt vor ihrem Fenster hin- und herschwang. Die freien Hände hatte er in die Henkersschlinge gekrallt, und auf seinem Gesicht lag ein resignierter Ausdruck, als hätte ihm soeben jemand ein Geheimnis verraten, von dem er lieber nie erfahren hätte. Weil seine Finger die Schlinge lockerten, war sein Genick nicht gebrochen. Er strampelte mit den Beinen, trat nach dem Fenster, doch seinen Bewegungen wohnte weder Panik noch Verzweiflung inne. Sie wirkten seltsam durchdacht, regelrecht schneidig, und seine Miene veränderte sich kein bisschen, auch nicht, als er sie hinter dem Fenster erblickte. Er krallte die Hände weiter in die Schlinge, bis ihm der Strick den Kehlkopf eindrückte und die Zunge aus dem Mund zwang.

Joe sah zu, wie das Leben aus Leftys Körper wich, erst langsam und qualvoll, bevor der letzte Funke rasch, nahezu schlagartig verlosch. Joes einziger Trost blieb, dass sich Leftys Lider zuckend schlossen, als es ein für alle Mal vorbei war.

Den Blick starr aus dem Fenster gerichtet, bat er Lefty und Sal um Vergebung.

Ich sehe euch bald wieder, Jungs. Genauso wie meinen Vater. Paolo Bartolo. Und meine Mutter.

Und dann:

Ich pack das hier nicht. Ich habe nicht den Mut dazu.

Und dann:

Bitte, Gott, bitte. Ich tue alles, was du willst, nur lass mich nicht sterben. Ich flehe dich an, habe Gnade mit mir. Du kannst mich nicht sterben lassen. Ich werde bald Vater. Graciela und ich erwarten ein Kind, um das wir uns kümmern müssen.

Ich bin noch nicht bereit.

Sein eigener Atem widerhallte in seinen Ohren, als sie ihn an das andere Fenster führten, von dem man auf die Eigth Avenue, die Straßen von Ybor und die Bucht hinausblickte. Noch bevor sie dort angelangt waren, hörte er die Schüsse. Aus dieser Höhe wirkten die Männer auf der Straße, als seien sie bloß zentimetergroß, während sie sich mit Faustfeuerwaffen, Thompsons und anderen Maschinenpistolen erbitterte Gefechte lieferten. Sie trugen Hüte, Regenmäntel und Anzüge. Und Uniformen.

Die Polizisten waren auf Seiten des Syndikats. Eine Reihe von Joes Männern lag tot auf dem Asphalt, einige hatte es in ihren Autos erwischt, und andere wiederum schossen zurück, was das Zeug hielt, doch war nicht zu übersehen, dass sie sich auf dem Rückzug befanden. Eine Garbe aus einer Maschinenpistole zerfetzte die Brust von Eduardo Arnaz, der in die Auslage eines Bekleidungsgeschäfts fiel. Noel Kenwood wurde in den Rücken getroffen und versuchte sich vergebens wieder aufzurichten. Die anderen Männer konnte Joe aus dieser Entfernung nicht erkennen, während sich die

Schlacht erst einen, dann zwei Blocks weiter in westlicher Richtung verlagerte. Einer seiner Jungs knallte an der Ecke Sixteenth Street mit einem Plymouth Phaeton gegen einen Laternenpfahl, doch ehe er den Wagen verlassen konnte, war er auch schon von Polizisten und Syndikatsmitgliedern umstellt, die ihn mit Kugeln durchsiebten. Giuseppe Esposito war stolzer Besitzer eines Phaeton, doch ließ sich von hier oben nicht sagen, ob er sein Automobil auch persönlich gesteuert hatte.

Lauft, Jungs. Lauft um euer Leben.

Als hätten sie seine innere Stimme vernommen, stellten seine Leute das Feuer ein und zerstreuten sich in alle Richtungen.

Maso legte Joe die Hand in den Nacken. »Es ist vorbei, mein Junge.«

Joe schwieg.

»Ich wünschte, wir hätten das anders regeln können.«

»Ach ja?«, sagte Joe.

Streifenwagen und Autos des Syndikats rasten die Eighth Avenue hinunter und bogen in nördlicher und südlicher Richtung auf die Seventeenth Street ab, um seinen Männern auf der Ninth und Sixth den Weg abzuschneiden.

Doch plötzlich waren sie nicht mehr da.

Eben noch war einer seiner Männer über den Asphalt gehetzt, dann aber urplötzlich wie vom Erdboden verschluckt. Pescatores Häscher hielten an den Straßenecken, deuteten ratlos in verschiedene Richtungen und brüllten aufeinander ein.

»Verdammt«, sagte Maso zu Albert. »Wo sind die alle hin?«

Albert hob die Hände und schüttelte den Kopf.

»Joseph«, sagte Maso. »Komm schon, raus mit der Sprache.«

»Nenn mich nicht Joseph.«

Maso schlug ihm mit dem Handrücken ins Gesicht. »Wo steckt das Pack?«

»Sie sind verschwunden.« Joe sah dem Alten in die ausdruckslosen Augen. »Hokuspokus Fidibus, dreimal schwarzer Kater.«

»Dein letztes Wort?«

»Worauf du dich verlassen kannst«, sagte Joe.

Und nun hob Maso die Stimme. Ein furchterregendes Grollen drang aus seiner Kehle. »Wo steckt das Pack, in drei Teufels Namen?«

»Scheiße.« Albert schnippte mit den Fingern. »Die Tunnel. Sie sind durch die Tunnel abgehauen.«

Maso wandte den Kopf. »Was für Tunnel?«

»Die Tunnel, die überall unter diesem Viertel verlaufen. Durch die unterirdischen Gänge bringen sie den Rum in die Stadt.«

»Dann schicken wir unsere Jungs da runter«, sagte Digger.

»Die Lage der meisten Tunnel kennen nur seine Leute.« Albert deutete mit dem Daumen auf Joe. »Das haben wir dem Genie dieses Arschlochs zu verdanken. Nicht wahr, Joe?«

Joe nickte erst Albert, dann Maso zu. »Die Stadt gehört uns.«

»Das sehe ich anders«, sagte Albert und zog Joe den Kolben der Thompson über den Hinterkopf.

25

Haushoch überlegen

Joe erwachte in völliger Dunkelheit.

Er konnte nichts sehen, und er konnte den Mund nicht öffnen. Im ersten Moment fürchtete er sogar, sie hätten ihm die Lippen zugenäht, doch nach der ersten Schrecksekunde ahnte er, dass es nur Klebeband war.

Die Augen hatten sie ihm nicht zugeklebt. Und nun merkte er auch, dass es nicht völlig dunkel um ihn herum war, da er durch das Gewebe vor seinem Gesicht – war es Wolle? Jute? – allmählich ein paar Schemen erkennen konnte.

Ein Sack, ging ihm plötzlich auf. Sie haben mir einen Sack über den Kopf gestülpt.

Die Hände waren ihm auf den Rücken gefesselt worden. Aber nicht mit einem Seil; das war ganz klar Metall. Seine Füße waren ebenfalls gefesselt, wenn auch eher locker; er bekam sie sogar zwei, drei Zentimeter auseinander, aber dann war Schluss.

Er lag auf dem Bauch; seine rechte Wange ruhte auf warmem Holz. Es roch nach Ebbe. Nach Fisch und Fischblut. Plötzlich wurde ihm klar, dass es sich bei dem Geräusch, das schon eine ganze Weile an seine Ohren drang, unverkennbar um das Tuckern eines Schiffsmotors handelte. Und dann fügten sich auch seine anderen Sinneseindrücke zu einem schlüssigen Ganzen – das Klatschen der Wellen, die gegen den Schiffsrumpf schlugen, das leise Ächzen der Deckplanken unter ihm. Ein anderes Motorengeräusch konnte er nicht ausmachen, egal, wie sehr er sich konzentrierte. Er hörte Männerstimmen, Schritte auf den Planken und schließlich das charakteristische Ein- und Ausatmen von jemandem, der ganz in seiner Nähe eine Zigarette rauchte. Angestrengt horchte er nochmals, doch da war kein anderer Motor, ganz abgesehen davon, dass sie nicht sonderlich schnell unterwegs waren. Weshalb er ziemlich sicher davon ausgehen konnte, dass ihnen niemand folgte.

»Du kannst Albert holen. Er ist wach.«

Dann zerrten sie ihn hoch – eine Hand krallte sich durch den Sack in seine Haare, zwei andere packten ihn unter den Achselhöhlen. Die beiden Männer schleiften ihn rückwärts über das Deck und beförderten ihn unsanft auf einen Stuhl; er spürte den harten Holzsitz unter dem Hintern, die harte Lehne im Kreuz. Finger glitten über seine Handgelenke und schlossen die Handschellen auf, doch kaum waren sie aufgeschnappt, wurden seine Arme hinter die Lehne gerissen und die Eisen wieder festgemacht. Anschließend fesselten sie seinen Oberkörper mit einem Seil an den Stuhl, so fest, dass er kaum Luft holen konnte, ehe jemand seine Unterschenkel mit zwei Stricken an den Stuhlbeinen fixierte.

Als sie den Stuhl nach hinten kippten, stieß er einen Schrei aus, den das Klebeband sofort erstickte. Er war fest davon überzeugt, dass sie ihn über Bord werfen wollten. Trotz des Sacks über seinem Kopf kniff er die Augen fest zusammen, während er verzweifelt versuchte, durch die Nasenlöcher zu atmen. Sein Atem flehte förmlich um Gnade.

Dann spürte er, wie sie ihn mit dem gekippten Stuhl an

eine Wand lehnten. Er schätzte, dass sich seine Füße und die vorderen Stuhlbeine einen knappen halben Meter über dem Boden befanden.

Jemand zog ihm die Schuhe aus. Dann die Socken. Und dann nahm ihm jemand den Sack vom Kopf.

Er blinzelte hektisch, als ihm das Licht unvermittelt in die Augen stach. Solch ein Licht gab es nur hier in Florida; auch jetzt durchdrang es alles, obwohl sich dichte graue Wolken am Himmel zusammenballten. Er konnte die Sonne nirgends sehen, doch das silbrige Wasser reflektierte ein grelles Gleißen, das überall war, alles beherrschte, das Grau, die Wolken, das Meer, gleichsam darin lebte, ohne dass sich sein Ursprung genau ausmachen ließ.

Als Joe sich an die Helligkeit gewöhnt hatte, erblickte er zuallererst die Uhr seines Vaters, die vor seinen Augen baumelte. Dann erkannte er Albert Whites Gesicht. Mit großer Geste ließ er die Uhr in seiner Westentasche verschwinden. »Bis jetzt musste ich mit einer Elgin vorliebnehmen«, sagte er und beugte sich vor, die Hände auf die Knie gestützt. Ein blasiertes Lächeln umspielte seine Lippen. Hinter ihm schleppten zwei Männer etwas Schweres heran. Etwas aus schwarzem Metall, an dem sich silberfarbene Griffe befanden. Mit einer Verbeugung, die einem Zirkusdirektor alle Ehre gemacht hätte, trat Albert einen Schritt zurück, während die Männer den schweren Behälter unter Joes nackte Füße schoben.

Es war eine Wanne. Eine von der Sorte, in denen auf Sommerfesten oder Cocktailpartys Weißwein- und Bierflaschen mit Eis gekühlt wurden. Nur, dass sich in der Wanne kein Eis befand. Geschweige denn Wein oder ein schönes Bier.

Nur Zement.

Mit aller Macht bäumte sich Joe auf und zerrte an seinen Fesseln, doch genauso gut hätte er versuchen können, ein Backsteingebäude aus seinem Fundament zu reißen.

Albert trat hinter ihn, kippte den Stuhl nach vorn, und im selben Moment versank Joe auch schon bis zu den Unterschenkeln im feuchten Zement.

Mit der distanzierten Neugier eines Wissenschaftlers verfolgte Albert, wie Joe vergeblich Widerstand leistete. Der einzige Körperteil, den er bewegen konnte, war sein Kopf. Der Zement war anscheinend schon vor einer Weile angerührt worden – Joes Füße versanken in der steifen Brühe wie in einem feuchten Schwamm.

Albert ging vor ihm in die Hocke und sah Joe in die Augen, während der Zement allmählich auszuhärten begann. Hatte Joe eben noch das Gefühl gehabt, in einem Schwamm zu stecken, spürte er nun, wie die zähe Masse unter seinen Fußsohlen erstarrte und sich wie eine Würgeschlange um seine Knöchel wand.

»Braucht noch ein bisschen«, sagte Albert. »Tja, Geduld ist nie verkehrt, was?«

Wenigstens wusste Joe jetzt, wo sie in etwa waren, da die kleine Insel links von ihnen verdammt nach Egmont Key aussah. Ansonsten gab es weit und breit nichts als Wasser und grauen Himmel.

Ilario Nobile wich Joes Blick aus, als er Albert einen Leinenklappstuhl brachte. Albert setzte sich so, dass ihm das Glitzern des Wassers nicht in die Augen stach, lehnte sich nach vorn und verschränkte die Hände zwischen den Knien. Sie befanden sich auf einem Schlepper. Joes Stuhl lehnte an der Rückwand des Steuerhauses. Er ließ den Blick über das Heck schweifen und musste zugeben, dass sie genau die richtige Art von Schiff ausgewählt hatten; auch wenn man es ihnen nicht ansah, waren Schlepper ziemlich schnell und überaus wendig.

Albert deutete auf Thomas Coughlins Uhr in seiner Westentasche. »Die geht nach«, sagte er zu Joe. »Schon bemerkt?«

Joe konnte zwar nicht sprechen, aber er hätte ihm sowieso keine Antwort gegeben.

»So eine sündhaft teure Uhr, und dann zeigt sie nicht mal die Zeit richtig an.« Albert zuckte mit den Schultern. »Selbst der reichste Mann der Welt kann den Lauf der Dinge nicht aufhalten, nicht wahr, Joe?« Sein Blick glitt über den grauen Himmel und das graue Wasser hinweg. »Das Leben ist ein Rattenrennen, und keiner von uns will Zweiter werden. Wir alle wissen, was auf dem Spiel steht. Wenn du Scheiße baust, bist du tot. Vertraust du der falschen Person, setzt du aufs falsche Pferd« – er schnippte mit den Fingern –, »schon bist du weg vom Fenster. Du hast Frau und Kinder? Pech gehabt. Du wolltest eigentlich den Sommer drüben im schönen England verbringen? Tja, Pustekuchen. Du hast geglaubt, du würdest morgen noch atmen? Essen, baden, eine Nummer schieben? Vergiss es, mein Freund.« Er stieß Joe mit dem Zeigefinger gegen die Brust. »Noch ein paar Minütchen, und du sitzt auf dem Grund des Golfs von Mexiko. Ade, schnöde Welt. Und wenn dir ein paar Fische in die Nase schwimmen oder an deinen Augen knabbern, kann dir das reichlich egal sein. Denn du bist im Himmel. Oder in der Hölle. Oder sonst wo. Nur nicht hier. Also genieße den Ausblick. Die gute Luft. Nimm ein paar letzte Atemzüge.« Er nahm Joes Gesicht in beide Hände und hauchte ihm einen Kuss auf die Stirn. »Du bist schon so gut wie tot.«

Der Zement war fest geworden, quetschte Joes Zehen, Fersen, Knöchel. Der Druck war so stark, dass er ihm die Füße zu brechen drohte.

Er versuchte, Alberts Blick auf seine linke Innentasche zu lenken.

»Hoch mit ihm«, sagte Albert.

»Nein«, versuchte Joe hervorzupressen. »Sieh in meine Tasche.«

»Mmmm! Mmmm! Mmmm!«, äffte Albert ihn nach. »Zeig mal ein bisschen Rückgrat, Coughlin. Hör auf zu betteln.«

Sie machten das Seil von Joes Brust los. Gino Valocco nahm eine Säge zur Hand, kniete sich neben ihn und machte sich daran, die vorderen Stuhlbeine über dem Zement abzusägen.

»Albert«, nuschelte er durch das Klebeband. »Sieh in die Tasche. Die Tasche. Die Tasche.« Jedes Mal, wenn er Tasche sagte, verdrehte er Augen und Kopf in die entsprechende Richtung.

Albert lachte, äffte ihn weiter nach, und jetzt machten auch die anderen mit. Fausto Scarpone stieß sogar ein paar Grunzlaute aus und kratzte sich unter den Armen, während er den Kopf immer wieder nach links zucken ließ.

Dann hatte Gino das linke Stuhlbein abgesägt und nahm sich das rechte vor.

»Die Handschellen haben eine Stange Geld gekostet«, sagte Albert zu Ilario Nobile. »Nimm sie ihm ab. Der läuft uns sowieso nicht davon.«

Doch Joe spürte, dass Albert angebissen hatte. Er wollte in Joes Tasche sehen, ohne dabei den Anschein zu erwecken, dass er sich auf das Gebettel seines Opfers einließ.

Ilario schloss die Handschellen auf und warf sie Albert vor die Füße, da es der Pescatore-Mann offenbar unter seiner Würde fand, sie ihm in die Hand zu drücken.

Das rechte Stuhlbein löste sich von der Sitzfläche. Sie zogen Joe den Rest des Stuhl unter dem Hintern weg, so dass er nun aufrecht in der Zementwanne stand.

»Eine Handbewegung hast du frei«, sagte Albert. »Entweder reißt du dir das Klebeband vom Mund, oder du zeigst mir, womit du dir dein erbärmliches Leben erkaufen willst. Du kannst es dir aussuchen.«

Joe zögerte keine Sekunde. Er griff in seine Tasche. Er zog das Foto hervor und ließ es zu Boden segeln.

Albert bückte sich, um es aufzuheben, und im selben Augenblick erschien ein Punkt über seiner linken Schulter, gleich hinter Egmont Key. Albert betrachtete das Bild mit hochgezogener Augenbraue und süffisantem Lächeln, vermochte jedoch nichts Besonderes daran zu finden. Sein Blick wanderte erst nach links, dann langsam wieder nach rechts, ehe er urplötzlich innehielt.

Aus dem Punkt über der glasgrauen Wasseroberfläche wurde ein dunkles Dreieck, das sich ihnen rasch näherte.

Albert sah Joe an. In seinem Blick spiegelte sich kalte Wut. Und zwar nicht, weil er Joe auf den Leim gegangen war. Sondern weil er es ebenso wenig geahnt hatte wie Joe.

Auch er hatte sie all die Jahre für tot gehalten.

Verdammt, Albert, hätte Joe am liebsten gesagt. *Sie hat uns beide hinters Licht geführt.*

Er wusste genau, dass Albert sein Lächeln sehen konnte – trotz des Klebebands über seinem Mund.

Das dunkle Dreieck war jetzt deutlich als Boot zu erkennen. Ein klassisches Schnellboot, dessen Heck so umgebaut worden war, dass darin zusätzliche Passagiere oder Kisten Platz fanden. Obwohl sich sein Tempo dadurch um ein Drittel verringerte, war es immer noch schneller als alles, was sich sonst auf dem Wasser bewegte. Einige der Männer an Deck des Schleppers stießen sich gegenseitig an und zeigten mit dem Finger darauf.

Albert riss Joe das Klebeband vom Mund.

Motorengeräusch drang zu ihnen herüber. Ein lautes Summen, das sich wie ein Wespenschwarm anhörte.

Albert hielt Joe das Foto unter die Nase. »Sie ist tot.«

»Also, für mich sieht sie quicklebendig aus.«

»Wo ist sie?« Alberts Stimme klang so rauh, dass mehrere Männer den Kopf wandten.

»Na, siehst du doch. Auf dem verdammten Foto.«

»Wo ist das aufgenommen worden? Raus mit der Sprache.«

»Klar doch«, sagte Joe. »Und dann passiert mir bestimmt auch nichts.«

Albert donnerte ihm beide Fäuste auf die Ohren, und alles um Joe herum begann, sich zu drehen.

Gino Valocco rief etwas auf Italienisch und zeigte nach steuerbord.

Hinter einer etwa vierhundert Meter entfernten Landzunge war ein weiteres Schnellboot aufgetaucht.«

»Wo ist sie?«

Joes Ohren klingelten wie tausend Zimbeln. Er schüttelte ein paarmal den Kopf.

»Ich würde es dir ja liebend gern sagen«, brachte er dann hervor. »Aber noch lieber wäre ich den Zement an meinen Füßen los.«

Albert zeigte erst auf das eine, dann auf das andere Boot. »Die können uns gar nichts. Hast du sie noch alle? Wo steckt sie?«

»Da müsste ich mal scharf nachdenken«, sagte Joe.

»*Wo?*«

»Auf dem Foto.«

»Das ist doch uralt. Du hast mir einfach ein altes –«

»Ja, das habe ich zunächst auch gedacht. Aber sieh dir mal diesen Lackaffen im Smoking an. Den langen Lulatsch da ganz rechts, der am Klavier lehnt. Siehst du die Zeitung neben seinem Arm? Wirf mal einen Blick auf die Schlagzeile.«

PRÄSIDENT ROOSEVELT ÜBERLEBT ATTENTAT IN MIAMI

»Das war letzten Monat, Albert.«

Nun waren die beiden Boote nur noch dreihundertfünfzig Meter weit entfernt.

Albert sah hinüber, fasste dann Masos Männer ins Auge und richtete den Blick wieder auf Joe. Er schürzte die Lippen und gab einen langgezogenen Seufzer von sich. »Du glaubst, das ist deine Rettung? Wir sind doppelt so viele und ihnen haushoch überlegen. Selbst wenn deine Leute uns sechs Boote auf den Hals hetzen, machen wir sie allesamt zu Kleinholz.« Er wandte sich an die Männer. »Legt sie um.«

Sie reihten sich an der Reling auf. Joe zählte genau ein Dutzend Männer. Fünf gingen steuerbord, weitere fünf backbord in Position, während Ilario und Fausto in die Kabine eilten, anscheinend um irgendetwas zu holen. Die meisten Männer an Deck waren mit Thompsons und Pistolen bewaffnet, doch keiner hatte ein Gewehr, das auf diese Distanz etwas hätte ausrichten können.

Aber das spielte keine Rolle mehr, als Ilario und Fausto mit einer Kiste zurückkamen. Jetzt erst fiel Joe das auf dem Deck fest montierte Dreibein ins Auge. Im selben Moment ging ihm auf, dass es nicht bloß ein Dreibein war, sondern eine Decklafette. Für richtig schweres Geschütz. Ilario griff in die Kiste und förderte zwei Munitionsgurte mit 7,62-mm-Patronen zutage, die er neben das Stativ legte. Dann hievten er und Fausto ein Gatling-Maschinengewehr mit zehn kombinierten Rotationsläufen aus der Kiste und machten sich daran, es auf der Lafette zu befestigen.

Die Motoren der Schnellboote waren jetzt deutlich zu hören. Sie waren vielleicht noch 250 Meter entfernt, also außer Reichweite aller Schusswaffen, die sich an Bord des Schleppers befanden. Mit Ausnahme des Gatling-MGs. Sobald das verdammte Ding montiert war, würde es neunhundert Schuss pro Minute abgeben – eine einzige Garbe, die ins Schwarze traf, und es gab reichlich Fressen für die Haie.

»Sag mir, wo sie ist«, zischte Albert, »und ich mach's kurz und schmerzlos. Ein Schuss, Feierabend, das merkst du nicht mal. Aber zwing mich nicht, es mit Gewalt aus dir herauszupressen – ich reiße dich höchstpersönlich in Stücke, aber so, dass du stundenlang was davon hast, verlass dich drauf.«

Die Männer riefen sich Kommandos zu und wechselten die Positionen, während die Schnellboote immer wieder ihren Kurs änderten. Das Boot auf der Backbordseite bewegte sich in weiten Schlangenlinien auf den Schlepper zu, während das steuerbord angreifende mit laut aufheulendem Motor abrupt von rechts nach links und wieder von links nach rechts zog.

»Schluss jetzt«, sagte Albert. »Ich muss es wissen.«

Joe schüttelte den Kopf.

»Bitte«, sagte er so leise, dass es niemand hören konnte. Selbst Joe hatte Mühe, ihn über das Röhren der Motoren zu verstehen. »Ich liebe sie.«

»Ich habe sie auch geliebt.«

»Darum geht es nicht«, erwiderte Albert. »Ich *liebe* sie.«

Ilario und Fausto hatten das MG montiert. Ilario legte den ersten Munitionsgurt ein und blies kurz in das Verschlussgehäuse, um eventuell vorhandenen Staub zu entfernen.

Albert warf einen kurzen Blick über die Schulter und beugte sich zu Joe. »Ich will das alles gar nicht. Zum Teufel, was soll der ganze Mist? Ich will einfach nur wieder fühlen, wie es war, wenn sie über einen meiner Witze gelacht oder einen Aschenbecher nach mir geworfen hat. Und was den Sex angeht, ach was, das ist mir völlig egal. Mir würde es schon reichen, sie im Bademantel Kaffee trinken zu sehen. Du mit deiner Latino-Schlampe, du weißt doch, wovon ich rede.«

»Ja«, sagte Joe. »Durchaus.«

»Ist sie eigentlich eine Latina oder eine Niggerbraut?«

»Beides«, sagte Joe.

»Und das stört dich nicht?«

»Albert«, sagte Joe. »Was, um Himmels willen, sollte mich daran stören?«

Ilario Nobile, ein Veteran des Spanisch-Amerikanischen Krieges, hockte sich an die Handkurbel des Gatling, während Fausto den Munitionsgurt über den Knien liegen hatte wie eine Großmutter ihre Strickdecke.

Albert zog seinen langläufigen 38er und hielt ihn Joe an die Stirn. »Wo ist sie?«

Niemand hörte den vierten Motor, bevor es zu spät war.

Joe blickte Albert tiefer in die Augen als je zuvor, und nur einen Moment später stellte er fest, dass ihm eine zu Tode verängstigte Kreatur entgegensah.

»Nein.«

Urplötzlich tauchte Farruco Diaz' Flugzeug westlich aus den Wolken auf. Gerade war es noch hoch am Himmel, doch dann stieß es unvermittelt herab. Auf dem hinteren Sitz thronte Dion hinter einem Maschinengewehr, montiert auf die Halterung, wegen der Farruco seinem Boss monatelang auf den Geist gegangen war. Dion trug eine Fliegerbrille mit dicken Gläsern, und er schien laut zu lachen.

Zuallererst nahm er das Gatling-MG aufs Korn.

Ilario duckte sich nach links, doch im selben Moment riss ihm die Garbe aus Dions Waffe ein Ohr ab, ehe sie sensengleich durch seine Kehle schnitt. Fausto Scarpone wurde von Querschlägern erwischt. Er riss die Hände in die Luft, und sein Blut spritzte in alle Richtungen, als er vornüber aufs Deck fiel.

Planken splitterten, es regnete Funken und Metall. Pescatores Männer suchten verzweifelt Deckung, zogen die Köpfe ein, kauerten sich zusammen und schossen ziellos um sich. Zwei gingen über Bord.

Farruco Diaz zog das Flugzeug hoch und hielt auf die

Wolken zu. Auf dem Boot eröffnete man erneut das Feuer. Die Maschine gewann rasant an Höhe, und so feuerten die Männer fast senkrecht in den Himmel.

Und ein paar dieser Kugeln kamen wieder herunter.

Eine erwischte Albert an der Schulter. Ein anderer griff sich ins Genick und stürzte aufs Deck.

Die kleineren Boote waren jetzt in Schussweite. Doch Alberts Männer hatten genug mit Farrucos Maschine zu tun. Joes Leute waren nicht die besten Schützen – zudem schaukelten ihre Boote heftig hin und her –, aber das war auch gar nicht nötig. Ihre Kugeln bohrten sich in Hüften, Knie und Bäuche, und mehrere Männer sackten auf dem Deck zusammen und stießen gellende Schmerzensschreie aus.

Das Flugzeug näherte sich von neuem. Die Männer in den Schnellbooten feuerten aus allen Rohren, und aus Dions Maschinengewehr spritzten die Kugeln wie Wasser aus einem Feuerwehrschlauch. Albert rappelte sich hoch und richtete seinen 38er auf Joe, während auf dem Heck des Schleppers ein Wirbelsturm aus Staub und Splittern tanzte. Vergeblich versuchten Pescatores Leute, dem Sperrfeuer zu entkommen, und Joe verlor Albert aus den Augen.

Dann wurde er von einem Geschossfragment am Arm getroffen; wenig später riss ein Holzsplitter von der Größe eines Kronkorkens ein Stück aus Joes linker Augenbraue und streifte sein linkes Ohr. Ein 45er Colt landete neben der Zementwanne; Joe hob die Pistole auf und ließ das Magazin in die hohle Hand fallen, um sich davon zu überzeugen, dass noch Patronen darin steckten, bevor er es wieder in den Schacht rammte.

Als Carmine Parone schließlich herbeigeeilt kam, war seine

linke Gesichtshälfte blutüberströmt; aber es sah schlimmer aus, als es tatsächlich war. Carmine reichte Joe ein Handtuch, und er und Peter Wallace rückten dem Zement mit Äxten zu Leibe. Anders als Joe vermutet hatte, war die Masse noch nicht vollständig ausgehärtet, und nach fünfzehn, sechzehn Hieben mit den Äxten und einer Schaufel, die Carmine im Steuerhaus gefunden hatte, war Joe wieder frei.

Farruco Diaz landete die Maschine auf dem Wasser und stellte den Motor ab. Das Flugzeug glitt zu ihnen herüber. Dion stieg an Bord, und dann machten sich Joes Männer daran, die Verwundeten zu töten.

Dion sah Joe an. »Wie geht's?«

Ricardo Cormarto trat zu einem jungen Kerl, der über das Deck nach achtern kroch. Seine Beine waren eine einzige blutige Masse, doch ansonsten hätte er sich problemlos zum Dinner in einem noblen Restaurant niederlassen können: beigefarbener Anzug, cremeweißes Hemd, die mangorote Krawatte über die Schulter geworfen, als wollte er eine Hummercremesuppe verspeisen. Cormarto schoss ihm in die Wirbelsäule, und als der junge Mann daraufhin einen regelrecht empörten Seufzer ausstieß, jagte ihm Cormarto noch eine Kugel in den Kopf.

Joe betrachtete die an Deck verstreuten Leichen und sagte zu Wallace: »Wenn er noch lebt, dann schafft ihn her.«

»Ja, Sir.«

Er versuchte die Füße zu strecken, doch es tat höllisch weh. Er hielt sich an der Leiter des Steuerhauses fest und sah Dion an: »Wie war noch gleich die Frage?«

»Wie geht's dir?«

»Ach«, sagte Joe, »könnte schlimmer sein.«

An der Reling bettelte ein Mann auf Italienisch um sein Leben. Carmine Parone schoss ihm in die Brust und trat ihn über Bord.

Fasani drehte Gino Valocco auf den Rücken. Gino schlug sich die Hände vors Gesicht; sein Hemd war blutgetränkt. Unwillkürlich musste Joe daran denken, wie sie sich über die Freuden des Vaterdaseins unterhalten hatten.

Gino sagte, was sie alle sagten. Er sagte: »Warte.« Er sagte: »Nicht.«

Fasani schoss ihm ins Herz und stieß ihn in den Golf.

Als Joe den Kopf wandte, sah er, dass Dion ihn aufmerksam musterte. »Sie hätten uns alle umgelegt, ohne Ausnahme. Das ist dir hoffentlich klar?«

Joe deutete ein Nicken an.

»Und warum?«

Joe gab keine Antwort.

»Nein, Joe. Warum?«

Joe gab noch immer keine Antwort.

»Gier«, sagte Dion. »Keine gewöhnliche Gier, keine *gesunde* Gier. Sondern unersättliche Gier. Sie kriegen den Hals einfach nicht voll.« Mit zornesrotem Gesicht trat er noch näher zu Joe, so dicht, dass sich ihre Nasen berührten. »*Nie.*«

Während Joe ihn wortlos ansah, hörte er jemanden sagen, dass die gesamte Besatzung des Schleppers tot sei.

»Keiner von uns kriegt den Hals voll«, sagte Joe. »Du nicht, ich nicht, Pescatore nicht. Wir sind süchtig danach.«

»Wonach?«

»Nach der Nacht«, sagte Joe. »Sie ist unwiderstehlich. Wer sich für den Tag entscheidet, der muss nach ihren Regeln spielen. Darum haben wir uns für die Nacht entschieden und spielen nach unseren eigenen. Das Dumme ist nur, wir haben im Grunde gar keine Regeln.«

Dion überlegte. »Jedenfalls nicht sehr viele.«

»Und langsam macht mich das kaputt.«

»Ich weiß«, sagte Dion. »Ich sehe es dir an.«

Fasani und Wallace schleiften Albert White quer über das Deck und ließen ihn zu Joes Füßen liegen.

Von seinem Hinterkopf war nichts mehr übrig, und wo sein Herz gewesen war, klaffte ein blutiges Loch. Joe hockte sich neben die Leiche und fischte die Uhr seines Vaters aus Alberts Westentasche. Er überzeugte sich davon, dass sie noch heil war, steckte sie ein und ließ sich auf dem Deck nieder.

»Ich hätte es ihm gern ins Gesicht gesagt.«

»Was?«, fragte Dion.

»Ich hätte ihn angeschaut und gesagt: ›Du wolltest mich fertigmachen, aber jetzt bist du selbst erledigt.‹«

»Die Chance hattest du vor vier Jahren.« Dion streckte Joe die Hand hin.

»Ich wollte eine zweite.« Joe ergriff seine Hand.

»Von wegen«, sagte Dion, während er ihm auf die Füße half. »So eine Chance gibt's nur einmal im Leben.«

26

Dunkle Stunden

Der Eingang des Tunnels, der zum Romero Hotel führte, befand sich an der Pier 12. Er erstreckte sich auf einer Länge von acht Häuserblocks unter Ybor City; wenn er nicht überflutet oder voller Ratten war, benötigte man etwa eine Viertelstunde, um ihn zu passieren. Glücklicherweise herrschte gerade Ebbe, als Joe und seine Männer, allesamt völlig erschöpft von Hitze und Wassermangel, am frühen Nachmittag an der Pier eintrafen. Joe war obendrein verwundet. Doch auf der Fahrt von Egmont Key hatte er seinen Leuten erklärt, warum er ihnen keine Pause gönnte: Wenn Maso nur halb so clever war, wie Joe glaubte, hatte er mit Albert hundertprozentig ein Zeitlimit vereinbart. Sobald er roch, dass etwas schiefgelaufen war, würde er sich postwendend aus dem Staub machen.

Der Tunnel endete bei einer Leiter, die zur Tür des Heizungsraums führte. Jenseits davon befand sich die Hotelküche, dahinter das Büro des Geschäftsführers und wiederum dahinter die Rezeption. Hatten sie die erst mal erreicht, konnten sie aufatmen – doch vor der Tür zum Heizungsraum ließ sich nicht feststellen, ob ihnen jemand einen unliebsamen Empfang bereiten wollte. Die Stahltür war stets verschlossen und wurde nur geöffnet, wenn man das richtige Codewort kannte. Das Romero war nie Schauplatz einer

Razzia gewesen, da Esteban und Joe die Besitzer dafür bezahlten, dass sie ihrerseits die richtigen Leute schmierten. Außerdem betrieb das Hotel kein Speakeasy; es diente lediglich als Destille und Lager.

Nachdem sie erschöpfend diskutiert hatten, wie sie durch eine mit drei Riegeln gesicherte Stahltür kommen sollten, entschieden sie, dass der beste Schütze von ihnen – Carmine Parone – oben auf der Leiter Position beziehen und Dion für den Fall der Fälle Deckung geben sollte, während Dion versuchen würde, die Tür mit einer Schrotflinte zu knacken.

»Wenn sich jemand auf der anderen Seite befindet, sind wir geliefert«, sagte Joe.

»Ihr nicht«, sagte Dion. »Nur Carmine und ich. Ehrlich gesagt bin ich mir nicht mal sicher, ob wir die Querschläger überleben. Also, aus dem Weg, ihr Schwuchteln.« Er grinste Joe an. »Gleich geht's los.«

Joe und die anderen zogen sich in den Tunnel zurück. Im selben Moment gab Dion auch schon den ersten Schuss auf die Türangeln ab. Ohrenbetäubender Lärm hallte durch den unterirdischen Gang, doch Dion hielt nicht inne, sondern feuerte gleich ein zweites und dann ein drittes Mal, während Metallteile durch die Luft zischten und von den Wänden prallten. Falls sich Masos Leute noch im Hotel befanden, waren sie jetzt mit Sicherheit unterwegs, dachte Joe. Das Getöse hatte man garantiert noch im neunten Stock gehört.

»Kommt hoch«, rief Dion. »Wir sind durch.«

Carmine hatte es nicht überlebt. Dion zog seine Leiche aus dem Weg und lehnte ihn in sitzender Position an die Wand, während die anderen die Leiter hinaufkamen. Ein Stück Metall war durch Carmines Auge in sein Gehirn gedrungen; mit dem anderen starrte er sie blicklos an, seine unangezündete Zigarette nach wie vor zwischen den Lippen.

Sie rissen die Tür aus den Angeln, betraten den Heizungsraum und marschierten durch die Destillerie in die Küche. In der Tür zwischen der Küche und dem Büro des Geschäftsführers befand sich ein rundes Fenster, durch das man in einen kleinen, mit Linoleum ausgelegten Durchgang sah. Die Tür des Büros stand offen. Offenbar hatten sich Masos Leute noch kürzlich dort aufgehalten; auf dem Tisch standen Kaffeetassen, eine leere Flasche Whiskey und mehrere überquellende Aschenbecher.

Dion spähte durch die Scheibe und warf Joe einen Blick zu. »Ich habe eh nie geglaubt, dass ich besonders alt werde.«

Joe atmete tief aus und öffnete die Tür. Als sie das Büro hinter sich gelassen hatten und an der Rezeption herauskamen, war Joe klar, dass sie niemanden antreffen würden. Niemand lauerte ihnen auf; das Hotel war schlicht leer. Der perfekte Ort für einen Hinterhalt wäre der Heizungskeller gewesen, und auch in der Küche hätten Masos Leute sie womöglich eiskalt erwischt. Das Foyer aber war ein logistischer Alptraum – Dutzende von Möglichkeiten, um sich zu verschanzen, weiträumig zu verteilen oder auf die Straße zu fliehen.

Sie schickten ein paar Mann mit dem Fahrstuhl in die neunte Etage und ein paar weitere über die Treppe nach oben, nur für den Fall, dass Maso irgendeinen genialen Plan ausgeheckt hatte, den Joe nicht voraussehen konnte. Die Männer kehrten kurz darauf zurück und berichteten, dass sie im neunten Stock niemanden gefunden hatten – außer den

Leichen von Sal und Lefty, die in Zimmer Nummer neun und zehn auf den Betten lagen.

»Bringt sie herunter«, sagte Joe.

»Ja, Sir.«

»Und holt bitte auch Carmine.«

Dion zündete sich eine Zigarre an. »Ich kann's nicht glauben, dass ich Carmine umgenietet habe.«

»Das warst nicht du«, sagte Joe. »Sondern ein Querschläger.«

»Jetzt hör bloß auf mit der Haarspalterei«, sagte Dion.

Joe steckte sich eine Zigarette an und gestattete es Pozzetta, der als Sanitäter bei der Armee gewesen war, sich die Wunde an seinem Arm noch einmal genauer anzusehen.

»Das muss behandelt werden, Boss«, sagte Pozzetta. »Außerdem brauchst du was gegen die Schmerzen.«

»Dann hol Medikamente, oder am besten gleich den Doc«, sagte Joe. »Und nimm den Hinterausgang.«

»Ja, Sir«, sagte Pozzetta.

Sie tätigten ein paar Anrufe, und kurz darauf trafen sechs Beamte des Tampa Police Departments ein, die auf ihrer Gehaltsliste standen. Einer von ihnen rückte mit einem Leichenwagen an, und Joe nahm Abschied von Sal, Lefty und Carmine Parone, der ihn erst anderthalb Stunden zuvor aus der Zementwanne befreit hatte. Sals Tod aber erschütterte ihn am meisten; erst jetzt wurde ihm klar, wie viel ihm sein Chauffeur und Leibwächter bedeutet hatte. Unzählige Male hatte er ihn in den vergangenen fünf Jahren in sein Haus zum Abendessen eingeladen, ihm manchmal spätabends noch ein Sandwich zum Wagen hinausgebracht. Er hatte ihm sein Leben anvertraut, und Gracielas ebenso.

Dion legte ihm eine Hand auf die Schulter. »Ich weiß, wie sehr dir das unter die Haut geht.«

»Es war nicht okay, wie wir mit ihm umgesprungen sind.«

»Wovon redest du?«

»Von unserem kleinen Disput in meinem Büro. Wir haben ihn behandelt wie einen Fußabtreter.«

»Leider.« Dion nickte ein paarmal und bekreuzigte sich. »Verdammt, warum haben wir das überhaupt getan?«

»Ich weiß es nicht«, sagte Joe.

»Irgendeinen Grund muss es ja gegeben haben.«

»Ich wünschte, es hätte einen gegeben«, gab Joe zurück, während er einen Schritt zurücktrat, damit seine Männer die Toten in den Leichenwagen hieven konnten.

»Aber jetzt haben wir die Pflicht, mit den Dreckskerlen abzurechnen, die ihn umgelegt haben«, sagte Dion

An der Rezeption wartete der Doc auf sie, als sie von der Laderampe zurückkamen. Er säuberte Joes Wunde und nähte sie, während Joe mit den einbestellten Polizisten sprach.

»Die Cops, die heute Morgen meine Leute gejagt haben«, sagte Joe zu Sergeant Bick aus dem Third District. »Stehen sie dauerhaft auf Pescatores Gehaltsliste?«

»Nein, Mr. Coughlin.«

»Wussten sie, dass es *meine* Leute waren?«

Sergeant Bick sah zu Boden. »Ich fürchte ja, Sir.«

»Das fürchte ich auch«, sagte Joe.

»Wir können keine Cops umlegen«, sagte Dion.

Joe sah Bick in die Augen. »Wieso nicht?«

»Kommt nicht so gut an«, sagte Dion.

»Irgendwelche Cops, die Pescatore jetzt noch zur Seite stehen?«, fragte Joe den Sergeant.

»Alle, die an den Schießereien heute Morgen beteiligt waren, werden gerade vernommen«, antwortete Bick. »Der Bürgermeister ist alles andere als erfreut. Und der Vorstand der Handelskammer schäumt vor Wut.«

»Der Bürgermeister?«, brüllte Joe. »Die Arschlöcher von der Handelskammer?« Er schlug Bick die Mütze vom Kopf. »*Ich* bin alles andere als erfreut! Alle anderen sollen sich ins Knie ficken! *Mich* kotzt das alles an!«

Beklommenes Schweigen breitete sich im Raum aus, und plötzlich schien niemand mehr zu wissen, wo er hinschauen sollte. Keiner der Anwesenden konnte sich erinnern, dass Joe je die Stimme gehoben hatte, nicht einmal Dion.

Als er das Wort erneut an Bick richtete, klang seine Stimme wieder völlig normal. »Pescatore hat Angst vorm Fliegen. Und Schiffe sind ihm ebenso ein Greuel. Was bedeutet, dass ihm nur zwei Möglichkeiten bleiben, die Stadt zu verlassen. Entweder ist er unterwegs zum Highway 41, oder er nimmt den nächsten Zug. Also heben Sie Ihre verdammte Mütze auf, Sergeant Bick. Oder wie lange wollen Sie hier noch Maulaffen feilhalten?«

Ein paar Minuten später saß er im Büro des Geschäftsführers und telefonierte mit Graciela.

»Alles okay?«

»Dein Kind ist ein echter Rabauke«, sagte sie.

»Hmm. Seit wann ist es nur mein Kind?«

»Er tritt mich dauernd. Die ganze Zeit.«

»Sieh es doch einfach positiv«, sagte Joe. »Du hast schon mehr als die Hälfte hinter dir.«

»Sehr witzig«, erwiderte sie. »Ich hätte gute Lust, dich mal zu schwängern. Damit du weißt, wie das ist, wenn dir ständig die Luft wegbleibt und du öfter aufs Klo musst, als du blinzeln kannst.«

Joe drückte seine Zigarette aus und steckte sich eine neue an. »Wir können's ja mal versuchen.«

»Ich habe gehört, auf der Eighth Avenue hätte es heute eine Schießerei gegeben«, sagte sie. Sie sprach plötzlich leiser, und er konnte deutlich die Anspannung aus ihrer Stimme heraushören.

»Ja.«

»Ist es vorbei?«

»Nein«, sagte Joe.

»Das heißt also, es herrscht Krieg.«

»Ich fürchte ja.«

»Wie lange?«

»Ich weiß es nicht.«

»Für immer?«

»Ich weiß es nicht.«

Sie schwiegen eine volle Minute lang. Er konnte hören, wie sie eine Zigarette rauchte, ebenso wie sie es hörte, wenn er an seiner Zigarette zog. Er warf einen Blick auf die Uhr seines Vaters und stellte fest, dass sie eine halbe Stunde nachging, und das, obwohl er sie auf dem Boot gestellt hatte.

»Du merkst es gar nicht«, sagte sie schließlich.

»Was?«

»Dass du schon Krieg führst, solange ich dich kenne. Aber wozu?«

»Um leben zu können.«

»Ist das denn ein Leben? Jeden Tag aufs Neue dem Tod ins Auge zu sehen?«

»Ich bin nicht tot«, sagte er.

»Aber du forderst es heraus, Joseph. Selbst wenn du diese Schlacht überlebst, vielleicht auch die nächste und die übernächste, wird sich das Blatt irgendwann wenden. Das ist der Lauf der Dinge. Egal, was du tust, irgendwann holt dich die Gewalt unweigerlich ein.«

Dasselbe hatte ihm sein Vater gesagt.

Joe zog an seiner Zigarette, stieß den Rauch aus und beobachtete, wie sich der blaue Dunst langsam auflöste. Es ließ sich nicht von der Hand weisen, dass in ihren Worten eine gewisse Wahrheit lag, und auch sein Vater hatte sicher nicht ganz falschgelegen. Nur, dass ihm jetzt beim besten Willen keine Zeit blieb, sich mit der Wahrheit auseinanderzusetzen.

»Tja, was soll ich jetzt sagen?«, fragte er.

»Ich weiß auch nicht weiter«, gab sie zurück.

»Hey«, sagte er.

»Was?«

»Woher weißt du, dass es ein Junge ist?«

»Weil er wie wild um sich tritt«, sagte sie. »Genau wie du.«

»Ach so.«

»Joseph?« Er hörte, wie sie erneut an ihrer Zigarette zog. »Lass mich nicht im Stich. Ich will unser Kind nicht allein aufziehen.«

Laut Fahrplan war der einzige Zug, der Tampa an jenem Nachmittag verließ, der Orange Blossom Special. Die anderen beiden Züge, die jeden Tag Richtung Norden fuhren, waren bereits weg. Der Orange Blossom Special war ein Luxus-Passagierzug, der nur in den Wintermonaten zwischen Tampa und New York verkehrte. Das Problem für Maso, Digger und ihre Leute bestand bloß darin, dass der Zug bis auf den letzten Platz besetzt war.

Und als sie versucht hatten, den Schaffner zu bestechen, waren obendrein auch noch ein paar Cops aufgetaucht. Leider keiner von denen, die auf ihrer Gehaltsliste standen.

Nun saßen Maso und Digger auf dem Rücksitz einer Auburn-Limousine. Der Wagen stand auf einem Feld, von dem sie freie Sicht auf das westlich von ihnen gelegene Bahnhofsgebäude mit seinen zuckergussweiß eingerahmten Fenstern und die fünf Schienenstränge hatten, die über das schier endlos flache Land nach Norden, Westen und Osten führten, sich wie blaugraue Adern aus Stahl über das Land erstreckten.

»Ich hätte ins Eisenbahngeschäft einsteigen sollen«, sagte Maso. »Damals, als es noch richtig lukrativ war.«

»Wir haben Lastwagen«, sagte Digger. »Das ist viel besser.«

»Die helfen uns jetzt auch nicht, hier wegzukommen.«

»Lass uns einfach fahren«, sagte Digger.

»Ach ja? Und du glaubst nicht, dass es ein bisschen auffällig wäre, wenn ein paar Itaker in protzigen Karren durch die Orangenhaine gondeln?«

»Dann fahren wir eben nachts.«

Maso schüttelte den Kopf. »Vergiss es. Inzwischen hat der

verdammte irische Schwanzlutscher garantiert überall Straßensperren errichten lassen – von hier bis Jacksonville.«

»Tja, wer fährt heutzutage auch noch mit dem Zug?«

»Ich«, erwiderte Maso. »Und jetzt will ich nichts mehr hören.«

»Wie wär's, wenn ich uns eine Maschine aus Jacksonville kommen –«

»Du glaubst doch wohl nicht im Ernst, dass ich mich in eine von diesen fliegenden Todesfallen setze.«

»Flugzeuge sind vollkommen sicher, Pop. Sogar sicherer als … als …«

»Als Züge?« Maso deutete zum Bahnhof. Im selben Moment hallte dumpfer Donner zu ihnen herüber, und dann stieg Rauch über einem Feld auf, etwa eine Meile von ihnen entfernt.

»Jagt da jemand Enten?«, fragte Digger.

Maso musterte seinen Sohn. Es war schlicht unendlich traurig, dass dieser Hornochse auch noch der intelligenteste seiner drei Sprösslinge war.

»Hast du hier irgendwo Enten gesehen?«

»Nein, aber was –« Digger runzelte die Stirn.

»Er hat gerade die Gleise in die Luft gejagt.« Wieder richtete Maso den Blick auf seinen Sohn. »Den Dachschaden hast du übrigens von deiner Mutter. Die hätte beim Schach nicht mal gegen eine Suppenschüssel gewonnen.«

Maso und seine Leute warteten an einem Münztelefon in der Platt Street, während Anthony Servidone sich mit einem Koffer voller Geld ins Tampa Bay Hotel aufmachte. Eine Stunde später rief er an und berichtete, dass er für alle Zimmer gebucht hatte. Cops waren weit und breit nicht zu sehen, und auch keine unliebsamen Bekannten. Sie sollten die Vorhut losschicken.

Und genau das taten sie auch. Obwohl nach dem Gemetzel auf dem Schlepper nicht mehr allzu viele von ihnen übrig waren. Sie hatten zwölf Mann verloren, sogar dreizehn, wenn man den aalglatten Schmierlappen namens Albert White mitzählte. Damit blieben sieben und Masos persönlicher Leibwächter, Seppe Carbone. Wie Maso stammte Seppe aus Alcamo an der Nordwestküste Siziliens, wenngleich sie dort zu unterschiedlichen Zeiten aufgewachsen waren. Doch obwohl erheblich jünger, war Seppe ganz Kind seiner Stadt – ein Mann ohne Gnade, furchtlos und loyal bis in den Tod.

Nachdem Anthony Servidone abermals angerufen und durchgegeben hatte, dass Etage und Foyer gesichert waren, chauffierte Seppe seinen Boss und Digger zum Hintereingang des Tampa Bay Hotels, wo sie den Personalaufzug in den sechsten Stock nahmen.

»Wie lange bleiben wir hier?«, fragte Digger.

»Bis übermorgen«, sagte Maso. »Wir gehen erst mal auf Tauchstation. Selbst das verdammte Irenschwein kann seine Straßensperren nicht ewig aufrechterhalten. Anschließend verziehen wir uns nach Miami und nehmen von dort den Zug nach Boston.«

»Ich will ein Mädchen«, sagte Digger.

Maso verpasste seinem Sohn einen Schlag auf den Hinterkopf. »Welchen Teil von *untertauchen* hast du nicht kapiert? Und du willst ein Mädchen? Ein verdammtes *Mädchen?* Dann frag sie doch am besten gleich, ob sie ein paar ihrer Freunde mitbringen will, am besten bis an die Zähne bewaffnet, du Volltrottel.«

Digger rieb sich den Kopf. »Ein Mann hat eben Bedürfnisse.«

»Wenn du hier irgendwo einen Mann siehst«, sagte Maso, »wäre ich dir dankbar, wenn du ihn mir zeigen könntest.«

In der sechsten Etage wurden sie von Anthony Servidone in Empfang genommen, der ihnen die Schlüssel zu ihren Zimmern überreichte.

»Habt ihr alles überprüft?«

Anthony nickte. »Die Zimmer sind sauber. Wir haben das gesamte Stockwerk von vorn bis hinten unter die Lupe genommen.«

Maso hatte Anthony in Charlestown kennengelernt, wo ihm ohnehin jedermann treu ergeben war – alles andere hätte schließlich auch den Tod bedeutet. Seppe hingegen war seinerzeit aus Alcamo gekommen, mit einem Empfehlungsschreiben von Todo Bassina, dem örtlichen Boss, und hatte seine Loyalität unzählige Male unter Beweis gestellt.

»Seppe«, richtete Maso das Wort an ihn. »Sieh du noch mal in meinem Zimmer nach.«

»*Subito, capo. Subito.*« Seppe zog seine Thompson unter dem Regenmantel hervor, marschierte den Flur hinunter und verschwand in Masos Suite.

Anthony Servidone beugte sich zu Maso. »Sie sind beim Verlassen des Romero gesichtet worden.«

»Wer?«

»Coughlin, Bartolo und ein paar ihrer Leute.«

»Ganz sicher, dass Coughlin dabei war?«

Anthony nickte. »Definitiv.«

Einen kurzen Moment lang schloss Maso die Augen. »Und wahrscheinlich hat er nicht mal 'nen Kratzer abbekommen.«

»Doch.« Anthony schien hocherfreut, wenigstens eine gute Nachricht in petto zu haben. »Er hat eine ordentliche Kopfwunde und ist außerdem am Arm getroffen worden.«

»Tja«, sagte Maso. »Vielleicht sollten wir einfach warten, ob er an einer Blutvergiftung stirbt.«

»Ich glaube nicht, dass wir so viel Zeit haben«, ließ sich Digger vernehmen.

Worauf Maso abermals die Augen schloss.

Flankiert von zwei Männern, machte sich Digger auf den Weg zu seinem Zimmer, während Seppe aus Masos Suite trat.

»Alles sauber, Boss.«

»Du bleibst mit Servidone vor der Tür«, sagte Maso. »Alle anderen halten die Augen auf wie Centurios an der germanischen Grenze. *Capisce?*«

»*Capisce.*«

Maso betrat das Zimmer, entledigte sich seines Regenmantels und nahm den Hut ab. Dann schenkte er sich ein Gläschen aus der Flasche Anisette ein, die seine Leute beim Zimmerservice bestellt hatten. Alkohol war wieder legal. So ziemlich jedenfalls. Und alles andere würde sich auch noch weisen. Das Land hatte zur Normalität zurückgefunden.

Eine Schande war das.

»Ich würde auch einen nehmen.«

Als Maso herumfuhr, erblickte er Joe, der auf dem Sofa am Fenster saß. In der Hand hielt er seine 32er Savage, auf deren Mündung ein Maxim-Schalldämpfer saß.

Maso wunderte sich kein bisschen. Ihn interessierte nur eins.

»Wo hattest du dich versteckt?« Er schenkte Joe ein Glas ein und brachte es ihm.

»Versteckt?« Joe nahm den Likör entgegen.

»Als Seppe das Zimmer kontrolliert hat.«

Joe bedeutete Maso mit seiner 32er, sich in einen Sessel zu setzen. »Ich habe mich nicht versteckt. Ich war drüben, im Schlafzimmer. Als er hereinkam, habe ich ihn gefragt, ob er nicht lieber für jemanden arbeiten will, der morgen noch am Leben ist.«

»Mehr brauchte es nicht?«, sagte Maso.

»Nein. Abgesehen davon, dass du einen Schwachkopf wie Digger unbedingt zur großen Nummer machen wolltest. Hier lief doch alles bestens. Und dann kommst du und reitest von heute auf morgen alles in die Scheiße.«

»So ist der Mensch nun mal.«

»Mit nichts zufrieden«, sagte Joe.

Maso nickte.

»Verdammt, weißt du, wie viele Männer heute wegen deiner Habgier ihr Leben lassen mussten? Wegen dir, dem ›einfachen Spaghettifresser aus der Endicott Street‹? Dass ich nicht lache.«

»Wenn du eines Tages selbst einen Sohn hast, wirst du mich verstehen.«

»Ach ja?«, sagte Joe. »Und was werde ich verstehen?«

Maso zuckte mit den Schultern, als wäre es ein Sakrileg, es in Worte zu fassen. »Was wird aus Digger?«

Joe schüttelte den Kopf. »Eine Leiche.«

Maso stellte sich vor, wie Digger mit dem Gesicht nach

unten und einer Kugel im Kopf auf dem blutigen Teppich in seinem Zimmer lag. Urplötzlich überkam ihn eine tiefe, nie gekannte Trauer – schwarz, bodenlos, entsetzlich.

»Ich habe mir immer gewünscht, du wärst mein Sohn.« Er hörte, wie ihm die Stimme versagte. Er starrte in sein Glas.

»Komisch«, sagte Joe. »Ich habe mir nämlich nie gewünscht, dass du mein Vater wärst.«

Die Kugel durchschlug Masos Kehle. Das Letzte, was er sah, war ein Tropfen seines eigenen Blutes, der in seinem Anisette landete.

Und wieder wurde alles schwarz.

Das Glas fiel Maso aus der Hand. Er sackte auf die Knie und schlug mit dem Kopf gegen den Couchtisch. Seine leeren Augen starrten die Wand zu seiner Linken an. Joe stand auf und warf einen Blick auf den Schalldämpfer, den er nachmittags für drei Dollar in einem Eisenwarenladen erstanden hatte. Gerüchten zufolge wollte der Kongress den Preis auf zweihundert Dollar anheben und Schalldämpfer dann ganz verbieten.

Schade drum.

Joe jagte Maso noch eine Kugel in den Kopf. Nur um ganz sicherzugehen.

Draußen auf dem Flur hatten sich Pescatores Männer widerstandslos die Waffen abnehmen lassen, genau wie Joe vermutet hatte. Sie hielten ungern den Kopf hin für jemanden, der ihr Leben so geringschätzte, dass er ihnen einen Vollidioten wie Digger vor die Nase setzte. Joe verließ Masos Suite und machte die Tür hinter sich zu. Er sah in die Runde; auf den Gesichtern spiegelte sich Unschlüssigkeit.

Dion kam aus Diggers Zimmer, und so standen sie einen Moment lang auf dem Flur herum, dreizehn Männer mit Maschinenpistolen.

»Ich möchte nur ungern noch jemanden umlegen«, sagte Joe. Er sah zu Anthony Servidone. »Oder willst du sterben?«

»Nein, Mr. Coughlin. Ich will nicht sterben.«

»Und ihr?« Joe blickte von einem zum anderen und erntete reihum feierliches Kopfschütteln. »Wenn ihr nach Boston zurückwollt, habt ihr meinen Segen. Wenn ihr hierbleiben, ein bisschen Sonne tanken und mit den Mädchen flirten wollt, haben wir Arbeit für euch. Und da Jobs ja heutzutage rar sind … Überlegt es euch.«

Damit war alles gesagt. Joe zuckte die Achseln, und dann stiegen er und Dion in den Lift und fuhren zum Foyer hinunter.

Eine Woche später betraten Joe und Dion das Hinterzimmer einer Versicherungsgesellschaft in Manhattan und nahmen gegenüber von Lucky Luciano Platz.

Joes Theorie, der zufolge jene Männer, die am meisten Angst verbreiteten, auch am meisten Angst hatten, konnte er im selben Moment zu den Akten legen. Angst war diesem Mann fremd. Seine versteinerte Miene verriet keinerlei Gefühlsregung, abgesehen von einem Schimmer unbändiger Aggression und Kälte, der in den tiefsten Tiefen seines toten Blicks lauerte.

Dieser Mann kannte nur eine Angst – die Angst anderer Menschen.

Er war tadellos gekleidet, und er wäre glatt als Schönling durchgegangen, hätte seine Haut nicht ausgesehen wie ein Kalbsschnitzel, das mit dem Fleischklopfer bearbeitet worden war. Seit einem fehlgeschlagenen Attentat auf ihn hing sein rechtes Augenlid leicht herab, und seine riesigen Hände sahen aus, als könnte er einen Schädel wie eine gekochte Tomate zerquetschen.

»Ihr wollt dieses Büro doch sicher lebend verlassen«, sagte er, als sie sich gesetzt hatten.

»Ja, Sir.«

»Dann erklärt mir doch, warum ich meine Bostoner Leute austauschen sollte.«

Sie taten ihm den Gefallen, und während sie ihr Sprüchlein aufsagten, suchte Joe in Lucianos dunklen Augen nach einem Anhaltspunkt, ob ihm ihre Argumente einleuchteten oder nicht, aber ebenso gut hätten sie mit einer Marmorwand sprechen können – das Einzige, was man darin sehen konnte, war das eigene Spiegelbild.

Als sie fertig waren, trat Lucky ans Fenster und sah auf die Sixth Avenue hinab. »Ihr habt da unten im Süden ja ein schönes Tamtam veranstaltet. Was ist eigentlich aus dem Polizeichef von Ybor geworden? War er nicht der Vater dieser durchgedrehten Betschwester?«

»Den haben sie in Pension geschickt«, sagte Joe. »Soviel ich weiß, befindet er sich in einem Sanatorium. Er kann uns nicht mehr in die Quere kommen.«

»Ganz im Gegensatz zu seiner Tochter damals. Und ihr habt sie gewähren lassen. Deshalb giltst du auch als zu weich. Nicht etwa als Feigling, das wollte ich damit nicht sagen. Alle Welt weiß, dass du 1930 um ein Haar diesen Lackel abserviert hättest, und der Überfall auf das Schiff war wahrlich nicht von schlechten Eltern. Aber die Sache mit dem Schwarzbrenner anno '31 hast du gründlich verbockt, und dann habt ihr euch von der Puppe auch noch den Kasino-Deal vermasseln lassen.«

»Stimmt«, sagte Joe. »Und ich habe dafür auch keine Entschuldigung.«

»Wohl wahr«, sagte Luciano. Er sah Dion über den Schreibtisch hinweg an. »Was hättest du mit dem Schwarzbrenner gemacht?«

Dion blickte hilfesuchend zu Joe.

»Du sollst nicht ihn angucken«, sagte Luciano, »sondern mich. Raus mit der Sprache.«

Doch Dion sah weiter Joe an, bis Joe sagte: »Sag ihm die Wahrheit, D.«

»Ich hätte ihn umgelegt, ohne mit der Wimper zu zucken, Mr. Luciano. Und seine Söhne ebenso.« Er schnippte mit den Fingern. »Ich hätte seine gesamte Familie ausgelöscht.«

»Und die Predigerin?«

»Die hätte ich verschwinden lassen. Spurlos, meine ich.«

»Warum?«

»Ihre Anhänger hätten sie zu einer Heiligen verklärt, sich weisgemacht, sie wäre gen Himmel entschwebt oder so. Aber gleichzeitig hätten sie genau gewusst, dass wir sie in Wirklichkeit in Stücke gehackt und an die Reptilien verfüttert haben, und lieber Lobgesänge auf sie angestimmt, als uns noch mal ins Gehege zu kommen.«

»Pescatore hat mir gesagt, du wärst eine Ratte.«

Dion zuckte mit den Schultern.

»Ich hab das nie geglaubt.« Luciano sah Joe an. »Warum solltest du jemanden zu deiner rechten Hand machen, dem du ein paar Jahre Knast zu verdanken hast?«

»Eben«, erwiderte Joe.

Luciano nickte. »Ganz meine Meinung. Daher haben wir auch versucht, dem Alten seinen Plan auszureden.«

»Aber Sie haben die Sache abgesegnet.«

»Nur für den Fall, dass du dich weigerst, unsere Lastwagen zu benutzen und mit unseren Gewerkschaften zusammenzuarbeiten.«

»Davon hat Maso kein Wort verlauten lassen.«

»Nein?«

»Nein, Sir. Er hat von mir verlangt, meinen Platz für seinen Sohn zu räumen. Außerdem sollte ich meinen Freund töten.«

Luciano musterte ihn schweigend.

»Okay«, sagte er schließlich. »Lass deinen Vorschlag hören.«

Joe deutete mit dem Daumen zu Dion hinüber. »Machen Sie ihn zum Boss.«

»Was?«, platzte Dion heraus.

Zum ersten Mal lächelte Luciano. »Und du bleibst uns als Consigliere erhalten?«

»Ja.«

»Moment mal«, sagte Dion. »Ich …«

Lucianos Lächeln erlosch, und jetzt ließ sich Dion nicht länger bitten.

»Es wäre mir eine Ehre«, sagte er.

»Wo bist du geboren?«, fragte Luciano.

»In einem kleinen Dorf auf Sizilien. Manganaro heißt es.«

Luciano hob die Augenbrauen. »Ich komme aus Lercara Friddi.«

»Oh«, sagte Dion. »Aus der Stadt.«

Luciano kam um den Tisch herum. »Stadt? So was kann nur jemand sagen, der aus einem Kuhkaff wie Manganaro stammt.«

Dion nickte. »Deshalb sind wir ja ausgewandert.«

»Wann war das? Steh auf.«

Dion erhob sich. »Damals war ich acht.«

»Und? Wann warst du zuletzt dort?«

»Zuletzt? Warum sollte ich je dorthin zurückkehren?«

»Weil dort deine Wurzeln liegen. Dort brauchst du niemandem etwas vorzumachen, kannst allen zeigen, wer du *bist*.« Er legte Dion einen Arm um die Schultern. »Und du bist ein echter Boss.« Er deutete auf Joe. »Und er hat Köpfchen. Lasst uns was essen gehen. Hier um die Ecke in meinem Lieblingslokal. So eine Bratensauce gibt's in New York kein zweites Mal.«

Sie verließen das Büro, und sofort waren vier Männer an ihrer Seite, die sie zum Fahrstuhl begleiteten.

»Joe«, sagte Lucky. »Ich muss dich unbedingt meinem alten Freund Meyer vorstellen. Wir haben nämlich vor, in Florida und Kuba ein paar Kasinos aus dem Boden zu stampfen.« Und nun legte er Joe den Arm um die Schultern. »Hast du dich schon mal näher mit Kuba beschäftigt?«

27

Pinar del Río

Neun Jahre waren seit dem Überfall auf das Speakeasy in Südboston vergangen, als Joe Coughlin und Emma Gould sich im Spätfrühling des Jahres 1935 in Havanna wiedersahen. Er erinnerte sich genau, wie kühl und abgeklärt sie ihm an jenem frühen Morgen begegnet war, mit welcher Macht sie ihn in ihren Bann gezogen hatte. Er war schlicht hingerissen von ihr gewesen, hatte erst seine Leidenschaft mit Verliebtheit und schließlich den Überschwang seiner Gefühle mit Liebe verwechselt.

Inzwischen lebten Graciela und er seit knapp einem Jahr auf Kuba. Zunächst hatten sie in einem Gästehaus auf einer von Estebans Kaffeeplantagen in den Bergen von Las Terrazas gewohnt, etwa fünfzig Meilen westlich von Havanna. Morgens umgab sie der Duft von Kaffeebohnen und Kakaoblättern, während draußen der Frühnebel in den Bäumen hing und Tau von den Zweigen tropfte, und wenn sie am Abend Spaziergänge unternahmen, konnten sie beobachten, wie sich Fetzen verblassenden Sonnenlichts in den Baumwipfeln verfingen.

An einem Wochenende kamen Gracielas Mutter und ihre Schwester Benita zu Besuch – und blieben. Tomas, der bei ihrer Ankunft gerade krabbeln gelernt hatte, machte seine ersten Schritte, als er fast elf Monate alt war. Die Frauen verwöhnten ihn nach Strich und Faden, stopften ihn derart voll, dass er sich allmählich in eine Kugel mit feisten, faltigen Beinchen verwandelte. Doch als er schließlich laufen konnte, begann er bald auch zu rennen. Er rannte durch die Felder, die Hänge hinauf und hinab, während die Frauen ihn einzufangen versuchten, und kurz darauf flitzte keine Kugel mehr über die Plantage, sondern ein schlanker Junge mit dem hellen Haar seines Vaters, den dunklen Augen seiner Mutter und einer Haut, deren Farbe an Kakaobutter erinnerte.

Ein paarmal flog Joe mit der Blechgans nach Tampa, einer Ford Trimotor 5-AT, die im Wind knarzend hin- und herschaukelte und zwischendurch ohne Vorwarnung abzusacken pflegte. Mehrmals waren seine Ohren so verstopft, dass er für den Rest des Tages nichts mehr hören konnte. Die Stewardessen versorgten ihn mit Kaugummi und Baumwollstöpseln für die Ohren, doch komfortabel konnte man diese Art des Reisens wahrlich nicht nennen, weshalb Graciela ihn nie begleitete. Und wenn er dann ohne sie unterwegs war, fehlten ihm Tomas und sie so sehr, dass es ihm buchstäblich physische Schmerzen bereitete. Zuweilen erwachte er dann mitten in der Nacht in ihrem Haus in Ybor, weil ihn so starke Magenschmerzen quälten, dass er kaum noch atmen konnte.

Sobald er seine Geschäfte unter Dach und Fach gebracht hatte, nahm er das nächste Flugzeug nach Miami und stieg dort direkt in die nächste Maschine nach Kuba um.

Dabei war es keineswegs so, dass Graciela nicht nach Tampa zurückkehren wollte. Nur nicht gerade jetzt. Und nicht auf dem Luftweg (woraus Joe schloss, dass sie womöglich doch mit Tampa fertig war). Und so blieben sie weiter in Las Terrazas, und schließlich gesellte sich auch noch Gracielas zweite Schwester Ines zu ihnen. Was immer es auch an bösem Blut zwischen Graciela, ihrer Mutter und ihren Schwestern gegeben haben mochte, war vergessen und vergeben. Die Zeit hatte alle Wunden geheilt, und Tomas tat sein Übriges. Ein-, zweimal, als Joe nachschaute, warum die Frauen so ausgelassen lachten, ertappte er sie zu seinem Entsetzen dabei, wie sie den Kleinen gerade in Mädchenkleider steckten.

Eines Morgens fragte ihn Graciela, was er davon halten würde, wenn sie sich ein Haus in der Gegend kauften.

»Hier?«

»Nicht unbedingt«, antwortete sie. »Aber auf Kuba. Nur als Zweitwohnsitz.«

Joe lächelte. »Für die eine oder andere Stippvisite?«

»Ja«, erwiderte sie. »Es wird Zeit, dass ich mich wieder in die Arbeit stürze.«

Was mehr oder weniger ein Lippenbekenntnis zu sein schien. Während seiner Abstecher nach Tampa hatte Joe sich ein wenig genauer über die Mitarbeiter informiert, die sich um Gracielas gemeinnützige Projekte kümmerten, und festgestellt, dass es sich dabei durchweg um ausgesprochen zuverlässige Männer und Frauen handelte. Selbst wenn Graciela sich ein ganzes Jahrzehnt lang nicht in Tampa blicken ließ, würden die von ihr ins Leben gerufenen karitativen Einrichtungen nach wie vor blühen und gedeihen.

»Kein Problem, Schatz. Dein Wunsch ist mir Befehl.«

»Es muss auch kein besonders großes oder schickes Haus sein.«

»Graciela«, sagte Joe. »Such dir eins aus. Und wenn dir

etwas ins Auge sticht, das nicht zum Verkauf steht, bietest du einfach das Doppelte.«

Kuba, das die Depression schlimmer erwischt hatte als die meisten anderen Länder, begann, sich langsam wieder zu erholen. Die Umtriebe des Machado-Regimes waren vorbei; aller Hoffnungen richteten sich nun auf Oberst Fulgencio Batista, der den Aufstand der Unteroffiziere initiiert und Machado zum Teufel gejagt hatte. Offizieller Präsident der Republik war nun Carlos Mendieta, doch alle wussten, dass Batista und die Armee das Sagen hatten. Die Amerikaner waren von der neuen Führung so angetan, dass sie Geld ins Land pumpten, kaum dass Machado nach Miami geflohen war – Geld für Krankenhäuser, Straßen, Museen, Schulen und ein neues Geschäftsviertel am Malecón. Oberst Batista schätzte nicht nur die amerikanische Regierung über alle Maßen, sondern auch die amerikanischen Glücksspieler, weshalb Joe, Dion, Meyer Lansky und Esteban Suarez Zutritt zu höchsten Regierungskreisen hatten. Sie konnten bereits eine ganze Reihe von Pachtverträgen für erstklassig gelegene Grundstücke rund um den Parque Central und den Tacon-Market-Bezirk vorweisen.

Sie würden Geld ohne Ende scheffeln.

Graciela sagte, Mendieta sei nichts weiter als Batistas Marionette und Batista wiederum nur eine Marionette der United Fruit Company und der USA; er würde den Staatshaushalt und das gesamte Land plündern, und die Vereinigten Staaten würden ihm weiter Rückendeckung geben, weil Amerika seit jeher der Überzeugung war, dass unrechtmäßig erworbenes Geld durchaus auch guten Zwecken dienen konnte.

Joe sagte gar nichts dazu. Er wies auch nicht darauf hin, dass sie selbst mit schmutzigem Geld Gutes vollbracht hatten. Stattdessen fragte er sie nach dem Haus, auf das sie ein Auge geworfen hatte.

Tatsächlich handelte es sich um eine pleitegegangene Tabakplantage fünfzig Meilen weiter westlich, unweit des Dörfchens Arcenas in der Provinz Pinar del Río. Ein Gästehaus für Gracielas Familie war ebenso vorhanden wie endlose Felder mit dunkler Erde, auf denen Tomas sich austoben konnte. An dem Tag, als Joe und Graciela das Anwesen von der Witwe Domenica Gomez erwarben, stellte sie ihnen draußen vor dem Anwaltsbüro Ilario Bacigalupi vor, der ihnen, wie sie erklärte, alles über Tabakanbau erklären konnte – vorausgesetzt natürlich, dass sie sich dafür interessierten.

Joe fasste den kleinen, rundlichen Mann mit dem Banditenschnauzbart ins Auge, während die Witwe mit ihrem Chauffeur in einem zweifarbigen Detroit Electric davonfuhr. Er hatte Ilario ein paarmal zusammen mit Domenica gesehen und angenommen, dass er ihr Leibwächter war. Nun aber fielen ihm zum ersten Mal seine riesigen, vernarbten Hände auf, die ausgeprägten Knochen.

Er hatte keinen Gedanken darauf verschwendet, was er mit all den Feldern anstellen sollte.

Ilario Bacigalupi hingegen hatte sich eine Menge Gedanken darüber gemacht.

Zunächst aber erklärte er Joe und Graciela, dass ihn alle nur Ciggy nannten, was aber nichts mit Tabak zu tun hatte. Als Kind war es ihm ums Verrecken nicht gelungen, seinen eigenen Nachnamen auszusprechen; stets war er bei der zweiten Silbe hängengeblieben.

Er erzählte ihnen, dass etwa zwanzig Prozent der Einwohner von Arcenas bis vor kurzem auf der Gomez-Plantage beschäftigt gewesen waren, doch seit Señor Farmer Gomez sich erst dem Suff ergeben hatte, dann vom Pferd gestürzt und schließlich dem Wahnsinn anheimgefallen war, gab es keine Arbeit mehr. Weshalb so viele Kinder im Dorf ohne Hose herumliefen. Hemden konnten ein Leben lang halten, wenn man sie anständig pflegte, doch Hosen fielen irgendwann unweigerlich auseinander.

Joe war selbst bereits das eine oder andere Mal durch Arcenas gekommen, und auch ihm war aufgefallen, wie viele Kinder dort mit nacktem Hintern herumliefen. Manche hatten sogar überhaupt nichts am Leib getragen. Das Bergdorf Arcenas war kaum mehr als eine Ansammlung windschiefer Hütten mit Wänden und Dächern aus Palmwedeln. Menschliche Exkremente flossen durch drei Gräben in denselben Fluss, aus dem die Dorfbewohner ihr Trinkwasser holten. Es gab keinen Bürgermeister oder Dorfvorstand. Schlammige Pfade zogen sich zwischen den Baracken hindurch.

»Aber wir haben nicht die geringste Ahnung vom Tabakanbau«, sagte Graciela.

An jenem Tag saßen sie in einer *cantina* in Pinar del Río.

»Ich schon«, sagte Ciggy. »Ich weiß so viel darüber, *señorita,* dass ich alles Überflüssige vergessen habe.«

Während Joe in Ciggys schmale wissende Augen blickte, dämmerte ihm langsam, in welcher Beziehung der Vorarbeiter und die Witwe gestanden hatten. Nun ging ihm auf, dass Ciggy den Verkauf der Plantage vorangetrieben hatte, um seinen eigenen Lebensunterhalt zu sichern.

Joe füllte ihre Rumgläser auf. »Wie würden Sie denn anfangen?«

»Erst einmal müssen die Saatbeete vorbereitet und die Felder gepflügt werden. Das zuallererst, *patrón*, das zuallererst. Nächsten Monat können wir loslegen.«

»Wie viele Leute benötigen Sie?«, fragte Graciela.

Ciggy erklärte, erst einmal benötige er Männer und Kinder für die Aussaat. Dann müsse alles regelmäßig auf Pilz- und Schimmelbefall kontrolliert werden, und schließlich würden sie weitere Männer und Kinder brauchen, um den Tabak auf den Feldern auszupflanzen, den Boden umzugraben und Erdraupen, Maulwurfsgrillen und Stinkwanzen unschädlich zu machen. Außerdem müssten sie einen Piloten einstellen, der die Schädlingsbekämpfung aus der Luft übernahm.

»Du lieber Himmel«, platzte Joe heraus. »Das ist ja eine Heidenarbeit.«

»Das ist noch gar nichts. Dann kommt noch das Köpfen, das Geizen und natürlich die Ernte«, sagte Ciggy. »Die Blätter müssen getrocknet, aufgefädelt und aufgehängt werden, und dann muss sich natürlich jemand um das Feuer in der Scheune kümmern.« Er breitete die Arme aus, um zu versinnbildlichen, was alles an Arbeit auf sie zukam.

»Was bringt uns das finanziell ein?«, fragte Graciela.

Ciggy sagte es ihnen.

Joe nippte an seinem Rum. »In einem guten Jahr ohne Blauschimmel, Heuschreckenplagen oder Dauerregen springen für uns also vier Prozent Rendite heraus.« Er sah Ciggy an. »Richtig?«

»Ja, aber nur, weil Sie vorläufig bloß ein Viertel Ihres Landes bewirtschaften wollen. Wenn Sie auch in die anderen Felder investieren, sind Sie in fünf Jahren ein reicher Mann.«

»Wir sind schon reich«, sagte Graciela.

»Dann wären Sie noch reicher.«

»Und wenn wir gar nicht reicher werden wollen?«

»Betrachten Sie es mal so herum«, erwiderte Ciggy. »Wenn die Leute im Dorf weiter hungern müssen, schlafen sie irgendwann womöglich vor Ihrer Haustür.«

Joe setzte sich auf. »Soll das eine Drohung sein?«

Ciggy schüttelte den Kopf. »Alle hier in der Gegend wissen, wer Sie sind, Mr. Coughlin. Ein berühmter amerikanischer Gangster, der mit dem Oberst befreundet ist. Wer Sie einschüchtern will, kann genauso gut gleich von der höchsten Klippe ins Meer springen.« Er bekreuzigte sich feierlich. »Aber wenn Menschen hungern und keine Bleibe haben, was wird dann aus ihnen?«

»Auf meinem Grund und Boden haben sie jedenfalls nichts zu suchen.«

»Aber es ist nicht Ihr Land, Mr. Coughlin. Es gehört Gott. Sie haben es sich nur geliehen. Und das gilt für diesen Rum«, er hob sein Glas, »genauso wie für unser ganzes Leben.« Er klopfte sich an die Brust. »Gott hat es uns bloß geliehen.«

Das Hauptfhaus nahm fast ebenso viel Arbeit in Anspruch wie die Plantage.

Während draußen der Tabak gepflanzt wurde, kümmerte sich Graciela um die Renovierung. Die Wände wurden neu verputzt und gestrichen, Böden herausgerissen und ersetzt. Das Haus hatte nur eine Toilette gehabt; als Ciggy mit dem Köpfen der Pflanzen begann, waren es vier.

Die in Reihen stehenden Pflanzen waren nun über einen Meter groß. Als Joe eines Morgens erwachte, stieg ihm ein so süßer, verführerischer Duft in die Nase, dass er sofort einen lustvollen Blick auf Gracielas anmutig geschwungenen Nacken warf. Tomas schlief noch in seinem Bettchen, als Graciela und Joe auf den Balkon traten und auf die Felder hinausblickten. Am Vorabend waren sie noch braun gewesen, doch nun lag ein schier endloser grüner Teppich vor ihnen, gekrönt von rosa und weißen Blüten, die im sanften Morgenlicht schimmerten, so weit das Auge reichte.

Graciela schlang einen Arm um seinen Nacken. Er legte seine Rechte um ihre Taille und schmiegte seinen Kopf an ihren Hals.

»Und du glaubst nicht an Gott«, sagte sie.

Er atmete tief ein. »Und du glaubst nicht, dass man mit schmutzigem Geld Gutes vollbringen kann.«

Sie lachte in sich hinein, ein leises Beben, das er an seiner Wange spürte.

Später an jenem Morgen trafen die Arbeiter mit ihren Kindern ein, streiften durch die Tabakreihen und entfernten die Blüten. Die Pflanzen breiteten ihre Blätter aus wie Flügel, und als Joe am nächsten Morgen aus dem Fenster blickte, war die ganze Blütenpracht verschwunden. Unter Ciggys Führung lief alles wie am Schnürchen. Für die nächsten Arbeitsgänge holte er noch mehr Kinder aus dem Dorf, und zuweilen steckten sie Tomas mit ihrem Lachen an, das von der Plantage ins Haus herüberdrang. So manchen Abend lauschte Joe den Jungen, während sie draußen auf einem der brachliegenden Felder Baseball spielten, bis auch der letzte Sonnenstrahl verblichen war. Sie spielten mit einem Besenstiel und einem ausgedienten Cricketball, den sie irgendwo gefunden hatten. Von der Lederhülle war nichts mehr übrig, doch der von eng gewickelter Schnur umgebene Kern aus Kork war nach wie vor intakt.

Während er ihren Rufen lauschte, musste er ein ums andere Mal daran denken, was Graciela vor ein paar Tagen zu ihm gesagt hatte. Dass es Tomas bestimmt gefallen würde, einen kleinen Bruder oder eine kleine Schwester zu bekommen.

Und er dachte: Warum eigentlich nicht?

Die Renovierung des Hauses schritt nur langsam voran. Eines Tages fuhr Joe nach Havanna, um mit Diego Alvarez zu sprechen, einem Künstler, der sich auf die Restauration von Buntglasfenstern spezialisiert hatte. Sie einigten sich auf einen Preis und vereinbarten, dass er in einer Woche nach Arcenas kommen würde, um die Fenster auszubessern, die Graciela hatte retten können.

Anschließend sah Joe bei einem Juwelier in der Avenida de las Misiones vorbei, den Meyer Lansky ihm empfohlen hatte. Die Uhr seines Vaters, die nun bereits seit einem Jahr nachging, war vor einem Monat komplett stehengeblieben.

Der Juwelier, ein Mann mittleren Alters mit scharfen Gesichtszügen, der ununterbrochen blinzelte, nahm die Uhr entgegen, öffnete den hinteren Deckel und erklärte Joe, dass selbst eine so exquisite Uhr regelmäßig gewartet werden musste und nicht bloß alle zehn Jahre. »Werfen Sie mal einen Blick auf all die Rädchen hier«, sagte er zu Joe. »Das Getriebe muss dringend mal wieder geölt werden.«

»Wie lange dauert das?«, fragte Joe.

»Das weiß ich nicht genau«, sagte der Mann. »Dazu muss ich das Getriebe genauer unter die Lupe nehmen.«

»Kein Problem«, sagte Joe. »Also, wie lange?«

»Wenn es nur ums Nachölen geht, vier Tage.«

»Vier«, wiederholte Joe, während er ein Flattern in seiner Brust verspürte, als wäre gerade ein kleiner Vogel durch seine Seele geflogen. »Geht das nicht irgendwie schneller?«

Der Juwelier schüttelte den Kopf. »Sehen Sie, wie filigran die Mechanik ist? Wenn sie nur den kleinsten Defekt hat, bleibt mir keine andere Wahl, als die Uhr zur Reparatur in die Schweiz zu schicken.«

Einen Moment lang blickte Joe aus dem verdreckten Fenster auf die staubige Straße. Er zückte seine Brieftasche, zählte hundert Dollar ab und legte die Banknoten auf den Ladentisch. »In zwei Stunden schaue ich noch mal vorbei. Und dann möchte ich Ihre Expertise hören.«

»Meine was?«

»Bis dahin können Sie mir ja wohl sagen, ob Sie die Uhr tatsächlich in die Schweiz schicken müssen.«

»Ja, Señor. Ja.«

Nachdem er den Laden verlassen hatte, schlenderte er durch die Altstadt von Havanna, ließ sich einmal mehr von Pracht, Sinnlichkeit und Verfall bezaubern. Während seiner letzten Besuche war ihm bewusst geworden, dass *Habana* nicht bloß irgendeine Stadt war, sondern der Traum von einer Stadt. Ein Traum, der in der Sonne vor sich hin dämmerte, sich in seiner satten Trägheit, im aufreizenden Rhythmus seiner eigenen Agonie treiben ließ.

Er bog um eine Ecke, anschließend noch um zwei weitere Ecken, und dann stand er vor Emma Goulds Bordell.

Die Adresse hatte ihm Esteban vor gut einem Jahr gegeben, am Vorabend des Gemetzels, dem Albert White, Maso und Digger, Sal, Lefty und Carmine zum Opfer gefallen waren. Schon auf der Fahrt nach Havanna war ihm klar gewesen, dass er bei ihr vorbeisehen würde, doch hatte er es sich nicht eingestehen wollen, weil ihm sein Vorhaben schlicht albern und unsinnig erschien, und er war schon lange kein Mann mehr, der sich auf törichte Dinge einließ.

Vor dem Eingang des Puffs stand eine Frau, die gerade Scherben und Splitter von letzter Nacht mit einem Wasserschlauch vom Gehsteig spritzte. Ein breites Rinnsal schlängelte sich die Gasse entlang. Als sie aufsah und ihn erkannte, zitterte der Schlauch in ihrer Hand einen Moment, auch wenn sie ihn nicht fallen ließ.

Man konnte nicht sagen, dass die Jahre sie gezeichnet hätten, doch waren sie auch nicht eben gnädig mit ihr umgesprungen. Sie sah aus wie eine schöne Frau, die von ihren Lastern nicht wiedergeliebt worden war, wie eine Frau, deren Faible für Zigaretten und Alkohol deutliche Spuren in ihrem Gesicht hinterlassen hatte. Um ihre Augen hatten sich

Krähenfüße gebildet, und die harten Linien um ihren Mund waren nicht zu übersehen. Trotz der schwülen Hitze wirkte ihr Haar spröde und trocken.

Sie hob den Schlauch und machte sich wieder an die Arbeit. »Sag, was du zu sagen hast.«

»Willst du mir nicht mal ins Gesicht sehen?«

Sie wandte sich um, ohne den Blick vom Gehsteig zu heben, und er trat beiseite, damit seine Schuhe nicht nass wurden.

»Wie war das damals? Kleiner Unfall, und du hast gedacht, das kommt mir jetzt aber verdammt gelegen?«

Sie schüttelte den Kopf.

»Nein?«

Erneut schüttelte sie den Kopf.

»Was dann?«

»Als die Cops hinter uns her waren, habe ich dem Fahrer gesagt, er soll den Wagen von der Brücke lenken. Aber er wollte einfach nicht hören.«

Abermals trat Joe dem Wasserstrahl aus dem Weg. »Und weiter?«

»Ich habe ihm einen Kopfschuss verpasst, und dann sind wir ins Wasser gestürzt. Und dann bin ich ans Ufer geschwommen, und kurz darauf war Michael bei mir.«

»Welcher Michael?«

»Ein Typ, den ich neben euch beiden noch an der Angel hatte. Er hat den ganzen Abend vor dem Hotel auf mich gewartet.«

»Was? Warum?«

Sie warf ihm einen abschätzigen Blick zu. »Ihr habt den ganzen Tag denselben Mist erzählt, Albert und du: *Ich kann*

nicht ohne dich leben, Emma. Ich liebe dich über alles,
Emma. Ich musste mich absichern, weil ihr euch über kurz
oder lang gegenseitig umgebracht hättet. Was hatte ich denn
für eine Wahl? Euer verdammter Hahnenkampf – ich wusste
genau, dass ich mit keinem von euch beiden eine Zukunft
hatte.«

»Verzeih mir, dass ich dich geliebt habe«, sagte Joe.

»Du hast mich nicht geliebt.« Sie konzentrierte sich auf
eine besonders widerspenstige Scherbe, die sich zwischen
zwei Pflastersteinen verklemmt hatte. »Du wolltest mich *be-*
sitzen. Als wäre ich eine beschissene griechische Vase oder
ein besonders schicker Anzug. Du wolltest mich deinen
Freunden vorführen – na, wie findet ihr mein schönes Püpp-
chen?« Und nun sah sie ihn an. »Aber ich bin kein Püpp-
chen. Ich bin niemandes Besitz. Ich *nehme* mir, was ich will.«

»Ich habe um dich getrauert«, sagte Joe.

»Wie süß von dir, Schatz.«

»Jahrelang.«

»Das muss ja *furchtbar* gewesen sein. Unglaublich, was
du ausgehalten hast.«

Wieder trat er einen Schritt zurück, obwohl sie den
Schlauch gar nicht auf ihn zuhielt, und plötzlich fiel es ihm
wie Schuppen von den Augen, wie einem Deppen, der so
oft auf der Straße beklaut worden war, dass ihn seine Frau
nicht mehr aus dem Haus ließ, ehe er ihr Portemonnaie und
Uhr übergeben hatte.

»Du hast dir die Kohle aus dem Schließfach unter den
Nagel gerissen, stimmt's?«

»Du hast mir doch selbst den Schlüssel gegeben«, erwiderte sie kühl.

Wenn es tatsächlich so etwas wie Ganovenehre gab, hatte sie natürlich recht. Er hatte ihr den Schlüssel in die Hand gedrückt, und von jenem Moment an war es allein ihre Entscheidung gewesen, was sie mit dem Geld anstellen wollte.

»Und das andere Mädchen? Die Tote, deren Leichenteile sie gefunden haben?«

Sie stellte das Wasser ab und lehnte sich an die Mauer des Bordells. »Erinnerst du dich noch, wie Albert damals davon geschwafelt hat, er hätte eine Neue?«

»Ehrlich gesagt, nicht.«

»Tja, sie war mit uns in dem Wagen. Ihren Namen habe ich nie erfahren.«

»Du hast sie ebenfalls umgebracht?«

Emma Gould schüttelte den Kopf. »Bei dem Unfall ist sie mit dem Kopf gegen den Fahrersitz geknallt. Keine Ahnung, ob sie da schon tot war, aber ich habe mir nicht die Mühe gemacht, es herauszufinden.«

Wie der letzte Idiot kam er sich vor, während er ihr gegenüber auf der Straße stand. Wie ein verdammter, verdammter Narr.

»Gab es irgendeinen Augenblick, in dem du mich geliebt hast?«, fragte er.

Sie musterte ihn entnervt. »Ja, klar, einige sogar. Wir hatten schon Spaß miteinander, Joe, und wenn du mich richtig gevögelt hast, statt den verliebten Jüngling zu mimen, das war schon erste Klasse. Aber du musstest aus unserer Beziehung ja unbedingt etwas machen, das sie nie war.«

»Was denn?«

»Ich weiß es nicht… etwas *Blumiges*. Etwas, das nicht

greifbar ist. Wir sind nicht Kinder Gottes und auch keine Märchengestalten, die sich ewig lieben. Wir leben in der Nacht und tanzen wie die Wilden, damit uns das Leben nicht einholt. Das ist unsere Welt.« Sie steckte sich eine Zigarette an, zupfte einen Tabakkrümel von ihrer Zunge und überließ ihn der Brise. »Glaubst du ernstlich, ich wüsste nicht, wer du bist, was aus dir geworden ist? Glaubst du nicht, ich hätte mir so meine Gedanken gemacht, als du plötzlich hier aufgetaucht bist? Wir sind frei. Väter, Brüder, Schwestern, alles passé, und kein Albert White dieser Welt wird uns je wieder ins Gehege kommen. Aber wir beide, wir sind noch da, und du kannst jederzeit bei mir vorbeisehen, wann immer du willst.« Sie trat auf ihn zu. »Was haben wir damals gelacht, Joe, und das könnten wir jetzt auch tun, hier in den Tropen, während wir auf unseren Satinlaken liegen und unsere Kohle zählen – kein Vogel dieser Welt könnte freier sein.«

»Vergiss es«, erwiderte Joe. »Ich will gar nicht frei sein.«

Sie reckte das Kinn und musterte ihn verwirrt, ehe ein Ausdruck aufrichtigen Bedauerns in ihre Augen trat. »Aber genau das haben wir uns doch immer gewünscht.«

»*Du* hast es dir gewünscht«, sagte Joe. »Und jetzt hast du ja, was du wolltest. Mach's gut, Emma.«

Ein harter Zug erschien um ihren Mund. Kein Wort des Abschieds kam über ihre Lippen, als könne sie durch ihr Schweigen wenigstens einen Teil ihrer Macht über ihn erhalten.

Es war eine Art von Trotz, wie er sonst nur alten Maultieren eigen war. Oder sehr verwöhnten Kindern.

»Mach's gut«, sagte er noch einmal und ging, ohne noch

einmal einen Blick zurückzuwerfen, ohne den kleinsten Anflug von Reue zu empfinden.

Es war alles gesagt.

Der Juwelier teilte ihm zögernd mit, dass er die Uhr leider in die Schweiz schicken müsse.

Joe unterzeichnete den Reparaturauftrag, nahm die detailliert ausgefüllte Quittung des Juweliers entgegen und verließ den Laden.

Und dann stand er auf den alten Pflastersteinen in der Altstadt von Havanna, einen Moment lang ohne jede Ahnung, was er als Nächstes tun sollte.

28

Wie spät es war

Alle Jungs, die auf der Plantage arbeiteten, spielten Baseball, aber einige von ihnen hatten das Spiel zur Religion erhoben. Als die Erntezeit kam, fiel Joe auf, dass sich ein paar von ihnen die Fingerspitzen mit Pflaster umwickelt hatten. »Wo haben sie denn das her?«, fragte er Ciggy.

»Oh, davon haben wir jede Menge«, sagte Ciggy. »Als Machado noch an der Macht war, haben sie mal ein Ärzteteam hierhergeschickt, zusammen mit ein paar Reportern, um der Welt zu zeigen, wie sehr Machado seine Bauern am Herz lagen. Doch kaum waren die Reporter wieder weg, verschwanden auch die Ärzte. Ihre ganze Ausrüstung nahmen sie natürlich mit. Aber von diesem Pflaster haben wir einen Karton behalten. Für die Jungs eben.«

»Wozu?«

»Wissen Sie, wie man Tabak trocknet?«

»Nein.«

»Wenn ich es Ihnen erkläre, hören Sie dann auf, dämliche Fragen zu stellen?«

»Vermutlich nicht.«

Die Tabakpflanzen waren mittlerweile größer als die meisten Männer, ihre Blätter länger als Joes Arm. Er erlaubte Tomas nicht länger, auf den Tabakfeldern herumzurennen, aus Angst, er könne verlorengehen.

Die Ernte begann mit der Ankunft der Helfer, größtenteils älterer Jungs. Sie pflückten die bereits reifen Blätter und stapelten sie auf hölzernen Schlitten, die von Maultieren gezogen wurden. Waren die Schlitten voll, wurden sie an Traktoren gehängt, die sie zur Trockenscheune am Westrand der Plantage brachten. Diese Arbeit überließ man den jüngsten Burschen, die noch halbe Kinder waren.

Als Joe eines Morgens auf die Veranda trat, tuckerte ein höchstens sechsjähriger Junge auf einem Traktor an ihm vorbei. Auf dem Anhänger stapelten sich die Tabakblätter meterhoch. Der Junge grinste, winkte und tuckerte weiter.

Vor der Trockenscheune wurden die Blätter im Schatten der Bäume abgeladen. Dann begannen die Jungs – allesamt mit abgeklebten Fingerspitzen –, die Tabakblätter zu bündeln und mit festem Zwirn an langen Holzstangen aufzuhängen. Die Arbeit an diesen Trockengerüsten verrichteten sie von sechs Uhr morgens bis acht Uhr abends; Baseball fiel während dieser Wochen aus. Der Zwirn musste fest angezogen werden, und mit der Zeit schnitt der Faden in die Haut; dagegen half das Klebeband, erklärte Ciggy.

»Sobald die ganze Scheune voller Tabak hängt, *patrón*, von einem Ende bis zum anderen, können wir uns fünf Tage ausruhen, während die Blätter trocknen. In der Zeit werden erst mal nur zwei Mann gebraucht: einer, der für das Feuer verantwortlich ist, und einer, der den Feuchtigkeitsgehalt der Luft überwacht. Dann können die Jungs wieder Baseball spielen.« Er berührte Joe kurz am Arm. »Natürlich nur, wenn Sie damit einverstanden sind.«

Joe stand draußen vor der Trockenscheune und sah den Jungs dabei zu, wie sie die Tabakblätter bündelten. Unablässig mussten sie dabei die Arme heben und nach oben strecken, um die Blätter festzubinden – und das vierzehn volle Stunden lang, jeden Tag. Er warf Ciggy einen genervten Blick zu. »Klar bin ich damit einverstanden. Verdammt, diese Arbeit ist eine Zumutung!«

»Ich habe das sechs Jahre lang gemacht.«

»Wie haben Sie das durchgehalten?«

»Ich hungere nicht gern. Sie?«

Joe verdrehte die Augen.

»Tja, noch einer, der nicht gern mit leerem Magen herumläuft«, sagte Ciggy. »Hunger ist kein Spaß – darüber dürfte sich ausnahmsweise mal die ganze Welt einig sein.«

Am nächsten Tag holte Joe seinen Vorarbeiter aus der Trockenscheune, wo er das Aufhängen der Tabakbündel beaufsichtigte. Es war wichtig, genug Platz zwischen den Stangen zu lassen, damit Luft an die Blätter kam. Sie liefen über die Felder bis ans östliche Ende der Plantage, wo sich das wertloseste Stück Land befand, das zu Joes Besitz gehörte. Es war steinig und lag die meiste Zeit im Schatten der Hügel. Nur Würmer und Unkraut schienen sich dort pudelwohl zu fühlen.

Joe wollte wissen, ob Herodes, ihr bester Fahrer, während des Trocknens viel zu tun hatte.

»Er kann's gerade etwas lockerer angehen lassen«, antwortete Ciggy.

»Prima. Dann sag ihm, dass er das Feld hier pflügen soll.«

»Hier wächst in tausend Jahren nichts«, sagte Ciggy.

»Gar nichts«, pflichtete Joe ihm bei.

»Weshalb sollen wir es dann pflügen?«

»Weil sich Baseball nun mal besser auf ebenem Terrain spielen lässt.«

Am selben Tag, als sie den Hügel für den Pitcher aufschichteten, kam Joe mit Tomas auf dem Arm an der Trockenscheune vorbei. Perez, einer der Arbeiter, war gerade dabei, seinem Sohn eine gehörige Abreibung zu verpassen; er prügelte auf den vielleicht achtjährigen Jungen ein wie auf einen Hund, der ihm sein Abendessen weggefressen hatte. »He!«, rief Joe und wollte dazwischengehen, doch im selben Moment trat ihm Ciggy in den Weg.

Perez und sein Sohn sahen verwirrt zu Joe hinüber. Dann verpasste der Vater seinem Sohn eine weitere Ohrfeige, bevor er ihm nach allen Regeln der Kunst den Hintern versohlte.

»Muss das sein?«, fragte Joe.

Tomas wand sich auf Joes Arm und streckte seine Ärmchen nach Ciggy aus, den er mittlerweile in sein Herz geschlossen hatte.

Ciggy hielt den Kleinen hoch in die Luft und wurde mit lautem Kichern belohnt.

»Glauben Sie, Perez tut das gern? Glauben Sie ernstlich, er hat sich heute Morgen nach dem Aufwachen vorgenommen, seinen Sohn mal so richtig zu verprügeln, damit er ihn auch ganz bestimmt hassen lernt? O nein, *patrón*. Er ist aufgestanden in dem Wissen, dass er für seine Familie sorgen muss, damit sie etwas zu essen haben, ein Bett und ein Dach über dem Kopf. Er macht sich Sorgen wegen der Ratten in ihrer Hütte, grübelt darüber, wie er seinen Kindern den rechten Weg weisen, wie er seiner Frau zeigen soll, dass er sie liebt. Ihm bleiben am Tag vielleicht fünf Minuten für sich selbst, er hat nicht mehr als vier Stunden Schlaf in der Nacht, bevor er wieder aufs Feld geht, und wenn er morgens das Haus verlässt, hört er seinen Jüngsten vor Hunger weinen. Und doch kehrt er jeden Abend ins Dorf zurück, bevor der ganze Zirkus am nächsten Tag von vorn losgeht. Und dann bekommt sein Sohn einen Job von Ihnen, *patrón*, und das ist wie ein Geschenk des Himmels. Und was tut der Junge? Er vermasselt seine große Chance. *Cono*. Da braucht er sich weiß Gott nicht zu wundern, wenn es Prügel setzt. Lieber Prügel als Hunger.«

»Was hat er denn angestellt?«

»Er sollte auf das Feuer in der Trockenscheune achten, aber er ist dabei eingeschlafen. Um ein Haar wäre die ganze Ernte verbrannt.« Er gab Joe seinen Sohn zurück. »Er selbst hätte dabei umkommen können.«

Als Joe abermals zu Vater und Sohn hinübersah, hatte Perez einen Arm um seinen Jungen gelegt, der heftig nickte. Er sprach leise auf ihn ein und küsste ihn mehrmals auf die Stirn. Die Lektion war vorbei, wenngleich die Küsse den Kleinen nicht zu besänftigen schienen. Und so gingen beide wieder an ihre Arbeit.

Als die getrockneten Tabakblätter aus der Scheune ins Packhaus hinübergebracht wurden, war auch das Baseballfeld fertig. Die Blätter für den Verkauf vorzubereiten blieb größtenteils den Frauen überlassen, die morgens den Hügel zur Plantage hinaufmarschierten; ihre Gesichter und Hände waren ebenso hart wie die der Männer. Während sie damit begannen, den Tabak entsprechend seiner Qualität zu sortieren, ging Joe mit den Jungs zum Feld, wo er die Handschuhe, Bälle und Schläger verteilte, die erst am Tag zuvor eingetroffen waren. Er überreichte ihnen die drei Kissen für die Bases und die Gummimatte für die Home Plate.

Und als sie anfingen zu spielen, war es, als hätte er ihnen Flügel verliehen.

In den frühen Abendstunden sah er sich mit Tomas die Spiele an. Manchmal begleitete sie Graciela, doch ihre Anwesenheit brachte so manchen pubertierenden Jüngling sichtlich aus dem Konzept. Tomas, der sonst stets in Bewegung war, verfolgte mit großen Augen das Geschehen auf dem Platz. Mucksmäuschenstill saß er da, die Hände zwischen die Knie geklemmt, und obwohl er das Spiel noch nicht verstehen konnte, hatte es auf ihn dieselbe Wirkung wie Musik oder warmes Wasser.

Eines Abends sagte Joe zu Graciela: »Abgesehen von uns ist Baseball das Einzige, was den Leuten hier Hoffnung gibt. Die Jungs können nicht genug kriegen davon.«

»Wie schön.«

»Großartig ist das! Du kannst über Amerika sagen, was du willst, aber wir haben ein paar echte Exportschlager in petto.«

Sie lächelte süffisant. »Und für die lasst ihr euch auch anständig bezahlen.«

Das taten doch alle, dachte Joe. Was, wenn nicht der freie Handel, hielt die Welt denn sonst am Laufen? *Wir geben euch etwas, und ihr gebt uns etwas dafür zurück.*

Er liebte seine Frau, aber sie schien noch immer nicht begriffen zu haben, dass ihre Heimat dabei gar nicht so schlecht wegkam. Sicher, die Kubaner waren nach wie vor abhängig von den USA, aber bevor die Amerikaner ihnen zu Hilfe gekommen waren, hatten die Spanier ihnen nichts hinterlassen als Malaria, schlechte Straßen und ein durch und durch marodes Gesundheitssystem. Unter Machado hatte sich wenig daran geändert. Aber jetzt, seit Oberst Batista an der Macht war, gab es wenigstens eine funktionierende Infrastruktur. Ein Drittel des Landes und halb Havanna hatten bereits Strom und fließend Wasser. Es gab gute Schulen und vernünftige Krankenhäuser. Die Lebenserwartung war gestiegen. Sogar Zahnärzte gab es.

Gewiss, Amerika exportierte sein Wohlwollen gern mit vorgehaltener Waffe. Doch welches Land hatte die Zivilisation je auf friedlichem Wege vorangebracht?

Und hatten sie in Ybor nicht dasselbe getan? Sie hatten mit Blutgeld Krankenhäuser gebaut, mit ihren Gewinnen aus dem Rumgeschäft Frauen und Kinder von der Straße geholt.

Seit Anbeginn der Zeit waren gute Taten mit schmutzigem Geld erkauft worden.

Und hier, im baseballverrückten Kuba, in einer Gegend, wo sie das Spiel bis vor kurzem noch mit Stöcken und bloßen Händen gespielt hatten, trugen sie nun Handschuhe, so neu, dass das Leder knarzte, und schwangen brandneue Schläger durch die Luft. Und jeden Abend nach getaner Arbeit, wenn das tägliche Soll geerntet und verpackt war, wenn die Luft nach feuchtem Tabak und Teer roch, saß Joe neben Ciggy in einem Sessel und beobachtete, wie die Schatten über die Felder krochen. Sie besprachen, wo sie die Grassamen kaufen würden, um den steinigen Acker in ein brauchbares Spielfeld zu verwandeln. Ciggy war zu Ohren gekommen, dass es hier in der Gegend eine Liga gab, und Joe bat ihn, sich genauer umzuhören, da es im Herbst auf der Plantage ohnehin nicht mehr so viel zu tun gab.

Am Auktionstag erzielte ihr Tabak den zweithöchsten Preis. Vierhundert Lagen mit einem Durchschnittsgewicht von hundertfünfundzwanzig Kilo gingen an einen einzelnen Käufer, die Robert Burns Tobacco Company. Burns stellte die neueste amerikanische Zigarrensensation her: die Panatela.

Um ihren Erfolg gebührend zu feiern, bekamen alle Arbeiter, Männer und Frauen eine Prämie ausgezahlt, und Joe verteilte zwei Kisten Suarez-Rum im Dorf. Auf Ciggys Vorschlag hin mietete er sogar einen Bus und spendierte dem Baseballteam seinen ersten Kinobesuch. Zusammen fuhren sie ins Bijou nach Viñales.

In der Wochenschau ging es um die Nürnberger Gesetze, die in Deutschland gerade in Kraft getreten waren – die Aufnahmen zeigten verängstigte Juden, die ihre Habseligkeiten in ein paar Koffer warfen und alles andere hinter sich zurückließen, um mit dem nächstbesten Zug ins Ausland zu entkommen. Joe hatte erst kürzlich irgendwo gelesen, dass man den Reichskanzler Adolf Hitler wohl tatsächlich als eine Bedrohung des brüchigen Friedens in Europa ansah, doch er bezweifelte, dass dieser lächerliche kleine Mann mit seinem Irrsinn noch viel weiter kommen würde, jetzt, da die ganze Welt auf das Deutsche Reich sah. Mit solcher Politik war doch beim besten Willen kein Profit zu machen.

Die Kurzfilme, die im Anschluss gezeigt wurden, waren nicht der Rede wert. Trotzdem wollten sich die Jungs schier kaputtlachen, ihre Augen so groß wie die Baseballhandschuhe, die er ihnen neulich geschenkt hatte. Es dauerte einen Moment, bis Joe begriff, dass sie die Wochenschau für den Hauptfilm gehalten hatten, so unbekannt war ihnen das Medium.

Der Film, der an diesem Abend gezeigt wurde, war ein Western mit Max Moran und Estelle Summers in den Hauptrollen – *Der Ritt über den Höllenpass.* Als der Vorspann über die Leinwand flimmerte, scherte sich Joe, der sowieso nicht sonderlich viel von Filmen hielt, keinen Deut darum, wer für die Produktion verantwortlich war. Genau genommen wollte er sich gerade seinen rechten Schuh zubinden, als ein Name auf der Leinwand ihn plötzlich aufmerken ließ:

Drehbuch
Aiden Coughlin

Joe sah zu Ciggy und den Jungs hinüber, doch niemandem war etwas aufgefallen. *Das ist mein Bruder,* hätte er am liebsten gesagt. *Mein Bruder.*

Auf der Fahrt mit dem Bus zurück nach Arcenas wollte ihm der Film nicht mehr aus dem Kopf gehen. Keine Frage, es war ein Western, wie er im Buche stand, mit vielen Schießereien, einer jungen Dame in Not und einer halsbrecherischen Verfolgungsjagd, bei der eine Postkutsche nur knapp einem Sturz in den Abgrund entging. Aber wer Danny kannte, der wusste, dass weit mehr dahintersteckte. Tex Moran, die Hauptfigur, war ein ehrlicher Sheriff, der es mit einer verkommenen Stadt zu tun bekam. Einer Stadt, in der sich eines Nachts die Stützen der Gemeinde zusammenfanden, um ein Mordkomplott gegen einen dunkelhäutigen Einwanderer zu schmieden, der als Farmer unter ihnen lebte. Angeblich hatte er der Tochter eines der Honoratioren zu lang ins hübsche Gesicht geschaut. Am Ende war der Film weniger radikal, als der Anfang versprochen hatte – die guten Städter wurden zum Besseren bekehrt, doch erst, nachdem der Einwanderer von einer Bande Fremder mit schwarzen Hüten getötet worden war. Soweit Joe es beurteilen konnte, bestand die Moral des Films offenbar darin, dass eine Gefahr von außen immer eine größere Bedrohung darstellte. Was schlicht und einfach Unfug war, das wusste Danny garantiert ebenso gut wie er selbst.

Trotzdem hatten sie sich köstlich amüsiert; die Jungs waren völlig aus dem Häuschen. Die ganze Busfahrt redeten sie über nichts anderes als die Colts und Patronengurte, die sie sich kaufen würden, wenn sie groß waren.

Im Spätsommer erhielt er aus Genf ein Paket, in dem sich seine Uhr befand. Sie lag in einem mit Samt ausgeschlagenen Mahagonikästchen und war auf Hochglanz poliert.

Joe war so außer sich vor Freude, dass er sich erst nach Tagen eingestand, dass sie immer noch ein wenig nachging.

Im September erhielt Graciela per Post die Nachricht, dass der Freundeskreis von Ybor sie zum Dank für ihr soziales Engagement zur Frau des Jahres gewählt hatte. Der Freundeskreis von Ybor war ein loser Zusammenschluss von Kubanern, Spaniern und Italienern, die sich einmal im Monat trafen, um gemeinsame Anliegen zu verhandeln. Allein im ersten Jahr hatte sich der Freundeskreis dreimal aufgelöst; nahezu jedes Treffen war in Zank und Streit geendet. Meistens lagen sich die Spanier und die Kubaner in den Haaren, doch um nicht außen vor zu bleiben, pflegten sich die Italiener ebenfalls gelegentlich einzumischen. Nachdem genug böses Blut geflossen war, hatten sie sich schließlich auf ihre Gemeinsamkeiten besonnen und in kürzester Zeit zu einem höchst einflussreichen Interessenverband entwickelt. Sollte Graciela die Ehrung annehmen, hieß es in dem Brief, würde aus diesem Anlass am ersten Oktoberwochenende eine Gala im Don Ce-Sar Hotel in St. Petersburg Beach stattfinden.

»Was meinst du?«, fragte Graciela ihn beim Frühstück.

Joe fühlte sich beschissen. Seit einiger Zeit verfolgte ihn ein immergleicher Alptraum. Er träumte, dass er mit seiner Familie irgendwo in einem fernen Land war, er hatte das Gefühl, es müsse Afrika sein, wusste jedoch selbst nicht, wie er darauf kam. Vielleicht, weil sie inmitten von hohem Gras standen und es verdammt heiß war. Am Rand seines Blickfelds, weit weg von ihnen, tauchte stets sein Vater auf. Er sagte kein Wort, sah nur zu, wie sich die Panther anschlichen, geschmeidig und mit gelben Augen. Ihr Fell hatte denselben Braunton wie das hohe Gras, so dass man sie erst sah, wenn es bereits zu spät war. Als Joe sie bemerkte, stieß er einen gellenden Schrei aus, um Graciela und Tomas zu warnen, doch die Raubkatze, die auf seiner Brust saß, hatte ihm bereits die Kehle durchgebissen. Er sah das Rot seines Blutes an den riesigen weißen Zähnen, und dann schloss er die Augen, als sich der Kopf der Katze ein zweites Mal herabsenkte.

Er trank noch einen Schluck Kaffee und verbannte den Traum aus seinem Kopf.

»Ich finde«, sagte er, »dass du mal wieder in Ybor vorbeischauen solltest.«

Die Renovierung des Hauses ging schneller voran als erwartet. Und in der Woche zuvor hatten Joe und Ciggy bereits den Rasen für das Spielfeld ausgesät. Einstweilen hielt sie nichts in Kuba außer Kuba selbst.

Sie fuhren Ende September, als die Regenzeit vorüber war. Sie verließen Havanna mit einem Dampfschiff, überquerten die Florida Straits und schipperten dann die Westküste der Halbinsel entlang, bis sie am späten Nachmittag des 29. September in Tampa anlegten.

Bei ihrer Ankunft wurden sie von Seppe Carbone und Enrico Pozzetta in Empfang genommen, die unter Dion rasant Karriere gemacht hatten. Seppe hielt ihm Seite fünf der *Tribune* entgegen:

Wie dem Artikel zu entnehmen war, hatte der Ku-Klux-Klan bereits entsprechende Maßnahmen angekündigt, und das FBI erwog seine Verhaftung.

»Du liebe Güte«, sagte Joe, »wie kommen die nur immer auf diesen Mist?«

»Darf ich Ihnen den Mantel abnehmen, Mr. Coughlin?«, fragte Seppe.

Joe trug einen Regenmantel aus Seide über seinem Anzug. Er war in Lissabon für ihn angefertigt worden, und der Stoff lag so federleicht um seine Schultern, dass er ihn kaum spürte, doch kein Regenguss würde ihm etwas anhaben können. Während der letzten Stunden auf dem Schiff hatte Joe beobachtet, wie sich dunkle Wolken über ihnen zusammenballten. Die Regenzeit in Kuba mochte um ein Vielfaches schlimmer sein als hier, doch auch in Tampa war es kein Vergnügen, nass zu werden.

»Danke, ich behalte ihn an«, sagte Joe. »Aber du könntest meiner Frau das Gepäck abnehmen.«

»Selbstverständlich, Mr. Coughlin.«

Sie verließen die Ankunftshalle und gingen zum Parkplatz, Seppe rechts von Joe, Enrico links von Graciela. Joe trug Tomas, der ihm die Arme um den Hals gelegt hatte. Er sah gerade auf seine Uhr, als der erste Schuss fiel.

Seppe starb im Stehen. Er ließ Gracielas Tasche nicht los, als die Kugel sich ihren Weg durch seinen Schädel bahnte. Joe wandte sich um, als Seppe zu Boden ging. Dem ersten Schuss folgte ein zweiter, worauf der Schütze etwas mit rauher Stimme hervorstieß. Tomas fest an sich gepresst, warf

Joe sich schützend auf Graciela; zusammen stürzten sie zu Boden.

Tomas schrie auf, eher vor Schreck als vor Schmerz, und Graciela gab ein Ächzen von sich. Er hörte, wie Enrico zu feuern begann, doch als er zu ihm hinüberblickte, sah er, wie Blut seinen Hals hinabströmte, viel zu viel und viel zu schnell. Trotzdem feuerte er weiter, was das Zeug hielt, zielte dabei unter einen Wagen, der nur wenige Meter von ihnen entfernt stand.

Und plötzlich verstand Joe, was der Schütze sagte.

»Tut Buße. Tut Buße.«

Tomas gab erneut einen spitzen Schrei von sich – und diesmal war es eindeutig Angst, die in seiner Stimme schwang.

»Alles in Ordnung?«, fragte er Graciela.

»Ja, mir ist nur einen Moment die Luft weggeblieben. Geh schon.«

Joe rollte sich seitlich ab, zog seine 32er und schoss in die gleiche Richtung wie Enrico.

»Tut Buße.«

Zusammen feuerten sie auf ein Paar braune Stiefel, die sie unter dem Auto erkennen konnten.

»Tut Buße.«

Und dann landeten Joe und Enrico gleichzeitig einen Volltreffer. Enrico blies ein Loch in den linken Stiefel des Angreifers, im selben Moment, als Joes Kugel dessen Knöchel zerschmetterte.

Enrico hustete ein letztes Mal, und einen Sekundenbruchteil später war er tot. Es ging so schnell, dass die Waffe in seiner Hand noch immer qualmte. Joe sprang über die Motorhaube des Wagens und sah sich plötzlich Irving Figgis gegenüber.

Er trug einen braunen Anzug, ein vergilbtes weißes Hemd und einen Strohhut. Er benutzte den langen Lauf seiner Pistole, um sich aufzurichten. Und dann stand er vor Joe auf dem Kies; sein zerschossener Fuß hing nutzlos an seinem Knöchel, die Waffe baumelte von seiner Hand.

Er sah Joe in die Augen. »Tu Buße.«

Joe hielt seine Waffe weiter auf Figgis' Brust gerichtet.

»Ach ja? Wem gegenüber?«

»Vor Gott.«

»Wer sagt, dass ich das nicht schon längst getan habe?« Joe trat einen Schritt näher. »Aber ich werde sicher nicht vor dir Buße tun, Irv.«

»Dann bereue vor Gott.« Figgis' Atem ging flach und schnell. »In meiner Gegenwart.«

»Nein. Weil ich dir keine Rechenschaft schuldig bin.«

Ein Schauder überlief Irving Figgis, und er schloss die Augen.

»Sie war mein kleines Mädchen.«

Joe nickte. »Aber ich habe sie dir nicht genommen, Irv.«

»Aber Leute deines Schlages.«

Irving Figgis öffnete die Augen und richtete den Blick auf eine Stelle an Joes Hüfte.

Joe sah kurz an sich herab, konnte aber nichts Ungewöhnliches erkennen.

»Leute wie du«, wiederholte Figgis. Noch immer starrte er auf Joes Hüfte.

»Und was sollen das für Leute sein?«

»Menschen, die Gott nicht im Herzen tragen.«

»Gott ist sehr wohl in meinem Herzen. Es ist nur nicht

dein Gott. Hast du dich mal gefragt, warum sie sich in deinem Bett umgebracht hat?«

»*Was?*« Nun liefen Figgis Tränen über die Wangen.

»Drei Schlafzimmer, und ausgerechnet in deinem hat sie es getan. Warum, Irv?«

»Du bist ein krankes, einsames Schwein. Ein krankes, einsames …« Figgis hob den Blick und sah über Joes Schulter, dann wieder auf seine Hüfte.

Abermals blickte Joe an sich herab. Und was er nun entdeckte, war noch nicht da gewesen, als er das Schiff verlassen hatte. Und es war auch nicht an seiner Hüfte, sondern an seinem Mantel. *In* seinem Mantel.

Ein Loch. Ein kreisrundes Loch auf der rechten Seite.

Figgis sah ihn an. Die nackte Scham stand ihm ins Gesicht geschrieben.

»Es …«, brachte er hervor. »Es tut mir so leid.«

Joe versuchte immer noch zu begreifen, was eigentlich passiert war, als Figgis urplötzlich auf die Straße sprang und sich vor einen herandonnernden Kohlelaster warf.

Der Lastwagen erfasste ihn, bevor der Fahrer überhaupt wusste, wie ihm geschah, und als er schließlich bremste, geriet das tonnenschwere Gefährt ins Schlingern, zermalmte Irving Figgis regelrecht, als er unter die Räder gerissen wurde.

Joe hörte immer noch das Kreischen der Bremsen, als er sich abwandte und das Loch in seinem Regenmantel abermals in Augenschein nahm. Die Kugel war von hinten eingedrungen, hatte den Stoff fein säuberlich durchtrennt, nur wenige Zentimeter von seinem Hüftknochen entfernt. Offenbar war ein Luftzug unter seinen Mantel gefahren, als er sich schützend über seine Familie geworfen hatte. Als er …

Er fuhr herum und erblickte Graciela, die sich aufzurichten versuchte, sah das Blut, das aus ihrem Bauch quoll. Mit einem Satz über die Motorhaube war er bei ihr, landete auf allen vieren neben seiner Frau.

»Joseph?«

Er hörte die Angst in ihrer Stimme. Die *Gewissheit*. Er riss sich den Mantel herunter. Die Wunde befand sich oberhalb ihrer Leiste, und er presste den zusammengeknüllten Stoff darauf, während er immer wieder das gleiche Wort ausstieß: »Nein, nein, nein, nein, nein, nein, nein, nein!«

Sie versuchte nicht einmal mehr, sich zu bewegen. Wahrscheinlich fehlte ihr die Kraft dazu.

Eine junge Frau steckte den Kopf aus der Tür der Ankunftshalle, und Joe brüllte: »Einen Arzt! Holen Sie einen Arzt!«

Die Frau verschwand im Inneren der Halle, und Joe sah, wie Tomas ihn mit weit aufgerissenem Mund anstarrte, auch wenn kein einziger Ton über seine Lippen drang.

»Ich liebe dich«, sagte Graciela. »Ich habe dich immer geliebt.«

»Nein!«, rief Joe und presste seine Stirn an die ihre. Er drückte den Mantel auf die Wunde, so fest er konnte. »Nein, nein, nein. Du bist doch … Du bist … Nein!«

»Schhh.«

Er hob den Kopf, während das Licht in ihren Augen verdämmerte, mit jeder noch verbleibenden Sekunde schneller schwand.

»… mein Ein und Alles.«

29

Ein Mann seines Ranges

Er blieb Ybor gewogen, obwohl ihn nur noch wenige kannten. Sicher jedoch kannte ihn niemand als den Mann, der er gewesen war, als sie noch gelebt hatte. Damals war er stets freundlich und für einen Mann seines Metiers erstaunlich aufgeschlossen gewesen. Freundlich war er immer noch.

Einige sagten, er sei schnell gealtert. Sein Schritt wirkte unsicher, als würde er hinken, auch wenn dem keineswegs so war.

Manchmal nahm er den Jungen mit zum Angeln. Bei Sonnenuntergang bissen die Barsche am besten. Dann saßen sie auf der Ufermauer, und er zeigte ihm, wie man mit der Angelschnur umging. Hin und wieder legte er den Arm um die Schultern des Jungen, flüsterte ihm etwas ins Ohr und deutete über das Wasser, dorthin, wo Kuba lag.

Danksagung

Meine Dankbarkeit gilt:

Tom Bernardo, Mike Eigen, Mal Ellenburg, Michael Koryta, Gerry Lehane, Theresa Milewski und Sterling Watson für sein Feedback zum Manuskript.

Den Mitarbeitern des Henry B. Plant Museums des Don Vicente De Ybor Inn in Tampa.

Dominic Amenta von der Regan Communications Group für seine Auskünfte über das Hotel Statler in Boston.

Und ein spezielles Dankeschön an Scott Deitche für die Mafia-und-Zigarren-Tour durch Ybor City.

Dennis Lehane
Mystic River

Roman. Aus dem Amerikanischen
von Sky Nonhoff

Dave, Jimmy und Sean kannten sich schon als Kinder. Nun, 25 Jahre später, kreuzen sich die Wege der drei grundverschiedenen Männer erneut unter tragischen Umständen, als Jimmys Tochter Katie ermordet aufgefunden wird. Sean, inzwischen Polizist, führt die Ermittlungen, und schon bald steht sein alter Freund Dave unter Verdacht. Während Jimmy den Mörder seiner Tochter auf eigene Faust sucht, um Rache zu nehmen, geraten die Freunde aus Kindertagen immer tiefer in einen reißenden Strudel aus Misstrauen, Ungewissheit und Gewalt – und gefährlich nah an den Abgrund ihrer eigenen Vergangenheit.

Dennis Lehanes Weltbestseller – 2003 von Clint Eastwood mit Sean Penn, Kevin Bacon und Tim Robbins in den Hauptrollen verfilmt und mit zwei Oscars prämiert – in neuer Übersetzung.

»Ein Roman wie ein Kraftwerk. Herzzerreißend und eindringlich.« *The New York Times*

»Dennis Lehane ist ein Meister des Thrillers.«
Manfred Papst / NZZ am Sonntag, Zürich

Auch als Diogenes Hörbuch erschienen,
gelesen von Stefan Kaminski

Dennis Lehane
The Drop
Bargeld

Roman. Aus dem Amerikanischen
von Steffen Jacobs

Bob Saginowski ist Barkeeper. Er ist freundlich und fleißig. Und er ist schuldig. Eine Schuld, die er seit zwanzig Jahren auf seine Weise abbüßt – indem er es sich selbst versagt, am Leben teilzunehmen. Seit zwanzig Jahren arbeitet Bob in Marvins Bar, die schon lange nicht mehr Marvins Bar ist, sondern in der Hand der tschetschenischen Mafia. In manchen Nächten deponieren die Tschetschenen die Einnahmen aus ihren schmutzigen Geschäften in Marvins Bar. Und in einer dieser Nächte vergessen zwei Junkies, wer in diesem Teil der Stadt die Gesetze macht. Der Überfall auf die Bar bringt ihnen 5000 Dollar. Für Bob allerdings ist er mehr als nur eine unangenehme Episode, denn der Überfall bedeutet Aufmerksamkeit: die der Mafia und die der Polizei. Doch Bob hat jetzt einen Hund: Rocco. Er hat eine Freundin: Nadia. Und er hat ein gefährliches Geheimnis.

2014 von Michael R. Roskam nach dem Drehbuch von Dennis Lehane verfilmt. In den Hauptrollen: Tom Hardy, Noomi Rapace und James Gandolfini.

»Dennis Lehane verdient es, zu den interessantesten und versiertesten amerikanischen Schriftstellern gleich welchen Genres gezählt zu werden.«
Washington Post

»Ein herausragender Schriftsteller.«
Los Angeles Times

Jakob Arjouni
im Diogenes Verlag

Happy birthday, Türke!
Kayankayas erster Fall. Roman

Ein Türke wird in einem Bordell ermordet. Für die Polizei offenbar kein Grund für genaue Ermittlungen. Da engagiert die Witwe den Privatdetektiv Kemal Kayankaya, und der wirbelt Staub auf.

»Kemal Kayankaya, der zerknitterte, ständig verkaterte Held in Arjounis Romanen *Happy birthday, Türke!*, *Mehr Bier*, *Ein Mann, ein Mord* und *Kismet* ist ein würdiger Enkel der übermächtigen Großväter Philip Marlowe und Sam Spade.«   *Stern, Hamburg*

»Der beste Kriminalroman, den ein Autor deutscher Zunge je geschrieben hat.«
Christian Seiler/Kurier, Wien

Auch als Diogenes Hörbuch erschienen,
gelesen von Rufus Beck

Mehr Bier
Kayankayas zweiter Fall. Roman

Vier Mitglieder der ›Ökologischen Front‹ sind wegen Mordes an dem Vorstandsvorsitzenden der ›Rheinmainfarben-Werke‹ angeklagt. Zwar geben die vier zu, in der fraglichen Nacht einen Sprengstoffanschlag verübt zu haben, sie bestreiten aber jede Verbindung mit dem Mord. Nach Zeugenaussagen waren an dem Anschlag fünf Personen beteiligt. Privatdetektiv Kemal Kayankaya soll den verschwundenen fünften Mann finden.

»Arjouni hat Geschichten von Mord und Totschlag zu erzählen, aber auch von deren Ursachen, der Korruption durch Macht und Geld, und er tut dies knapp, amüsant und mit bösem Witz. Seine auf das Nötigste abgemagerten Sätze fassen viel von dieser schmutzigen Wirklichkeit.« *Neue Zürcher Zeitung*

»Der beste deutsche Nachkriegskrimi kam aus Frankfurt: Jakob Arjounis *Happy birthday, Türke!* und sein Nachfolgeband *Mehr Bier*.«
Tom Appleton / Süddeutsche Zeitung, München

Auch als Diogenes Hörbuch erschienen,
gelesen von Rufus Beck

Ein Mann, ein Mord

Kayankayas dritter Fall. Roman

Ein neuer Fall für Kayankaya. Schauplatz Frankfurt, genauer: der Kiez mit seinen eigenen Gesetzen, die feinen Wohngegenden im Taunus, der Flughafen. Kayankaya sucht ein Mädchen aus Thailand. Sie ist in jenem gesetzlosen Raum verschwunden, in dem Flüchtlinge, die um Asyl nachsuchen, unbemerkt und ohne Spuren zu hinterlassen, leicht verschwinden können. Was Kayankaya dabei über den Weg und in die Quere läuft, von den heimlichen Herren Frankfurts über korrupte Bullen und fremdenfeindliche Beamte auf den Ausländerbehörden bis zu Parteigängern der Republikaner mit ihrer Hetze gegen alles Fremde und Andere, erzählt Arjouni klar, ohne Sentimentalität, witzig, souverän.

»Jakob Arjouni ist es in *Ein Mann, ein Mord* endgültig gelungen, mit seinem Privatdetektiv Kayankaya eine literarische Figur zu erschaffen, die man nie mehr vergisst.« *Maxim Biller / Tempo, Hamburg*

»Wie wenige seiner Generation versteht es Arjouni, in ein paar Sätzen eine Figur entstehen zu lassen, ein Milieu und mitunter eine ganze Stadt.«
Jochen Förster / Die Welt, Berlin

Auch als Diogenes Hörbuch erschienen,
gelesen von Rufus Beck

Kismet

Kayankayas vierter Fall. Roman

Kismet beginnt mit einem Freundschaftsdienst und endet mit einem so blutigen Frankfurter Bandenkrieg, wie ihn keine deutsche Großstadt zuvor erlebt hat. Kayankaya ermittelt – nicht nach einem Mörder, sondern nach der Identität zweier Mordopfer. Und er gerät in den Bann einer geheimnisvollen Frau, die er in einem Videofilm gesehen hat.

»Mit *Kismet* ist Jakob Arjouni wiederum ein Wurf gelungen. Arjouni verfügt über ein exaktes Timing, seine Dialoge versprühen den lakonischen Witz einer Screwball-Comedy, und über allem liegt wie eine leichte Decke die Melancholie.«
Neue Zürcher Zeitung

Bruder Kemal

Kayankayas fünfter Fall. Roman

Der Frankfurter Privatdetektiv Kayankaya ist zurück: älter, entspannter, cooler – und sogar in festen Händen. Ein Mädchen verschwindet, und Kayankaya soll während der Frankfurter Buchmesse einen marokkanischen Schriftsteller beschützen. Zwei scheinbar einfache Fälle, doch zusammen führen sie zu Mord, Vergewaltigung, Entführung. Und Kayankaya kommt in den Verdacht, ein Auftragskiller zu sein.

»Großartig, wie Arjouni den Literaturbetrieb karikiert. Witzig, fulminant erzählt.«
Dagmar Kaindl / News, Wien

Außerdem erschienen:

Die Kayankaya-Romane
in einem Band im Schuber

Happy birthday, Türke / Mehr Bier /
Ein Mann, ein Mord / Kismet /
Bruder Kemal

Ross Macdonald
im Diogenes Verlag

Ross Macdonald (1915–1983) wird in Großbritannien
und Amerika und nun auch bei uns wiederentdeckt.
Seine Bücher wurden erfolgreich verfilmt, so zum
Beispiel *Unter Wasser stirbt man nicht* (1975) mit Paul
Newman und Joanne Woodward. Ross Macdonald
war Präsident der Mystery Writers of America. 1964
gewann er den Silver, 1965 den Gold Dagger Award.

»Die intelligente Konstruktion, die Kunst der Cha-
rakterisierung und die verbale Treffsicherheit sorgen
immer wieder dafür, dass man Ross Macdonald treu
bleibt.« *Die Zeit, Hamburg*

»Eine frische Neuübersetzung, die Macdonald endgültig neben Hammett und Chandler stellt.«
Philipp Haibach / Die Welt, Berlin

In Neuübersetzung
bisher erschienen:

Der blaue Hammer
Roman. Aus dem Amerikanischen
von Karsten Singelmann
Mit einem Nachwort von Donna Leon

Gänsehaut
Roman. Deutsch von Karsten Singelmann
Mit einem Nachwort von Donna Leon

Dornröschen
Roman. Deutsch von Karsten Singelmann
Mit einem Nachwort von Donna Leon